U0142085

黃錦鋐教授近照

黃公千頃陂挹之不能竟好學勤劬儕骨格騫以
勁坦化從易老朗照如明鏡閑共長生杓舞雩
得風詠結契五十載陰霾勞相瞑公門桃李多
稱觴再拜敬海屋百添籌老健尤婷嫋著述
名山藏播芳執敢競欽襟唯肅然賦筆聽枝蔓

辛巳之夏奉祝

天成學長八秩榮慶

弟　汪中拜藁

慶祝莆田黃錦鋐教授八秩嵩壽論文集

慶祝莆田黃錦鋐教授八秩嵩壽論文集編委會編

文史哲出版社印行

序

閩南地區，內有名山聳峙，外有汪洋環繞；鍾靈毓秀，地旺人傑，向來人文薈萃，賢哲輩出，對中華民族歷史的發展，影響至為深遠。莆田一帶，近代尤其孕育出不少通儒與大師，他們或在學術上成就非凡，或在教育上貢獻卓越；造福社會國家，深受世人所敬重，如吾師黃公錦鋐即是代表之一。

黃師生於西元一九二二年，秉性篤厚，思慮敏捷，自幼沈靜而愛好讀書。雖然家境清寒，卻博覽群籍，晝夜不懈。因曾在私塾受教，故對儒學經典，涵泳特深。就讀小學、中學期間，也以專心致志，刻苦向學而成績斐然，深受諸多師長所器重。後因戰亂之故，輾轉前來臺灣，考入臺灣師範大學國文學系就讀，獲得章微穎、許世瑛、程發軔、高鴻縉等諸位大師所賞識而特予以啓迪指點。以博學篤志，切問近思，學養器識益為恢宏精進。一九五〇年以優異成績完成學業，為臺灣師大國文學系首屆畢業生。畢業之後，懷抱學以致用，弘揚國學，培育青年子弟為職志，先後在淡江中學、淡江文理學院、臺灣師大等學府任教。復因深感學海浩瀚無涯，百尺竿頭，猶須更進一步，於是在師母和子女的熱烈支持下，儲積學費，勤習日語，排除重重困難，兩度赴日本深造，在大阪大學及九州大學鑽研漢學。由於沉浸日久，造詣獨特，學術成就輝煌，於一九八〇年以將近耳順之齡，榮獲九州大學文學博士學位，有志竟成，實至名歸。其間因經常切磋討論之故，並與九州大學教授町田三郎博士結為至交；中、日學人，志同道合，而友誼彌堅，學界傳為美談。

老師的人生觀在以研究學術和教育後進為己任，曾任小學、中學、專科學校教師及教務主任。執教上庠期間，歷任淡江文理學院研究教授兼中文系主任、兼文學部主任、城區部主任、臺灣師範大學教授兼國文系主任、兼國文研究所所長、政治大學、東吳大學、逢甲大學兼任教授。又應政府之聘，擔任教育部人文社會教育學科指導委員會國語文組主持人、國立編譯館高級中學及國民中學國文科教科用書編審委員會主任委員及總訂正等職務。自教職榮退之後，於一九九九年受聘為國立臺灣師範大學首位名譽教授。如今雖居八秩高齡，對於學術研究，仍然發憤忘食，樂以忘憂；焚膏油以繼晷，恆兀兀以窮年。

老師著作等身，主要著述有《莊子讀本》、《莊子及其文學》、《莊子及郭象》、《六十年來之莊子學》、《秦漢思想史》、《文心雕龍譯註》、《文心雕龍研究論文集》、《中學國文教材教法》、《實用國文教學法》、《晚學齋文集》、《大學國文選》校訂本及在大學研究所講授的「老莊研究」、「日本漢學研究」、「中國學術流變史」、「中國文學史」等課程稿本。至於平素研究所得而撰寫的專篇論述，則不計其數；而悉心指導的博、碩士論文之多，更無法一一列舉。由此可知老師既博通於孔孟學說，亦精深於老莊思想；於先秦兩漢，將諸子論說剖析其優劣利弊所在；於魏晉六朝，對《文心雕龍》專探究其奧賾菁華；教材教法以國文教學為中心，學術交流以中、日漢學為主軸。就其德業與文章而言，衡之當今，稱之為通儒與大師，洵非溢美之詞。

老師具有宏遠的學術視野與胸襟，畢生心力所投注的是傳承聖哲濟世之學，發揚中華文化；對於優質的西方文明也能求同存異，兼容並包。他曾在國內外多次學術演講中揭示：當今治學必須人文與科技並重、傳統與現代兼賅、中學與西學相容，使主體性與國際觀平衡發展，歷史傳承與現實社會相互融合。

老師的教育理念著重全人教育，認為教育必須志道、據德、依仁、游藝，求知、強身、敬業、樂群諸目兼施，纔能使人窮理盡性，止於至善，達到近代心理學家馬斯洛所謂「自我實現」的境界。他也倡導終身學習的論點，以為孔子十五志學，三十而立，四十不惑，五十知天命，六十耳順，七十從心所欲不逾矩，即是一種終身學習的歷程。其思維和西方哲人伊麗莎白·柯波拉所謂「人生是不斷的學習，當再找不到東西可學習時，即是到了生命盡頭」之見解不侔而合。老師治學嚴謹，蓄積深厚，故授課時博採百家，援經據典，左右逢源，滔滔不絕，語語充滿啓發性與誘導力，使學生們獲益不盡。每當學子有所請益，老師必針對問題，探原竟委，傾囊相授，不厭其詳，使人人疑惑渙然冰釋，滿載而歸。平生所教育的弟子成千上萬，都能立德立業，造福人群；所指導的博、碩士論文，累積近百篇，每篇都是字字珠璣，創見迭出。

老師擔任教職數十年，收入雖不豐裕，卻將薪資作最有效的運用，以之幫助學子，不遺餘力。如在他擔任臺灣師大國文系所主管期間，為關注家境清寒的學生，期望其生活有所改善，特地籌款數十萬元，設置系主任獎學金，使清寒學生得以專心向學；又為感念其恩師章微穎教授在國文教學理論方面的貢獻，兼獎勵在「國文教材教法」、「國文教學與實習」等課程認真學習，成績優異的學生，再從有限的退休金中捐款百萬元，設置國文教學獎學金以獎掖後進，使國文教學的理論與實際得以永續發展。其裁成學子，倡導學術之苦心孤詣，誠令人無限敬佩。

老師家庭生活幸福美滿，師母出身名門，生性慈祥賢淑，國學造詣精湛，曾擔任中學國文教師及臺灣師大國語中心講席，與老師鶼鰈情深。平素對老師體貼關懷，無微不至，故老師得以專心治學與講學，無後顧之憂。二女一男，秉承優良家教，潔身自愛，力爭上游，齊家立業，均卓然有成。

老師平居雅愛品茗，每當烹煮佳茗以享訪客與學生之際，常可從其喜樂的談吐中獲得莫大的啓發。壯年時酒量與酒品俱佳，興之所至，千杯不醉，豪邁灑脱之神情，每每溢於言表。近年來因注意養生，已經頗為節制。

時光荏苒，猶憶一九九一年六月老師七十高齡時，門弟子有感於師恩浩蕩，特將平日教學與研究心得撰述成篇，哀輯為冊，題曰《慶祝莆田黃天成先生七秩誕辰論文集》，以為祝嘏。如今老師己臻耋耄嵩壽，老當益壯，矍鑠猶愈於往昔。弟子們慶幸欣喜之餘，於是倡議各人再將近作，擇其特優者，以之與老師至友參與慶祝所撰述之論文結集成册，出版發行，作為祝壽之禮。從通告、徵稿、編纂、付梓諸事，全由臺灣師大國文學系教授蔡宗陽博士統籌辦理，歷時年餘，耗神費力，辛勞可感。全集計分思想、文學、語言文字、教育四大類，共四十篇，近百萬言。撰稿者皆為大學教授，所任教學府，於國內有臺灣師大、高雄師大、清華大學、臺灣科技大學、臺南師院、屏東師院、淡江大學、逢甲大學、銘傳大學、元智大學、佛光人文社會學院、輔英技術學院以及大陸北京大學；於海外有日本長崎大學、福岡大學、韓國大田大學諸名校。論文之前，並刊載有老師至交及弟子們祝壽詩多篇，皆言切意誠，文情並茂，令文集倍增光彩。

總之，老師天性仁厚，虛懷若谷，嚴以立已，寬以待人。其治學也，取精用宏，全力以赴，數十年如一日；其施教也，循循善誘，諄諄誨諭，博我以文，約我以禮，具經師與人師於一身，是弟子們終身生學習、效法的最佳典範。古人有言：「高山仰止，景行行止，雖不能至，心嚮往之。」這是弟子們景仰老師的共同心境。欣逢老師八秩嵩壽，謹略述老師的道德文章以及本文集出版之緣起，並草擬四語，抒發至誠，以介眉壽。

武夷蒼蒼，閩江泱泱；先生教澤，綿延久長。

受業 **賴明德** 西元二〇〇一年六月於
國立臺灣師大副校長室

慶祝莆田黃錦鋐教授八秩嵩壽論文集目次

文學

語言文字

教育

祝壽詩

天成學長八秩榮慶

黃公千頃陂，挹之不能竟。好學勤弗倦，骨格騫以勁。坦化從易老，朗照如明鏡。
閑共長生杓，舞雩得風詠。結契五十載，陰霾勞相映。公門桃李多，稱觴再拜敬。
海屋百添籌，老健尤婷娉。著述名山藏，播芳孰敢競。歛襟吟肅然，賦筆慚枝蔓。

辛巳之夏 弟汪 中拜稿

壽錦公黃天成榮譽社員八十

羅 尚貢拙

一代師儒不數人，三千桃李萬方春。吟筵累舉金杯酒，共祝涪翁百福臻。
八十姜牙釣渭年，及身康健地行仙。辛勞解惑傳心久，橫舍論人孰更賢。

吟筵祝壽（古）

仝　前

春雨已過梅雨來，題詩愧盡江淹才。今夕吟筵兼祝壽，一杯一杯復一杯。
人生七十古來少，八十人人稱大老。燈火樓台百萬家，海陸珍饈同醉飽。

壽錦公夫子八秩嵩慶

受業陳新雄貢稿

章黃兩代各稱尊①。當世誰人可並論。榮譽新銜名教授，老莊舊學號專門。
貌同周顗清虛極，腹似邊韶經史存。只我最饒知己感，杖朝今喜頌高軒。

註一：國學界前有章炳麟、黃季剛師弟以聲韻小學名，今有章微穎、黃錦鋐師弟以國文教學名。

前　題　調寄十二月堯民歌

憶往日春雷隱隱。看今朝春水粼粼。入槐市青絲衮衮。眾生徒醉臉醺醺。
八十歲歡聲陣陣。舉兕觥獻壽紛紛。廣門閭變作德門閭。黯消魂重又喜消魂。
新巢痕壓舊巢痕。學兼人且識兼人。河汾玄亭三鼎分。溶漾公方寸。

前題　調寄水仙子

一身鶴骨性情豪。滿腹藏書歲月敖。鳴絃歌弟子齊聞道。看老莊原舊好。聽譽聲響若春濤。喜孜孜南天耀，興昂昂初杖朝。仰望彌高。

受業 陳新雄貢稿

壽錦鋐先生八十嵩慶

李鴻烈

堂堂歲月記前盟，擊水鯤鵬各異程。①島上自多吾勝友，尊前過半丈門生。廿年清影從知息，何樂今朝不可行。便欲來歸為公壽，先傳詩語說心聲。

註一：二十年前余始晤先生於台灣，時余方授莊子，而先生則早有莊子專著行世矣。

賀錦公八十壽

邱燮友呈稿

閩北山溫桃李花，江流水轉映朝霞。宋明理學稱能手，洙泗名聲尚足誇。君比蕭韓多慧智，才如莊老隱光華。若教生在農莊地，也是林園首富家。

恭祝莆田黃師天成八秩嵩壽

天降文星燦莆田，筆酣海著意高閒。成均化育標風骨，自此靈椿比壽年。
日擁書盈晚學齋，流連經子寄高懷。山川遐邇奇蹤遍，歲歲從今壽宴開。

受業　陳滿銘拜賀

恭壽錦公夫子八秩嵩慶

尤信雄

悠悠大塊生奇德，命世真儒歲月新，馬帳早盈八斗士，漆園已種六千椿。
斯文布濩歸高雅，林壑優遊有至仁，騰美總龜得私淑，霞觴頻舉最相親。

天成夫子八十嵩壽獻辭

沈秋雄

干戈值世亂，浮海作儒宗。①餘興詮秋水②，孤懷託晚松。
俚辭憑獎飾③，遊屐許追從。④花滿蓬山日，稱名奉一鍾。

註一：師精研儒學，相關著述甚夥。嘗先後主持淡江及師大國文系所，所裁成甚衆。
註二：師旁治南華經，有莊子讀本等著作。
註三：拙作雲在庵詩稿承師爲作序。
註四：師早年遊日韓，秋雄嘗有幸多次扈從。

壽莆田黃師天成八十

傅武光貢稿

古有大椿者，八千歲為秋。大年成大知，鯤鵬異蜩鳩。水擊三千里，摶飆以浮遊。
遊乎方之外，倏然忘百憂。惟所不能忘，人間酒一甌。偶然逢嘉會，高興結綢繆。
十觴都不醉，殷勤猶勸酬。舉座皆驚歎，黃師最風流。

恭壽　錦公夫子八秩榮慶

瓊筵獻壽應時開，卓犖淵清老幹梅。意解南華遺濁世，情同北海樂深盃。
映星帶月三餘惜，鑄史鎔經萬卷裁。此日漆園風正好，呼嵩桃李醉蓬萊。

受業文幸福拜稿

壽錦公夫子嵩慶八十

方鏡熹

昔時談笑說章黃，我亦叨陪講上庠。未度金鍼空比擬，遠違薪火乏斟量。
臺瀛桃李三千樹，魯殿參商一瓣香。遙祝杖朝夫子壽，隔洋呼取盡傾觴。

註：約於十年前，錦師蒞港出席章（太炎）黃（季剛）學會，因得遇焉。時余曾竊與言曰：「余今在中文大學亦講授國文教材教法，他日得另行召開章（銳初師）黃（錦鋐師）學會。」夫子聞之莞爾。

註：參商，指曾參、子夏傳夫子之學者。

錦鋐夫子八秩雙壽敬次伯元韻以祝

仙風道骨德堪尊，八秩精神孰比論。明徹老莊爭虎榜，善培桃李耀龍門。
岡陵獻頌勳長著，伉儷齊眉愛永存。晚學齋堂鷗鷺萃，稱觴祝嘏立芳軒。

弟子高明誠敬賀

水仙子　恭祝天成師八秩嵩慶敬和伯元師水仙子

九如頌獻仰文豪。三祝詩題敬綠醪。歌長春大德恆彰道。悟老莊齊物好。
聞眾生溺挽狂濤。福綿綿、雙星耀；集洋洋、四座褒。正氣昂高。

壽錦公夫子八秩榮慶

王甦

上庠振鐸早傳薪　桃李盈門笑語親，樂道無憂書作伴　誨人不倦德為鄰。
章黃兩氏欲方軌　學界同儕難望塵，共仰星輝祝嵩壽　籌添海屋八千春。

以孔子思想為主軸的中華文化之特質與前瞻

臺灣師範大學
國文系所教授　賴明德

一、前　言

孔子的思想是中華民族文化精神的典型，也是從長期的實際生活中所體驗和孕育而成的哲學思維、倫理原則和政治理想。它的實踐性質重於理論性質，道德意識重功利意識。它根本發端，在於從個人的反省和對他人的感通之中，形成了對個體的關懷和群體的關懷。孔子思想上承唐堯、虞舜、夏禹、商湯、文王、武王、周公的聖哲道統，下開中華民族二千多年來儒家文化的傳承和發皇，始終主導著我們民族的成長和開展，國家的建造和安定。由於歷史和社會的種種因素，在孔子思想中雖沒有明顯揭示自由、平等、人權等概念，卻也分強調人性的尊嚴和人的相互尊重。以孔子思想爲主體所開展的儒家思想體系，約略可歸納爲下列三項：一是天人合一，二是內聖外王，三是仁民愛物。所謂「天人合一」是指人當效法大自然所顯示的高貴精神，將自己的道德生命與之合一。如大自然界日月無不普照，本質是光明正大的，所以人也理當效法之，以開拓光明正大襟懷；大自然界雨露所均，無分畛域，對萬物的養育是公正無私的，所以人也理當效法之，以培養公正無私的品德；大自然界星球的運轉是行健有恆的，所以人也理當效法之，發揮自強不息的精神，這便是天人合一的主要意義。所謂「內聖外王」是指人以修養心性培育理想的人格，將行爲表率鍛鍊成具有卓越的領導才能，並將人格和才能結合，以服務群衆，促進社會的繁榮進步和文化的延續增長。所謂「仁民愛物」是指人與人之間，以仁慈的心地相互對待，以博愛的精神看待萬物。如群體之間，彼此的守望相助，權益的相互維護，困難的合力解決，群己關係的審愼正視；以及對動物、植物的愛護，對環境生態的保育，對各種水土資源的妥善開發和有效利用等。「天人合一在以道德實踐成就一切事業；內聖外王在以人文化成培育理想人格；人民愛物在以大同境界建構祥和社會這三項都可以從孔子思想中找到源頭活水我們今日所要體認的正是這種思想；所要弘揚的也是這種思想。

二、孔子的哲學思想在以道德實踐成就一切事業

孔子是好學的人，他的爲學是「述而不作，信而好古」（論語述而篇．論語二字，以下省略）。他的學問，一方面是從現實的生活中踐履體悟而得，一方面是從歷史的經驗中認知體悟而得。無論是踐履體悟或是認知體悟，總是離不開一個「行」字，如論語載子張問仁於孔子，孔子說：「能行五者於天下，爲仁矣……，恭、寬、信、敏、惠。」（陽貨篇）又自述爲學的要訣說：「吾非生而知之者，

好古敏以求之者也。」（述而篇）「求」也是「行」的表現，所以孔子注重實踐，遠甚於注重理論，因為理論只能導致觀念的改變，實踐纔能導致事實的改變。孔子的實踐思維也是從宇宙運行的規律和現象中體悟而得，他說：「天何言哉？四時行焉，百物生焉，天何言哉？」（陽貨篇）又在川上，說：「逝者如斯乎，不舍晝夜。」（子罕篇）這些話都顯示了實踐是成就一切事業的動力。實踐可使人從驗證中掌握正確的方向，認清事實的眞相，以避免發生弊端和禍害，所以孔子說：「多見闕殆，愼行其餘，則寡悔。」（為政篇）又說：「攻乎異端，斯害也已矣。」（為政篇）孔子這種實踐思維的精神，可謂平實而不涉玄虛，樸素而不尙新奇，與現時代的科學精神正相切合。

孔子是一位道德家，他認為人一生的使命在以道德實踐去成就一切事業。他說：「天生德於予」（述而篇）又說：「人能弘道」（衛靈公篇）宋儒朱熹詮釋「道」是「人倫日用之間所當行也。」所以人間的一切回歸到理性與秩序的德行，所以要「克己復禮」（顏淵篇）；仁也是一種自愛與愛他人的表現，所以要「己欲立而立人，己欲達而達人」（雍也篇）；仁更是一種完全無私付出的犧牲奉獻，其極致能夠使人「殺身以成仁」（衛靈公篇）。「義」是一種「合宜」、「應該」的準則，如財富、利益的取得，名譽、聲望的建立，職務、地位的晉升，都當考慮其是否「應該」和「合宜」，要經由「見利思義」（憲問篇），「見得思義」（季氏篇）去體現，凡事首先當權衡是否合乎「義之與比」（里仁篇），再進一步實行「義然後取」（憲問篇），否則只有將它視如浮雲了。又如「禮」的本意是一種個人節制和社會規範，它的精神在以仁和義為依歸，以仁攝禮，以義行禮。個人守禮，則言行合度；社會有禮，則秩序井然。仁、義、禮這三種道德是個人和社會的安定力、推動力，卻必須經由實踐，纔能顯示其意義和效用，否則只談論仁、義、禮而不實行仁、義、禮，個人的德行仍然無法提升，社會的發展仍然無法進步。

孔子的道德實踐也體現在忠恕之道上面，忠者盡己爲人，也就竭盡自己的智能：爲人謀劃則盡智，供職治事則盡能。恕者推己及人，也就是將心比心，自己的成就及喜悅，供人參與，和人分享；別人的不幸及痛苦，幫他解決，和他分擔。這些看起來雖是「人倫日月手之間所當行」的常事，卻是道德實踐的至高表現，所以孔門弟子曾參說：「夫子之道，忠恕而已矣。」（里仁篇）

孔子一生待人誠懇，對青年子弟期望殷切，勤奮如顏淵，被讚許爲好學；怠惰如宰予，被責備爲朽木；好勇如子路，孔子勉勵他要臨事而懼，好謀成；懶散如原壤，孔子怒斥他幼而不遜弟，長而無述焉。對於飽食終，日無所用心和群居終，日言不及義的人，總是一再嘆息他們個人難有成就，對社會人群，難有貢獻。這些無非都是從他道德實踐的思想中所流露出來的眞誠心聲。環顧當前的時代潮流，細察當前世道人心，孔子這種以道德實踐去成就一切事業的思想，實在值得我們反省、深思、感受。

三、孔子的教育思想在以人文化成培育理想人格

孔子是偉大的教育家，他的教育襟懷是「有教無類」，也就是不論其身分、地位、年齡、貧富，

受教育是每一個人應有的權利，這和當今政府所推行「教育機會均等」的政策全相符合。孔子所揭示的，教育原則是「因材施教」，也就是對「中人」施以一般教育，對「上知」和「下愚」的人施以特殊教育。這和當今「適應個性差異」的教育觀點也相一致。孔子的教育精神是學而不厭，誨人不倦（述而篇），也就是希望從事教育工作的人，要不斷的進修、研習，充實自己；教導別人，則當熱誠專一，而不產生職業倦怠。孔子教育目標是要經人文化成而培育出一種理想人格，這種理想人格的具體呈現，就是既有仁心，子有義行，且有禮貌的彬彬君子。而培育這種君子的方針是「志於道，據於德，依於仁，游於藝。」（述而篇）志道、據德、依仁三項是這種教育的指導原則，游藝一項則是落實的具體方案。「藝」或指禮、樂、射、御、書、數六種課程，禮、樂、書、數是文教課程，射、御是武備課程，用這樣的課程以教育出一種文武合一、術德兼修的人才。「藝」或指詩、書、易、禮、樂、春秋六種典籍。古時稱爲「經」，也就是指它含有自然界經常不變的道理和人類社會中應當遵循的倫理。這六種典籍，以它們的內涵而言：「詩」是流露情意，反映生活的文學作品；「書」是記錄君臣對話、政教制度的檔案文獻；「易」是闡釋宇宙演化，主變求通的哲學原理；「禮」是維繫倫常，促進和諧群體秩序；「樂」是陶冶心靈，達成敦睦的藝術教材；「春秋」是明斷是非，發揮正義的歷史教訓。就教化的功能而言：「詩」可使人的情性溫柔敦厚；「書」可使人的器識疏通知遠；「易」可使人心地潔靜精微；「禮」可使人的德行恭儉莊敬；「樂」可使人精神廣博易良；「春秋」可使人擅長屬辭比事。（禮記經解篇）以今日人文教育的課程加以對比，也就是文學和歷史並重，哲學和藝術兼賅，待人接物的禮節和安身立命的素養齊顧。讓學生透過這樣的課程學習，從認清自己進而關心別人；從充實自己進而幫助別人；本良知而熱愛社會國家，發揮至誠而關懷天地萬物。這種充滿人文精神、人文器度以培養理想人格的教育措施，也正是道德實踐的體現。

儒家的教育注重文武合一，術德兼修，所以施教的內容以六藝爲主。所謂六藝，有廣義和狹義兩種內涵。廣義的是指禮、樂、射、御、書、數；狹義的是指六經，即詩、書、易、禮、樂、春秋。講孔子的文教思想，自然要以六經爲主。所謂「經」，是指自然界經常不變的道理和人類社會應當遵循的倫理。孔子是一位實踐主義的道德哲學家，他施教的內涵自然以六經爲重點。歷史上曾經記載孔子刪詩、書，訂禮、樂，贊周易，修春秋，由此可知孔子在施教的時候，對這些教材是經過深入研究和有計畫的整理的，孔子所以採用六經教導學生，是因爲就六經的性質來說：「詩」是一種流露情意，反映生活的文學作品；「書」是一種記錄政教，呈現社會眞相的具體文獻；「易」是一種闡釋演化，主變求通的哲學原理；「禮」是一種維護倫常，促進和諧群體秩序；「樂」是一種陶冶心靈，達成敦睦的精神教材；「春秋」是一種明斷是非，維護正義的歷史教訓，就六經的功能來說，「詩」的教化可使人的性情變得溫柔敦厚；「書」的教化可使人的知識變得疏通知遠；「易」的教化可使人的心地達到潔靜精微；「禮」的教化可使人的德行達到恭儉莊敬；「樂」的教化可使人的精神成爲廣博易良；「春秋」的教化可使人的思維擅長屬辭比事。所以孔子的文教思想是講求教育的目的在使個人的才能和品格保持平衡的狀態；個人和群體維和諧關係；知識教育和道德教育等量齊觀；人文教育和社會教育互相融合。這一種文教思想和今天的文教思想實在沒有什麼多大的差異，但是孔子在二千五百年前都通盤的思考到了、以下逐項敘述孔子的文教思想：

㈠詩教——淨化人類心靈的素材

孔子教導學生，提到詩教的地方很多。例如他說：「詩三百，一言以蔽之，曰：思無邪。」意思是說詩經三百篇的內涵是思想純潔，情感眞摯的。用這樣的作品當教材，學生經過誦讀理解以後，心思情感自然會受到潛移默化，不但心靈會變得純潔善良，言行舉止在無形中也會顯得優雅高。所以孔子有一次告訴學生說：「不學詩，無以言。」孔子又有一次教導他的學生說：「小子，何莫學乎詩？詩可以興，可以觀，可以群，可以怨。邇之事父，遠之事君；多識於鳥獸草木之名。」這一段話可以說是孔子用詩經當作教材的極重要的理由。這一段話可以分三部分來詮釋：

第一部分，「興、觀、群、怨」是從人的情志心意說明詩的功用。

第二部分，「邇之事父，遠之事君。」是從家庭和社會的倫理說明詩的功用。

第三部分，「多識於草木鳥獸之名。」是從學習知識說明詩的功用。

所謂「興」，就是激發人們的心志意念；所謂「觀」，就是觀察社會的風俗人情；所謂「群」，就是溝通人群的思想感情；所謂「怨」，就是發洩心中的幽怨和不滿。這四件事情可以說是屬人格教育方面的事。

所謂「邇之事父，遠之事君。」是說從家庭的倫理，擴充到社會國家的倫理。因爲人倫的關係，最親近是父母子女的血統關係；比較疏遠的是國家社會的群體關係，中間還有兄弟姊妹、丈夫妻子、朋友同學的關係，一近一遠，正包括了一切的人倫關係。詩經中有很多的篇章可以啓發人們增強家庭的祥和美滿；促進人際關係的圓融和諧。如讀了〈關雎篇〉，可使夫妻間的感情變得親愛深厚；讀了〈蓼莪篇〉，可使做子女的增加對父母的孝心；又如讀〈凱風篇〉，自然會增加母子間的親情；讀〈棠棣篇〉，自然會加深兄弟間的手足之情；讀〈鹿鳴篇〉，自然會使長官和部屬之間相互關懷信賴。這些都是學了詩以後自然會受到的薰陶。所以，孔子說：「邇之事父，遠之事君。」這是著重在社會教育方面的事。

所謂「多識於鳥獸草木之名。」是說詩經內容所包含的知識層面非常廣闊，學習詩經可使人對動物、植物方面的知識變得豐富，增進對自然界的認識，充實生活方面的知能，這是屬於自然知識教育方面的事。孔子談到詩教的益處還有很多，因限於篇幅，所以擇要敘述如上。

(二)書教——記錄德化政治的文獻

《尙書》是記錄中國上古時代虞、夏、商、周等朝代的歷史事蹟和政治典章的文獻，內容所包含的思想有：敬天、法天、孝道、德治、民本、執中等項，也包含一分的自然科學，如天文、曆法。孔子非常重視書教，他的目的是要使學生能夠有條理地了解往古的歷史，並且透過對虞、夏、商、周各朝代流傳下來的典、謨、訓、誥、誓、命等原始文獻的解讀以了解古代的政治制度、倫理道德、社會現象等事情。孔子教導學生時，常常利用《尙書》中的話語做爲教材。例如有一次有人問孔子說：「你為什麼不去做官，治理政事？」孔子便引用尚書的話說：「孝敬父母，友愛兄弟，將這些事情施行起來，以治理好大夫家政。」然後詮釋說，這就是治理政事，何必一定要做官纔是治理政事呢？

又有一次，孔子根據《尚書》的記載，讚歎堯、舜的德業，認爲他們做爲一個偉大的領袖，道德和器量眞像天一樣的高大廣遠，無法用言詞加以形容，堯、舜兩人就是具有這種高大廣遠的德量，纔建立了偉大的功業和燦爛的禮樂法度。

還有一次，孔子闡述尙書大義，讚美夏禹，說夏禹對自己的飲食很簡單，可是祭祀鬼神的供品卻很豐厚；自己的衣著很粗劣，可是祭祀時所供奉的禮服和禮帽卻很精美；自己的房子很矮子，可是卻盡了全力去疏通灌溉田地的水溝。孔子用這一個事例教導學生：像禹這樣一個偉大的領袖，對自己的生活儉樸刻苦；對國家人民的事情賣力苦幹，而且整治洪水以救災興，利使人民的經濟生活過得十分富裕，這眞是一個人格完美無缺，政治萬分成功的典型。孔子用《尙書》當教材以教導學生的例子還很多，因爲《尙書》是了解古代歷史、政治、社會的最好教材。

㈢易教——詮釋宇宙人生的道理

易爲中華文化的本源，位居群經之首，經緯天地，含蓋萬物。舉凡我國古代的天文、地理、人倫、文字、曆算、數字、律呂、醫學、藝術，乃至百工之學，莫不導源於易。

《易經》是一部探討哲學義理的書籍，它的內容在說明宇宙、社會、人生永遠都是在變動的，人應當如何適應這種不斷變化的時空，將事情處理得恰到好處，這叫做「尙變」。同時也在說明人類在這種不斷變化的現象中，應當使文化不斷地創造革新，纔能適應宇宙、社會、人生不斷的變化，叫做「尚象」。

孔子喜歡讀《易經》，對《易經》有很深入的研究，也常常用《易經》做教材，教導學生。有一次他說：「多給我一些歲月來研習《易經》，便不會有大過錯了。」這等於在告訴學生：要多研究《易經》的道理，纔可以避免犯過錯。又有一次孔子的學生曾子說：「一位君子在思考問題時，是不會超越他的身份職位的範圍的。」這一句話是出自《易經》，可見曾子讀《易經》時特別有領悟，曾子的讀《易經》，自然是受到孔子的教導。又有一次，孔子告訴學生說：「南方人有一句話說：人如果沒有恆心，連巫師和醫生都做不成。」然後引述《易經》的話說：「一個人的德行如果不能守住有恆的道理，就難免要受到羞辱的。」這也是用《易經》當教材來教導學生。孔子對《易經》有很深入的研究，他在詮釋《易經》道理時，有時是總詮易經的原理；有時就《易經》的卦辭和爻辭來詮釋易理；有時引用《易經》的卦辭和爻辭來論證人世間的事情和道理。孔子用《易經》做教材來教導學生，特別強調兩件事情：一、是要不斷地進德修業，由進德修業提昇到崇德廣業。二、是要弁滿用謙，就是待人接物不可自滿，應該要謙虛。這些道理，無論古今中外，都是一樣的。

㈣禮教——宣示社會秩序的指針

禮，原本是初民時代人類祭祀神明的宗教儀式，後來演變為人類生活上的規範。它的功能幾乎和社會的秩序、國家的法律相同。如《左傳》一書便說：「夫禮，天之經也，地之義也，民之行也。」

孔子的爲人，不但知禮，而且好禮。他對夏禮、殷禮以及周禮，都有深入的研究。他在周遊列國時，到了宋國，還和學生在一棵大樹下習禮。由此可知孔子的精神、學問、生活和思想所寄託的，都在於禮這一件事。

孔子用禮當教材來教導學生的事例很多，如他有一次訴學生樊遲說：爲人子女，對於父母親應該要「生，事之以禮；死，葬之以禮，祭之以禮。」也就是說，當人子女的要奉養父母以表現孝道，必須以禮做爲指導的原則。又有一次，孔子告訴顏淵說：「克制自己的私欲，回復到禮的準則上去，這就是一種仁德的表現。」具禮的實踐原則就是：「不符合禮的準則的事物，就不去看；不符合禮的準則的言論，就不要聽；不符合禮的準則的話語，就不要說；不符合禮的準則的行爲就不要去做。」

禮對於人，不但具有指導的作用，而且具有節制的作用。指導的作用，可使人的行爲積極地合乎規範；節制的作用，可使人的行爲消極地不僭越規範。所以孔子又教導學生說：「一個人若是恭敬卻沒有禮加以節制，就會陷於勞苦不堪；若是謹愼卻沒有禮加以節制，就會陷於膽小畏怯；若是勇敢卻沒有禮加以節制，就會陷於悖逆作亂；若是直爽卻沒有加以節制，就會陷於急切傷人。」由此可知恭敬、謹愼、勇敢、直爽都是一種美德，但是如果沒有禮加以節制，就會流於勞苦、怯懦、悖亂、急切，反而變成了弊病。

孔子教導學生說：「君子能夠廣博地硏習知識，又能用禮約束自己行爲，就不會背離正道。」意思是說若只是一味地追求各種知識，卻沒有一個中心目標，就會流於散漫而沒有心得。若能用禮加以約束，就有綜貫的軌跡，評斷的標準，這樣子，所學習到的知識，對做人做事纔有幫助。

孔子用禮當教材以教導學生的地方還很多。如：

「禮，如果只是講求外在形式的繁文縟節，還不如內在的性情眞實，外在的形式節儉來得好。」

又如孔子的學生有若說：

「禮的作用，以和諧最爲貴，古代聖王的主張也是以這一點最爲美好，無論大事、小事都要遵循這一個原則。」

有一次子貢想要廢除每月初一舉行告朔儀式時殺掉一隻活羊這一件事，孔子卻說：「賜啊！你愛惜那一隻羊，我愛惜的卻是告朔的禮節。」

像這些，都是孔子用禮當教材教導學生的例子。

㈤樂教——促進人群和諧的旋律

孔子不但瞭解音樂，喜愛音樂，而且經常用音樂的道理教育學生。例如他說：「興起美醜、善惡的意識在於詩；立身處世要靠禮；情操的完成在於音樂。」這即是說明：詩、禮、樂這三樣，彼此之間有很密切的關係。因爲人類的行爲，從天然的本性，形成了感情，表現在儀文節目的是「禮」；表現在語言詞藻的是「詩」；表現在聲音節奏的是「樂」，三樣都是從人類天然的本性中發出來，只是表現的方式不同而已。又說：「禮啊！禮啊！只是指玉帛這些祭品而已嗎？樂啊！樂啊，只是指鐘鼓這些樂器而已嗎？」因爲鐘鼓這些樂器，只是具備了一些聲音、節奏而已，是音樂的工具，不是音樂的內涵。音樂如果只有外在的形式，卻沒有內在的精神，那就是沒有掌握到音樂的根本。孔子認爲音樂的主要精神在呈現「仁」這一個美德，所以說：「一個人如果沒有仁慈的美德，行禮有什麼意義？一個人如果沒有仁慈的美德，奏樂有什麼意義？」什麼樣的音樂具有「仁」的美德呢？那就是韶樂，所以孔子說：韶樂不但內涵良善，而且音律優美啊！」至於武樂，孔子認爲它只是音律優美，內涵並未達到良善的境地。韶樂是一種非常典雅的音樂，也就是「雅樂」，所以孔子非常喜愛它。和雅樂相反的，是一種叫做「鄭聲」（鄭國的音樂），是一種非常放蕩淫亂的音樂，孔子非常討厭它，所以告訴學生說：「我討厭閒雜的紫色奪走了純正的朱色；討厭鄭國的樂聲擾亂了典正的雅樂；討厭巧言好辯的人顛覆國家這一類的事情。」孔子把鄭聲和花言巧語的惡人等量齊觀，所以說：「鄭聲是放縱淫蕩的；花言巧語的人是非常危險的。」因此「應當禁止鄭聲的流行，遠離花言巧語的人物。」

孔子因爲了解音樂，所以也喜歡音樂。論語裡面記載說：「孔子那一天如果去弔喪而流淚哭泣了，當天就不唱歌。」可見孔子平常如果不去參加弔喪而哭泣，是常常唱歌的。論語又記載，孔子聽到人家唱歌，一定要請他再唱一遍，然後跟著合唱起來。此外，孔子不但會鼓瑟，而且擅長擊磬，這些在論語一書裡都有記載。有一次，孔子和魯國的太師談論音樂演奏的過程，說：「音樂在開始演奏的時候，首先是要將五個音階、六種音律調整得很和諧；演奏起來，最初是音律純和，其次節奏分明，最後是樂聲宏亮，抑揚起伏，連綿不絕，形成高潮，以完成一個樂章。」由此可知孔子對樂欣賞的能力非常高明。

孔子對於音樂，並不只是自己能夠欣賞、歌唱和彈奏而已。最重要的是在推行樂教，也就是推音樂教育，使大家都能夠受到音樂的薰陶，形成美好的人格，進而塑造成一種充滿仁愛精神的理想社會。像子游在衛國的武城大力推展音樂教育，就是一個很好的例子，這自然是受到孔子教導的結果。

㈥春秋教——維護人間正義的權衡

孔子寫作《春秋》，是在他的晚年，大約是七十歲以後。整部《春秋》一共有一萬八千字，含蓋了魯國前後十二位君王，共二百四十二年的歷史。孔子寫作《春秋》的用意，據戰國時代的孟子說，是因爲「社會敗壞，正義消失，邪僻的言論和暴虐的行爲一再發生，甚至大臣把國君殺了，兒子把父親殺了的事情也一再發生。孔子很害怕這種反常的現象，會使道德崩潰，社會解體，所以才寫作《春秋》，想用以端正世道人心。」《春秋》這一部書，就它的形式來看，是一部史書，就它的內涵來看，卻是一部經書。因爲它的內容有「微言大義」。所謂「微言大義」，是孔子用以評斷是非善惡的權衡，也是他晚年論斷事物最成熟的解。他在《春秋》一書中，對於西元前七二二年到四八一年共計二百四十二年中，國際間發生的事，加以批評論斷：依據公理、正義，形成爲世界共同的輿論，作爲處理天下事的標準；以此維護國際秩序，保持世界和平，促進人類福祉。如《春秋》在魯隱公四年記載「衛州吁弒其君完」這一件事：完是衛桓公的名，州吁是衛國的公子，既是桓公的親屬，又是桓公的部下，州吁殺了他的君王，這是犯上作亂的反常事情，《春秋》記這一件事，特別用一個「弒」字，將州吁的罪惡很明白地顯示出來，這便是一種「惡惡」、「賤不肖」的「微言大義」。又《春秋》魯隱公元年記載「鄭伯克段于鄢」一件事。記鄭莊公的母親武姜生長子莊公時，因爲難產，便厭惡莊公而寵愛次子公叔段，莊公也故意縱容公叔段僭越擴權，最後再率兵將公叔段打敗趕走。這一件事情，鄭莊公的表現，既不像一個兄長，也不像一個國君；公叔段的行爲也有違做一個弟弟和臣下應有的表現。所以孔子稱莊公爲鄭伯，對公叔段直稱其名，對莊公攻伐公叔段的忝罰行爲不稱「伐」（上對下的征討），而稱「克」（平等的征討），都是含有「貶」的意思，這便是「微言大義」。又如《春秋》魯宣公十五年記載「宋人及楚人平」一事，其原委是楚莊王率領軍隊圍攻宋國，派他的大夫司馬子反登上附近的高地，以窺探宋國城內的虛實和防備的情形。恰好宋君也派他的大夫華元出來登上這一塊高地，和司馬子反碰上了。華元告訴子反說宋國的城內已經到了「易子而食之，析體而炊之」的危急狀況；子反也告訴華元說楚國一次前來只準備七天的糧食，糧食吃光還不能獲勝，就要回國、二人都很坦誠，不掩飾自己國家的隱情。後來子反勸告楚莊王取消這一次的戰役，讓楚、宋二國講和。這雖然是一件值得稱讚的好事，但是這一次的講和主要是出自兩個居下位之大夫的意思，不是由二國的國君作決定，用意雖好，卻未免擅權而有違禮法，所以孔子不稱司馬子反和華元二人爲大夫，而稱他們爲「人」，主要在「貶」他們，這便是「微言大義」。

司馬遷在史記的太史公自序中有一段話說：一個國家的政治領袖不可不熟悉《春秋》的道理，不然的話，人家在他的面前進讒言，挑撥離間，他也看不出來；在他的背後陰謀作亂，他也不曉得。一個政府機關的重要首長不可不熟悉《春秋》的教訓，不然的話，他只會墨守成規而不知處事得宜；遭遇變局卻不知如何進行危機處理。當政治領袖的和當政府首長的沒有人不想把事情做好，但是因爲不熟悉《春秋》的義理，因而常常變成國家民族的罪魁禍首或亂臣賊子。這一段話充分說明了《春秋》一書具有「邇之事父，遠之事君」的教化功能。

孔子在施教方法上，認爲啓發比灌輸重要，思考推理比純粹記誦重要，他說：「不憤，不啓；不悱，不發。舉一隅，不以三隅反，則不復也。」（述而篇）憤、悱是教學生運用思考，去求得更新的知識；舉一反三是教學生運用推理，去擴充更多的知識。教育的功能本是教人從「已知」去推求「未知」，也就是知識必須不斷去發展創新，人類才會不斷進步。因爲既有的知識只是經驗的知識，發展的知識才是創新的知識。所謂「日知其所亡，月無忘其所能。」（子張篇）也就是日日當尋求發展的知識，月月當整理經驗的知識。以經驗知識做基礎，再以思辨、實驗的工夫去發展，這樣纔可以獲得創新的知識，所以孔子說：「溫故而知新，可以爲師矣。」（爲政篇）由以上二例，可知近代教育學家所提的種種啓發式教學法或創造式教學法等，孔子早在二千五百多年前，已經開其端了。

孔子終身都力學不怠，自稱對學問的熱切追求，是「發憤忘食，樂以忘憂，不知老之將至云爾。」」（述而篇）又說：「吾十有五而志於學，三十而立，四十而不惑，五十而知天命，六十而耳順，七十而從心所欲，不踰矩。」（爲政篇）這雖是他自己回顧一生德業進展的階段歷程，從另一個角度看，其實也是一種自我不斷進修的「終身學習」。

當前我國社會變遷快速，思想開放自由，競爭能力旺盛，價值取向多元。年輕一代的子弟，在此環境之下，知識水準雖然不斷提升，人格教育則有待加強；生活享受雖然富裕，心靈改革則急待進行，潛能開發雖然競爭激烈，人生目標則有待導正指點。值此政府正在大力從事教育改革，且漸具成效之際，孔子欲藉人文化成以培育理想人格的教育理念，以及種種深具啓示性的教育方法，實在有值得我們探討、參酌的重要價值。

四、孔子的政治思想在以大同境界建構祥和社會

孔子具有精湛宏深的歷史素養，對此以前歷代的政治演變，瞭如指掌，對周朝的政治制度，尤其嚮往。他說：「夏禮吾能言之」、「殷禮吾能言之」，又說：「周監於二代，郁郁乎文哉，吾從周。」（八佾篇）他的政治思想是一種「化民成俗」的德治思想。認爲政治首先應當「正名」，名正則言順，言順則事成，事成則禮樂興，禮樂興則刑罰中，刑罰中則人民言行纔能有所遵循。（子路篇）他更強調「爲政以德」，政治領袖應具崇高的道德人格，以爲民表率；領導國家人民，貴在公正無私，如季康子問「政」，孔子答以「政者，正也；子帥以正，孰敢不正？」（顏淵篇）蓋以公正治國，必能使人民深受感化，而蔚爲良風美俗，仁德所被，功效不可限量，所以說：「君子之德，風；小人之德，草；草上之風必偃。」（顏淵篇）「偃」即是感化。

孔子認爲政治的任務在安定社會民心，因此，執政的人需要具有明確的是非標準，他說：「唯仁者能好人，能惡人。」（里仁篇）爲了除暴安良，有時不得不輔之以刑罰。但是刑罰僅能制裁人的過

錯行為，其為效也速而暫；道德纔能興起人的反省覺悟，其為效也久而長，所以又說：「道之以政，齊之以刑，民免而無恥；道之以德，齊之以禮，有恥且格。」（為政篇）政治的任務也在養民安民，子貢問「政」，孔子告之「足食、足兵」；冉有在衛，孔子示以「庶」而後「富」；道千乘之國，則節用而愛人；論財富之策，則不患寡而患不均；使民以時，養民也惠，所以孔子的經濟理念，著重在全民均富。

孔子尤其注重人才的甄舉，主張以人才改造社會風氣，謂之「舉直錯諸枉，能使枉者直。」（為政篇）又主張以人才服務國家政事，嘗謂他的學生之間，仲由性情果決，可派為治理諸侯的稅賦；冉求多才多藝，可擔任卿大夫的家臣；端木賜擅長言詞，出使四方，不辱君命，可薦舉為外交使節。孔子本人曾經周遊列國，具有宏觀的國際視野，主張以文化交流和人道關懷去敦睦各國邦交，促成國際政治的穩定和平，所以倡言「遠人不服，則修文德以來之，既來之，則安之。」（季氏篇）

孔子的社會思想寄託在「禮運大同」一章，要本著「大道之行也，天下為公」的民主精神，以進行「選賢與能」的人才甄拔，以開展「講信修睦」的社會風氣。要本著「不獨親其親，不獨子其子」的博愛襟懷，以實施「老有所終，壯有所用，幼有所長，矜、寡、孤、獨、廢、疾者皆有所養」的各種社會福利政策和社會救濟措施。要本著「男有分，女有歸」的群體關懷，以達到人人工作機會均等，男女婚姻純正的社會常態。要本著「貨，惡其棄於地，不必藏於己」的積極投入，以開發天然物產；「力，惡其不出於身也，不必為己」的無私奉獻，以規劃人力資源。最後則建構出一個「謀閉而不興，盜竊亂賊而不作，故外戶而不閉」，秩序至為井然，治安至為良好的祥和社會。如此，則全民福祉，於焉實現；全民前途，希望無窮。

當前，我們國家誠然政治高度民主，經濟穩定成長，司法健全，教育普及，人才進用的管道暢通，議會問政的氣象昌隆。然而所面臨的困境，則是國際地位遭遇挑戰，環境汙染令人擔憂，勞資對立問題時時湧現，自力救濟運動層出不窮，生活品質需再提升，道德風氣亟待加強。在此重要關鍵時刻，如果我們能夠參酌孔子的政治思想，弘揚孔子建構社會的理念，以建設我們的國家和社會，則深信我們國家的未來必將更臻於富強；社會的前景，必將更臻於繁榮。

五、當代文化思潮的反省和中華文化的前瞻

近兩個世紀以來，中華文化面對強勢西方文化的挑戰，傳統教育理念幾乎完全崩潰。到我們這一代，所接受的幾乎是徹底的西方式教育。然而西方文化發展到二十世紀末，已經問題叢生，我們有責任對此問題作出反省與思考。以下茲分數項作簡要探討：

一、**傳統與現代**：二十世紀初，人們普遍認為傳統是落後的；現代是進步的、前瞻的，這種觀念呈現一面倒的情況。中國在五四運動後提出全盤西化的口號，於是西風徹底壓倒東風。但有趣的是，當我們儘量向西方學習，西方文化亦不停向前發展時，卻讓人發現，啓蒙時代的理想並未實現，科技的發展並未在地球上建立一個人間天國。相反地，在這個世紀中，人類歷經兩次世界大戰、韓戰、越

戰等戰亂以及環境汙染、生態被破壞等問題，人的素質並未因科技發達相對地提昇，有識之士反而對此文化提出強烈的批判。近年來美國發生多起青少年持槍掃射校園及路人等事件，使大家意識到，顯然是現在的文化出了問題。早在十九世紀後期，人們普遍已有世紀末的想法，到了二十世紀末，各種問題及危機都已經暴露出來，歐洲思想家對此提出嚴厲的批評和警告，認為西方文化用堅甲利兵和強勢的軍事、商業文明，向世界全力傾銷，形成所謂理性的霸權，造成許多不公平的事情。例如白種人征服美洲大陸後，認為印地安人野蠻、沒有文明，將其視為動物，任意殺戮，心中卻不覺愧疚。但時至今日，美國流行的卻是印地安文化天人合一的情懷，他們體會到印地安人在精神層面有著深奧的道理，不容隨意抹煞。

二、科技與人文：中國的傳統文化是人文教育，到了現代則著重科技教育。新的科技發展以後，舊的知識就被揚棄。例如中醫的學術曾被認為是落後的，不合科學的，但是近年來在日本、美國卻大行其道，許多學者正努力在研究中醫藥材治癌的療效。如果傳統的中醫及藥材也有治療的作用，我們不去驗證它的功效就予以否定，反而是人類自己的損失。過去人們認為科技的研究是一種普遍性的方式，中國自古所流傳下來的人身穴道之說，以西方的觀念來看是無法理解及接受的，但是現今德國人製造機器，卻發現可以測量出氣的運轉。西方醫藥專家在實驗室中以傳統的方式研究人蔘的功效，徒勞無功，但是當換一種觀點去研究時，卻發現人蔘一方面可使人體神經安定，另一方面又有刺激的效果，所以人蔘對人體的功效是不能否定的。今日西方有識之士明白，西方之成為世界領袖，只是因為其在科技商業文明的單線發展，仗其優勢，形成霸權領導世界，其實並沒有足夠的知識與智慧來領導世界。近年來英美文化界，也發現到科學教育和人文教育不能有所偏廢。以開公司爲例，如果只雇用科學方面的人才，而科學知識日新月異，舊知識很快就會被淘汰，這些科技人才若改從事行政工作，就必須懂得溝通的技巧及如何管理。所以這些公司後來發現，他們也必須要有一些具有人文素養的人才，公司才得以順利運作。而科技的發展也慢慢在變化中，以往把物理當作科學的典範，但目前在醫學及生命科技方面最有突破。以往人們認爲人文是主觀的；科技是客觀的，它能守住價值的中立性；在這種觀點下，就把價值驅逐於科學之外，反映到今日的教育上就形成重科學、輕人文的傾向，從小學到大學皆然。過去將客觀的事實及主觀價值判斷二元對分，但是在現在已不全然是簡單的二分法了，價值觀念已無可避免地進入到科技之中，人人所知的環保觀念、健康保險都蘊涵著價值判斷。現今之試管嬰兒、複製羊，甚至以後要複製人，這些在實驗室中大量製造出的東西，立刻會影響到全人類，其中牽涉到複雜的生命、道德倫理等，僅僅只會掌握這些技術是無法面對其所造成複雜的問題的。

三、專業與通識：如前所述，中國傳統文化的教育是一種通識教育，到了現代知識突飛猛晉，大學裡學的是不同學科的專門知識，通識被擠到邊緣的地位。過去中國講求君子之道，就是一種通識教育；傳統英國牛津、劍橋大學所培養的是有通識的全人，而不是單方面的專家。現代知識爆炸，當然需要專業化，但如果不能有一種比較全面的看法，任由各領域單獨去發展，缺乏互相了解，缺乏更高一層的視野，就會產生很大的危機。

四、多元與共識：現在西方文化的啓發強調多元化的發展，而對統一的思想提出質疑。學科技的人不懂人文，所培養的是各種不同領域的專家，每位專家說的又是一套專家的語言，無法彼此溝通，在此情形下，如何形成共識？而共識就像陽光、空氣和水，擁有時不會想到它們的重要性，但是如果有一天它們需要用金錢去購買，危機也會隨之產生。科技不能停留在分裂的狀態中，有些問題要在科際間尋求共識，不能把人文價值撇棄在外。否則一旦原有的文化變成分崩離析狀態，就無望建立共識。在重視「多元」的同時，又要重新重視「共識」，這樣才能讓大家和平共處在同一個地球村內。

五、個體與群體：五四時代，講求個性的解放，對群體思想提出質疑，就某方面言之，並無不是，因爲當傳統內在的意義及價值信念逐漸消失之後，其沉澱後所實現出來的渣滓，有時是很有問題的。回顧中國儒家傳統，比較其在孔子時代和清代是有明顯的不同的，孔子對學生們並無絕對的威權，學生在他面前可以暢所欲言。但是儒家傳統發展到清朝，就成爲一種封閉的文化，其後西風東漸，視傳統文化是一種落後的東西，甚至欲去之而後快。但是孔孟學說是否就不合時宜了呢？人不能因爲科技的發展進就不再需要了解做人的道理。今日我們覺得單純的科技主義已經走過頭了，人之所以爲人，其中有一些共同的東西是可以通貫古今中外的。一九九三年世界宗教會議在芝加哥召開，有一位天主教非正統的神學家孔漢思（Hans Kung），因其所持觀點與教廷不合而被除去職務，他提出一個世界倫理（global ethic）這個世界倫理的理念及原則，即所謂不殺戮、不姦淫、不偷盜、不說謊，獲得各種宗教及文化層面普遍的支持及認同。他更找到了一個超越自己傳統的東西，拉丁文爲humanum，英文爲humanity，翻譯爲中文就是「仁」，他所要表達的理念就是「己所不欲，勿施於人」。當年的會議中，雖然沒有中國儒家的代表與會，但孔子的思想卻成爲大會的共同宣言的基石之一。

六、創造與傳承：今日從傳統走向未來，希望世界和平相處，必須要有一種全球的視野，不能像過去一面倒的只有科技，而是要以全新的視野將科技及人文重新定位。近期的時代雜誌曾在「二十一世紀的景象」專輯（1999.11.8）中提到，人類在走向未來時會碰到各種不同的危機，人類是否有能力應付？當然人類不需悲觀絕望，因爲人心能夠「思想」，有趣的是，孟子在兩千多年前論人禽之別，就說：「心之官則思」。一方面在迎接新時代來臨時，必定要有新觀念，另一方面卻要重新回歸傳統，正如同西方傳統的原則humanity，和中國傳統的人道觀念是相通的。所以在追求科技的同時，不能放棄價值的選擇，而價值的選擇必須要開放、合乎人道，此點從古至今並無差異。所以一方面我們要與時推移，另一方面更要發揚那些萬古常新、跨越國界不變的眞理，才能讓人類在地球上和平相處，而不致於走向自我毀滅的道路。因此，我們必須揚棄二元對立或偏向一邊的思考方式，採取動態平衡的中庸之道，中華文化的發展正可以爲未來的世界指出一條光明的康莊大道。（本節採擷自劉述先教授在中華民國教育學術團體聯合會之演講紀錄〈世紀之交教育理念的回顧與前瞻〉）

六、結　語

總之，由以上簡單的分析，可知孔子的思想是博厚精深的，是具體可行的，是可大可久的，是對我們的國家和人類社會，都具有無比的啓示性的。

現時代是一個科技昌明，物質高度開發的時代，人們在追求物質的豐盛和享受物質的方便之餘，往往忽視對自我省察和實踐力行，孔子思想啓示人們當「克己復禮」，「吾日三省吾身」，以實際的修爲，反躬自省，以有恆的踐履，達成自我理想的實現。現時代是一個道德需要重振的時代，孔子思想重視理想人格的養成，啓示人們培養高尙的道德，要作「喻於義」的仁人君子，在自我的修持和充實之外，更要加強建立公共秩序，維護社會正義，不要只作整天盲目追求名利、權勢而「喻於利」的小人。現時代是一個人們需要相互尊重，家庭需要溫暖和諧，國家社會需要充滿諒解、愛心的時代，孔子思想啓示人們要「入則孝，出則弟，謹而信，泛愛衆，而親仁」，也就是發揚孝道，以塑造美滿的家庭；尊重他人，以建構祥和的社會；對自己的言行負責而有誠信；對群體的關懷存有豐沛的愛心。現時代是一個全球各地常因種族歧視而發生對立抗爭，甚而激烈排外的時代，孔子思想啓示人們「性相近也，習相遠也」，也就是人類向善的本性都相差無幾，只是後天的環境和發產生差異而已，所以人類應當發揮「四海之內皆兄弟也」的同理心和人類愛，消除種族歧視，平息國際紛爭，增強溝通合作，促進族群和諧，彼此互惠互補，共存共榮，一齊朝向地球村一大同世界的美麗遠景邁進。如果能夠如此，則深信孔子思想啓示世人所產生的效用，將必然如禮記大學篇所說：「在明明德，在親民，在止於至善。」亦如宋儒張橫渠所說：「爲天地立心，爲生民立命，爲往聖繼絕學，爲萬世開太平。」這不但是中華民族千秋萬世開展傳承的明燈，也是人類前途幸福繁榮不可或缺的指針。一九九五年一月二十日，民國八十三年農曆除夕，中共總書記江澤民發表新春對台講話，其中第六點說：「中華各族兒女共同創造的五千年燦爛文化，始終是維繫全中國人的精神紐帶，也是實現和平統一的一個重要基礎。兩岸同胞要共同繼承和發揚中華文化的優秀傳統。」同年四月八日中華民國李總統登輝在國家統一委員會發表回應江八點的談話，主張以中華文化爲基礎，加強兩岸交流。李總統說：「博大精深的中華文化，是全體中國人共同驕傲和精神支柱。我們歷來以維護及發揚固有文化爲職志，也主張以文化作爲兩岸交流的基礎，提昇共存共榮的民族情感，培養相互珍惜的兄弟情懷。在浩瀚的文化領域裡，兩岸應加強各項交流的廣度與深度，並進一步推動資訊、學術、科技、體育等各方面的交流與合作。也是面對二十一世紀，兩岸執政者不容推卸的責任。」

兩岸領導人的談話，都承認中華文化的重要性，這是以前從未曾有過的一項大事！我們深信如果兩岸都具有誠心誠意恢復對中華文化復興的信心，這不僅是促進兩岸和平、合作、統一的基礎，而且必然是中華民族復興的一大契機，更是促進亞太地區及全球和平繁榮的主要動力。

從《論語》看孔子對《詩經》之貢獻

臺灣師範大學
國文系退休教授　陳新雄

一、前言

《漢書・藝文志》云：「《論語》者，孔子應答弟子、時人，及弟子相與言，而接聞於夫子之語也。當時弟子各有所記，夫子既卒，門人相與輯而論纂，故謂之《論語》。」邢昺《論語・正義》曰：「然則夫子既終，微言已絕，弟子恐離居已後，各生異見，而聖言永滅。故相與論撰，因採時賢及古明王之語，合成一法，謂之論語也。」劉恭冕《論語正義・後敘》云：「班生有言，仲尼沒而微言絕，七十子喪而大義乖，聖人之言，中正和易，而天下萬世莫易其理，故曰微言，非祇謂性與天道也。大義者，微言之義，七十子之所述者也。今其箸者，咸見《論語》。」據漢志等所述，可見孔子精微之言，咸箸於《論語》。故若欲體會孔子與《詩經》之關係，余以爲《論語》所載論《詩》之語，十分重要，故將此數章一一具錄於下：

【一】《論語・學而第一》：「子貢曰：貧而無諂，富而無驕，何如？子曰：可也。未若貧而樂，富而好禮者也。子貢曰：詩云：『如切如瑳，如琢如磨。』其斯之謂與？子曰：賜也。始可與言詩已矣。告諸往而知來者。」

【二】《論語・為政第二》：「詩三百，一言以蔽之，曰：思無邪。」

【三】《論語・八佾第三》：「子夏問曰：巧笑倩兮，美目盼兮，素以為絢兮。何謂也？子曰：繪事後素。曰：禮後乎！子曰：起予者商也，始可與言詩已矣。」

【四】《論語・述而第七》：「子所雅言，詩書執禮，皆雅言也。」

【五】《論語・泰伯第八》：「曾子有疾，召門弟子曰：啓予足，啓予手。詩云：『戰戰兢兢，如臨深淵，如履薄冰。』而今而後，吾知免夫。小子。」

【六】《論語・泰伯第八》：「子曰：興於詩，立於禮，成於樂。」

【七】《論語・子路第十三》：「子曰：誦詩三百，授之以政，不達，使於四方，不能專對，雖多亦奚以為。」

【八】《論語・季氏第十六》：「陳亢問於伯魚曰：子亦有異聞乎，對曰：未也。嘗獨立，鯉趨而過庭，曰：學詩乎，對曰：未也。不學詩，無以言。鯉退而學詩。他日又獨立，鯉趨而過庭，曰：學禮乎，對曰：未也。不學禮，無以立。鯉退而學禮。聞斯二者。陳亢退而喜曰：問一得三，聞詩、聞禮、又聞君子之遠其子也。」

【九】《論語・陽貨第十七》：「子曰：小子何莫學夫詩，詩可以興，可以觀，可以群，可以怨，邇之事父，遠之事君，多識於鳥獸草木之名。子謂伯魚曰：女爲周南、召南矣乎？人而不爲周南、召南，其猶正牆面而立也與！」

【十】《論語・八佾第三》：「子曰：關睢，樂而不淫，哀而不傷。」

【十一】《論語・泰伯第八》：「子曰：師摯之始，關睢之亂，洋洋乎盈耳哉。」

【十二】《論語・子罕第九》：「子曰：吾自衛反魯，然後樂正，雅、頌各得其所。」

《論語》中提及詩或與詩有關者，共十二章，前九章明白提到「詩」字，後三章雖未提「詩」字，然〈關睢〉則《詩》之篇名，雅與頌則《詩》之體裁，皆與《詩》有關。綜觀此十二章《論語》，所論及《詩》者，不外《詩》之音與義，下文擬從此兩端加以分析，並就正於世之論《詩》者。

二、孔子與《詩經》之正音

《詩經》有十五國國風、二雅、三頌之不同，其間自有方言之差異，然今本《詩經》之韻讀，雖亦有少數地方顯示出方言之成分，大致說來，韻讀相當一致。一般看法，認爲經孔子審定，故雖有不同地域之詩篇，而在韻讀上，則得到相當一致性。黃侃〈論據詩經以考古音之正變〉一文云：「昔大行人屬瞽史，諭書名，聽聲音。則域內之言語無異聲矣；大司樂以樂語教國子，則詩歌之諷誦無異聲矣。」然而黃氏在〈論音之變遷由于地者〉一文又云：「往者輶軒之使，巡遊萬國，采覽異言，良以列土樹疆，水土殊則聲音異，習俗變則名言分，雖王者同文，而自然之聲，不能以力變也。《漢書・地理志》云：『民有剛柔緩急，聲音不同，繫水土之風氣，故謂之風。』〈王制〉云：『廣谷大川異制，民生其間者異俗。』《淮南書》云：『清土多利，重土多遲，清水音小，濁水音大。』凡此皆由地異之明文也。今觀揚氏殊語，所載方國之語，大氐一聲轉變而別製字形，其同字形者，又往往異其發音。……漢世方音歧出，觀諸書注家所引可明。」黃氏前後二文，看似頗爲矛盾，既云域內言語無異聲，又云水土殊則聲音異。其實詳爲推究，亦不矛盾。按劉熙《釋名》之釋《爾雅》云：「《爾雅》，爾、昵也；雅、義也，義、正也。」是則《爾雅》之作，本爲齊壹殊言，歸之雅言。所謂雅言者，即當時通行之通語，所謂殊言者，即各地之方言也。何由知之？請回歸《論語・述而》之言曰：「子所雅言，詩書執禮，皆雅言也。」孔注：「雅言、正言也。」鄭注云：「讀先王典法，必正言其音，然後義全，故不可有所諱，禮不誦，故言執。」善夫劉端臨《論語駢枝》之言曰：「夫子生長於魯，不能不魯語，惟誦詩讀書執禮，必正言其音，所以重先王之訓典，謹末學之流失。」又云：「昔者周公著《爾雅》一篇，以釋古今之異言，通方俗之殊語，劉熙《釋名》曰：『爾、昵也，昵、近也；雅、義也，義、正也。』五方之音不同，皆以正爲主也。上古聖人，正名百物，以顯法象，別品類，統人情，壹道術，名定而實辨，言協而志通，其後事爲踵起，象數滋生，積漸增加，隨時遷變，王者就一世之宜，而斟酌損益之，以爲憲法，所謂雅也。然五方之俗，不能彊同，或意同而言異，或言同而聲異，綜集謠俗，釋以雅言，比物連類，使相附近，故曰爾雅。《詩》之有風雅亦然。王都之音最正，故以雅名；列國之音不盡正，故以風名。王之所以撫邦國諸侯者，七歲屬象胥諭言語，協辭命；九歲屬瞽史諭書名，聽聲音，正於王朝，達於諸侯之國，是謂雅言。雅之爲言夏也。孫卿〈榮辱〉篇云：『越人安越，楚人安楚，君子安雅，是非知能材性然也，是注錯習速之節異也。』又〈儒效〉篇云：『居楚而楚，居越而越，居夏而夏，是非天性也，積靡使然也。』然則雅夏古通。」劉寶楠《論語正義》云：「周室西都，當以西都音爲正，平王東遷，下同列國，不能以其音正乎天下，故降而稱風，而西都之雅音，固未盡廢也。夫子凡讀《易》及《詩》《書》執禮，皆用雅言，然後辭義明達，故鄭以爲義全也。後世人作詩用官韻，又居官臨民，必說官話，即雅言矣。」阮元〈與郝蘭皋論爾雅〉亦云：「正者，虞夏商周建都之地之正言，近正者，各國近於王都之正言，《爾雅》一書皆引古今天下之異言，以近於正言，正者猶今之官話也；近正者，猶各省土音之近於官話者也。」二劉、阮氏之言，最爲通達，蓋黃侃所謂域內之言語無異聲者，實指當時諸夏之通言，以王都之語爲正，即所謂雅言也。至各地則水土既殊，自然聲音有異，各有方言。《漢書·儒林傳》師古注引衛宏〈古文尚書序〉云：「伏生老不能正言，言不可曉也，使其女傳言教錯，齊人語多與潁川異。」此言即說明漢初已有通行之雅言，即伏生不能之正言，而同時各地方言亦殊致。作上述瞭解，《詩經》既經孔子正言其音，則各地方言成分就較少，故其音讀乃較爲一致。正因爲如此，《詩經》之音讀乃可探求。

清顧炎武撰《音學五書》據宋鄭庠《詩古音辨》之東、支、魚、眞、蕭、侵六部，釐分爲古韻十部，增歌、陽、耕、蒸四部。江永著《古韻標準》乃以其弇侈洪細審音之道，析眞元爲二、宵尤爲二，侵談爲二，多出元、尤、談三部，故爲十三部。段玉裁著《六書音韻表》分爲十七部，脂之從江氏支部分出，諄從江氏眞部分出，侯從江氏尤部分出，共多出四部。孔廣森著《詩聲類》從段氏東部分出冬部，又將侵談兩部的入聲獨立爲合部，增多兩部，但又減少一部諄部，所以只有十八部。王念孫著《古韻譜》，江有誥著《音學十書》各分二十一部，祭、緝、盍三部之分，爲其共同創見，至部獨立，則王氏獨照。章炳麟撰《國故論衡》及《文始》二書，從王念孫脂部中，將去入聲字分出而成隊部，故爲二十三部。戴震《聲類表》採陰陽入三分法，成爲二十五部。黃侃撰《音略》，以章氏二十三部爲基礎，參以戴氏陰陽入三分法，將屋、沃、鐸、錫、德五部獨立，而成二十八部。王力《漢語音韻》及《漢語語音史》採黃永鎮肅部獨立之說，改名爲覺部，並自行分出微部，而得古音三十部。羅常培、周祖謨二氏《漢魏晉南北朝韻部演變研究》分出祭部，則爲三十一部。祭部之獨立，王力以爲難分，此則仁智之見，各有勝處。余撰《古音學發微》採黃侃晚年談、添、盍、怗分四部說，增談盍兩部，於是兼顧審音與考古兩方面而得最後之結果爲古韻三十二部。茲錄於於下，並附所擬韻讀。

陰聲	入聲	陽聲
1歌〔a i〕	2月〔a t〕	3元〔a n〕
4脂〔ɐ i〕	5質〔ɐ t〕	6眞〔ɐ n〕
7微〔ə i〕	8沒〔ə t〕	9諄〔ə n〕
10支〔ɐ〕	11錫〔ɐ k〕	12耕〔ɐ ŋ〕

13魚〔a〕　14鐸〔ak〕　15陽〔aŋ〕
16侯〔au〕　17屋〔auk〕　18東〔auŋ〕
19宵〔ɐu〕　20藥〔ɐuk〕
21幽〔əu〕　22覺〔əuk〕　23冬〔əuŋ〕
24之〔ə〕　25職〔ək〕　26蒸〔əŋ〕
27緝〔əp〕　28侵〔əm〕
29怗〔ɐp〕　30添〔ɐm〕
31盍〔ap〕　32談〔am〕

至於介音則一等開口無任何介音，一等合口有-u-介音；二等開口有-r-介音，合口有-ru-介音；三等開口有-j-介音，合口有-ju-介音；四等開口有-i-介音，合口有-iu-介音。吾人所以能作如此擬測，於孔子之正讀《詩》音有絕密切之關係，否則就無從著手者矣。

三、孔子與《詩經》之善義

漢儒之治經學，固注重於章句訓詁、名物制度，然漢儒亦往往將其政治思想寄託於經書之上，所謂通經致用者是也。其實漢儒此種想法，亦非漢儒之所獨有，先秦諸子之中，其實無一非政治哲學。儒家之目的，則尤為顯著。《漢書・藝文志》云：「儒家者流，蓋出於司徒之官，助人君順陰陽明教化者也。游文於六經之中，留意於仁義之際，祖述堯舜，憲章文武，宗師仲尼，以重其言，於道爲最高。」儒家之目的既助人君求治，而其所以助人君之工具，則爲六經，其內容則爲堯舜禹湯文武周公孔子相傳之仁義道德。孔子說：「述而不作。」儒家之方法，即以述古之方式，融化進仁義道德，以助仁君爲治。儒家既助人君爲治，故將其希望之實現，寄託於人君之身上。故儒家之經說，即儒家之政治學說，專用以向人君陳說者，希望所助之君主爲好德之人君。儒家於六經之態度如此，於《詩經》自不例外。觀《論語》所載孔子及其門弟子論《詩》之言，即可得其大概矣。

《論語・爲政》篇云：「《詩》三百，一言以蔽之曰：思無邪。」《論語》所載孔子此言，已充分說明《詩經》之功用，主要在於導人於「思無邪」，《詩》三百篇其實也非句句皆無邪者，如此則〈毛詩序〉所謂美刺，才能眞正達到訓釋詩義至於無邪之境地。

《論語・子路》篇云：「子曰：誦《詩》三百，授之以政，不達，使於四方，不能專對，雖多亦奚以爲？」此章所說，明顯指出，誦詩授政，出使專對，乃當時所實有之事例，並非發之於孔子，不過孔子肯定其作用而已。尤其重要者，乃明顯說出，習《詩》與從政之關係，是何等密切。

《論語・陽貨》篇云：「子曰：小子何莫學夫詩，詩可以興，可以觀，可以群，可以怨，邇之事父，遠之事君，多識於鳥獸草木之名。子謂伯魚曰：女爲周南、召南矣乎？人而不爲周南、召南，其猶正牆面而立也與！」事父事君，均與習詩有密切之關係，則《詩經》在儒家思想上之重要性，尤可想見。此種情形，疑在孔子以前早已如此。再從《左傳》賦詩之普遍，則孔子所謂「人而不爲周南、召南，其猶正牆面而立也與！」確實有其道理在也。孔門傳《詩》兩大弟子子貢與子夏，在《論語》中皆有一段與孔子非常耐人尋味之對話。

《論語・學而》：「子貢曰：貧而無諂，富而無驕，何如？子曰：可也，未若貧而樂，富而好禮者也。子貢曰：《詩》云：『如切如瑳，如琢如磨。』其斯之謂與！子曰：賜也，始可與言詩已矣。告諸往而知來者。」

《論語・八佾》：「子夏問曰：『巧笑倩兮，美目盼兮，素以爲絢兮。』何謂也？子曰：繪事後素。曰：禮後乎！子曰：起予者商也，始可與言詩已矣。」

孔子所以許子貢、子夏可以言詩，乃因二子能連類取譬，悟出「如切如瑳，如琢如磨。」及「禮後乎！」之道理，可見詩必須瞭解其深一層之含義，而不只是限於表面上之文辭而已。《論語・學而》篇所載有關子貢問孔子爲衛君否之問答，尤具深意，頗耐人尋味。其全文如下：

「冉有曰：『夫子爲衛？』子貢曰：『諾，吾將問之。』入曰：『伯夷、叔齊何人也？』曰：『古之賢人也。』曰：『怨乎！』曰：『求仁而得仁，又何怨！』出曰：『夫子不爲也。』」子貢因深於詩之比興，所以提出伯夷、叔齊兄弟讓國之事以問孔子，孔子許爲賢人，則衛君之父子爭國，固孔子之所惡也，是以子貢肯定知夫子不爲衛君也。漢代儒家遵守此一傳統，無論是今文之三家，抑或古文之毛氏，其實傳詩之態度皆相同。

《漢書・儒林・王式傳》云：「王式字翁思，東海新桃人也。事免中徐公及許生，爲昌邑王師。

昌邑王廢，繫獄當死，治事使者責問曰：『師何以無諫書？』式對曰：『臣以《詩》三百篇朝夕授王，至於忠臣孝子之篇，未嘗不為王反復誦之也。至於危亡失道之君，未嘗不流涕為王深陳之也。臣以三百五篇諫，是以無諫書。』使者以聞，亦得減死論。」

以三百五篇為諫書，蓋自春秋以來即為儒家之傳統。《左傳・襄公十四年》云：「自王以下，各有父兄子弟以補察其政，史為書，瞽為詩，工誦箴諫，大夫規誨，士傳言，庶人謗，商旅於市，百工獻藝。」《國語・周語上》邵公告周厲王云：「故天子聽政，使公卿至於列士獻詩，瞽獻曲，史獻書，師箴，瞍賦，矇誦，百工諫，庶人傳語，近臣盡規，親戚補察，瞽史教誨，耆艾修之，而後王斟酌焉，是以事行而不悖。」

此種儒家以歌詩當諫書之風氣，自春秋一直至漢初仍然保持。如《漢書・賈誼傳》論及輔佐太子之道云：「及太子即冠成人，免於保傅之嚴，則有記過之史，徹膳之宰，進善之旌，誹謗之木，敢諫之鼓，瞽史誦詩，工誦箴諫，大夫進謀，士傳民語，習與智長，故切而不媿；化與心成，故中道若性。」

《漢書・賈山傳》載賈山上文帝至言亦云：「古者聖王之制，史在前，書過失，工誦詩諫，公卿比諫，士傳言諫過，庶人謗於道，商旅議於市，然後得聞其過失也。」

以詩為諫之古制，確為儒家相傳作為教化之資，自無問題。太史公〈自序〉云：「詩記山川谿谷禽獸草木牝牡雌雄，故長於風。」戴君仁先生以爲此「風」字當讀爲「諷諫之諷」，蓋諷者言在此而意在彼，含而不發，談言微中，因爲語不指實，故言之者無罪；能發其省悟，故聞之者足以戒。所以以詩爲諫，乃一種最好之規諫方法。孔子謂學詩可以事父事君，蓋亦因學詩者對君父之諷諫，有匡諫之功，而無實質之指責。故爲一種實用之政治藝術，不盡是描繪風月，吟詠性情之純文學作品。儘管《詩經》中原有純文學作品，然自孔子以後之儒家傳詩，則其用已在政治，而不在文學。今吾人讀《詩經》，不能不深深體會者，亦即《詩經》爲經學之《詩經》，非僅純文學之《詩經》也。

清魏源《詩古微．齊魯韓毛異同論》謂：「夫詩有作詩者之心，而又有采詩、編詩者之心焉。作詩者自道其情，情達而止，不計聞者之如何也，即事而詠，不求致此者之何自也。諷上而作但蘄上悟，不爲他人勸懲也。至太師采之以貢於天子，則以作者之詞而諭乎聞者之志，以即事而詠，而推其致此之由，則一時賞罰黜陟興焉。國史編之，以備矇誦，教國子，則以諷此人之詩，成爲諷人人之詩，又成爲處此境而詠己詠人之法，而百世勸懲觀感興焉。」

風詩作者爲何等樣人，爲何而作，爲詠一己之情意，抑爲感人之境遇而作？在在皆所難知者也。今人不信〈詩序〉，寧從《詩》之本文，以探求作詩本意，立意雖佳，然其所爲，又能確知《詩》之本意乎？則亦難知也。若以今人之所知，以爲得《詩》之本旨者，較之〈詩序〉之所言，豈非五十步與百步之間者乎！呂思勉〈辯梁任公陰陽五行說之來歷〉一文嘗云：「《詩》之作義，本不可知。」既不可知，則研究《詩經》者，何必一定求《詩》之作者之本旨哉！若改而探索古代研究《詩經》者之用心，即魏源所謂「采詩與編詩者之用心」，豈非一條康莊之大道。研究前人何以要如此解詩？此乃顯而易求，無庸猜度者，實際上亦即以客觀態度，研究古人此種解《詩》之法，有何需要，有何價值？如此研究，雖非求眞之道，卻爲求善之路，善與惡在今日固然稍嫌混淆不清，但主張以文學欣賞態度之人士，除力求其眞實外，似亦不應非薄求善之用心，因爲善惡是非總有其一定之標準者也。

古代解詩者其推測作詩之意，應有其用心，因爲無論何事，吾人皆望得其眞象，吾人所以說采詩者編詩者之意者，以其有實用之目的在也。因爲古代經書乃儒家之政治原理，而此種原理之重要目的，則在向人君闡說，使人君能致至治焉。《漢書・儒林傳》云：「古之儒者，博學乎六藝之文，六學者，王教之典籍，所以明天道、正人倫、致至治之成法也。」

《詩經》爲六藝之一，當然亦爲王教之典籍，所以明天道、正人倫、致至治之成法。則傳詩之儒講求詩之美刺，豈非理所當然？因爲傳詩之儒，根本不著重於詩之作意，何人所作？因何而作？雖亦偶然提及，然究非其要旨，其傳詩之目的，首在於「致至治」。《詩・大序》云：「故正得失，動天地，感鬼神，莫近於詩。先王以是經夫婦，成孝敬，厚人倫，美教化，移風俗。」《詩・大序》所說即王教，亦即儒家之教化政治，儒家講詩，即圖借詩以實現此種教化政治。《漢書・武五子傳》載龔遂對昌邑王云：「臣不敢隱忠，數言危亡之戒，大王不悅。夫國之存亡，豈在臣言哉！願王內自揆度，大王誦《詩》三百五篇，人事浹，王道備。王之所行，中《詩》一篇何等也？大王位爲諸侯王，行污於庶人，以存難，以亡易，宜深察之。」又云：「既即位後，王夢青蠅之矢，積西階東，可五六石，以屋版瓦覆，發視之，青蠅矢也。以問遂，遂曰：陛下之詩不云乎！『營營青蠅，集于藩；愷悌君子，毋信讒言。』陛下左側讒人衆多，如是青蠅惡矣。宜進先帝大臣子孫親近，以爲左右，如不忍昌邑故人，信用諂諛，必有凶咎。願詭禍爲福，皆放逐之。臣當先逐矣。賀不用其言，卒至於廢。」

龔遂所說大王誦詩三百五篇，人事浹，王道備，王之所行，中詩一篇何等。可見說詩風氣，確是注重道德方面，而不在於文藝。龔遂引〈青蠅〉詩以諫昌邑王，乃實在將三百五篇作爲諫書。《漢書・循吏傳》謂龔遂「以明經爲官」，很可能龔遂所明之經爲《詩經》，當時昌邑王廢，昌邑群臣皆被誅戮，免死者惟有自言以三百五篇爲諫書之王式及龔遂、王吉以數諫而得免死。王吉習《韓詩》，龔遂所習當亦爲三家詩，因爲其時《毛詩》之學未興。龔遂等既重政治得失，則詩之原來作意，必未重視。其所解釋之詩，正是魏源所說采詩編詩者之意。三家詩今皆不傳，度其政治意味，必較《毛詩》尤強，毛爲後起之學，並未改變前人治詩之宗旨，主要差別，只不過配合古文典籍，如《左傳》及《周禮》等，加重事實之可靠性，減少緯候之氣氛而已。在釋詩之原則上並無太大之轉變。而把三百五篇視爲引導人君達到「人事浹，王道備」之善境者，則古今一致。後人懷疑〈毛詩序〉，謂其所釋爲穿鑿附會，實未明〈詩序〉乃深受孔子詩教之影響，作爲事父事君之良好教材。今選正風變風之詩篇各一首，以窺其釋詩理趣之所在。〈關雎・序〉云：「關雎，后妃之德也。……是以關雎樂得淑女以配君子，憂在進賢，不淫其色，哀窈窕，思賢才，而無傷善之心焉。是關雎之義也。」

此詩鄭振鐸〈讀毛詩序〉以爲乃寫男子思慕女子，屈萬里《詩經釋義》以爲祝賀新婚之詩。二人解釋固無可厚非。然〈詩序〉作此解釋者，《漢書．匡衡傳》云：「妃匹之際，生民之始，萬福之源，婚姻之禮正，然後萬物遂而天命全，孔子論詩，以關雎爲始，言太上者，民之父母，后夫人之行，不侔乎天地，則無以奉神靈之統而理萬物之宜。故《詩》曰：『窈窕淑女，君子好仇。』言能致其貞淑，不貳其操，情欲之感，無介乎容儀；宴私之意，不形乎動靜。夫然後可以配至尊而爲宗廟主，此綱紀之首，王教之端也。」蓋古代帝王統治天下，其最重要者，則在後嗣繁昌，否則天下爲他人所有，而欲子孫繁昌，端在於后夫人之不妒嫉。否則如呂太后因妒而殘害戚夫人，毒殺趙王如意；成帝時趙飛燕聞後宮之孕者皆鴆殺之，則後嗣何由繁昌？是以后夫人之不妒嫉，乃子孫繁昌之重要因素。此篇乃以詩人設言，后妃樂得淑女以配君子，故未得則求，求而不得則思，求而既得則樂，輾轉反側，琴瑟鐘鼓，皆設言其事，而極其憂樂之情，所以明后妃之德而不妒嫉也。蓋后妃性行和諧，不淫其色，而又能不妒嫉，故傳謂「后妃有關雎之德，是幽閑貞專之善女，宜爲君子之好匹。」以后妃不妒嫉，可共以事夫，故言宜也。〈桃夭．序〉云：「不妒嫉則男女以正。」而云「后妃之所致」，謂后妃之德之所致也。設不以后妃求淑女以配君子爲說，則序稱無傷善之心者，斷不可通矣。大抵立國之本，在於蕃殖人民，此則列國競存部落吞噬之際，其情尤爲汲汲。故子孫千億，周室所以勃興；民不加多，惠王引爲大慼。誠以覘人口之消長，即可卜家國之興衰，是以當男少女多之世，欲弭曠怨，蕃種類，自將演成一夫多偶之制，此情勢之必至也。然欲維繫此一制度，必賴媲匹有不妒嫉之德，然後可室家和穆，子孫衆多。傳曰：「凡有血氣，皆有爭心。」故凡物有陰陽情欲者，無不妒忌，所以爲婦德之至難，而聖人兢兢立教不得已之苦心，〈關雎〉之詩，所爲用之鄉人邦國風天下而正夫婦者也。

〈周南．樛木．序〉云：「后妃逮下也，言能逮下而無妒嫉之心。」

〈螽斯．序〉：云「言若螽斯不妒忌，則子孫衆多也。」

〈桃夭．序〉云：「后妃之所致也。不妒忌，則男女正，婚姻以時，國無鰥民也。」

〈芣苢．序〉云：「和平則婦人樂有子矣。」

〈召南．小星．序〉云：「小星，夫人無妒忌之行，惠及下也。」

〈江有汜．序〉云：「江有汜，美媵也。勤而無怨，嫡能悔過也。」

觀周、召二南反覆致意於此，而聖人垂世立教之意益可知矣。蓋一夫一妻，爲人倫之正軌；一夫多偶，隨時事而變通。故曰：妻者齊也。此自其常者言之也。又曰：「不妒忌則男女以正，婚姻以時，國無鰥民。」此徇其變者言之也。荀子曰：「王也者，盡制者也，聖也者，盡倫者也。」得其常，通其變，則民族繁衍，而男女無曠怨矣。

〈鄭風．風雨．序〉云：「風雨，思君子也。亂世則思君子，不改其度焉。」

朱子《詩集傳》云：「淫奔之女言當此之時，見其所期之人而心悅也。」屈萬里《詩經釋義》謂：「此男女幽會之詩。」按二說皆不中理，幽會何必一定選擇風雨之夜乎！陳子展《詩經直解》云：「今按：〈風雨〉，懷人之詩，詩人於風雨之夜，懷念君子，既而見之，喜極而作。詩人與君子有何關係？君子爲何等人？詩所未言，殊難猜測。〈序〉意甚美，謂『亂世，則思君子不改其度。』三家無異義。

朱子意謂詩語『輕佻狎暱，非思賢之意。』（《辨說》）『風雨晦冥爲淫奔之詩。』（《集傳》）據《詩》迭謂「云胡不夷」，「云胡不瘳」，「云胡不喜」，自是一時驟見狂喜之情，狎暱似之，輕佻未也。何況《詩》說風雨雞鳴，比喻亂世君子不改常度，用意至爲嚴肅乎！《詩》決非《朱傳》所謂淫奔之女之詞也。」毛奇齡《白鷺洲主客說詩》云：「陳晦伯作《經典稽疑》，載〈風雨〉一詩，行文取證甚備。郭璞，呂光遺楊軌書曰：『陵霜不凋者松柏也，臨難不移者君子也。何圖松柏凋於微霜，而雞鳴已於風雨！』《辨命論》云：『《詩．風雨》云：風雨如晦，雞鳴不已。故善人爲善，豈有息哉！』《廣弘明集上》云：梁簡文於〈幽摯中自序〉云：『梁正士蘭陵蕭綱，立身行己，終始如一，風雨如晦，雞鳴不已，非欺暗室，豈況三光，數至於此，命也如何！』」又云：「自淫詩之說出，不特《春秋》事實皆無可按，即漢後史事其於經典有關合者，一概埽盡。如《南史．袁粲傳》：粲初名愍孫，峻於儀範。廢帝裸之，迫之使走。愍孫雅步如常，顧而言曰，風雨如晦，雞鳴不已。此〈風雨〉之詩，蓋言君子有常，雖或處亂世而仍不改其度也。如此事實，載之可感，言之可思。不謂淫說一行，而此等遂闃然，即造次不移，臨難不奪之故事，俱一旦歇絕，無可據已，嗟乎痛哉！」胡承珙《毛詩後箋》云：「《文選》陸士衡〈演連珠〉云：貞乎期者，時累不能淫，是以迅風陵雨，不謬晨雞之察，亦是用〈序〉意也。」據此可知，此詩之積極意義在於鼓勵人之爲善不息，不改常度，造次不移，臨難不奪。倘爭論其必爲淫奔之詩，則有何根據？有何意義？「詩三百，一言以蔽之，曰：思無邪。」孔子對《詩經》早已指出其善義所在，此乃孔子之睿智，深明於詩學者也。

四、結語

總而言之，不論爲美爲刺，其目的皆針對人君陳說人倫道德與王道政治者，即《詩・大序》所謂「正得失」，漢代經師將政治與道德上一切美好理想，皆寄託於三百篇上加以表現出來，《詩》之原來作意如何？原本有無美刺作用？本非其治詩之目的。《詩》學雖有今古四家之不同，而以《詩》爲表達其政治道德之理想，此一旨趣，則完全相同，亦漢代儒家傳《詩》之天經地義，《詩》乃要人以理智信服，而非以感情欣賞。故詩乃王教之典籍，非如今人所謂純文學者也。

《詩・小雅・六月・序》云：「六月，宣王北伐也。〈鹿鳴〉廢，則和樂缺矣。〈四牡〉廢，則君臣缺矣。〈皇皇者華〉廢，則忠信缺矣。〈魚麗〉廢，則法度缺矣。〈南陔〉廢，則孝友缺矣。〈白華〉廢，則廉恥缺矣。〈華黍〉廢，則蓄積缺矣。〈由庚〉廢，則陰陽失其道理矣。〈南有嘉魚〉廢，則賢者不安，下不得其所矣。〈崇丘〉廢，則萬物不遂矣。〈南山有臺〉廢，則國之基隊矣。〈由儀〉廢，則萬物失其道理矣。〈蓼蕭〉廢，則恩澤乖矣。〈湛露〉廢，則萬國離矣。〈彤弓〉廢，則諸夏衰矣。〈菁菁者莪〉廢，則無禮儀矣。〈小雅〉盡廢，則四夷交侵，中國微矣。」只是〈小雅〉廢，即有如此之大危險，若三百五篇盡廢，豈非要亡國滅種乎！今世之人，以文學眼光研究《詩經》，見此種見解，固然欲笑破肚皮。然在周漢經師，確是態度認眞，毫不苟且。一言以蔽之，在漢儒觀點，即「義理廢，則國危矣」。今日兩岸中國人民均追求現代化，然皆以利爲利，甚至見利忘義，若循此

[illegible]，將來之中國，竟究會是何等樣之國家，有無自己立國之風格。〈詩序〉所講每篇詩之大義皆[illegible]據孔子所謂「思無邪」而銓釋者，相傳為孔子弟子子夏所著，《詩．小雅．常棣．序疏》引鄭志荅張逸問曰：「此序子夏所為，親受聖人，足自明矣。」可見〈詩序〉之作，乃子夏親受聖人，秉承孔子釋《詩》之旨而作，故今研究孔子之學說，於〈詩序〉之釋詩，實宜多垂意焉。竊意保留〈詩序〉以說詩，並無任何壞影響；廢除〈詩序〉以說詩，則人各自為說，淫詩淫聲，充滿篇章，則於孔子「思無邪」之旨大相背離矣。

中華民國九十年一月五日陳新雄脫稿於臺北市和平東路二段鍥不舍齋

【參考書目】

重刊宋本毛詩注疏附校勘記　藝文印書館　臺北

重刊宋本論語注疏附校勘記　藝文印書館　臺北

論語正義　清劉寶楠劉恭冕撰　世界書局新編諸子集成一　臺北(一九七二)

淮南子　漢高誘注　世界書局新編諸子集成七　臺北(一九七二)

詩集傳　朱熹撰　藝文印書館　臺北

詩序辨說　朱熹撰　藝文印書館百部叢書集成本　臺北

白鷺洲主客說詩　毛奇齡撰　藝文印書館百部叢書集成本　臺北

毛詩後箋　清胡承珙撰　藝文印書館續經解毛詩類彙編本　臺北
詩古微　清魏源撰　藝文印書館續經解毛詩類彙編本　臺北
古史辨第三册　顧頡剛編著　明倫出版社　臺北(一九七〇)
古史辨第五册　顧頡剛編著　明倫出版社　臺北(一九七〇)
黃侃論學雜著　黃侃撰　中華書局　上海(一九六四)
漢書補注　藝文印書館　臺北
詩經釋義　屈萬里著　中國文化大學出版部　臺北(一九八三)
詩經詮釋　屈萬里著　屈萬里全集本　聯經出版事業公司　臺北(一九八四)
古音學發微　陳新雄著　嘉新水泥公司文化基金會　臺北(一九七二)
鍥不舍齋論學集　陳新雄著　臺灣學生書局　臺北(一九八四)
文字聲韻論叢　陳新雄著　東大圖書公司　臺北(一九九四)
詩經直解　陳子展　復旦大學出版社　上海(一九八三)
漢魏晉南北朝韻部演變研究第一分册　羅常培、周祖謨合著　科學出版社　北京(一九五八)
上古音研究　李方桂著　商務印書館　北京(一九八〇)
漢語音韻　王力著　中華書局香港分局　香港(一九八四)
漢語語音史　王力著　中國社會科學出版社　北京(一九八五)

國風集說上下　張樹波編著　河北人民出版社　石家莊(一九九三)
毛詩小序的重估價　戴君仁　黎明出版事業公司詩經研究論集　臺北(一九八一)
詩序明辨　潘重規　學術季刊四卷四期　臺北(一九五六)
詩序存廢議　陳新雄　詩經國際學術研討會論文集　河北大學出版社　石家莊(一九九四)

墨子的三表法

臺灣師範大學
國文學系教授　王冬珍

一、前　言

在先秦諸子之中，墨子是最講究思想方法的。而思想方法，通常分爲普通方法與特殊方法；所謂普通思想方法，可想而知，是哲學家們共同所使用的，因此與任何一哲學家的思想內容，都沒有密切的關係，純爲一客觀性的思想方法，而且它不僅是哲學的思想方法，也是社會科學和自然科學所普遍應用的思想方法。

至於特殊的思想方法，則見於獨特性或開創性的哲學思想中。所以研究一個哲學家的哲學思想時，若能多加注意，便會發現其整個思想體系的架構與發展，必遵循某一準則或方法進行，而此準則或方法與其思想內容，又常常結合爲一體，不容分割。墨子的「三表法」就是特殊的思想方法，也是墨子獨創的思想方法，更是墨家對萬事萬物認識判斷的準則。所以「三表法」雖僅在〈非命〉三篇中明顯提出，但確是十論①各篇的論證方法，也是十論各篇的實際架構。

二、法儀與三表法

思想是人類的一種心智活動，言論是思想的表達，當人類在進行思惟活動或發表言論時，必遵循一定的法儀，才能在推理時判斷其是非善惡。墨子是最先確立其言論的法儀的，他說：

必立儀。言而毋儀，譬猶運鈞之上而立朝夕者也，是非利害之辨，不可得而明知也。②

所謂「立儀」，就是要建立法儀，也就是確立「準則」，立論若沒有準則，是非利害的區別就無法知曉。《墨子》中有一篇名叫「法儀」，是專門討論「準則」的。篇首即說：

天下從事者，不可以無法儀。無法儀，而其事能成者無有也。雖至士之爲將相者，皆有法；雖至百工從事者，亦皆有法。百工爲方以矩，爲圓以規，直以繩，正以縣，平以水③，無巧工不巧工，皆以此五者爲法，巧者能中之，不巧者雖不能中，放依以從事，猶逾己，故百工從事，皆有法所度。

有了準則以後，上自將相，下至百工，無論在任何時間，任何地點，從事任何工作，都應該遵照準則而行，才能完美無誤。而且墨子認爲天下的父母、老師、君王，都不足以做爲效法的準則，因爲這三種人仁者少，不仁者多，唯有他所肯定的「天」，才可作爲效法的準則。他說：

天之行廣而無私，其施厚而不得，其明久而不衰，故聖王法之。既以天爲法，動作有爲，必度於天，天之所欲則爲之，天所不欲則止。然而天何欲何惡者也？天必欲人之相愛相利，而不欲人之相惡相賊也。奚以知天之欲人之相愛相利，而不欲人之相惡相賊也？以其兼而愛之，兼而利之也。奚以知天兼而愛之，兼而利之也？以其兼而有之，兼而食之也。④

天的運行，是普及萬物而無所偏私；天施人厚德，卻不自以爲有德於人而要求報答；天的日月星照耀，是恆久而不稍衰。所以，天具有普遍性與無私性，深厚性與永久性。這就是墨子所以法天的原因。

同時，天對人是「兼而愛之，兼而利之」，「兼而有之，兼而食之」，也希望人人的「動作有爲」，都能以「天志」爲準則。〈天志下〉說：「子墨子置天之（同「志」），以爲儀法。」那麼，「天志」是什麼？「天志」就是要人人「相愛相利」，也就是要人人「兼相愛交相利」。而「相愛相利」或「兼相愛交相利」，就是人們思想言論和「動作有爲」的準則。

其次探討墨家辨別是非利害的「三表法」⑤。「三表法」見於〈非命〉上中下三篇，其內容與文字大同小異。茲列於下：

㈠何謂三表？子墨子曰：「有本之者，有原之者，有用之者。於何本之，上本之於古者聖王之事；於何原之，下原察百姓耳目之實；於何用之，廢（同「發」）以爲刑政，觀其中國家百姓人民之利，此所謂言有三表也。」⑥

㈡三法者何也？有本之者，有原之者，有用之者。於其本之也，考之天鬼之志，聖王之事；於其原之也，徵以先王之書；用之奈何？發而爲刑政⑦，此言之三法也。⑧

㈢何謂三法？曰：「有考之者，有原之者，有用之者。惡乎考之？考先聖大王之事；惡乎原之？察眾之耳目之請（通「情」）；惡何用之？發而為政乎國，察萬民而觀之，此謂三法也。」⑨

由以上三段論述，可以知道「三表法」即指「有本之者，有原之者，有用之者」三者而言。至其內涵，綜合而言，第一表「本之者」，是「上本之於古者聖王之事」、「考之天鬼之志」；第二表「原之者」，是「下原察百姓耳目之實」、「徵以先王之書」；第三表「用之者」，是「發以為刑政，觀其中國家百姓人民之利」。這是方法的說明。循此方法，利用具體的內容，即可以進行論證。

三、三表法的論證舉例

三表法是《墨子》十論各篇的論證方法，今僅以〈非命〉三篇為例，說明於下。

當時執有命的人以為「則富，命貧則貧，命眾則眾，命寡則寡，命治則治，命亂則亂，命壽則壽，命夭則夭，雖強勁何益哉。」⑩認為人生的一切結果，都由命決定，都受命主宰，不管如何努力都是無用的。墨子出身平民，以興天下之利，除天下之害，為人生行為的最高準則⑪，所以對這種執有命的觀念，大加排斥，謂「執有命者不仁」，「是覆天下之義」，且用三表法以破除這種執有命的觀念，而建立非命的思想。

首先我們來探究墨子第一表的論據。

㈠昔桀之所亂，湯治之；紂之所亂，武王治之。當此之時，世不渝而民不易，上變政而民改俗。

存乎桀紂而天下亂，存乎湯武而天下治。天下之治也，湯武之力也；天下之亂也，桀紂之罪也。若以此觀之，夫安危治亂，存乎上之爲政也，則夫豈可謂有命哉！⑫

㈡昔三代暴王桀紂幽厲，貴爲天子，富有天下，於此乎，不而⑬矯其耳目之欲，而從其心意之辟，外之敺騁、田獵、畢弋，內湛於酒樂，而不顧其國家百姓之政，繁爲無用，暴逆百姓，遂失其宗廟。其言不曰「吾罷不肖，吾聽治不強」，必曰「吾命固將失之」。雖三代罷不肖之民，亦猶此也。不能善事親戚君長，甚惡恭儉而好簡易，貪飲食而惰從事，衣食之財不足，是以身有陷乎飢寒凍餒之憂。其言不曰「吾罷不肖，吾從事不強」，又曰「吾命固將窮」。昔三代僞民亦猶此也⑭。

墨子先以正面的論據，聖王的事跡，證明命是不存在的。時世沒變，人民沒變，桀紂治理天下，天下就大亂；湯武治理天下，天下就大治，所以安危治亂的關鍵，完全在上位的君王，改變政治措施，人民就改變了風俗，那裡是有命呢？其次，墨子再以反面的論據，證明命只是「暴王作之，窮人術（通「述」）之」⑮，事實是不存在的。三代暴王縱情於耳目聲色之娛，終日沉溺於飲酒作樂，不顧國家百姓的政務。多作無用之事，凌暴百姓，違逆他們的心意，以致國家滅亡，他們不但不肯說自己無能，不勤政愛民，反而說是命中注定的，其實只是他們的藉口罷了。

其次是第二表：

㈠自古以及今，生民以來者，亦嘗見命之物，聞命之聲者乎？則未嘗有也。若以百姓爲愚不肖，耳目之情不足因而為法，然則胡不嘗考之諸侯之傳言流語乎？自古以及今，生民以來者，亦嘗有聞命之聲？見命之體者乎？則未嘗有也⑯。

㈡先王之書，所以出國家，布施百姓者，憲也。先王之憲，亦嘗有曰：「福不可請，而禍不可諱，敬無益，暴無傷者乎？」所以聽獄制罪者，刑也。先王之刑，亦嘗有曰：「福不可請，禍不可諱，敬無益，暴無傷者乎？」所以整設師旅，進退師徒者，誓也。先王之誓，亦嘗有曰：「福不可請，禍不可諱，敬無益，暴無傷者乎？」⑰

這是第二表，探討命的有無，必須以衆人耳目之情，有人看到，有人聽到，就是有；沒有人看到，沒有人聽到，就是無。有與無的標準，必須訴諸於人類的耳目經驗，但是自古至今，從來都沒有人看到過命的形體，聽到過命的聲音。不但百姓沒有看到過，聽到過，就連諸侯聖王也沒有看到過，聽到過，因此命是沒有的。其次是以先王的書。墨子以先王的書，如憲、刑、誓等，都不曾說「福不可請，禍不可諱，敬無益，暴無傷」，是先王之書均未曾言有命，則先王必以為福必可請，禍必可違，敬必有益，暴必有傷，由此可知命是沒有的。

再次是第三表。

㈠今也王公大人之所以蚤朝晏退，聽獄治政，終朝均分，而不敢怠倦者，何也？曰：彼以為強必治，不強必亂；強必寧，不強必危，故不敢怠倦。今也卿大夫之所以竭股肱之力，殫其思慮之知，內治官府，外斂關市山林澤梁之利，以實官府，而不敢怠倦者，何也？曰：彼以為強必貴，不強必賤；強必榮，不強必辱，故不敢怠倦⑱。

㈡今用執有命者之言，則上不聽治，下不從事。上不聽治，則刑政亂；下不從事，則財不足。上無以供粢盛酒醴，祭祀上帝鬼神，下無以降綏天下賢可之士，外無以應待諸侯之賓客，內無以食飢衣寒，將養老弱。故命上不利於天，中不利於鬼，下不利於人，而強執此者，此特凶言之所自生，而暴人之道也⑲。

這是第三表的說明，一方面從正面證實，如果不相信有命，大家就會努力工作，不敢怠倦。王公大人能早朝晚退，勤勉治理政務，國家就會治理好，否則就會混亂；卿大夫能竭盡思慮智慧與手足之力，來治理官府，國家就會富足，否則財貨就會缺乏；農夫努力耕種就富裕，否則就會貧窮。另一方面從反面證實，如果相信執有命者的言論，那麼在上位的君長，就不會努力去處理政務；在下位的也不會努力從事生產，認爲一切既然是命中註定，再努力也是無用。如此，必定會刑政大亂，財用不足。綜合正反兩面加以比較，可知相信一切由命決定，那是上不利於天，中不利於鬼，下不利於人；而不相信一切由命決定，也就是認眞負責，努力做好自己的工作，對國定人民都是有利的，因此墨子要非命。

四、三表法內涵的考察

第一表是「考之天鬼之志」、「本之於古者聖王之事」。是說天下一切的事情，都要以天鬼之志和聖王之事爲依據。墨家的天不僅愛利天下的人，也要人們能兼相愛交相利⑳。至於鬼神是介於天與人之間，其地位既在天之下，便須順從天志㉑兼愛天下的人。而古代的聖王，也都能奉行天的意志，兼愛天下的百姓，且率以尊天事鬼㉒，所以第一表的二個原則，事實上是相同的。至於聖王，從《墨子》一書觀之，指的是禹、湯、文、武，有時候加上堯、舜。反之，桀、紂、幽、厲，則稱之爲「暴王」。所謂「聖王之事」，是指三代聖王能尚賢事能、遵守法儀、愛利萬民、貴義尙行、順從天意、敬事鬼神、節用惜財、節葬儉約、不事音樂、努力政務㉓，綜合而言，是能爲天下興利除害。

這第一表的內涵，主要是訴諸於古代的權威，以聖王的事跡，做爲價値判斷的一個準則。

第二表是「原察百姓耳目之實」、「徵以先王之書」。所謂「原察百姓耳目之實」，是說任何事物是否眞實，必須根據百姓感官的經驗，做爲判斷有無的準則。墨子說：「天下之所以察知有與無之道者，必以衆人之耳目之實知有與無爲儀也。請惑（同「誠或」）聞之見之，則必以爲有；莫之聞莫之見，則必以爲無。」㉔說明凡是經由人類耳目經驗印證的，就是有，就是存在的；凡是不能經由人類耳目經驗印證的，就是無，就是不存在的。這種經驗，不祇是包括現在的，也包括過去的，第一表所說的古代聖王事跡，就是過去的經驗。「徵以先王之書」，就是從先王書籍所記載的，做爲判斷任何事物的準則，而先王書籍所記載的，當然是先王的事跡，也是過去的經驗。所以，這不僅和第一表的「本之於古聖先王之事」，是相同的，而且和第二表的「原察百姓耳目之實」，以耳目經驗作爲判斷任何事物的準則，也是相同的。

這是第二表的內涵，主要是訴諸感官的經驗，以耳目的見聞，做爲價值判斷的一個準則。

第三表是「發以爲刑政，觀其中國家百姓人民之利」。是說任何思想言論都要付諸實行，實行以後，產生的結果，凡是對國家人民有利的，就是好的，就是有用；凡是對國家人民沒有利的，就是不好的，就是沒有用。〈兼愛下〉有人問墨子說：「(兼)即善矣。雖然，豈可用哉？」墨子回答說：「用而不可，雖我亦將非之，且焉有善而不可用者？」這也說明了，凡是好的，就是能用的，就是有利的；凡是不好的，就是不能用的，就是沒有利的。在墨子的學說中，他所以主張尙賢、尙同、兼愛、貴義，甚至尊天事鬼，以及他所以要非命、非樂、非攻、非厚葬、非久喪，也都是根據這個準則的。

這是第三表的內涵，主要是訴諸現在和將來的結果，以有利和有用，做爲價值判斷的一個準則。

五、結論

所謂本之者，即立論的歷史根據。歷史是記載過去的治亂得失，可作爲我們治國理民的借鏡。若堯、舜、禹、湯、文、武，能順從天的意志，愛人利人，故得天的賞賜，使貴爲天子，富有天下，人們把他們的事跡書寫於竹帛，鏤刻於金石，雕琢於盤盂，傳於後世子孫，他們的名譽至今不息。桀、紂、幽、厲，違反天的意志，憎惡天下人民，故得天的懲罰，天放棄他們，不保護他們，人們把他們的事情也書寫於竹帛，鏤刻於金石，雕琢於盤盂，傳於後世子孫，說他們得天的懲罰㉕。所以我們知道「凡言凡動，合於三代聖王堯、舜、禹、湯、文、武者爲之。凡言凡動，合於三代暴王桀、紂、幽、厲者舍之」㉖。此所謂溫故而知新，彰往而察來。

所謂原之者，即立論的實驗求證。而實驗求證的根據，是「耳目之實」。墨子以「耳目之資」證明無命，卻嫌粗淺而外在，因爲天下國家的安危治亂，百姓人民的貧富賢暴，其因素甚多，絕非一「命」即可斷定。且耳目的見聞，尤其有限，而「命」又屬於心理作用，絕非耳可聞目可見者。然卻頗合今時代的自然科學和社會科學的研究，如自然科學的物理、化學、生物等科，必從種種實驗或實地觀察中，獲得正確的結果，進而精益求精，創新發明。又如社會科學的民族學、語言學等，必須作田野調查，才能獲得確切眞實的資料。而此實驗求證法，是我國古代哲學所缺少的，如老子說：「不出戶，知天下。不窺牖，知天道。其出彌遠，其知彌少。」㉗祇重心中之理，而不言耳目的經驗。

所謂用之者，是理論付之實踐的成效。凡一學說，以過去的經驗考之，是對國家人民有利的；以「耳目之實」求證，也是對國家人民有利的，然實際實行後，是否對國家人民有利，更爲重要。因爲古今的時代不同，民情風俗亦有異，所以必須從實際應用中考察，也就是用它來發令施政，看它是否對國家人民有利。如果對國人民有利，就是好的，就可繼續實行，否則就是不好的，就要加以研究和改革，以期達到對國家人民有最大的利。

三表法必須同時並兼，缺一不可。且由此可知墨子所著重的，在於「用」和「利」㉘，只有能用與有利，才可以稱爲善，否則稱爲不善。

【附註】

①《墨子》中〈尙賢〉、〈尙同〉、〈兼愛〉、〈非攻〉、〈節用〉、〈節葬〉、〈天志〉、〈明鬼〉、〈非樂〉、〈非命〉，此十篇稱爲「十論」，本各有上中下三篇，合計三十篇，因亡佚七篇，今存二十三篇。

②《墨子閒詁・非命上》。頁二四〇。〈非命中〉「凡出言談，由（同「爲」）文學之（爲）道也，則不可不先立義法。若言而無義，譬猶立朝夕於員鈞之上也，則雖有巧工，必不能得正焉。」〈非命下〉「凡出言談，則不（原爲「必」）（而）可不先立儀而言，譬之猶運鈞之上而立朝夕焉也。我以爲雖有朝夕之辯，必將終未可得而從定也。」可互相參考。本文所稱引之《墨子》原文皆據孫詒讓《墨子閒詁》華正書局一九八七年月三月初版。

③「平以水」三字原脫，據孫詒讓《墨子閒詁・法儀》校補。

④〈法儀〉。頁一九～二〇。

⑤〈非命上〉稱三表，〈非命中〉和〈非命下〉稱三法，合稱爲「三表法」。

⑥〈非命上〉。頁二四〇～二四一。

⑦「政」字原脫，據上篇有「政」字增補。

⑧〈非命中〉。頁二四七～二四八。

⑨〈非命下〉。頁二五二。

⑩〈非命上〉。頁二三七。

⑪參看王冬珍《墨學新探》頁136-138　台北世界書局　一九八九年四月四版。

⑫〈非命下〉。頁二五二～二五三。

⑬讀爲「能」。

⑭〈非命下〉。頁二五三～二五四。

⑮〈非命下〉。頁二五四。

⑯〈非命中〉。頁二四八。

⑰〈非命上〉。頁二四一～二四二。

⑱〈非命下〉。頁二五七。

⑲〈非命上〉。頁二四七。

⑳〈天志上〉「順天意者，兼相愛交相利」；〈天志中〉「天之意……欲人之有力相營，有道相教，有財相分也。又欲人上之強聽治也，下之強從事也。」；〈天志下〉「順天之意何若？曰：兼愛天下之人。」

㉑〈明鬼下〉句芒神對鄭穆公說：「無懼，帝享女明德，使予賜女壽，十有九年，使若國家蕃昌，子孫茂，毋失鄭。」

㉒〈法儀〉「昔者聖王禹、湯、文、武，兼愛天下百姓，率以尊天事鬼。」

㉓所舉「聖王之事」，乃《墨子》十論的宗旨。

㉔〈明鬼下〉。頁二〇二。

㉕〈天志中〉。頁一八五。

㉖〈貴義〉。頁四〇五。

㉗《老子・四七》。

㉘從《墨子》十論中知他所著重的用是實用;所著重的利是公利,而不是私利;是交相利的利,而不是交征利的利。

定州竹簡《文子》及其相關問題

臺灣師範大學國文學系教授 陳麗桂

一、前言

定州竹簡發現於二十幾年前，其正式之研討卻在近幾年。一九九六年六月一～三日，海峽兩岸學者聚集輔仁大學，召開《文子》學術研討會；八月十一日～十六日，陳鼓應先生又於北京召開之第一屆「道家國際學術研討會」中安排兩場相關於《文子》之討論，此爲近年來較大型專論《文子》之會議。

過去，定州竹簡未發現前，一般說法咸以《文子》爲僞書。因爲，今本《文子》中大約有百分之八十五內容與《淮南子》相重或相應（即內容可以相應，或文字相重），因而認定今本《文子》抄襲《淮南子》。

有關《文子》最早的著錄是班固《漢書藝文志．諸子略》，漢志著錄有《文子》九篇，至《隋志》、《唐志》所著錄卻爲十二篇，多出三篇；唐代柳宗元於其著作中提及所見《文子》亦十二篇，柳宗元並評之爲：「渾而類者少，竊取他書以合之者多」。明指其內容多抄自他書，導致後來學者咸

認今本《文子》爲僞書，抄襲自《淮南子》

二、定州竹簡之出土

至一九七三年，亦即民國六二年，定州（河北定縣）八角廊四0號漢墓－－中山懷王劉修墓葬被發掘（劉修死於漢宣帝五鳳三年，也就是西元前五五年），裡面有過火竹簡，很不幸，也很幸運，因爲墓被盜，帶進氧氣，引起火燒，嚇跑盜墓者，殉葬物因此沒被盜走。挖掘小組推測是這樣的原因而使這批竹簡雖過火，卻沒有被盜。到底燒了多少？卻無由得知。就殘存竹簡計數，共有二七七片，文字大約二七九〇字，總之，不到三千字。因爲燒過，文字內容散亂，殘損嚴重。仔細查看內容，赫然發現爲《文子》，因取今本《文子》相對照。

由於沒有篇目，無以得知確切篇數，對照結果發現，今本《文子》可與相對應者僅五、六篇。原本可以對應者，究竟有多少，已無從知道，只知二七七片竹簡中可以對應者有八十七片，而二千七百多字中可以對應者大約一千多字。其中尤以〈道德〉篇文字對應較爲完整。因此，此後各家討論，幾乎全集中於〈道德〉一篇。

自一九七三年，竹簡發現後，陸續有相關報導及研究論文出現：

最早爲一九八一年（與發現時間以相隔了七、八年）發表於《文物》八月號上之〈河北定縣四〇號漢墓發掘簡報〉，唯簡報並不涉及《文子》內容。之後，始終沒人整理，直至一九九五年，輔仁大學哲學系補助十萬美金，由河北文物處理小組加以整理，並於一九九五年十二月號《文物》發表〈釋文〉、〈校勘記〉、〈整理與意義〉三篇。一九九六年一月，大陸知名學者李學勤撰寫〈試論八角廊竹簡《文子》〉，前此他也撰寫過〈老子與八角廊竹簡《文子》〉。一九九六年六月一日至三日，台北輔仁大學哲學系召開「《文子》與道家思想兩岸學術研討會」，在會中總共發表了十四篇論文，這些論文後來整理發表在一九九六年《哲學與文化》第二十三卷八～九期，總共十四篇，分為上、下兩輯。八月，陳鼓應先生所籌劃的「道家文化學術研討會」，亦專闢時段討論《文子》及《淮南子》相關問題，總共發表六篇文章。以下所述，即個人參與兩次學術會議所理解，《文子》相關論題中，部份學者的大致論點，及個人的心得淺見。

三、今本《文子》行文體式

吾人若將被認為偽書之今本《文子》細加分析，可以發現，今本《文子》十二篇之普遍行文體式如下：

第一篇〈道原〉中僅第四節是「孔子問道，老子曰…」，其餘皆以大篇幅「老子曰…」行文。

第二篇〈道德〉共九節，第一至八節，有兩種行文體式，一是「文子問…老子曰…」，一是「老子曰…」，只是第九節較為特殊，作「平王問文子…文子曰…」，也是問答體，然之前皆師生相問，唯此為君臣相問。第三篇〈上仁〉一至三節與六至十一節皆作「老子曰…」，第四、五、十二節則為

「文子問…老子曰…」。第四篇〈上義〉除第六節爲「文子問…老子曰…」外，其餘各節皆作「老子曰…」。此外，〈精誠〉、〈十守〉、〈符言〉、〈上德〉、〈微明〉、〈自然〉、〈下德〉、〈上禮〉各篇皆僅非問答體之「老子曰…」一種情形。

經上述分析可以發現：「老子曰…」爲十二篇行文常態，且凡用「老子曰…」皆爲問答體，而凡屬非問答體「老子曰…」者，內容幾全與《淮南子》相重。所謂「相重」，未必文字完全一樣，然大致相當對應。如果去除百分之八十五與《淮南子》相重部份，今本《文子》只剩百分之十五，大致屬問答體，個人推算約六千六、七百字，不到七千，大陸學者陳廣忠專治《淮南子》，估算結果與我相當，亦七千字左右，輔仁大學丁原植之估算則有八、九千字，何者正確？仍有待細部論證。

四、今本《文子·道德》與《淮南子》之重應情形

其次，吾人抽樣取今本《文子》與竹簡《文子》對應最多的〈道德〉篇與《淮南子》相對照。〈道德〉篇中本有兩種問答體式：一是「文子問…老子曰…」，一是「平王問文子…文子曰…」，中間夾有一部份非問答體式「老子曰…」，將之與《淮南子》相對應情形作一分析，可以發現：

第一節，「文子問道，老子曰…。老子曰…」，取後段非問答體「老子曰…」與《淮南子》相比較，發現和〈道應〉篇文字大致相應。

第二節，「文子問德（依次又問仁、問義、問禮），老子曰…。老子曰…」，和〈俶眞〉篇文字

相重。

第三節，「文子問聖智，老子曰…。老子曰…」，和〈詮言〉相重。

第四節，「文子問曰『古之王者以道蒞天下，為之奈何？』老子曰…。老子曰…」，和〈詮言〉相重。

第五節，「文子問曰『王道有幾？』老子曰…。老子曰…」和〈詮言〉相重。

第六節，「文子問曰『王者欲得共歡心，為之奈何？』老子曰…。老子曰…」和〈齊俗〉相重。

第七節，「文子問政，老子曰…。老子曰…」，和〈氾論〉相重

第八節，為一段問答體與四段非問答體之「老子曰…」，這四段「老子曰…」依次可以在《淮南子》〈主術〉、〈詮言〉、〈齊俗〉、〈道應〉四篇中找到對應文字。唯獨第九節「平王問文子曰…文子曰…王曰『寡人敬聞命矣。』」沒有對應文字。

換言之，取今本《文子・道德》與《淮南子》對照結果，可以發現：凡今本《文子・道德》中非問答體「老子曰…」皆重出於《淮南子》。唯重出情況大致是：《淮南子》文字很多、很繁複，今本《文子》則較簡略。尤為特殊者，今本《文子》舉凡與《淮南子》對應部份，與竹簡《文子》皆不對應，換言之，竹簡《文子》與《淮南子》幾乎不對應。燒毀部份已無由得知，由殘存《文子》簡文看來，和《淮南子》似不相干，古本《文子》與今本《文子》事實上應作不同處理。今本《文子》中，所保留文字可以分成兩部份，一部份和竹簡《文子》相對應，一部份與《淮南子》相對應，兩部份竟

然沒有混雜的現象，至少就出土竹簡情況看來如此。因此，舉凡非問答體今本《文子》，多多少少可以在《淮南子》中找到相應文字；反之，凡問答體文字，在《淮南子》中皆無相應情形，此種現象不免令人懷疑：今本《文子》是否即古本《文子》與《淮南子》的綜合體？去除今本《文子》與《淮南子》相重之百分之八十五文字，剩餘百分之十五是否較接近古本《文子》原貌？

就百分之八十五與《淮南子》各篇相重部份而言，個人分析其相重相應情形發現：文字與《淮南子》大約相同，表達形態卻不大一致。所謂不大一致，是指其文字雖重見於《淮南子》某篇，卻僅有結論、直接議論，而無反證、側證或舉例。《淮南子》好舉例，例證甚多，今本《文子》文字雖見於《淮南子》，卻較《淮南子》簡單很多，不舉例、也不側證、反說，與《淮南子》表現風格大不相同，有時甚至直接截取《淮南子》之結論，或純議論部份，大有隱括或抽繹核心要旨之意味。爲此，個人傾向相信二書相重部份係今本《文子》抄襲《淮南子》，而非《淮南子》抄襲今本《文子》，否則何以凡今本《文子》能與《文子》對應部份，《淮南子》皆不抄入？此必古本《文子》與《淮南子》原爲不同之二書，今本《文子》抄古本《文子》，又抄《淮南子》，因此不影響兩邊之歧異。如爲《淮南子》抄襲今本《文子》，而今本《文子》中本已含有古本《文子》內容，何以凡與竹簡《文子》相應部份，《淮南子》均不抄入？個人因此推測：在時間上應是古本《文子》先出現，然後《淮南子》，今本《文子》最後出現，係綜採二者而成。

五、殘簡《文子》所呈顯之思想論題

今取竹簡《文子》文字，整理、分析，並歸納其內容，可知二千七百多字思想內容大致包括下列幾大論題：

㈠天道與政道之相關問題。作者大致沿承《老子》卑退柔弱之主旨以談論天道，再由天道延伸至政道。而且文字表達相當古拙簡直，與馬王堆黃老帛書風格相近，個人因此懷疑其寫成時間相去不遠。近幾年來，個人長期處理馬王堆黃老帛書，發現竹簡《文子》文字風格與之甚相近，比較拙直，不似《老子》、《莊子》流美。至其內容，主要推闡道德；然而，從這些有限的殘片文字拼讀起來，可以發現，簡本《文子》雖談「道」，卻非本體「道」，而係人事應用之政道、治道、與人生禍福之道，尤其是人君之統御術。作者認爲：人事之政道根源於天道，此正黃老之學基本思想形態。

㈡無爲、守靜、仁義教化等問題。

㈢部份殘片論及「一道」、「修德」、「有德」、「無德」，如何修道德等等，至於何謂「一道」？其下竹簡殘缺，無由得知。

㈣較爲特殊者，殘簡中少數一、二片涉及「兵」道。從有限殘片中，歸納出其論「兵」有三類：一曰貪兵，二曰驕兵，三曰義兵。可惜有關三類兵之解釋文字部份燒毀，不知「貪兵」、「義兵」內容爲何？僅能由部份殘片看出其對「驕兵」一詞之定義大約爲：仗恃強大，無端展示雄厚國力，亦即無端欺凌其他國家，純屬強權、霸權之擴展與表現。

就殘簡二七七片有限文字初步歸納起來，可以發現，竹簡《文子》所著重論題，已大致涵蓋戰國以下黃老學說之一般議題。由此可以肯定一般學者之結論，《文子》屬黃老學派論著。

六、就重應內容之文字風格論證今本《文子》成書後於《淮南子》

由上文論述大致可以推測：(一)古本《文子》非僞書，古代確有其書，成書年代至少在西漢宣帝以前；(二)古、今本《文子》並不相同，在討論僞書問題時，宜分別處理。然而，這其中仍有許多問題未解決，如：今本《文子》與《淮南子》何者爲先？何者爲後？百分之八十五相重應部份誰抄誰？另外，古本《文子》篇幅究竟多少？詳細內容爲何？等等問題，都因竹簡《文子》殘缺太甚，而難以斷言。然而，在上述基礎上，試著繼續推進，仍能有一些蛛絲馬跡。

首先，由今本《文子》與《淮南子》相重應之百分之八十五看來，可以發現，文字鋪排情形在《淮南子》中很普遍，隨處可見，係《淮南子》獨特之文字風格。今本《文子》則只有與《淮南子》相重應部份才鋪排，與竹簡《文子》相重應，或目前雖未發現與竹簡《文子》相重應，然與《淮南子》不相應部份，則無此種現象；在其他先秦諸子中，亦未發現如此文字形態。至於相應情形，則如上文所言，《淮南子》通常又鋪排、又議論、又舉證，今本《文子》則只有議論，且是直接議論。不僅如此，百分之八十五與《淮南子》重應部份，與古本《文子》風格也不相同。個人因此推測，當是今本《文子》抄襲《淮南子》。

個人曾取《淮南子・原道》與《文子・道原》相對照(兩篇皆闡述「道」,文字相重也甚多),結果發現,與上述情形相當一致。此外個人又舉《淮南子・覽冥》與《文子・精誠》相重應之篇幅相對照,結果也與上二篇相同。要之,此類情況在今本《文子》與《淮南子》相重應部份皆明顯表現出一致性。另外,個人再舉《淮南子》不與《文子》對應之篇章文字加以觀察,發現結果也一樣。不管與《文子》對不對應,《淮南子》全書文字風格相當一致,甚爲鋪排;而《文子》則不然,個人因此相信今本《文子》抄襲《淮南子》可能性較高。部份學者則持相反意見,如江世榮先生和李定生先生皆認定《淮南子》抄《文子》而加工1,然而,江文寫成於一九八三年,而竹簡《文子》釋文發表於一九九五年,江氏根本未曾看過竹簡《文子》,只聞出土消息,確定《文子》非僞書,因據今本《文子》與《淮南子》重應情形而猜測《淮南子》加工於今本《文子》。以下個人試圖透過百分之十五今本《文子》與《淮南子》兩書不重應部份,釐清古本《文子》之大致風貌。

七、就兩書不重應內容,試理古本《文子》之思想論題

(一)由四萬到七千,由十二篇到九篇

今本《文子》總共四萬多字,去掉與《淮南子》相重部份,僅剩六千六、七百字,這六千六、七百字相當特殊地,大致散布在九篇之中。這種現象令人旣興奮又緊張,其詳細內容個人於第二屆「道

家文化國際學術研討會」中即曾提出。全文已刊載於《道家文化研究》第十八輯，此處篇幅所限，姑且從略。換言之，今本《文子》有三篇與《淮南子》內容完全相重，不相重者僅九篇，依次是〈道原〉、〈精誠〉、〈十守〉、〈符言〉、〈道德〉、〈上德〉、〈自然〉、〈微明〉、〈上仁〉；換言之，〈下德〉、〈上義〉、〈上禮〉三篇文字與《淮南子》完全相重相應。九篇之呈現或許只是巧合，尤令人興奮者，竹簡《文子》與今本《文子》相重應之五、六篇竟然全在九篇之中，一篇不差。如此結果或不能完全反應事實，卻令人相當興奮。因爲，今本《文子》去除與《淮南子》相重部份，竟由十二篇變成九篇，而今本《文子》與竹簡《文子》相對應部份全部在這九篇之中。這其中當然另有問題存在，如：此九篇與班固所載九篇是否一致？仍然無法遽下定論，然觀測其內容，竟如此巧合，畢竟給予研究者莫大鼓勵。

(二)近七千字內容所反映的《文子》思想

其次，個人試就此九篇，近七千字，不與《淮南子》相重部份，觀測其內容，發現大致可以歸納成六大論題；此六大論題與前論竹簡《文子》二七七片思想內容相距並不太遠。比如它們幾乎都談政道、治道，與先秦黃老論題，儘管文字不完全一致，主題卻差不多，約有三分之二篇幅推闡「柔後」理論，足以印證學者「《文子》屬黃老之學理論」之推斷。換言之，去除百分之八十五與《淮南子》相重部份，可以發現，《文子》本身主要仍在推闡老子哲學。其中三分之二篇幅皆由天道論治道、政道。而且，談天道時，不多言創生與本體，而著重「虛靜」、「柔後」之運用。換言之，就老子論題而言，七千文論道，少及創生義、本體義，而偏重於應用層面。戰國秦漢黃老學所呈顯者，正是如此現象。馬王堆黃老帛書、《管子》、《淮南子》、《呂氏春秋》中之黃老理論亦大致如此。

另外，這七千文所論絕大部份是問答體，大致符合班固〈藝文志〉所提出：《文子》乃文王與周平王對話，是君臣問答之記錄。然而，傳本《文子》卻只有〈道德〉篇的第九節為君臣問答，另一個例外是「孔子問…老子曰…」，其餘盡為「文子問…老子曰…」之師生問答，與班固所言並不相符。

其次，我們若詳細察看它的內容，可以發現：

第一、七千文首論天道之謙損、退下與政道之無為不爭。歸納起來，又包括以下幾個要點：1.天道虛無、柔弱、素樸、純粹，滿損謙退，能由小轉大，積弱變強。七千文對「道」的內容掌握，大致不外乎老子論「道」的質性。如〈道原〉說：

…故道者虛無、平易、清靜、柔弱、純粹、素樸，此五者，道之形象也。虛無者道之舍也，平易者道之素也，清靜者道之鑑也，柔弱者道之用也，反者道之常也，柔者道之剛也，弱者道之強也，純粹素樸者，道之幹也。

又說：

夫道無為無形，內以修身，外以治人，功成事立，與天為鄰。無為而無不為，莫知其情，莫知其真，其中有信。天子有道則天下服，長有社稷；公侯有道，則人民和睦，不失其國；士庶有道，則全其身，保其親；強大有道，不戰而克；小弱有道，不爭而得；舉事有道，功成得福。

君臣有道則忠惠，父子有道則孝慈，士庶有道則相愛。故有道則和，無道則苛，由是觀之，道之于人無所不宜也。夫道者，小行之，小得福，大行之，大得福；盡行之，天下服，服則懷之。〈十守・守弱〉說：

天之道，抑高而舉下，損有餘，補不足；江海處地之不足，故天下歸之，奉之…天道極即反，盈即損，日月是也。

2. 聖人法天。

〈十守・守法〉說：

上聖法天，…法天者治天道也，虛靜為主，虛無不受，靜無不持，知虛靜之道。乃能終始，故聖人以靜為治，以動為亂，…是謂天道。

〈道德〉說：

聖人法之（天），卑者所以自下也，退者所以自後也，儉者所以自小也，損者所以自少也。

3. 老子喜歡以水喻道，《文子》七千文亦以江海喻道，〈道德〉、〈自然〉兩篇皆然。〈道德〉說：

聖人以道鎮之，執一無為而不損，沖氣、見小、守柔、退而勿有，法於江海。江海不為，故功名自化；弗強，故能成其王；謂天下牝，故能神；不死自愛，故能成其貴。

4.《文子・道原》說「以亡取存，以卑取尊，以退取光」，除發揮老子「無為無不為」之旨意外，主要談統御之指導原則，完全合乎黃老思想特質。

第二、七千文談論「大道無爲、無形而有名」，也與《老子》相同。然老子反對「名」，七千文《文子》則贊成「有名」。〈精誠〉篇論大道無爲無形曰：

> 大道無爲，無爲即有爲，無有者不居也，不居者即處而無形，無形者不動，不動者無言，無言者即靜而無聲。無形無聲者，視之不見，聽之不聞，是謂微妙，是謂至神。

然而在〈道德〉篇裡，《文子》不但主張有名，又將「功」跟「名」相結合，說：

> 廣厚有名，有名者貴全也；儉薄無名，無名者，輕賤也；殷富有名，有名者尊寵也；貧賤無名，無名者卑辱也；雄牡有名，有名者章明也；雌牝無名，無名者隱約也；有餘者有名，有名者高賢也；不足者無名，無名者任下也。有功即有名，無功即無名。有名產於無名，無名者有名之母也。

雖亦承認無名爲有名之母，有名由無名而來，然在行文中，「無名」「有名」兩兩相對，舉凡較高、較正面之價值都歸於有名，較低價值則歸於無名。可知，《文子》雖推崇「無爲無聲無形」，亦推崇「有名」，並且將之與「功」結合。然而，「有名」仍須藉由「道德」去自然獲取，以「道德」爲功名之本。〈自然〉篇說：

> 夫道德者功名之本也，民之所懷也；民懷之，則功名立。人道深即德深，德深即功名遂成。

成功名之條件仍是道德，此種觀點基本上亦不離老學。較特殊者尤爲以下第三、四、五三個論題。

第三、《文子》說「學道以神聽，虛心而清靜」，此爲七千文中唯一明顯與《莊子》對應部份。《莊子・人間世》說：

若一志，無聽之以耳而聽之以心，無聽之以心而聽之以氣……；氣也者，虛而待物者也。唯道集虛。虛者，心齋也

此莊子所謂「心齋坐忘」，《莊子》說，聽有三層，一用耳，一用心，一用氣；用氣聽，指以自然生命之契機回應，境界最高，此種高層工夫必須「虛而待物」，以虛靜的工夫去臻致，莊子稱之爲「心齋」。《文子》〈道德〉亦曰：

文子問道，老子曰：學問不精，聽道不深。凡聽者，將以達智也，將以成行也，將以致功名也。

文子認爲，道可以「聽」得，聽道可以達智，可以成行，可以致功名，明顯以「致功名」爲一崇高之努力目標。

不精不明，不深不達，故上學以神聽，中學以心聽，下學以耳聽。

七千文分學問之功夫爲上、中、下三層，一用神，一用心，一用耳，令人聯想前述《莊子・人間世》之三層功夫。《文子》又說：

以耳聽者，學在皮膚；以心聽者，學在肌肉；以神聽者，學在骨髓。故聽之不深，即知之不明；知之不明，即不能盡其精；不能盡其精，即行之不成。凡聽之理，虛心清靜，損氣無盛，無思無慮，目無妄視，耳無苟聽，專精積蓄，內意盈并；既已得之，必固守之，必長久之。

老子、莊子都曾反對追求知識，文子卻不僅追求知識，更要求「精」，聽道當深。他又分聽道為三層，與《莊子・人間世》所言正相呼應，其最高境界「神聽」功夫亦與莊子「虛而待物」類同，與老子「致虛極，守靜篤」亦十分相近。

因此，部份學者認為今本《文子》屬於莊學一系，個人則不以為然。蓋百分之十五中，唯此一小部份與《莊子》相應，其餘皆為老學之反應，豈能以偏概全，忽略三分之二與老學呼應，談柔弱精神應用之內容？然而，這一則與《莊子》相應，的確特殊。

第四，「道德」連稱，且有「四經」之說。在老子哲學中，「德」被視為「道」之下跌，道失而後有德，德又為道在現象世界中之功能顯現，故曰「道生之，德蓄之」，道為至高之生化根源與價值依據。在《老子》中，「道」、「德」多分稱或並稱，沒有連稱情形；然而，存在於百分之十五的七千字《文子》中，雖亦曰「道者，德之元」，視道為本初根源，然「道」、「德」時而分稱，時而並稱，更常連稱。連稱時，通常作為人文層面最高價值標準，以與儒家、法家一系「賢」、「利」等價值標準相對應。比如在與竹簡《文子》對應最多之〈道德〉篇中，第一問問「道」，第二問依次問「德」、問「仁」、問「義」、問「禮」，第四問「以道蒞天下」，第五問問「王道」，至第八問問「非道德無以治天下」，光就問題而言，即有稱「道」、有稱「德」、有「道德」連稱。再就實際內容看來，第八問問「何以非道德無以治天下？」作者回答：

> 天下時有亡國破家，無道德之故也。有道德則夙夜不懈，戰戰兢兢，常恐危亡。無道德，則縱

欲怠惰，其亡無時。使桀紂循道行德，湯武雖賢，無所建其功也。夫道德者所以相生養也，所以相畜長也，所以相親愛也，所以相敬貴也。

就文字用法而言，有「道德」並稱、連稱情形，其中或有生化之自然義，然「道德」連稱，明顯作爲較高人文價值標準。至第九問，問「有賢人遭淫亂之世，能否化民？」作者回答：

夫道德者匡邪以爲正，鎮亂以爲治，化淫敗以爲樸，淳德復生，要在一人，……上有道德，下有仁義，……積德成王，積怨成亡。……積道德者，天與之，地助之，鬼神輔之，……故以道蒞天下，天下之德也；無道蒞天下，天下之賊也。

其中有「道德」連稱，有「道」與「德」分稱、並稱，在意義上混用不分，並無強烈區別，然皆有一共同指標，即通向一較高人文價值。

不僅如此，第二問並安排「問德、問仁、問義、問禮」將「德」、「仁」、「義」、「禮」並列，合成「四經」，以構成「道」之內容。《文子》曰：

文子問德，老子曰：畜之、養之、遂之、長之，兼利無擇，與天地合，此之謂德。何謂仁？曰：爲上不矜其功，爲下不羞其病，于大不矜，于小不偷，兼愛無私，久而不衰，此之謂仁。何謂義？曰：爲上則輔弱，爲下則守節，達不肆意，窮不易操，一度順理，不私枉撓，此之謂義也。何謂禮？曰：爲上則恭嚴，爲下則卑敬，退讓守柔，爲天下雌，立于不敢，設于不能，此之謂禮。

雖不盡合老子原意，大致合帶幾分老子氣質，文末曰：

君子無德則下怨，無仁則下爭，無義則下暴，無禮則下亂。四經不立，謂之無道；無道不亡者，未之有也。

合德、仁、義、禮爲「四經」，又曰：「四經不立，謂之無道」，道之主要內容即此四者。上述引文呈現幾個現象：1.「德、仁、義、禮」均被賦予帶有老子氣質之意義詮釋：德，畜養、遂長、兼利萬物；仁，不矜、不偷、兼愛、無私；義，輔弱、守節、不肆意、不易操、順理、不枉撓；禮，恭嚴、卑敬、退讓、不敢、不能。2.德、仁、義、禮四者原本在《老子》第三十八章中爲下跌之層級關係，道失而後有德，德失而後有仁，仁失而後有義，義失而後有禮，依次有層級之分，道最高，依次下跌。然在《文子》中，四者之價值等高並列，合稱「四經」，並未有下跌之差序。作爲黃老理論之《文子》，似乎欲以老學爲基礎，揉合儒家以「仁、義、禮」爲內容之道德論，因而多少使原本老學之堅持妥協與轉化，造成上述的現象。但是，《老子》三十八章之基本精神，《文子》並未完全揚棄，道仍高於德、仁、義、禮。在〈上仁〉篇之部份內容中，仍保存此種層級觀點：

古之爲君者，深行之謂之道德，淺行之謂之仁義，薄行之謂之禮智。此六者，國家之綱維也。深行之則厚得福；淺行之則薄得福；盡行之，天下服。古者修道德即有深行，有淺行，有薄行。道德仍最高，仁義其次，禮智又其次。範圍愈來愈小，功能亦愈來愈小。

正天下，修仁義即正一國，修禮智即正一鄉。德厚者大，德薄者小。……

整段文字正面意義皆在闡述道德，除了明顯使用「道德」連稱之外，與上段引文亦有極大不同：作者已將「道」、「德」合爲一組，「仁」、「義」合爲一組，落單之「禮」，則以「智」相補，合爲第三組，然後依次評鑑其在政治上之效用與功能。評鑑結果爲：仁義不如道德，禮智不如仁義，大致仍繼承《老子》三十八章由道德而仁、義、禮逐層下降觀點，在推崇道德爲最高價值之前提下，陳述「四經」之政治功能。從而作出：

……故云上德者天下歸之，上仁者海內歸之，上義者一國歸之，上禮者一鄉歸之。無此四者，民不歸也。……是以君子務于道德。

之結論。

由此，吾人發現：儘管迄今仍無由得知古本九篇與今傳十二篇《文子》篇目有多少異同，亦即班固所傳九篇是否盡在今傳十二篇中？此需再加細部考證。然而，光就篇名看來，今傳十二篇有〈道原〉、〈道德〉、〈上德〉、〈下德〉、〈上仁〉、〈上義〉、〈上禮〉，與內容中之四經「德、仁、義、禮」相應，有否可能正是古本《文子》所論述之核心議題？如果今本《文子》這百分之十五果然保存古本《文子》之樣貌，則是否可以推定，此相關於「道、德、仁、義、禮」之討論，即古本《文子》重要之思想課題？

第五，在其餘有限之文字中，尙論及陰陽與氣，唯文字甚少。其論陰陽與氣，與一般漢儒不同，一般漢儒喜談創生，涉及宇宙論，《文子》之目標則指向政道與治道。如〈下德〉：

人有順逆之氣生於心，心治則氣順，心亂則氣逆。心之治亂在於道，得道則心治，失道則心亂。心治則交讓，心亂則交爭。讓則有德，爭則生賊。有德即氣順，賊生即氣逆，氣順則自損以奉人，氣逆則損人以自奉。夫氣者可以道而制也。

人之情性皆願賢己而疾不如人。願賢己則爭心生；疾不及則怨氣生；怨氣生即心亂而氣逆。故古之聖王退爭怨，爭怨不生，即心治而氣順。故曰：「不尚賢，使民不爭。」

終極目的要求仁君透過修養，由氣之順，達至心之治，以心之治爲治國之依據，然後「不尚賢，使民不爭」。非但自己修養，使氣順不逆而心治，治民亦須由此入手。行爲好壞由氣之順逆決定，目的要求執政者不重才智而重道德，使民平心順氣，目標仍通向治道。

七千文最後論「兵」。在今本《文子．道德》篇中，不但肯定用兵，甚至說「用兵者王」：

文王問曰：「王道有幾？」老子曰：「一而已矣。」文王曰：「古有以道王者，有以兵王者，何其一也？」曰：「以道王者德矣，以兵王者亦德矣，用兵者王。」

「以道王」、「以兵王」都需靠「德」，故曰「一」而已矣。作者又分兵爲五類：義兵、應兵、忿兵、貪兵、驕兵。「誅暴救弱謂之義」，「義兵」是維持天下公義的正義之師；「敵來加己，不得已而用之謂之應」，「應兵」係對付外患，被迫反抗，以保衛疆土；「爭小，故不勝其心謂之忿」，爲了小事，壓不下憤怒之氣而與人爭，爭其不該爭，叫「忿兵」，已有貶斥之意；「利人土地，欲人財貨謂之貪」，「貪兵」已是侵略行爲；「恃其國家之大，矜其人民之衆，欲見賢於敵國者謂之驕」，「驕兵」則是無端之挑釁與欺凌。由第三種「忿兵」以下已愈來愈差，最後因此說：

義兵王、應兵勝、忿兵敗、貪兵死、驕兵滅，此天之道也。

前面竹簡《文子》也談三種兵，但卻僅剩下驕兵一種有解釋，此處則分兵爲五，且有清楚說明。由其因用兵動機而分兵爲五看來，可知其雖肯定用兵，卻並不絕對主戰，在一定程度上仍繼承《老子》反對用兵之思想。〈上仁〉說：

不歸，用兵，即危道也。故曰：兵者不祥之器，不得已而用之。殺傷人，勝而無美，故曰：死地荊棘生焉，以悲哀泣之，以喪禮居之。是以君子務于道德，不重用兵也。

從上述七千字左右今本《文子》與《淮南子》不重襲內容看來，和兩千七百字竹簡《文子》所討論論題十分接近。因此，雖不十分確定，個人仍願意大膽推測：有否可能今本《文子》去掉百分之八十五與《淮南子》相重部份之後，所剩下之百分之十五（即前述七千文）之思想內容接近古本《文子》之原貌？

八、後　語

一九九六年八～九月份《哲學與文化》是《文子》專輯，分爲上下兩冊，共刊出「文子與道家思想兩岸學術研討會」所發表全部十四篇論文。《道家文化研究》十八輯則刊出包括第一屆「道家學術國際研討會」中相關於《文子》之部分選文在內共九篇論文，討論問題十分廣泛。如「平王」究竟爲「周平王」抑或「楚平王」？以往，班固以爲《文子》係依託之君臣問答，故皆以「平王」爲「周平王」；然文子既爲楚人，則《文子》若非依託，「平王」即有可能爲「楚平王」。又如與《淮南子》相對應之百分之八十五內容是何時添加的？學者推估成書年代應爲漢代班固以後至隋以前，最有可能爲魏晉張湛注《列子》之時。因爲班固所見《文子》爲九篇，而唐時柳宗元所見到是十二篇，可見，隋唐之後，《文子》已遭竄改了。唐玄宗曾將《老子》、《莊子》、《列子》、《文子》四經推崇爲道家經典，由於《列子》亦被指爲僞造，學者因推測是否爲同一時間之事？另外，張岱年有〈試探文子的年代及思想〉，李定生（撰有《文子要詮》）亦作〈文子非僞書考〉、〈文子其人考〉，唯其觀點恰與筆者等研究《淮南子》者相反。這些都是近年來相關於出土竹簡《文子》與今本《文子》研究的新資料，相當值得參考。

中國傳統文人的三種生命情調

——以屈原、陶淵明、蘇東坡爲例

臺灣師範大學國文學系教授 朱榮智

一、前言

在中國的傳統社會，士爲四民之首，讀書人的社會地位是最高的，而一般的讀書人以求取功名爲最終的目標，所謂「十年寒窗無人識，一舉成名天下知。」自古以來，中國的讀書人一直是以淑世愛民爲己任，「稷思天下有飢者，猶己飢之也；禹思天下有溺之者，猶己溺之也。」「文王視民如傷」，「子於是日哭則不歌，食於有喪者之側，未嘗飽也。」孟子「憂以天下，樂以天下。」范仲淹「先天下之憂而憂，後天下之樂而樂。」顧炎武「國家興亡，匹夫有責。」凡此之類，可見中國傳統讀書人的胸襟和抱負。孔子曾說：「學而優則仕。」這句話最足以說明中國傳統讀書人的生命理想。

因此，所謂中國傳統文人，一般而言，是離不開政治的關係，本篇論文所以強調中國傳統文人，自然是爲了有別於現代的社會。現代的社會，文人可以是單純從事文學的創作，而不必和政治有任何的瓜葛，而中國古代的社會，很少單純從事文學創作的文學家。莊子和孟子的散文，都是不朽的作品，一個是詼諧詭譎，一個是氣勢浩然，但是他們都是以哲學家著稱，分別代表道家和儒家的主流；李白和杜甫是唐代最偉大的詩人，是中國數千年詩壇中的兩顆最閃亮的巨星，可是他們的詩作，都是爲了反映時代、社會，而不只是吟風弄月而已。因此，筆者要特別說明，筆者所謂的中國傳統文人，也就是一般所指的中國傳統的讀書人；中國傳統的讀書人是和現實生活緊密結合在一起的，尤其是宦海生活的起伏、得失，更是他們創作文學的最大動力。本篇論文，旨在探討中國傳統文人在面對官場的得失、起伏，所採取的生命態度。當然，一個人的生命內涵，不僅是事業而已，家庭與交友，以及個人的健康和對生命的期待，也都是重要的內涵。不過，爲了論述的方便，僅就中國傳統文人對政治生命的反思和表現，如何呈現在他們的創作，加以討論而已；換言之，筆者想從中國傳統文人的作品，理解古代傳統文人如何在作品中反映他們的生命情調。

所謂生命情調，是指對生命所持的態度和表現。人生數十寒暑，充滿歡樂和憂苦，蘇東坡〈水調歌頭〉一闋詞中說：「人有悲歡離合，月有陰晴圓缺，此事古難全。」自古以來，人有悲歡離合，就像月有陰晴圓缺一樣，月是缺多圓少，人也是悲多歡少，面對人生的苦難，有人選擇百死不悔的態度，勇敢而執著；有人選擇消極規避的態度，閑適而恬淡；有人選擇超越提升的態度，通達而自適。孔子說：「智者不惑，仁者不憂，勇者不懼。」本文列舉屈原、陶淵明、蘇東坡爲例，分別加以代表。屈原是勇者，陶淵明是仁者，蘇東坡是智者。

二、百死不悔、勇敢而執著的屈原

屈原是中國戰國時代人（西元前三四三-前三八五），他是楚國的貴族，少年得志，二十五、六歲就做了楚懷王的左徒，很得楚懷王的寵信。司馬遷《史記》說：「入則與王圖議國事，以出號令，出則接遇賓客，應對諸侯。」後來讒言妒忌陷害，懷王逐漸對他疏遠，一度放逐到漢北，頃襄王時，又被放逐到江南，他因為忠君愛國，而一再被打擊，最後選擇死亡一途，投身在離長沙不遠的汨羅江，後人為紀念他的身亡，而有端午節的由來。屈原的偉大，不只因為他留下了二十多篇的不朽作品，尤其〈離騷〉一篇，對後代文學的發展，有很大的影響。而更為重要的是他的愛國情操，鮮活的呈現在他的作品之中，充分反映出一個愛國忠臣的高潔人格。面對政治上的失敗，他除了把滿腔的悲憤和無奈，藉南方特有的浪漫情感與文字技巧呈現出來，最後只能以投江而死，表示他對命運最大的抗議。

人生的旅途，每人各有不同。有的人是平平凡凡，穩穩當當，既無洶湧澎湃的高潮，輝煌騰達、冠蓋群倫，也無一波三折的坎坷命運，淒慘悲涼，痛苦難堪，終其一生，只似一條靜謐的小河，潺潺汩汩，緩緩而流。有的人則是波濤翻湧，高潮迭起；得意時，叱吒風雲，不可一世，落魄時，纍纍傷痕，飽嘗苦難。屈原有著文人的浪漫情懷，堅持理想，不願向現實低頭，在他的作品中，除了有豐富的寫實，也有神秘的幻想，更有他崇高的人格特質，所以後人尊稱為愛國詩人。

梁啓超《楚辭解題》說：「屈原一身，同時，含有矛盾兩極之思想，彼對於現社會極端的戀愛，又極端厭惡。他有冰冷的頭腦，能剖析哲理，又有滾熱的感情，終日自煎自熬。彼絕不肯同化於惡社會，其力又不能感化惡社會，故終其身與惡社會鬥，最后力竭而自殺。彼兩種矛盾性日日交戰於胸中，結果所產煩悶為自身所不能擔荷而自殺，彼之自殺，實其個性最猛烈、最純潔之全部表現，非有此奇特之個性不能產此文學，亦唯以最后一死使其人格與文學永不死也。」梁氏的批評，非常正確而中肯。因為屈原個性剛烈，又十分純潔，不能與邪惡共生共存，他勇敢的接受人生的不圓滿，面對生命的苦難，屈原選擇直接的碰撞，他不吝惜用死亡表達對命運的抗訴。雖然他的身軀是犧牲了，可是卻留給後人追思和懷念。

三、消極規避、閑散而恬淡的陶淵明

陶淵明是中國東晉人（西元三七二-四二七），他的曾祖父陶侃做過大司馬，祖父陶茂，父親陶逸，都做過太守，因為非常清廉，所以陶淵明的生活並不寬裕，為了生活，不得不去作官，擔任彭澤縣令八十餘日，因為不喜歡作官的生活，就辭職歸隱田園，當時，他才三十九歲。他寫的〈歸去來辭〉序中說：「余家貧，耕植不足以自給。幼稚盈室，缾無儲粟。生生所資，未見其術。親故多勸余為長吏，脫然有懷，求之靡途。會有四方之事，諸侯以惠愛為德，家叔以余貧苦，遂見用於小邑。於時風波未靜，心憚遠役。彭澤去家百里，公田之利，足以為潤，故便求之。少日，眷然有歸與之情，何則？質性自然，非矯厲所得。飢凍雖切，違己交病。嘗從人事，皆口腹自役。於是悵然慷慨，深愧平生之志。猶望一稔，當斂裳宵逝。尋程氏妹喪於武昌，情在駿奔，自免去職，仲秋至冬，在官八十餘日，因事順心，命篇曰歸去來兮。」在這一篇文章裡，陶淵明說是因爲妹喪去職，而另一種說法是在彭澤令任內，逢郡督郵來縣，屬吏告訴他應束帶接見，他嘆道：「我不能爲五斗米折腰向鄉里小兒。」即日解官而去。

陶淵明所處的時代，政局混亂不安，門閥世族壟斷了高官要職，庶族寒門則遭到無理的壓抑。當時，左右政局的士族和軍閥，如桓玄、劉裕等人，都熱衷於爭權奪利，既不想整頓政治，也無意收復失土。陶淵明的曾祖父雖然做到大司馬，但是到了陶淵明，家道已經沒落，從他二十九歲出仕，也只是做祭酒、參軍等職，地位卑微。雖然陶淵明在少年時代，受家庭和儒家思想的影響，也有大濟蒼生的壯志，但是看見統治階級的傾壓、腐敗，他已無心於政治的生命。

在魏晉時代，學術的發展，以佛、道爲主流，文人在面對政治的混亂、社會的不安定，人命的沒保障，多有出世的思想。《詩品》：「永嘉時，貴黃老，稍尚虛談，于時篇什，理過其辭，淡乎寡味。」這是魏晉玄談之風的影響，出現了孫綽、許詢等作者，「詩必柱下之旨歸，賦乃漆園之義疏。」當然，文學是反映時代的，在魏晉紊亂的政治狀況，從三國之後，曹丕、司馬的兩家篡奪，賈后之亂，八王之亂，加上北方胡人的入侵，懷、愍二帝被擄，西晉滅亡，東晉偏安局面，也因王敦、蘇峻、桓玄之亂，造成劉裕篡位。這兩百多年的內禍外患，戰爭，飢荒，死傷難計其數，舊的傳統思想，尤其是儒學，呈現極度衰微的現象，代之而起的是主張回歸自然以及人性自主的思想，另外，東漢傳入的佛教，所強調的空觀、虛無思想，也頗能迎合苦悶的人心，給予慰藉和對現實苦難的解脫。

朱熹說：「淵明之辭甚高，其旨出於莊老。」陶淵明受老莊的影響，是顯然可見的。他的名作〈桃花源記〉所表現的無政府社會，實是脫胎於老子「小國寡民，雞犬之聲相聞」的思想；他的〈飲酒〉詩：「結廬在人境，而無車馬喧。問君何能爾，心遠地自偏。採菊東籬下，悠然見南山。山氣日夕佳，飛鳥相與還。此中有眞意，欲辯已忘言。」也頗能得到莊子清靜逍遙的理想境界。

陶淵明和屈原都有高遠的理想，對國家的前途和發展，都十分的關切，而殘酷的現實環境，逼得他們陷入極深的絕望和痛苦，可是他們兩人的個性不同，一個是剛強激烈的，一個是平淡閑適的，因此，兩個人所採取的行徑，迥然不同。屈原是用最悲壯的殉身，來表現他的赤膽忠誠，陶淵明則是以回歸田園，拒絕和當時混亂的政治環境妥協，自外於一個縈繞著青山綠水的村野生活，悠游自在，而不屑和統治階層同流合污。陶淵明在那個動亂的時代，揭櫫人性的警醒，反對虛僞束縛，追求眞實自由，有其獨特的意義，這固然是他喜愛老莊的影響，更是他本身個性使然。

陶淵明的作品，很明顯的承受了魏晉的浪漫思潮，可是他也不全然滿紙仙人高士的歌頌，或是談玄說理的偈語，而能寄情於山水田園之間，以及日常家居人情之中。

他並不脫離現實，闊談神仙玄理，而是貼近眞實的喜樂悲苦，反映一般人民爲衣食而掙扎、爲家庭而奔波的實情，田園與山水，並不只是美麗的景象，而是生活的憑據和心靈的寄託，如〈歸田園居〉詩：「少無適俗韻，性本愛丘山。誤落塵網中，一去三十年。羈鳥戀舊林，池魚思故淵。開荒南野際，守拙歸園田。方宅十餘畝，草屋八九間。榆柳蔭後簷，柳李羅堂前。曖曖遠人村，依依墟里煙。狗吠深巷中，雞鳴桑樹巔。戶庭無雜塵，虛室有餘閒。久在樊籠裡，復得返自然。」又：「種豆南山下，草盛豆苗稀。晨興理荒穢，帶月荷鋤歸。道狹草木長，夕露霑我衣。衣霑不足惜，但使願無違。」都是他眞實的農村田野生活的寫照，以及他寄情於自然生活的自由心境。陶淵明從紊亂的政治環境逃離出來，而去追求自己理想的田園山林，過著隱逸的生活，與世無爭，他的抉擇是中國傳統文人的另一種生命情調。

四、超越提升、通達自適的蘇東坡

蘇軾（號東坡居士）是中國北宋的大文學家（西元一〇三六－一一〇一），是中國文學史上有名的才子之一。他的作品，不管是文章，或是詩、詞，每一寫定，即被世人傳誦。凡是讀過東坡作品的人，沒有不喜歡他的飄逸和瀟灑，豪放與熱情，以及他對人生的精妙參悟。「文如其人」這句話，用在東坡身上，實在十分允當，千載之下我們展讀東坡的詩文，猶能看出他那超人一等的聰明智慧，和豪放不羈的人生態度。

可是，東坡的一生並不是很得意的，尤其是他的政治生涯，更是屢被貶謫。既不容於王安石的新黨，也不容於司馬光的舊黨，夾在新舊兩黨的政爭中，兩面皆沒討好。如果東坡安於小成，只想以文學傳世，他自然不會有很多的苦惱，終日可以青山綠水爲伴，以閑雲野鶴自居，飲酒賦詩，何其逍遙？

偏偏他是入世觀念很深的人，一心想要淑世，盡忠國家，造福人民，這可以從他小的時候立志爲范滂的胸懷，和一生不畏橫逆的志節，窺看出來。

東坡才氣縱橫，可惜常常因口舌而肇禍，「烏台詩案」即記載他被誣陷的本末。如元豐二年七月二日舒亶的箚子中說：「臣伏見知湖州蘇軾進謝上表有譏切時事之言。陛下發錢以本業貧民，則曰：贏得兒童語言好，一年強半在城中。陛下明法以課試郡吏，則曰：讀書萬卷不讀律，致君堯舜知無術。陛下興水利，則曰：東海若知明主意，應教斥鹵變桑田。陛下謹鹽禁，則曰：豈是聞韶解忘味，邇來三月食無鹽。其他觸物既事，應口所言，無一不以譏諷爲主。又如東坡有〈詠檜七絕〉二首，其一云：凜然相對敢相欺，直幹凌空未要奇。根到九泉無曲處，世間惟有蟄龍知。」毀謗他的人便面奏神宗皇帝，謂：「陛下飛龍在天，軾以爲不知己，而求諸地下蟄龍，不臣孰甚焉？」幸神宗憐愛，才沒有被寘死罪。

東坡也很明白自己的個性，《梁谿漫志》中說：「東坡一日退朝，食罷，捫腹徐行。顧謂侍兒曰：汝輩且道是中有何物？一婢遽曰：都是文章。坡不以爲然。又一人曰：滿腹都是識見。坡亦以爲未當。至朝雲乃曰：學士一肚皮不入時宜。坡捧腹大笑。」「一肚皮不入時宜」，確是東坡一生最佳的寫照。東坡實在很可愛，明知自己這番個性，容不得別人，必會常受陷害，而心不以爲忤，反而以坦然的態度，哈哈一笑。《宋史》東坡本傳的論贊：「或謂軾稍自韜戢，雖不獲柄用，亦當免禍。雖然，假令軾以是而易其所爲，尚得爲軾乎？」的確，東坡之所以爲東坡，正是因爲他性情眞切，胸襟放達，所以，即使他的命運被安排如滿杯的苦酒，他也會欣然一醉。我們在東坡的作品中不難發現，政治的挫敗，生活的困苦，不但沒有把他擊倒，變得消沉頹廢，反而轉化成一種新的生命力，曠達自適，樂天知命，參天地而爲一。

東坡一生宦海浮沉，頗不得志，而生活環境的惡劣、窮困，往往不是常人所能忍受。但是，東坡卻能從痛苦中挺拔出來，養成豁達開朗的心境，寫出豪邁飄逸的不朽作品。東坡最有名的代表作，如〈赤壁賦〉等，差不多都是遭遇貶官以後的作品，這使我們明白，任何的波折和打擊，對於一個不甘心被命運撥弄的人，只是一種鍛練的機會，他的人格自會從失敗的經驗中提昇而起，一切的悲苦，反而成爲奠定他成功的基石。

東坡對人生的曠達，是常人所難匹敵的。他對人生的無常，不是無可奈何的接納，而是賦予積極的肯定。如〈和子由澠池懷舊〉詩：「人生到處知何似，應是飛鴻踏雪泥。泥上偶然留指爪，鴻飛那復計東西。老僧已死成新塔，壞壁無由見舊題。往日崎嶇還記否，路長人困蹇驢嘶。」又如〈船上偶題小詩〉：「蛙鳴青草泊，蟬噪垂楊浦。吾行亦偶然，及此新過雨。」澠池是東坡和他弟弟蘇轍舊遊的地方，從對往昔歡聚的眷念，想起今日的兩地離異，不覺感嘆人生飄忽不定，如同飛鴻踏在雪泥，留下的爪痕，只是生命的一個偶然而已。後一首詩也是作者寫自己偶然路過某地，偶然聽到蛙鳴、蟬噪，而且偶然趕上一場新下的雨。人生的際遇，既然多是偶然的景象，所謂的得失禍福，又有什麼好罣礙呢？

所以，東坡不像屈原的剛烈個性，用死亡表現他對命運的抗議，東坡也不像陶淵明的閒散個性，歸隱田園，過平淡無爭的生活。東坡是理性的肯定人生的不完美，對人生的聚散，每每視爲當然，如：「亦知人生要有別，但恐歲月去飄忽。」（〈寄子由〉）又如：「人生無離別，誰知恩愛重。」（〈潁州初別子由〉）東坡給人生多了一個轉彎，有柳暗花明的豁然開朗的境界，他能欣然飲下生命的苦酒，令人尊敬與感動。

五、結　語

人生像一張畫布，每個人都是畫家，每個人手中都握著彩筆，每個人對人生的風景都有不同的理解，也有不同的呈現，因此，有人喜歡亮麗，有人喜歡灰暗，有人用色強烈而鮮明，有人用色柔弱而低沉。歸結中國傳統文人的生命情調，有屈原的悲壯，有陶淵明的閑適，有蘇東坡的豪邁。面對人生的苦難，屈原是「認」了，陶淵明是「逃」了，蘇東坡是「轉」了。屈原直接去碰撞，所以對人生「絕望」；陶淵明追尋自己的自由，因爲對人生「失望」；蘇東坡並不執著於名利和得失，他依然懷抱人生的「希望」。

一觴獨進嘯傲東軒

——談陶淵明的生命詩情與存在感悟

高雄師範大學
國文學系教授　何淑貞

一、前　言

在中國詩歌史上，陶淵明不僅是一個具有高才的詩人，而且在生活上有高趣、在品德上保持高尚節操，贏得了「文學品節居古今之第一流」的稱譽，其作品所呈現的「和諧靜穆」，是由於生命上的充盈自足，有如「秋潭月影，澈底澄明」。與他同時的文壇宗主顏延之爲他寫的〈陶徵士誄〉，對其人品作了極高的評價；南朝蕭統爲其詩文結集作序，斷言淵明「文章不群」、「獨超衆類」、「莫之與京」；充滿雄強高健氣勢的唐代，雖然對淵明超然物外的處世態度、平淡樸實的詩風不一定推崇，但是大多數人仍然識得陶淵明的價值，尤其是安史亂後，士人對淵明其人其詩有更深的體認，心追手效其詩風的大有人在；而眞正識得陶淵明出類拔萃的是宋人。從北宋至南宋的詩壇巨子，莫不以淵明爲師，推爲詩國巨人；以陶詩爲極至，奉爲詩藝圭臬。宋人經歷過世事滄桑與人生憂患，精神趨於內斂，追求心靈的自在自得，詩歌審美講求韻味逸趣；陶詩造語平淡自然，表現得蘊藉雋永，富於超然塵外之趣，其神理趣味與宋代文化精神頗爲相通，也難怪宋人認爲陶詩冠絕古今了，連同他的文、賦，也一並讚賞爲雄於六代。自此之後，世人對陶淵明由賞愛而理解，而深心相契，至今不衰。

陶淵明其人其詩平易率眞、單純樸拙，呈現出深廣博大的精神境界，留給後代讀者無限的闡釋空間，與任何時代的人都能展開對話與交流，只要用心傾聽，都可以找到共鳴。他的詩文展現出灑落悠然的生命境界、超脫任眞的人生韻味，自有其豐富的文化底蘊，以及對存在的深情體驗，眞誠透悟，引領世人走向澄明。

二、屈莊的時間感悟

論語子罕篇說：「子在川上曰：逝者如斯夫！不捨晝夜。」歲月不居，時節如流，這一自然規律嚴格制約了人類的生命，使其一生的進程單向而確定，在無力反抗、無能逆轉，而又無法突破生命的自然限度之餘，通常是以精神超越這一自然規律，不少文藝作品反映了人類精神的勝利。

面對歲月的飄忽不居和人生的短促無常，不同的文化背景，各有不同的因應與安頓方式。中國古代詩人對存在的感受，明顯承傳自兩個系統：一是屈子型的主觀時間；另一是莊子型的客觀時間。

時不我與、盛年難再的憂傷只屬於有理想的人，尤其是生存在一個異化的社會、不可爲的時代中，生命的短暫與遠大的理想形成更大的落差，個我陷於矛盾焦慮中，必須不斷反省，才能確立自己的生命價值觀。

屈原生於西元前三三九年（楚威王元年），卒於西元前二八五年（頃襄王十四年），經歷了三個王朝。其中懷王在位三十年，正當屈原的盛年，他的政治、創作活動都在這個時期。從春秋到戰國，是我國歷史上的大轉變時代①，那是個邦無定交、仕無定主的時代。屈原就活在新舊社會交替的轉折關頭，活動在這一歷史變化的潮流中。

在戰國七雄中，齊最富，楚最大，秦最強。當時齊威王的中興氣勢已經過去，政治上正走下坡路；而楚國不但土地廣大，軍隊也比較精銳，國際形勢是「橫則秦帝，縱則楚王」。屈原主張聯齊抗秦，由楚來統一天下。在與秦爭霸天下的過程中，楚國合縱連橫兩派的勢力鬥爭尖銳，懷王長期搖擺其間，每逢關鍵時刻，屈原總是態度鮮明，堅持合縱抗秦，因而落得被疏、被逐，楚國的君臣讓他徹底失望，讓他清楚看到楚國已經沒有任何實現美政的基礎了。最後以自沉來超越現實，堅貞不屈的結束悲劇的一生。

春秋戰國士階層的生命價值觀，基本上是儒家所主張的通過現世功德來確立，屈原很自然便把功成名立作為個我生命價值實現的重要標誌。他以高陽帝為先祖，與楚同姓為內涵的宗族大生命體的觀念，堅信自己幼有異志，秉德無私，在〈離騷〉、〈橘頌〉一再強調先天生命的崇高，所以把實現政治理想放在首要的地位。在楚失望之後，以他的內美修能，大可以周遊天下，游說列國以遂其志，在〈離騷〉中借卜師靈氛的口和巫咸的話表達過內心的掙扎。但他的生命價值是與楚國的命運連在一起的，他無法與當時的士子一樣朝秦暮楚，或楚材晉用。他所面對的時代社會，已不再是儒家理想中的和諧一體，至善敦厚，個我欲成就「人」的理想，幾乎是空想。其實渴求倫理價值生命實現的深層動因，是人類超越短暫生命的願望。在現實的困境裡，人要實現自我的過程相當艱鉅，過程中的存在體驗所引發的時間感受，就變得敏感而尖銳。

雖然說天道自然的法則制約人的生命是公平的，但是屈原追求的理想相當遠大，因此比常人更強烈的意識到生命的短暫，〈離騷〉這首哀歌動人處是以有限的生命追求精神永恆的悲壯。其開篇敘述一個既神聖又高貴的生命降生，宿命的預示了今與昔之間不可調和的衝突。詩人對今時的蔑視，本能的嚮往優越的往昔，花果飄零、今非昔比之嘆，引發對生命光華的嚮往，以哀嘆草木零落、衆芳蕪穢的情感形式，表達強烈的生命欲求。在〈離騷〉中，反覆運用「朝」、「夕」連用的句式②，透露出詩人面對人生境況困迫的緊張與焦慮，置身在忽其不掩流逝不息的時間大流之中，時不我與之感更為熾熱：「老冉冉其將至兮，恐修名之不立。」也正因為生命必然隨時間流逝而消磨枯萎，悟入自身的有限，勇敢面對無限，「進不入以離憂兮，退將復修吾初服」，奮勉自勵而精進不已，餐菊佩蘭，象徵對自己美好人格的珍愛，進而勉力維持「昭質其猶未虧」，成就「我」存在的高貴價值。其堅貞不拔的精神，聖潔無瑕的人格，為後世景仰不已。屈原的人生價值，正因當下存在的緊張而凸顯，從自傷自悼轉而自珍自愛，振發警勵，提昇生命的境界，成為中華文化中典型的時間感受，影響深遠。

道家莊子由於對人類文明所造成的災難感到失望，不再認同儒家以人為本位的價值觀，轉而嚮往個體生命存在根源的宇宙自然。同樣是面對人間的苦難、生命的短暫、人生的荒謬，莊子的時間感受不同於屈原以人爲主體的價值態度，從無限透出，肯定有限；而是跳出以人爲主的認知框架，虛懷歸物，同流大化。否定了人主觀的時間經驗，放棄「我」的現實存在，脫離了主觀時間結構的管轄，人就獲得眞正的快樂逍遙。莊子書中的至人神人，所以萬變不能撼其身，就是一種無時間存在狀態：「至人神矣！大澤焚而不能熱，河漢沍而不能寒，疾雷破山飄風振海而不能驚。」（〈齊物論〉）山河地貌的形成是經歷世間億萬年的滄桑巨變，對完全無時間感的至人理當毫無影響。「天地四方曰宇，往古來今曰宙」是傳統常識性的認知，莊子卻說：「有實而無乎處者，宇也；有長而無本剽者，宙也。」（〈庚桑楚〉）在他看來，空間是無邊無際的；時間是無窮無盡的。在無限時間之流面前，人類的一切努力，是多麼的短暫、有限、渺小、虛幻而毫無意義。莊子將人生的種種困境如生死、禍福、窮達、成敗等等，一一投入無限的時間之流中，與道俱往，完成自然。個我生生死死的有限人生，縱浪大化而生生不息，樂觀任化，以自然觀照的方式，勘破知性主觀時間，進入無時間限制的逍遙，這是莊學精神的時間感受，成爲中華文化提昇生命存在價值的另一傳統。

三、魏晉時期屈莊精神的回響

文學反映人生，哲學指導人生。一個人的行爲方式、價值觀念和人生境界，是由他的生命意識來決定。無論是對生命本身的性質的認識，或者是對生命價值的把握和判斷，那是屬於哲學思想的層面，自有其文化傳承與開展。百家爭鳴時代的先秦諸子，是我國傳統生命哲學的奠基時期，其中儒家的倫理價值生命觀，和道家的自然生命觀，一直支配著中國士群的生命意識，而各時代的生命意識，又都與該時代的根本性問題關聯。文學與哲學，其精光所聚之處，並非判然各別，而是息息相通，有其深層的聯繫。因爲無論文學或哲學，都是生命意識的載體，生命意識是文學哲學發生的根源。

生命自始至終穿越有限時空的單位，就是人生。人生是生命的尺度，生存性就是時間性，存在體驗最根源的是時間感受，這一敏感深細的觸角，經歷文化傳統探入生命底層。中國古代道家莊子以其哲思、與儒家相通的屈子以其藝術成就，具體總結了先秦以來的存在感悟，標誌著中國古代生命意識的成熟，確定了士群生命情緒的基調，其時間生命意識，不斷的在後代詩人的心靈裡莊嚴的回響，鑄就了中國士子反省生命、融生命體驗與自然審美爲一體的人文精神。

漢代盛世中，一般說來人們的生命情緒比較穩定，但在大一統政局下，個體生命的精神價值遭受到忽略甚至漠視，使有志之士想要實現理想陷入窘境，容易理解屈原的不幸遭遇，對其生命悲劇引起共鳴；及至東漢中晚期，士風走向哀樂任情，生命失衡，漢代士君子生不逢辰之嘆，結合了無代無之生命短促的悲哀，釀成感傷生命的風氣。如〈古詩十九首〉由「回風動地起，秋草萋以綠。四時更變化，歲暮一何速。」、「四顧何茫茫，東風搖百草。所遇無故物，安得不速老。」的時節如流的感喟，引起「人生非金石，安能長壽考。」、「生年不滿百，常懷千歲憂。」的焦慮。透露出的時間感受，以有限對照無限的悲哀，是接受屈原主觀的時間感受，卻不像屈原那樣在自傷自悼中升起自珍自愛之情，肯定倫理價值的人文品性；而是臣服於無限的客觀時間，否定富貴功名等社會價值觀，卻又堅執於生死窮達禍福的對立。在時間長流中的恐慌感，使漢魏之際士群普遍唱出的是悲哀的音調。

魏建安士群歷史性的承接漢末生命悲哀意識，加上社會嚴重的離亂死喪：戰亂加上瘟疫，非自然死亡劇增。不但哀傷生之必死，更有難得正命盡年的恐懼。他們對生命內涵的理解更爲深入，其生命情緒變得悲憤蒼涼。蔡琰的〈悲憤詩〉寫出亂世群類共同的生命遭遇；曹操用〈蒿里行〉、〈薤露行〉兩首輓歌來哀輓生靈塗炭萬姓死亡。亂世的遭遇使人清醒的意識到個人生命的短暫，復甦了對大生命關懷的情緒，個人建功立業以垂不朽，與濟世弘道的社會責任感結合，在亂世紛擾中，堅定不懈的追求理想，所謂建安風骨就是這種堅定人格的體現，曹植以詩歌慷慨抒懷，是繼屈原之後表現儒家宏偉生命價值觀的典型。在〈薤露行〉中，他說：「天地無窮極，陰陽轉相因。人居一世間，忽若風吹塵。願得展功勤，輸力於明君。」他要「戮力上國，流惠下民，建永世之業，流金石之功。」（〈與楊祖德書〉）深刻直接的表現出弘道濟世的精神，最後卻以悲劇告終。他晚年的〈釋愁文〉藉「玄虛先生」的開解，把自己孜孜不倦追求理想的行爲，放在道家「大道」之下來批判，儒家的倫理價值受到否定。以理想開始、以悲劇告終，是多數建安士子共同的生命歷程，積聚了特有的時代苦悶，面對生死憂患，以慷慨激昂的審美趣味來消解生命的悲哀、死亡的恐懼，騷情楚聲，是漢魏士群自覺的回顧儒道兩家生命觀的審美選擇。

繼曹植之後的正始名士，他們的人生旨趣，不再像漢魏的士群奮勵以求功名，慨嘆「百年之生難致，而日月之蹉無常」（阮籍〈達莊論〉）之餘，企圖以精神超越現實生命來追求永恆，終究沒有成功。阮籍八十二首〈詠懷〉詩，宣洩的是對生命的傷感，唱出亦莊亦騷的時代音調：「一日復一夕，一夕復一朝。顏色改平常，精神自損消。胸中懷湯火，變化故相招。萬事無窮極，知謀苦不饒。但恐須臾間，魂氣隨風飄。終身履薄冰，誰知我心焦。」（第三十三）他似乎接受了莊子純粹客觀的時間感，「一日復一夕，一夕復一朝」，語調節奏一如時間的本質，在時間的推移中，容貌「改平常」，精神「獨」憔悴。「尤好老莊」的阮籍，並未臣服莊子式的勘破人的主位，厭棄社會倫理的價值，進入客觀時間大流而逍遙自在，精神無法如莊子一樣的平靜澹然。「知謀苦不饒」流露了無力挽救衰年的絕望，「胸中懷湯火」直言不諱的說出面臨死亡的煎熬，因為恐懼須臾之間「魂氣隨風飄」，以致「終身履薄冰」的惶惶不安。據《晉書．本傳》的記載：「籍本有濟世志，屬魏晉之際，天下多故，名士少有全者，籍由是不與世事。」他胸懷濟世大志，只是生不逢辰，無從實現社會倫理的自我價值，被迫不與世事；在險惡多變的時代環境中，人命如雞犬，以致胸懷湯火、足履薄冰的自我煎熬。精神消損是由於對自我存在的重視，卻找不到實現理想的曙光，內心劇烈衝突、日夜焦慮自殘的結果，而非客觀時間所造成的必然。只得頻頻感嘆前人反復吟唱過的人生盛衰與短暫，觸處生愁，憂憤以卒。

四、陶淵明存在感悟的詩化表現

漢魏各種生命意識潮流勃生下的兩晉時代，士群內部生命價值取向顯著分流，以致人格歧尚，行為方式多元化。由於政局穩定的需求，儒家型的價值觀得以恆定的存在，不斷的吸收同化當時流行的莊學生命觀，於是禮教與玄雅兼容並蓄，士群在追求功名的同時，兼尚玄遠。玄學意識來自魏晉人對生命問題的反省，士子企圖憑藉玄學生命觀以去除情累，以理性的齊生死、同壽夭來淡釋生命情緒的緊張感，結果卻陷入更深的生命矛盾之中，如阮籍。也有繼續漢魏之際所思考討論過的神仙問題，改用玄學自然觀和邏輯思辨方法，合理的走向長生成仙的幻想，如嵇康。士子經歷過流離播遷、生死存亡的情感體驗，「固知一生死爲虛誕，齊彭殤爲妄作」（王羲之蘭亭集序），借玄理無法超越之餘，轉而「寄暢山水陰」。雖然，玄理或山水，都只能淡釋生命情緒，究竟無法眞正解決生命問題。到了陶淵明，一方面由魏至晉普遍研習與長久浸淫莊學，加以淵明本身天性中那分哲人的睿智，使莊子時間感受的深層意蘊，在他那裡得到了最佳的詩化表現，超越了生命的矛盾，實現了和諧的境界。

(一)陶淵明對生命的沉思

陶淵明對歲月的飄忽不居和人生的短促無常，比魏晉任何人都要敏感，四時盛衰、物候變化、人事衰榮，往往引起他對生命的緊張感：

靡靡秋已夕，悽悽風露交，蔓草不復榮，園木空自凋。清氣澄餘滓，杳然天界高，哀蟬無留響，叢雁鳴雲霄。萬化相尋異，人生豈不勞！從古皆有沒，念之心中焦。何以稱我情？濁酒且自陶。千載非所知，聊以詠今朝。（〈己酉歲九月九日〉）

市朝悽舊人，驟驥感悲泉，明旦非今日，歲暮余何言！素顏斂光潤，白髮一已繁。闊哉秦穆談，旅力豈未愆！向夕長風起，寒雲沒西山，厲厲氣遂嚴，紛紛飛鳥還。民生鮮常在，矧伊愁苦纏。

屢闕清酤至，無以樂當年。窮通靡攸慮，憔悴由化遷，撫己有深懷，履運增慨然。（〈歲暮和張常侍〉）

這兩首詩一寫於重陽，一寫於除夕。前首是說淵明在象徵長長久久的九月九日重陽節，體會到這佳節是萬化相尋而至，當然也會相追而往；天地有春夏秋冬相尋，人世也有生老病死的擾攘，人如何擺脫得了「從古皆有沒」的命運呢？第二首作於義熙十四年冬，淵明在一年將盡的除夕夜，既嘆流年之速，又焦慮「憔悴由化遷」，「民生鮮長在，矧伊愁苦纏」，詩人對人生有限的「深懷」，煩憂悲切。

景物的榮枯變化，也會觸發他對生命的感喟，當他「流目視西園」（〈和胡西曹示顧賊曹〉），看到紫葵曄曄榮盛可愛，但轉眼就會衰敗凋殘。草木的枯榮，年年都有復甦再榮的可能，而人事的盛衰，是「我去不再陽」（〈雜詩第三〉）的。想到自己空視生命流逝，盛年難再，充滿長悲斷腸的憂傷。

重回離開僅僅六年的故里，景色依舊（阡陌不移舊），「物」或時非，而人呢？「鄰老『罕復遺』」！鄰老現在的處境就是自己的未來，睿智的淵明從他人的遭遇看到自己的邊緣處境，於是「步步尋往跡」，詩人在戀戀不捨的回顧自己的生命歷程，參考過去，策劃將來。知道「從古皆有沒」、「吾生也有涯」，才能意識到生命歷程無法重複，引發提昇自己的內驅力，才會認眞的選擇自己有限的人生的存在方式，確定行爲的準則，抽離庸碌的世俗浮沉，努力實現自己的無限潛能。

淵明處在魏晉生命思潮澎湃的時代，他一生的努力都在超越自己所遭遇的矛盾，使生命獲得和諧。死既然是人一生下來就必須承擔著的生命現象，內在於生命並制約著生命，伴隨著人類生命的全部歷程。個體生命不可能在物理時空中無限綿延，從古到今無一倖免。淵明深信「天地賦命，生必有死」，（〈與子儼等疏〉），一百二十八首陶詩，幾乎一半以上吟詠存亡，絮絮叨叨的訴說著老大之哀和遲暮之嘆。他不但直面死亡，還讓自己體驗死亡，寫下了〈自祭文〉一篇，對自己的生活情狀、性格志趣和人生理想，作了總結性的書寫。另有〈輓歌詩〉三首③，更深刻的體驗生命，流露對生的珍愛眷戀。

㈡陶淵明的生命境界

面對死亡深淵，在有限的存在中，詩人參悟了人生的意義、價值與目的，他選擇怎樣的存在方式來超越生命的有限呢？陶淵明以〈形影神〉三詩總結了魏晉思潮中最具代表性的三種生命觀，各自有一套價值認識：

天地長不沒，山川無改時。草木得常理，霜露榮悴之。謂人最靈智，獨復不如茲！適見在世中，奄去靡歸期。奚覺無一人，親識豈相思？但餘平生物，舉目情悽洏。我無騰化術，必爾不復疑。願君取吾言，得酒莫苟辭。（〈形贈影〉）

「形」是物質性的存在，情感慾望的滿足就是生命的全部意義。面對惜生不得、長生不能的有限生命，生命唯一能做的是肆意揮霍來窮盡今生。這種生命意識和生活態度，東漢末年以來十分盛行，如〈古詩十九首〉之十三：「人生忽如寄，壽無金石固。萬歲更相送，聖賢莫能度。服食求神仙，多爲藥所誤。不如飲美酒，被服紈與素。」之十五：「生年不滿百，長懷千歲憂。晝短苦夜長，何不秉燭遊？爲樂須及時，何能待來茲！」號稱萬物之靈的人類，卻只有短暫的一度存在，唯有放縱感性的滿足，才是物質生命價值的最大實現。

存生不可言，衛生每苦拙。誠願遊崑華，邈然茲道絕。與子相遇來，未嘗異悲悅；憩陰若暫乖，止日終不別。此同既難常，黯爾俱時滅。身沒名亦盡，念之五情熱。立善有遺愛，胡可不自竭？酒云能消憂，方此詎不劣。（〈影答形〉）

「影」在恐懼死亡之餘，選擇追求生命行爲的倫理價值，透過這種價值的建立，使名垂後世以超越有限，在漢魏也十分時興，如〈古詩十九首〉之十一：「所遇無故物，焉得不速老？盛衰各有時，立身苦不早。人生非金石，豈能長壽考？奄忽隨物化，榮名以爲寶。」立善求名的存在方式似乎積極可取，但與縱飲的生存選擇，一樣是營營惜生，不但無補於生，反而有害，使死亡提前到來。

大鈞無私力，萬物自森著。人爲三才中，豈不以我故。與君物，生而相依附。結託善惡同，安得不相語。三皇大聖人，今復在何處？彭祖愛永年，欲留不得住。老少同一死，賢愚無復數。日醉或能忘，將非速齡具？立善常所欣，誰當爲汝譽？甚念傷吾生，正宜委運去。縱浪大化中，不喜亦不懼。應盡便須盡，無復獨多慮。（〈神釋〉）

生前享樂固然無法讓生命長存永在，再高的盛譽也將湮滅無跡，蓋世的功勳也終成過去，耀眼的榮華更是過眼雲煙，個我在具體的時空中總是來去匆匆。想要超越有限的生命最徹底就是回歸自然，「縱浪大化中」是在感性的時空中超越感性的存在。「神」是生命立於自足無待的境界，理性獨立的解決「形」之累、「影」之役，透切了悟生命的眞諦，將個我生命融入宇宙大化流行之中，以個人的生生死死，造就宇宙的生生不息而眞正永恆不朽。

陶淵明生命意識的核心是回歸自然，他以整個生命投入自己莊嚴的存在抉擇：從任眞守拙和棄官歸田內外兩個層面來實踐，心、跡無間的與天地同流，隨大化永恆。〈形影神〉組詩所展現的三種生命境界，先後存在於淵明的實際人生中，他的文學主題清楚折射出這三者之間的依存與轉化。內在於人的存在的生與死，同屬於生命的一體兩面，在無法逆轉歲月匆匆催人老的無奈中，有志之士必會反復咀嚼沉思人生的意義與價值，由此展露生命之美與崇高。陶淵明在「一生能復幾，倏如流電驚」的緊張體驗中，凸顯了如同屈原一樣的黽勉生命：

盛年不再來，一日難再晨。及時當努力，歲月不待人！（〈雜詩〉之一）

日月擲人去，有志不獲騁。念此懷悲悽，終曉不能靜。（〈雜詩〉之二）

壑舟無須臾，引我不得住。前途當幾許？未知止泊處。古人惜寸陰，念之使人懼。（〈雜詩〉之五）

三）

在「日月不肯遲，四時相催迫」的恐懼憂傷中，詩人將生命引向屈原般振發警動的文化精神。「少年罕人事，遊好在六經」的基礎教育，儒家的倫理生命觀與入世精神，早已深植到淵明的生命中，早年〈榮木〉一詩，清楚道出因感於人生如寄，溫慎憂勤的希望及時有所建樹；詩人對「四十無聞」的悵然愧疚，到不甘「無聞」的發憤進取；「徂年既流」在「業不增舊」的證實中痛責浮生，鞭策自己「脂我名車，策我名驥」地自強不息。這種儒家主張通過弘道濟世、建功立業來確立自身生命價值的思想，使他有過「猛志逸四海」（〈雜詩〉之五）的豪情，「大濟於蒼生」（〈感士不遇賦〉）的壯志。他多次誤落塵網，並非完全如他自己反復聲明由於「耕植不足以自給，幼稚盈室，瓶無儲粟」（〈歸去來辭序〉），被迫「投耒去學仕」，其直接動因應該是「如彼稷契」的生命取向，在他的家庭與教育背景影響下，直覺到這才是最有效的生有益於時，死有聞於世。當其人生的志向與自己的精神氣質起了衝突，當「猛志」成空、「氣力漸衰損」時，大徹大悟心爲形役容易失去生命的眞性，人生的自得自適遠高過蓋世的功勳業績，於是迷途知返，賦起歸去來，「長吟掩柴扉，聊爲隴畝民」（〈癸卯歲始春懷古田舍〉之二）。

淵明以士君子的身分混跡爲「隴畝民」，是因爲力田耕作的生活最近自然，勤勞和汗水換來了眞實的生命感，通過「戮力東林隈」達到灑落怡然、形神超越。詩人一再強調自己「質性自然」，「歸園田」是本性的呼喚：「歸去來兮，田園將蕪，胡不歸！既自以心爲形役，奚惆悵而獨悲！悟已往之不諫，知來者之可追；實迷途其未遠，覺今是而昨非。」（〈歸去來辭〉）他了悟到「富貴非吾願，帝鄉不可期」，便作出「委心任去留」的生存抉擇，截斷鑽營媚俗干祿求榮等世俗百情，聽任生命本然天性，「懷良辰以孤往，或植杖而耘耔；登東皐以舒嘯，臨清流而賦詩」（同上引），陶集中〈歸園田居〉組詩生動的表現了「返自然」的雙重意蘊，外在層面是回到自己夢想的田園，在第一首就如數家珍的羅列居家所擁有的遠近環境；內在層面是回歸到自己生命的本眞，擺脫官場俗套：「相見無雜言」，超脫俗念：「虛室絕塵想」，「守拙」以去機心顯眞性，不再捲進人事的傾扎牽絆而媚俗阿世，披星而出、帶月而歸、開荒田野、種豆南山，他以躬耕經營衣食，也通過躬耕憂道保眞，經由當下即得對有限人生的超越，是深契自然的眞灑脫，因爲他堅守住自己的理想、價值、信念、節操，昇華自我生命使自己同流於天地，其自在灑落有莊子的超曠，也有儒家憂勤惕厲的支撐，是儒道雙修的文化精神。是他將魏晉詩人的悲哀調子轉換爲樂觀，如〈飲酒〉之一：

> 衰榮無定在，彼此更共之。邵生瓜田中，寧似東陵時。寒暑有代謝，人道每如茲。達人解其會，暫將不復疑。忽與一觴酒，日夕歡相持。

「衰榮無定」是萬物無外的宇宙規律，一切事物都在變化之中，事物方生之時，已肇將滅之機，隨著事物的發展，否定因素也隨著發展，因此人生不可能長存永駐。淵明以其睿智徹悟此一人生哲理，一再以慷慨的詩情，反復提點，令人清醒，「榮華難久居，盛衰不可量」，與其「眷眷往昔時，憶此斷人腸」（〈雜詩〉之三），不如喝酒吧，何必嘆老嗟卑！經過一番人生哲理探索後大徹大悟，「歡」描述的不只是詩人的歡顏，而且閃耀著洞察宇宙規律的智慧光芒。「達人」持杯微笑，透露出一分睿智與執著，那是經歷過一番眞實的人生體認，魏晉的哀音，已轉變成樂觀的調子。

(三)陶淵明的生命詩情

淵明自稱「性嗜酒」，據說任彭澤令時，「公田悉令吏種秫」，說「吾常得醉於酒足矣」，晚年顏延之去拜望他，臨走留下兩萬錢濟助他的生活，「淵明悉送酒家，稍就取酒」（蕭統〈陶淵明傳〉），在世因「家貧不能常得」（〈五柳先生傳〉），死後還要抱憾「飲酒不得足」。現存詩文中，幾乎五分之二直接或間接涉及飲酒，難怪昭明太子誇張的說「淵明之詩，篇篇有酒」，又爲他開脫說：「吾觀其意不在酒，亦寄酒爲跡也。」（〈陶淵明集序〉）就是說淵明飲酒並非是嗜酒本身，而是借酒以達成其他目的。其後如清馬璞認爲飲酒是淵明遁世之方④；今人陳寅恪也認爲淵明以酒來逃避政治⑤。魏晉時代黑暗，造成士子對現實不滿精神苦悶，許多人縱酒成僻，如阮籍等飲酒確是畏讒避禍，而陶淵明的身分地位似乎沒什麼政治風險，與其說他嗜酒爲了全身遠禍，不如說他借酒來反璞歸眞，忘懷得失。他在〈晉故征西大將軍長史孟府君傳〉說：

（孟嘉）好酣飲，逾多不亂；至於任杯得意，融然遠寄，旁若無人。溫嘗問君：「酒有何好，而卿嗜之？」君笑而答曰：「明公但不得酒中趣爾。」又問聽妓，絲不如竹，竹不如肉，答曰：「漸近自然。」中散大夫桂陽羅含賦之曰：「孟生善酣，不愆其意。」

淵明是借傳外祖父而自道對酒獨到的體驗，飲酒可以「漸近自然」。莊子說：「禮者，世俗之所爲也；眞者，所以受於天也，自然不可易也。故聖人法天貴眞，不拘於俗。愚者反此。不能法天而恤於人，不知貴眞，碌碌而受變於俗，故不足。」（《莊子・漁父》）「自然」就是「眞」。其實淵明終其一生都在做反淳歸眞的努力，他的詩一再提及：「傲然自足，抱朴含眞。」（〈勸農〉）、「天豈去此哉，任眞無所先。」（〈連雨獨飲〉）、「眞想初在襟，誰謂形跡拘。」（〈始作鎭軍參軍經曲阿作〉）、「養眞衡茅下，庶以善自名。」（〈辛丑歲七月赴假還江陵夜行塗口〉）等都是。名利功動都是身外之物，性命之眞才是存在的根基。集中顯赫的〈飲酒〉詩二十首，都是借酒爲題，抒發自己的感觸與情懷，最後一首「羲農去我久，舉世少復眞。汲汲魯中叟，彌縫使其淳。」在「眞風告退，大僞斯興」的時代，人們把眞我隱藏起來，扮演著世俗所期望和指定的角色，爲了身外的浮名壓抑自己的眞性；更有不少僞君子矯情邀譽，永遠帶著忠臣、孝子、正人、君子的面具自欺欺人。在此「絕世」下，只有飲酒才可以擺脫一切名韁利鎖的束縛，恢復生命的本眞，所以說「寄言酣中客，日沒燭可秉」（之十三）、「悠悠迷所留，酒中有深味」（之十四）、「若復不快飲，空負頭上巾」（之二十）。暢飲可以使淵明「漸近自然」，進而融個人生命於宇宙生命中。

儒家價值觀在魏晉時期失去了指導的權威，玄學又沒來得及建立起價值規範，淵明面對人道的翻覆，天道的不公，世人的愚庸，酒就是人生唯一的依託了。他飲酒與劉伶希望藉縱酒來「自得於一時」大不相同，酒的地位是與他的生命等同的，他在〈讀山海經〉之五說：「在世無所須，唯酒與長年」，他的詩經常關涉到生命與死亡：

> 適見在世中，奄去靡歸期。奚覺無一人，親識豈相思！但餘平生物，舉目情淒洏。我無騰化術，必爾不復疑。願君取吾言，得酒莫苟辭。（〈形贈影〉）
>
> 漉我新熟酒，隻雞招近局。日入室中暗，荊薪代明燭。歡來苦夕短，已復至天旭。（〈歸園田

居〉）之五

流幻百年中，寒暑日相推。常恐大化盡，氣力不及衰。撥置且莫念，一觴聊可揮。（〈還舊居〉）

開歲倏五十，吾生行歸休。……提壺接賓侶，引滿更獻酬。未知從今去，當復如此不？中觴縱遙情，忘此千歲憂。且極今朝樂，明日非所求。（〈遊斜川〉）

得歡當作樂，斗酒聚北鄰。盛年不再來，一日難再晨。（〈雜詩〉）之一

陶淵明坦然接受人類「自古皆有沒」的定律，說「既來孰不去，人理固有終」，他不相信服藥能成仙：「誠願遊崑華，邈然茲道絕」（〈影答形〉）；也不看重生前美譽和身後盛名：「吁嗟身後名，於我若浮煙」（〈怨詩楚調示龐主簿鄧治中〉）、「百年歸丘壟，用此空名道」（〈雜詩〉之四）。自己生命的本眞才是存在的根基，「道喪向千載，人人惜其情。有酒不肯飲，但顧世間名。」為了身外浮名而壓抑眞性，最是不合大道、不近自然的。他飲酒酣暢而絕不放誕佯狂，而是「逾多不亂，至於任懷自得，融然遠寄」，「造飲輒盡，期在必醉，既醉而退，曾不吝情去留」的眞率灑脫，毫無僞飾隱匿，通體透明，內外澄澈。淵明飲酒與其生命存在有著本體的關聯，〈連雨獨飲〉是他深度體認生命存在的佳作：

運生會歸盡，終古謂之然。世間有松喬，於今定何間。故老贈余酒，乃言飲得仙。試酌百情遠，重觴忽忘天。天豈去此哉？任眞無所先。雲鶴有奇翼，八表須臾還。自我抱茲獨，黽勉四十年。形骸久已化，心在復何言！

在時間中存在過的生命，必定隨時間之河滾滾東逝，這是每一個人與生俱來的宿命，連傳說中長生不老的喬、松也不例外，「飲得仙」是故老說的，我陶淵明從來就不相信有神仙世界，而是「酒中」另有「深味」：酣飲任眞就是溝通天、人的關鍵。「重觴」而「忘天」，卻是「天豈去此哉」，人、天交流已融爲一體，遠離一切俗慮機巧（百情遠），回到內在的自然本眞，就與外在自然的天無所先後、無所對待，形化心在，與天地同流，「雲鶴有奇翼，八表須臾還」，那是縱浪大化的逍遙自在。淵明在酣飲之際，不知不覺人與天、物與我、瞬間與永恆渾然一體，生生死死哪值得介懷呢？魏晉飲者中，只有他最懂得酒中的深味眞趣。時間的流逝，已被他轉化爲一觴觴美酒頻傾的生命形式，轉悲慨爲歡愉爲沖淡，莊子哲學的深層精神意蘊，得到最佳的詩化表現。他的〈飲酒〉詩之七：

> 秋菊有佳色，挹露掇其英。泛此忘憂物，遠我遺世情。一觴雖獨進，杯盡壺自傾。日入群動息，歸鳥趨林鳴。嘯傲東軒下，聊復得此生。

「飲酒」目的是「遠我遺世情」，也就是讓自己融情遠寄、心遠地偏，從容還巢的歸鳥是詩人的自我寫照。「日入群動息」，一天的時間被精緻的凝固爲萬物安息的畫面，歸林鳥鳴於寧靜和諧的宇宙中，詩人從此嘯歌寄傲於東軒之下，心寧景靜，情懷超曠，透出任化的時間感，高遠沖淡的詩情，與詩中徐緩悠長的節奏，構成安謐靜定的高度和諧，「此在」就是永恆。

四、結語——時間詩化體驗的傳統

從〈飲酒〉之七這首詩，我們清楚看到由屈原的時間感融凝而成的那套美麗而哀傷的意象（草木零落、衆芳蕪穢），到淵明獨創的酒與歸鳥意象⑥，悲慨轉爲沖淡，他那分「天機和暢，靜氣流溢」（潘德輿《養一齋詩話》）的偉大平衡心靈，是由於對人生至理的高度理解，對生命的深度體驗。

陶詩把時間的流逝化爲杯酒頻傾的意象，和屈原花果飄零的意象一樣，成爲後代中國詩人時間詩化感受的心理原型。盛唐之音高揚著樂觀浪漫的生命意識，轉換了陶詩的深觀洞化，李白酒意中的時間感是最合自然的：「天若不愛酒，酒星不在天；地若不愛酒，地應無酒泉。天地既愛酒，愛酒不愧天。……三杯通大道，一斗合自然。」（〈月下獨酌〉）只要他敏感到時間的匆促，他就「但願長醉不願醒」（〈將近酒〉），把全部的時間淹沒在酒杯中：「百年三萬六千日，日日須傾三百杯。」（〈襄陽歌〉）在詩人的感覺中，時間與酒有一種微妙的聯繫：「山花對我笑，正是銜杯時。」（〈待酒不至〉），「兩人對酌山花開，一杯一杯復一杯。」（〈山中與幽人對酌〉），飲酒的節奏，好像與花開的節奏同步相應，花開與酒的燦爛色彩，消解了經驗時間的痛感，進入無時間感的逍遙。

宋人唐庚說：「山靜似太古，日長如小年。」（〈醉眠〉）在一個春末夏初的季節裡，詩人在山林環抱的家中獨酌，空山幽靜，不聞人聲，有如置身於太古時代，時間的一維性已被山靜日長的細膩感受替代，時間不再流動，人進入了當下瞬間，既無人世的喧囂紛擾，也無名利的追逐和與時相生的憂患，悠然的心境容留大化，時間的密度濃縮了生命的長度，傾刻之間得以充分品嚐人生，提昇生命的存在價值，這是陶詩生命詩情的回響。

清王國維在《人間詞話出了中國人文精神的共同氣象：「『風雨如晦，雞鳴不已』。『山峻高以蔽日兮，下幽晦以多雨：霰雪紛其無垠兮，雲霏霏而承宇。』『樹樹皆秋色，山山盡落暉。』『可堪孤館閉春寒，杜鵑聲裡斜陽暮。』氣象皆相似。」那種精神氣象，是九死無悔的生命意志，是壯心不已的志士情懷，是獨立蒼茫的聖賢境界，是由風霜雨雪秋色斜陽落暉等時間沉落的壓力感，所激起的屈原型的生命意識：在面對永恆的時間體驗中，勇敢超越困境的詩心。於是，日常瑣屑的計較、一已淺小的煩惱、恩恩怨怨的苦悶、此起彼落的得失、無日無之的利害，在永恆時間大流中一一淘洗淨盡，這是自屈、莊以來，經歷代士子深化完成的人文精神境界，將引領著世世代代的炎黃子孫走向澄明之境。

【附註】

① 顧炎武《日知錄・周末風俗》具體說明春秋到戰國一百三十年之間的變化。這種轉變越到後期越劇烈，到戰國中晚期達到高峰。

② 〈離騷〉使用「朝——夕——」構成的句式凡六次：「朝搴阰之木蘭兮，夕攬洲之宿莽」、「朝飲木蘭之墜露兮，夕餐秋菊之落英」、「謇朝誶而夕替」、「朝發軔於蒼梧兮，夕余至乎縣圃」、「夕歸次於窮石兮，朝濯髮乎洧盤」、「朝發軔於天津兮，夕余至乎西極」。

③ 晉人盛行自寫祭文、作輓歌、唱輓歌的風氣，如袁山松每次出遊，都命隨遊的人作輓歌，邊遊邊唱。不過他們

輓歌多成於暇日，而淵明爲絕筆之詞。詩人藉詩中死者經歷由殮到祭到葬的全部過程，以人死時最摧心裂肝的場面，表達了對生的眷戀。

④《陶詩本義》卷三：「誠見世事不足問，不足較論，爲當以昏昏處之矣。」（清與善堂刊本）

⑤《陳寅恪先生論文集‧陶淵明之思想與清談之關係》：「〈五柳先生傳〉爲淵明自傳之文，文字雖甚短，而述性嗜酒一節最長。嗜酒非僅實錄，如見於詩中〈飲酒〉、〈止酒〉、〈述酒〉及其關涉酒之文字，乃遠承阮、劉之遺風，實一種與當時政權不合作態度之表示。」

⑥在世網嚴密的魏晉時代，孤鳥失群，罹羅之懼已成爲魏晉詩人普遍的心態，借飛鳥作爲反映心靈追求自由的形象，是曹植啓其端，。曹集中〈野田黃雀行〉、〈白鶴賦〉、〈贈白馬王彪〉等多借孤鳥表現孤獨失落的痛苦，但是，他既無超脫的特質，又無超脫的條件，「欲高飛而遙憩兮，憚天網之遠經。」終究無法「奮翅而遠遊」；後經嵇康、阮籍、郭璞等人的發展，終於在陶淵明筆下完成以鳥爲象徵一系列含有多項比興的意象：有「戀舊林」的「羈鳥」；有「悽悽失群」的鳥；有令人興慚的「高鳥」；有「翩翩」「相與還」的「飛鳥」；有「翼翼」「倦飛知還」的「歸鳥」。陶詩中的鳥與網羅之間已漸脫去魏晉詩人那種衝突心態，他更多表現出一種斂翼獨歸的高邁孤寂。是一種「知音苟不存，已矣何所悲」的偉大的孤獨，是「託身已得所」的愉悅，是「矰繳奚施，已卷安勞」的安全，「日夕氣清，悠然其懷」的寧靜超脫。魏晉士人追求人格精神上超越的歷程，至淵明手中完成。

【重要參考書目】

書名	作者	出版
靖節先生集	陶澍	華正書局
陶詩本義	馬璞	清與善堂刊本
國史大綱	錢穆	商務印書館
莊子集釋	郭慶藩	中華書局
昭明文選	蕭統編	中華書局影印本
先秦漢魏晉南北朝詩	逯欽立輯	中華書局
曹植集校注	趙幼文	人民文學出版社
阮籍集校注	陳伯君	中華書局
李太白全集	王琦注	中華書局
宋詩鈔	吳之振編	商務印書館
養一齋詩話	潘德輿	清詩話續編
日知錄	顧炎武	商務印書館
人間詞話	王國維	人民文學出版社
陳寅恪先生論文集	陳寅恪	九思出版社

佛教「會通」「和會」釋義

臺灣師範大學國文學系教授 王開府

提要

本文透過對中國佛教有關文獻的檢索，掌握其使用「會通」與「合會」二詞的實際狀況，了解二詞的各種意義，比較二詞含義之異同，並說明隋唐佛教大量使用二詞之原因。

關鍵詞：會通　和會　通　勘會

一、前言

「會通」一詞，最早應見於《易・繫辭傳》云：「聖人有以見天下之動，而觀其會通。」後來佛教大量使用此詞，且有種種用法。本文希望透過對佛教有關文獻的檢索，了解其使用此詞的實際狀況。與「會通」相關且近似的用語如「和會」，也曾被大量使用，本文將二者一併探討與比較。至於「通」「勘會」等也略作說明。①

二、「通」與「會通」釋義

有關「通」一詞，隋智顗(五三八-五九七)在「五時八教」的化法四教中，就有：藏、通、別、圓四教。智顗《四教義》釋「通教」說：「通者，同也。三乘同稟，故名爲通。此教明因緣即空，無生四眞諦理。是摩訶衍之初門也。正爲菩薩，傍通二乘。」(T46.721c-722a)②這裡的「通」是指三乘之「同」。

與「通」相近的「會通」一詞，其使用情形在譯經方面，較早的如：北魏菩提流支譯《金剛仙論》云：「若爾者二經相違，云何會通？」(T25.803b)這是指兩種經典內容不同處之會通。唐玄奘(六〇二?-六六四)譯《瑜伽師地論》云：「菩薩爲彼諸有情類，方便善巧，如理會通如是經中如來密意甚深義趣。如實和會，攝彼有情。」(T30.541a)這是指菩薩對經典中甚深義趣，予以會通(又稱「和會」)，以攝化衆生。又：「於語相違難，顯示意趣，隨順會通。」(T30.754a)也是指對經典語義不同處，予以會通。

在漢文著述方面，較早的如：東晉慧遠(三三四-四一六)《大乘大義章》云：「若不會通其趣，則遍之說，非常智所了之者，則有其人。」(T45.141c)僧肇(三八四-四一四)《涅槃無名論》云：「天地與我同根，萬物與我一體。同我則非復有無，異我則乖於會通。所以不出不在，而道存乎其間矣。」(T45.159b-c)③慧遠談的是經典義理之會通；僧肇則論物我一體之會通。劉宋慧觀(三八三?-四五三)

〈法華宗要序〉云：「觀少習歸一之言，長味會通之要。」(T51.53b)梁僧祐(四四五-五一八)《釋迦譜》云：「莫齊同異，必資會通之契。」(T50.1a)梁法雲(四六七-五二九)《法華經義記》云：「以下會通古今也。」(T33.589b)慧觀、僧祐、法雲談的也是有關義理之會通。

天台宗初祖隋智顗《仁王護國般若經疏》云：「一切法性下，二解釋，文三：一釋、二會通、三舉況。」(T33.266a)他把「會通」列爲釋經之項目。④他在《妙法蓮華經玄義》中云：「何謂會通？會通者，有共般若、不共般若，不共般若最大，餘經若明不共，其義正等。他會通法華，明二乘作佛，是祕密；般若不明二乘作佛，故非祕密。祕密則深，般若則淺。」(T33.811c)這是說會通法華經不共般若的祕義，明二乘作佛。

智顗《妙法蓮華經文句》云：「此經會通諸教。」(T34.87c)在《妙法蓮華經玄義》中又說：「結集經者，集爲二藏也。依經判教，厥致云爾。今之四教與達摩二藏會通云何？彼自云要而攝之，略唯二種，今開分之，判爲四教耳。聲聞藏即三藏教也；菩薩藏即通、別、圓教也。」(T33.813c-814a)這是將藏、通、別、圓四教，與聲聞、菩薩二藏，予以整合會通。

唐三論宗大師吉藏(五四九-六二三)《法華玄論》說：「難曰：『夫會三歸一者，正會有中諸行，以歸一佛乘。云何乃說空耶？將非指南爲北，以曉迷徒？論雖有誠，言猶未鑒意。請爲會通，令無豪滯。』」(T34.363b)這是會通佛教之空、有之偏滯，會通三乘以歸一佛乘。他在《中觀論疏》中又說：「統其要歸，會通二諦。」(T42.6c)這是會通眞、俗二諦。又說：「二文互相鉾楯，云何會通？」

(T34.405c)「斯則法譬相反，云何會通？」(T34.410c)這是指經文相矛盾處之會通。

華嚴宗二祖智儼(六〇二-六六八)《大方廣佛華嚴經搜玄分齊通智方軌》云：「依尋下文八，會通有十義。」(T35.22b)。三祖法藏(六四三-七一二)《華嚴經探玄記》云：「聞多佛異說，善解會通。」(T35.429b)這都是指對經義或佛說之會通。四祖澄觀(七三八-八三九)《大方廣佛華嚴經隨疏演義鈔》則云：「會通權實。」(T36.345c)這對權實的會通。又云：「會通古義。」(T36.276b)「會通經論。」(T36.516b)這是對古今、經論的會通。「此性即是第一義空下，會通佛性。」(T36.278c)這是會通「空」與「佛性」。

法相宗窺基(六三二-六八二)《妙法蓮華經玄贊》云：「隨順會通，……一切諸法無性無事，無生無滅，如幻夢等，如理和會。……隨順會通，會昔三權，通今一實。」(T34.695c-696a)這也是「會三歸一」，會通三乘與一乘，「會通」在此又稱「和會」。其《大乘法苑義林章》也以一乘會通三乘，云：「三乘有教，阿含等經；維摩、思益、大品，空教；法花一乘、涅槃等說常住佛性。皆是漸教，會通三乘，大由小起，名爲漸也。」(T45.247c)

唐慧沼(六五一-七一四)《能顯中邊慧日論》云：「十二分教，佛自會通，散在諸經，率難披究。」(T45.408c)這是說佛自己能會通所說之教。

唐湛然(七一一-七八二)《法華玄義釋籤》云：「十信與十乘義，義同名異，須善會通，令不失旨。」(T33.888c)這是對佛教名相意義之會通。他在《法華文句記》中云：「諸佛大事下，證利益者，大事從別，別必會通。」(T34.216a)這是對差別處進行會通。又說：「部內教，通、別二轍。別則當界施恩，乃須歸大國。故知部教俱須會通。」(T34.285b)這是說佛之諸教均須會通，以歸於法華。

唐宗密(七八〇-八四一)可算是「會通」教內外的大家，他所著的《原人論》第四節，題爲「會通本末」(T45.707c-710c)，其內容包括會通儒、道二教及佛教各宗。在節名下宗密自註云：「會前所斥，同歸一源，皆爲正義。」可視爲宗密對此處「會通」一詞含義的解釋。他的「會通」是「同歸一源」之義。宗密也曾將「會通」一詞，用於不同譯經之比較上，如在所著《金剛般若經疏論纂要》中說：「會通秦譯經本。」(T33.169c)

宗密老師華嚴四祖澄觀在其《大方廣佛華嚴經疏》中(七八七年撰)，也用過「會通本末」一語⑤，但那是指詮釋經典時用會通本末的方法，與宗密用法不同。不過，澄觀在同書中也曾詳細論述五教之會通，他說：「第三、立教開宗，……教類有五，即賢首所立，廣有別章，大同天台，但加頓教，今先用之，後總會通。有不安者頗爲改易。言五教者：一小乘教；二大乘始教；三終教；四頓教；五圓教。……第四、總相會通，曲分爲二：先通會諸教，後化儀前後。」(T35.512b-513a)

澄觀之說，顯然爲宗密所本，宗密在《圓覺經略疏》中說：「今約五教略彰其別：一愚法聲聞教……二大乘權教……三大乘實教……四一乘頓教……五一乘圓教……此上五教後後轉深，後必收前，前不攝後，然皆說一心。……今本末會通，令五門皆顯詮旨。」(T39.537c)這是以「一心」爲本，以會通佛教內部的「五教」。在《圓覺經大疏》中宗密說：「黃梅門下，南北又分，雖繼之一人，而屢有傍出，致令一味，隨計多宗，今略敘之，會通圓覺。」(S14.109c)⑥這是將禪門各宗會通於圓覺經義。《原人論》說：「今將本末會通，乃至儒道亦是。」(T45.710b)宗密將佛教內部的本末會通，擴大到儒、道二教，形成三教會通。

經由檢索《大正藏》，筆者發現「會通」一詞甚少出現於唐以前之譯經中，而漢文著述方面，大約至隋代才開始被如智顗、吉藏等人大量用於佛教著作中。到了唐代佛教界使用更多，尤其是華嚴、天台學者。

綜合上述，佛教歷來使用「會通」一詞，約有以下八義：

㈠疏通佛教典籍文義、名相、詮釋的差異或矛盾。

㈡會整貫通古今典籍及不同譯本之差異。

㈢體會通徹佛教之甚深義理。

㈣將各種經論義理，會歸於一經(如「法華經」「圓覺經」)。

㈤融會萬物與我爲一體。

㈥將一切法，會歸於佛法之本源(如「一心」)。

㈦佛所說不同教義或教法間(如十二分教、三乘、空有、眞俗、權實)之融會貫通(如五教本末會通)。

㈧佛教與他教之融會(如三教會通)。

三、「和會」釋義

與「會通」相似的「和會」一詞，偶出現於唐以前之譯經中，如西晉竺法護譯《漸備一切智德經》云：「所作緣報應，和會致諍亂。猶若有所作，便睹造所見。選擇親近衆，猶如蜂採華。」(T10.477c)這裡的「和會」是指作意與某些人親近，將導致諍亂。劉宋沮渠京聲(?-四六四)譯《五無反復經》云：「因緣和會，同一家生。隨命長短，生死無常。合會有離。」(T17.573a)「善知一切衆生和會分離，離已復合。」(T15.600a)陳眞諦(四九九-五六九譯《佛阿毘曇經》云：「身識陰和會故苦。」(T24.958c)隋闍那崛多(五二三-六〇〇)譯《觀察諸法行經》云：「言無破壞和會，密意趣向遠離。」(T15.726a)隋達磨笈多(?-六一九)譯《大方等大集菩薩念佛三昧分》云：「我凡所有諸誓言，冀其一切皆和會。」(T13.836c)唐尸羅達摩譯《十地經》云：「菩薩了知……他處和會不和會性。」(T10.564a)。唐菩提流志(五六二-七二七)譯《大寶積經》云：「由此衆緣和會，方始有胎。」(T11.328c)唐不空(七〇五-七七四)譯《北方毘沙門天王隨軍護法儀軌》云：「若有夫婦相憎，欲令和會者，即於天王像前作壇。……即自然和睦，更無別心。」(T21.224a)又譯《金毘羅童子威德經》云：「和會諸怨憎者。」(T21.370b)以上大體都是指會合諸緣而成就之義。「和會」與「分離」「遠離」對舉。

北齊那連提耶舍(四九〇-五八九)譯《月燈三昧經》云：「有聲音以思想故，同思想以和會故。」(T15.576b)這是較早論及「思想」之和會。這裡所說的「思想」不是指學術思想等現代的用法，而是指思考或想法。

玄奘譯《大乘阿毗達磨雜集論》云：「和合者，謂於因果衆緣集會，假立和合。因果衆緣集會者，且如識法因果相續，必假衆緣和會。」(T31.701a)由此可知，「和會」與「和合」義本相通。

唐義淨(六三五-七一三)譯《成唯識寶生論》云：「理有相違相應時處，和會共觀，不偏屬一。」(T31.80a)這是說總合相違、相應者觀察，不偏於一面。這是指義理異同之和會。

而漢文著述方面，「和會」一詞大抵也是由隋代開始，至唐代才大量用於佛教著作中。更早的如梁寶亮(四四四-五〇九)等集之《大般涅槃經集解》云：「父母和會，各隨業覓生。」(T37.559b)此「和會」爲「和合」義。隋智顗《金光明經文句》：「鄰眞之人以似解之淨智，和會法身。」(T39.61b)此「和會」有「體會」之義。隋吉藏《中觀論疏》：「別有觸數能和會根塵。」(T42.109a)隋灌頂(五六一-六三二)《大般涅槃經疏》云：「識取和會，根塵和會，故能生識。」(T38.162b)此「和會」義同「和合」。

隋慧遠(五二三-五九二)《大乘義章》云：「二說云何？並是聖言，難定是非，若欲和會，律中所說……」(T44.610a)唐善導(六一三-六八一)《觀無量壽佛經疏》云：「和會經論相違。」(T37.246a)唐窺基《大乘法苑義林章》云：「異部說殊，不可和會。」(T45.271a)唐法藏《華嚴經探玄記》云：「此二說既各聖教互爲矛楯，未知爲可和會、爲不可會耶？」(T35.112a)以上是指佛說教法或經論間殊異矛盾處之和會。

唐圓測(六一三-六九六)《仁王經疏》云：「十六大國名號，大集月藏分第十六，大毘婆沙一百二十百，梵音不同，不可和會。」(T33.423c)這是說不同經典記載內容差異之和會。唐湛然《法華文句記》云：「不同見別，不須和會。」(T34.178c)又《法華玄義釋籤》云：「此是論文諸師異解，不須和會。」(T33.847b)這是說對經典不同詮釋之和會。又云：「三和會中二：先略明融會意，次正會。」(T33.926b)這裡明示「和會」即「融會」「會」。《法華文句記》又云：「其名義全不同者，譯人意別，不須和會。」(T34.181c)這是有關不同譯文之和會。又云：「和會大小。云如昔訶彌勒得認等。和會是開權別名。」(T34.257a)這裡明確提出對大小乘的和會，其義即在開權顯實。

唐李玄通(六三五-七三〇)在其著作中，更大量使用「和會」一詞。如其《新華嚴經論》云：「慈氏一位法門約分六門。……以此六門和會。」(T36.1005b)「和會有無二見，爲不空不有教。」(T36.722c)又云「和會理事，會於中道。迴理向事，迴事向理，理事無礙。」(T36.748b)又云「攝末歸本，一際法界，是一度和會。……和會體用徹故。」(T36.762c-763a)「明和會眞俗成大慈悲。」(T36.848c)「和會一多差別之門也。」(T36.852a)「和會三乘法相行位。」(T36.872b)「性自圓滿，本無和會。」(T36.946a)其《略釋新華嚴經修行次第決疑論》云：「明和會智悲，令圓滿故，是中道義。」(T36.1017c)「和會生死、涅槃、有爲、無爲而無所著法門。」(T36.1023b)

宗密給澄觀的〈遙稟清涼國師書〉中說：「每覽古今著述，在理或當，所恨不知和會。」(T39.577a)他在《禪源諸詮集都序》中也有類似的話：「講者多不識法，故但約名說義，隨名生執，難可會通。……但歸一心，自然無諍。」(T48.401c)可見這裡「和會」與「會通」二詞，在含義上沒有什麼差別。《圓覺經大疏釋義鈔》云：「但就頓漸悟修之法和會，自然會得諸宗。」(S14.280a)這是和會各種禪法以和會禪門各宗。《禪源諸詮集都序》又云：「禪有諸宗互相違反者，……立宗傳法，互相乖阻，……確弘其宗，確毀餘類，爭得和會也？」(T48.400c)可見「和會」不祇用在會通不同的著述、義理、禪法，也用在宗派的會通上。其實宗密在《禪源諸詮集都序》中談論的不祇是和會禪門諸宗，也在禪門三宗與教門三教間進行和會。《圓覺經大疏釋義鈔》又說：「和會內外二教，不相違也。……則知三教皆是聖人施設，文異理符。但後人執文迷理，令競起毀譽耳。」(S14.421b-422a)這又是指和會三教了。

宋代延壽(九〇四-九七五)《宗鏡錄》云：「何能微細指陳始終和會，顯出一靈之性？」(T48.616b)又云：「皆不能以法性融通一旨和會。」(T48689b)這是說和會於「一靈之性」「法性」。

宋代子璿(九六五-一〇三八)爲宗密《金剛般若經疏論纂要》所編的《金剛經纂要刊定記》也說：「對辨淺深，故須料揀；和會通攝，則實無所遺。」(T33.171c)這裡談的是對佛教性、相二宗之義，予以和會。

歷來對「和會」也偶見負面之用法，如唐玄奘譯《阿毘達磨俱舍論》云：「礙者是和會義。謂眼等法於自境界及所緣，和會轉故。應知此中唯就障礙有對而說。」(T29.7b)又如宋代蘊聞所編之《大慧普覺禪師語錄》云：「於一日中，心不馳求，不妄想，不緣諸境，便與三世諸佛、諸大菩薩相契，不著和會，自然成一片矣。」(T47.907a)這兩處的「和會」有人爲安排之意。又云：「捨方便而自證入，則亦不待和會差排。」(T47.894b)又云：「彥沖引孔子稱易之爲道也屢遷，和會佛書中應無所住而生其心爲一貫。……此尤可笑也。」(T47.925c)又云：「邪見之上者，和會見聞覺知爲自己，以現量境界爲心地法門。」(T47.935a)這兩處的「和會」又義同「附會」了。又如錢士升〈蓮宗寶鑑序〉也說：「此亦方便和會之談耳。二物可會，若本非二，和會奚爲？」(T47.302c)這是指「和會」係屬第二序義。

綜合上述，佛教歷來使用「和會」一詞，約有以下九義：

(一)較早的用法，有「親近」「和睦」義。

(二)義同「和合」，指因緣和合，與「分離」「遠離」相反。

(三)有「體會」義。

(四)疏通佛教典籍文義、名相、詮釋的差異或矛盾，義同「融會」。

(五)會整古今典籍及不同譯本之差異。

(六)將一切法，會歸於佛法之本源(如「一心」「一靈之性」或「法性」)。

(七)佛所說不同教義或教法間(如三乘、空有、理事、體用、本末、一多、智悲、禪教、頓漸、悟修、生死涅槃、有爲無爲)之融會。在融會「權實」方面，即「開權顯實」。

(八)佛教與他教之融會(如三教和會)。

(九)在負面的用法上，有「障礙」「附會」「人爲安排」之義。

至於與「和會」意義相近的，另有「勘會」一詞。宗密在《禪門師資承襲圖》中自述：「宗密性好勘會，一一曾參，各搜得旨趣如是。」(S110.436b)《禪源諸詮集都序》云：「問：所在皆有佛經，任學者轉讀勘會，今集禪要，何必辨經？答：……謂佛說諸經，……文或敵體相違，義必圓通無礙。……故須三量勘同，方爲決定。」(T48.400c)「勘會」指對經文相違處，進行「勘同」以見經義之圓通無礙。《禪源諸詮集都序》另有「勘契」「對勘」「會同」之詞，也都是比對異同以求契合其義，如：「不逢善知識處處勘契者，今覽之，遍見諸師言意，以通其心，以絕餘念。」(T48.400a)「詳究前述，諦觀此圖，對勘自他，及想賢聖，爲同爲異，爲眞爲妄。」(T48.410c)《禪門師資承襲圖》云：「所見如此相違，爭不詆訛？若存他則失己，爭肯會同？」(S110.436a)⑦

四、「會通」與「和會」用法之比較

比較上文「會通」之八義，與「和會」之九義，可以看出，「會通」之第四義(將各種經論義理，會歸於一經)、第五義(融會萬物與我爲一體)，爲「和會」所無。而「和會」之第三、四、五、六、七、八義，同於「會通」。但「和會」有親近、和睦及因緣和合之義，並且有「障礙」「附會」「人爲安排」等負面諸義，爲「會通」所無，特別值得注意。不過，整體來說，「會通」與「和會」用法相同的地方還是比較多。

黃國清曾詳細比較了宗密所使用的「會通」「和會」「通會」「勘會」「會」「會取」「融」「融會」「融通」諸詞，而主張宗密「會通」與「和會」二詞在用法上的區別。他認爲〈遙稟清涼國師書〉及《圓覺經大疏》，屬宗密相對早期的著作。而後來在《圓覺經大疏釋義鈔》中用語則略有不同，已不使用「會通」一詞，只用「會」或「和會」諸宗。黃氏並指出：《圓覺經大疏釋義鈔》《禪源諸詮集都序》使用「和會」一詞時，都屬於平面式的和會；但當《圓覺經大疏釋義鈔》使用「會取」、《原人論》使用「會通」時，卻爲有層級深淺的立體式的會通。黃氏採用平面式與立體式的兩種和會或會通模式，是相當有意義的詮釋參考架構。⑧此外，黃連忠也早已注意到宗密和會三教的方法，有平面思惟與立體思惟之區別，但詮釋方式與黃國清稍異。⑨

不過，筆者認爲宗密和會或會通的方式，固然可區分爲平面式與立體式二種，但他使用「會」「和會」「會通」等詞時，經常混用，實不必膠柱鼓瑟，強作分別。如上引《禪源諸詮集都序》云：「講者多不識法，故但約名說義，隨名生執，難可會通。」這裡的「會通」不是立體式的，其用法與「和會」並無不同。

由目前看到的資料，祇能說「本末會通」一語，有貫通本末的立體式意涵，這是「會通」結合「本末」所呈現之特定用法。不過，宗密說「會通本末」，而不說「和會本末」，可見「會通」比「和會」，更適合表達立體式貫通之模式。但單獨使用「會通」時，不必限於立體式者。現代學界在三教關係上，固然多使用「會通」少用「和會」，但在使用「會通」時，也未必有立體式的意涵。

五、結　論

以上由翻檢大藏經得知，「會通」與「和會」之用法，大同而小異。隋、唐以至宋代，「會通」「和會」二詞廣泛地被使用，有其時代因素。中國佛教發展到隋唐時期，譯經工作大致完成，漢人著作已汗牛充棟，而中國佛教各宗也先後成立。由於經典內容的歧異，及宗派相互的競爭，導致判教成為各宗的重要工作。判教的目的，除了系統化、理論化判別佛教經典與宗派的歧異外，更重要的是在進行教內的會通。「會通」「和會」在隋、唐的普遍使用，充分反映了這一點。進一步，判教的工作擴及佛教與外教之間，這種趨勢到了宗密的時代，已然明顯。宗密的貢獻，在於適時地因應歷史發展及時代需要，而開啓三教會通的新頁。

在宗密之前，三教之間論爭多於會通，即使有意於調和三教者，也多採截長補短的平面式之和會，而非由淺至深的立體式的會通。宗密較之前的調和論者，不僅在會通理論上更具系統性，且採用立體式的會通，並且對其所據以會通的根據與模式，有所自覺與論述。所以，宗密在三教會通理論的發展上，具有無與倫比的關鍵地位。

經由佛教文獻之檢索、分析、比較後，教界有關「會通」或「和會」二詞之用法，大體不出本文所說之範圍。

【附　註】

①有關佛教文獻的檢索，係採用目前流通之一九九九年製《大正藏》一至五五卷及八五卷光碟(未詳製作機構)，進行全文檢索，再參照新文豐版《大正藏》原文，予以核對。又筆者曾有一文〈宗密《原人論》三教會通平議〉(發表於二〇〇〇年十二月中央研究院文哲研究所舉行之「儒釋道三教關係研討會」)，論及「會通」之義，本文根據該文有關之部分，擴大範圍，增修而成。

②按此指台北新文豐出版公司印行之《大正新修大藏經》冊四六，頁七二一下欄至七二二上欄。全文例此，凡註b者，為中欄。以下不另一一加註。

③唐元康《肇論疏》云：「若言萬物與我異者，則不能會通也。」(T45.197a)這是指萬物與我不能會通為一體。

④華嚴四祖澄觀(七三八-八三九)也曾把「會通」列為釋經之項目，如《大方廣佛華嚴經疏》云：「略啓四門：一敘昔；二辨違；三會通；四正釋。」(T35.876b)

⑤見《大方廣佛華嚴經疏》卷三十一云：「今依論釋，初十句中，論以二門解釋：一直釋經文；二會通本末。」(T35.738c)

⑥略符S14.109c係指《卍續藏經》第十四册，頁一〇九，第三欄，全文例此，凡註a、b、d者，為第一欄、二欄、四欄。本文所引之《卍續藏經》，係中國佛教會影印本。)

⑦禪籍多有「勘破」「勘驗」之詞，係指修行及悟境方面而言。

⑧ 見黃國清〈宗密和會禪宗與會通三教之方法的比較研究〉，圓光佛學學報，三期，一九九九。

⑨ 黃連忠說：「通觀《原人論》全文，筆者發現宗密的分析方法，已經脫離直線平面的思考模式，建構了三度空間立體化的思惟型式。首先看權實相對的判攝依據，宗密將儒道兩家與習佛不了義者皆判爲方便之權教，認爲依此未能原人，這部分等同於平面思惟。……宗密將儒道之權設爲平面，將直顯眞源之實設爲縱軸，由此形成三度空間的立體思惟體系。」詳參《宗密禪教一致與和會儒道思想之研究》，頁三四七-三四九(台北，淡江大學中國文學研究所碩士論文，一九九四)。黃氏此說頗有創意，但儒道與習佛不了義者之間，有淺深層次之異，宗密此處之會通，仍屬立體式之會通。

以《阿含經》中之我與無我義，探討佛法之根本要義

元智大學
中語系副教授　胡順萍

提　要

就佛教經典之結集時間而言，《阿含經》是屬於早期之聖典，然《阿含經》又常被冠以「小乘」之名。依佛法之傳播與渡眾方便上，實無大小乘之分，大小乃是依行願而分別之；換言之，若以《阿含經》為小乘者，或否認有大乘法，皆無法了解釋尊之本懷。佛陀以其空慧，觀萬法萬相皆依因緣和合而成，並無獨立存在之主體，故倡言「無我」。然「無我」思想又極易被曲解為「灰身滅智」，故佛陀時而言「無我」，又時而言「我」，主要在於佛陀主張「中道」，排斥虛無與斷見。本文擬以四《阿含經》中之「無我」與「我」之思想，來說明無我、緣起、空與中道之佛教根本之場。

關鍵字：阿含經　無我　我　空　緣起　中道　涅槃。

前　言

佛學起源於印度，自東漢始漸入中原，在歷經長期的譯經與弘宣，至隋唐之際，新宗派紛呈。其中天台宗的智顗大師將釋迦一生的教法做一判釋，名爲「五時八教」，此「五時」所展現的是「義理的意義」，並非是「歷史的意義」。智顗以第二時爲鹿苑時，即以《阿含經》爲代表，後即以一切小乘部之經典，總名爲《阿含經》。然《阿含經》絕不能以「小乘」之判別而視之爲「小」。印順法師曾言：「佛法的如實相，無所謂大小，大乘與小乘，只能從行願中去分別。《阿含經》是三乘共依的聖典。當然，阿含經義，是不能照著偏執者——否認大乘的小乘者，離開小乘的大乘者的見地來解說的。」①《阿含經》漢譯完成約在公元五世紀初，原本是代表「根本佛法」的聖典，卻常被認爲是「小乘」的經典，其原因與佛法傳入我國的時機因緣有很大的關係。印度自釋迦牟尼佛涅槃後，佛法的傳承經由原始佛教而進入部派佛教，再轉爲大乘佛教。然大乘佛教的興起，是由佛教內部自己反省而興起，由成就「阿羅漢果」轉爲以成就廣大「佛果」，兩者雖有差別，但兩者的淵源都在部派佛教中。而正當印度佛教傳入我國的初期，也正是印度本土初期大乘佛教的興起與發展，這之中在中國有鳩摩羅什等著名大師，亦皆以弘揚大乘爲主②，因此代表佛陀一生最重要且最早的記錄《阿含經》，就在一片弘揚大乘佛法的浪潮中，而被多數人視爲是小乘法了。

《阿含經》因被視爲小乘經典，使得它在中國佛教中的地位，不如其它大乘經典般的受人注目，但幸而這種情形，自巴利語佛典受到重視且研究後，已有了一百八十度的轉變。釋惠敏法師有言：「從十九世紀初開始，由於歐洲殖民主義的擴張，對東方世界有統治、傳教等等的需要，掀起了研究東方宗教的風潮。特別以同是印歐語系的梵語、巴利語佛教文獻為主，在與漢譯《阿含經》類相當的巴利語佛典方面，他們的工作成果是：各類巴利語之文法書、辭典出版及巴利語佛典、教理、教史之研究與出版。因此，奠定了巴利語佛典之國際性研究的基礎，也確定了它在佛教史上的重要性：是佛陀思想與言行的最早記錄。」③我們慶幸《阿含經》已漸受到重視，我們更希望藉由《阿含經》的研究，能更進一步的了解釋尊的法義與本懷。而本文即擬以《四阿含經》，包括《增一阿含經》、《長阿含經》、《中阿含經》與《雜阿含經》中的「我」與「無我」義，來說明並彰顯佛法的根本要義——緣起、空、中道。在此我們要特別強調，《阿含經》的被重視與研究，並不是要否定大乘法門的盛行。在佛法的弘通上，具時代的適應性才能使佛法普現人間而為人們所接受並實證出來，如此的佛法，才能具有其眞正的意義。也唯能不以《阿含經》為小乘，更不否認大乘的義理再發展，在這兩者中能透開雙邊，使佛法能更應時應運而發揚起來。

一、「我」義的分別

在人情世間的往來上，「你我他」是主要的代稱，其中以「我」字來代表自稱，也代表自身所擁有的一切。《說文解字》：「我，施身自謂也。」清·段玉裁注曰：「自稱則為我也。」④孔子也曾強調：「毋意、毋必、毋固、毋我。」《論語・子罕》。其中「毋我」，何晏集解曰：「述古而不自作，處群萃而不自異，唯道是從，故不有其身。」邢昺疏曰：「我，身也。」⑤孔子的「我」字，顯然含有「私己」的意思在內，「毋我」就是「不自以私己爲是」。在佛教方面，「我」義所包含與牽涉的範圍更廣，且以「我」爲四大假合，是一「假我」，並非有一眞實的我。而「我相」更是《金剛經》所欲蕩相遣執中之一。⑥釋尊雖以五蘊和合爲「假我」，卻也能隨俗而說「我」，如《大智度論》曰：「問曰：若佛法中，言一切法空，無有我，云何佛經初頭言，如是我聞。答曰：佛弟子輩等，雖知無我，隨俗法說，我非實我也。」（大正二五・六四上）⑦

釋尊言說「我」與「無我」但爲方便渡衆，此種理路在開展「如來藏」法門時亦然，如《楞伽經》曰：

爾時大慧菩薩摩訶薩白佛言：世尊！世尊修多羅說如來藏自性清淨，轉三十二相，入於一切衆生身中，如大價寶垢衣所纏，如來之藏常住不變，亦復如是。而陰界入垢衣所纏，貪欲恚癡不實妄想塵勞所污。一切諸佛之所演說，云何世尊，同外道說我言有如來藏耶。世尊！外道亦說有常作者離於求那周遍不滅。世尊！彼說有我。佛告大慧：我說如來藏，不同外道所說之我。……於法無我，離一切妄想相，以種種智慧善巧方便，或說如來藏，或說無我。以是因緣，故說如來藏，不同外道所說之我，是名說如來藏。開引計我諸外道故，說如來藏。……是故大慧，爲離外道見故，當依無我如來之藏。」⑧（大正一六・四八九上～中）

凡夫執「我」，乍聞釋尊暢言「無我」，極易產生惶然無措，故為導衆生而方便言「如來藏」，肯定有一「我」之存在，引其趣入佛法。如此是「為斷愚夫畏無我句故，說離妄想無所有境界如來藏門。」故應知如來藏，當為「無我如來之藏」。「無我」為釋尊的本懷至為顯明，然執我為常人的心態，且「我」字呈現之義，常令人困惑，故今先分別「我」義，為理路開展之緒。

㈠古印度對於「我」的探究

印度人好發玄想，且常用隱喻或象徵的方式來形容不可名狀的事物，也因此印度人的思想極難以捉摸也沒有特別固定的思考模式，他們重直觀，也不畏懼矛盾，與西方重統一性和嚴格性是大不相同的，而這也正是印度思想所展現不同面貌的特色。在印度思想中，「生死輪迴」的概念，可謂是最具深刻的影響。Charles Eliot在闡述印度宗教的一般特點中有言：「所謂生死輪迴的宇宙概念，即變化轉生的世界概念。再生和靈魂生生相續的觀念，在許多國家的野蠻種族之中，以不完整的形式存在，但是在印度，這一觀念以成熟的形而上學產物的形式，而不是以殘存物的形式，出現於世。」⑨由生死輪迴的觀念中，印度人則肯定有一輪迴的「我」或「靈魂」；而以不同形式的生命呈現，皆是來自同一「我」或「靈魂」的各種形態。在如是的思考當中，更進一步的提出「梵我一如」、「神我一如」的思想，也就是人的靈魂與最高唯一的神是同為一體。然而佛陀卻持相反意見，他否認梵我，不承認有一個永存的自立體存在，並且也否認有一個普遍的靈魂存在，換言之，即不承認有「我」的存在。然而佛陀另一方面又談「業」，由業而帶出輪迴之說，要超越輪迴，則必需實證四聖諦⑩，就在

「業」、「輪迴」、否定「我」之間，究竟要如何才能有一圓滿無矛盾的說明呢？這正是佛陀的智慧，也或許是他宣說「我」與「無我」的眞正用意吧！

有關印度對「我」義的解釋，今舉《印度哲學宗教史》所論：

所謂 Atman 之字義觀之，雖爲自我之意，但其語原，學者間之意見，頗不一致。……但諸民皆以氣息爲原義，由此而生氣、靈魂之意，終爲自我之意，實相同也。獨多伊森氏反對此推定……阿特曼（Atman）思想發達之次序，初爲廣泛之意味，只對他物他身而爲自身之意之語。由是在自身中，稍成本質的軀幹之意之語；又進一層而爲本質的呼吸或心之意；終乃用爲眞性之實我之意云。即反於其他學者所謂由呼吸而進爲自我之意之推定，而謂自始即爲自我之意；在其發達之過程中，曾到達於呼吸云。其圖如下：

⑴身體全部→⑵軀幹→⑶魂、生氣→⑷眞性

多伊森氏之語源說，是否正確，原尚有疑問，但其發達歷程說，對於自我觀，極合於人類心理的考察之自然，且合於奧義書的思想誠不失其爲原語說以外極堪尊重之假定。奧義書中我之五藏說、四位說，正依上述之次序而說者。⑪

此種對於「我」義的說明，已包含肉體、氣息與眞性，比以「生主」、「梵」、「神」來釋「我」，可謂清楚明白且有程序。奧義書中「我」的四位說，分別爲：醒位、夢位、熟眠位、死位。五藏，分別爲：食味所成我、生氣所成我、現識所成我、認識所成我、妙樂所成我。四位說仍依吾人的精神狀態，由醒位時，主客觀相對，心囿於外物，爲最不自由之境；以至夢位以心爲精神之主宰，當達至熟眠位與死位時，精神不受外物影響，這是最安然、安樂與歡喜之境。而「五藏我」說，依序爲：以肉體爲我，以呼吸爲我，以現象的精神爲我，以眞性實我之體爲我，以實我爲不可思議、不可見、不可說之絕對的實在爲我。不論是以四位說或五藏說來釋「我」，皆在說明身心的最終內部，有一不變常住不可思議的靈體。⑫

㈡有情眾生對於「我」的追求

有關「我」的涵義，由於人類積習而成，所造成有關「我」、「我的」、「我所」、「我見」、「我慢」等，皆在說明以自己爲中心的一個「我」的追求。雖言「我」的追求，是凡夫累世熏習所造成的，但人類更想在短暫的世間中，欲求另一個永恒的我，因此，才有「眞我」、「神我」的另一種追求。如此，有關「我」的定義與疑問，實難明辨而統一定其義。觀「我」的追求，乃源於受五陰的覆蓋，故於色受想行識中而起執著而不得解脫，在《雜阿含經》中，談論五陰誦的比例，據《佛光大藏經・阿含藏・雜阿含經題解》所云：「依日本《國譯一切經》計數，雜阿經共有一三四四經，而五陰誦就有一一五七八經，佔全經百分之八十六。」⑬《雜阿含經》廣論五陰，其中又言依於五受陰故而生我見。據《雜阿含經・第四五經》中所言：

> 諸沙門、婆羅門見色是我、色異我、我在色、色在我，見受想行識是我、異我、我在識、識在我。愚癡無聞凡夫以無明故，見色是我、異我、相在，言我眞實不捨；以不捨故，諸根增長。」

（大正二・一一中）

我的追求源於五陰，依「色」而言，凡夫因色而產生「有」一事物，因一事物而產生執著，由執著我所擁有者，故產生一「我」，而這種無明，正是生死輪迴流轉之根。且源於五陰乃因緣聚會，故五陰乃是無常、苦、空、非我，此爲世尊所予明示之理。據《雜阿含經・第一經》所：

爾時世尊告諸比丘，當觀色無常，如是觀者，則爲正觀。正觀者則生厭離，厭離者，喜貪盡。喜貪盡者，說心解脫。如是觀受想行識無常。……心解脫者，若欲自證，則能自證。我生已盡，梵行已立，所作已作。自知不受後有，如觀無常、苦、空、非我，亦復如是。（大正二・一上）

五陰（色受想行識）均是緣生緣滅，無一是常住者，故曰無常。人生受制於五陰熾盛而煩惱，故曰苦。五陰因是無常不實在，亦非虛無，故曰空。五陰既是無常，故苦，唯既知無常，則無有一實在之我，故曰非我。唯能正確地觀察五陰之無常、苦、空、非我，才能自在清淨、解脫束縛。既能觀五陰是無常，則知五陰並無其自主性，既是無主所以實是「無我」。然追求「我」又爲凡夫之識見，且累劫受此積習之影響甚深，故凡夫懼聞「無我」義，亦且會錯「無我」義。《雜阿含經・第一〇五經》中，敘述有一外道出家名仙尼者，來詣佛所，提出疑問，言明在一希有講堂中，有來自各方的大眾主及其弟子，然皆不記說其所往，而釋尊（瞿曇）及其弟子，亦在此講堂中，卻能記說某生彼處，以是之疑，故提出問佛：

云何沙門瞿曇，得如此法。佛告仙尼，汝莫生疑，以有惑故，彼則生疑。仙尼當知，有三種師。

何等爲三？有一師，見現在世眞實是我，如所知說，而無能知命終後事，是名第一師出於世間。復次仙尼，有一師，見現在世眞實是我，命終之後，亦見是我，如所知說。復次仙尼，有一師，不見現在世眞實是我，亦復不見命終之後眞實是我。仙尼，其第一師，見現在世眞實是我，如所知說者，名曰斷見。彼第二師，今世後世眞實是我，如所知說者，則是常見。彼第三師，不見現在世眞實是我，命終之後，亦不見我，是則如來應等正覺說，現法愛斷、離欲、滅盡、涅槃。……佛告仙尼，我諸弟子，聞我所說，不悉解義，而起慢無間等，非無間等故。慢則不斷，慢不斷故，捨此陰已，與陰相續生。是故仙尼，我則記說，是諸弟子，身壞命終，生彼彼處。所以者何？以彼有餘慢故。仙尼，我諸弟子，於我所說，能解義者，彼於諸慢，得無間等，得無間等故，諸慢則斷；諸慢斷故，身壞命終，更不相續。仙尼，如是弟子，我不說彼捨此陰已，生彼彼處。所以者何？無因緣可記說故。欲令我記說者，當記說：彼斷諸愛欲，永離有結，正意解脫，究竟苦邊。我從昔來及今現在常說慢過、慢集、慢生、慢起，若於慢無間等觀眾苦不生。（大正二・三二上～中）

仙尼以外道悉不記說所往生處，而釋尊卻能記說，以爲釋尊具神通法而問之。釋尊首以三師爲說明，不論是觀現在世或未來世有一眞實之我，皆是斷見或常見。唯能不見有一眞實之我，且命終之後，亦不見我，此才是釋尊所欲宣說之義。釋尊以五陰爲無常、苦，是變易法，於五陰中實無有一「我」之存在。於五陰中不可見如來，如來之中亦無有五陰。此亦即是《金剛經》所云：「若以色見我，以音聲求我，是人行邪道，不能見如來。」（大正八・七五二上）釋尊之所以記說弟子往生彼彼處，唯因尚有慢心之存在，五陰之因緣未斷，故即不斷生死流轉，多處受生。反之，若無慢心，則不招感生死流轉，故亦無因緣可記說生彼彼處。凡夫於五陰、六識中而生我、我所見，以我為一「主」，為一「自在」⑭此為凡夫之執，亦正是流轉生死之根矣！

㈢計執「我」的檢討

在佛陀未成正等正覺前，古印度之思想，以「我」為一「實在」，且有其不變性與純淨性。據楊郁文《阿含要略》中，對於異學之「我」的定義，提出「我」的本質具有三種涵義：⑴主宰；⑵常住、恒有；⑶獨一、自存。⑮此種以「我」為一恒有、常住的存在，可謂是一種計執「我」的思想，此種思想其最大的問題，即是「永恒者」在本質上，如何與現象的形形色色做一區分。在此，我們提出T. R.V. Murti的論點以供參考：

「我」之批判不僅可以牽涉到永恒不變之存在的一般性問題，而且還探討到「我的概念」的特殊架構的特別性問題。據一般哲學思想所信，所謂的「不變的」，共有四類：時間、空間、極微、我。前二者（時間與空間）乃是兩個無所不在的接納者，一切有限的事物均在其間生存、變化；可是時間與空間本身是不變的，而因為有時間、空間一切的運動、變現才成為可能。極微是物質的根本元，而「我」則是屬於精神活動的主體。一般認為永恒的存在，是不待他而生的，無因自存的。而時間與空間二者，除了有上述的特質外，卻無法激起任何的變現而且不會促成果之生起。時間、空間、極微、我等四者，都是一種存在，而且能影響事物。中觀之批判的大要爲：任何存在必有其所以存在的因緣，所謂「有因有緣世間集，有因有緣集世間。」任何個體的生起均與其他一切的存在有或多或少的關係，「一即一切，一切即一」，有時難免失之廣泛，但它正説明世間一切存在的因果牽連，在此一因果網之外的「存在」，根本就是不存在，正如龍樹所説的：未曾有一法，不從因緣生。（中觀論頌觀四諦品）。⑯

佛陀提出十二因緣，在因緣果之理論下，前因至後果，必有其相連性，換言之，在因果律中，任何事物之生起，必有其因果之牽繫。且由因至果之完成，其間「緣」的因素不同，皆可產生不同的果，而這一套因緣果之理論，是最能將現象界千變萬化的不同做一合理的解釋。今以一實體之物而言，凡有形有相者，必有毀有滅，一切事物在時間、空間的遷流變化中，無有一永恒存在的。就以號稱是恒星的「太陽」爲説明，據科學家的研究，太陽也終有不發光之一日。佛教以「成住壞空」爲一循環，一切事物皆由四大假合而成—地水火風，這正是要破有一「我」執之存在。今若肯定有一不待他（因緣）而生的「永恒」，它是無因而自存的，亦即是肯定「永恒者」是一常住不變、唯一不二、純粹存在，亦否定有任何的遷流變化，它是一「絕對」體。此絕對體之「永恒」，若就因果律而言，此「永恒者」將不具創生義，蓋任何一切現象界之事物，一定會隨時、空間而變化，無法永具完整而不變。因此，若「永恒者」可創生一切萬物，則在第一時已將一切之效能全展現發揮出來，若如此者，則事物應不遷流變化，且由「永恒者」所創生之萬物，是否也應一切相同呢？那現象界之形形色色又當該如何說明呢？且依所謂「永恒」或「自然」義，要解釋現象界之千差萬別實有其困難。唯依「因緣」法，才能將現象界之萬相做一較合理之說明，此亦即是龍樹《中論》所言：「衆因緣生法，我說即是空，亦爲是假名，亦是中道義。未曾有一法，不從因緣生，是故一切法，無不是空者。」（大正三〇・三三中）此正說明一切事物皆由因緣而生起，既由因緣而起，也必依因緣而滅，故即是「空」；所謂「空」，並不是「無」，而事物之展現也只是一時之假象，故曰「假」；依因緣法而論一切現象之生起，這才是了解現象事物的正確方法，故曰「中」，「中」代表一種整體，即事物之眞相。此「空」、「假」、「中」並非各不相關之道理，「假」同時就是「空」，也就是「中」，此三者乃融攝爲一，是在同一時間完成的，故又稱「三諦圓融」。

二、「無我」義興起的背景

在印度的宗教與哲學中，有兩大主流，或可說是兩大傳統。其一即是以婆羅門教爲主的流派，主張有一不變的「實體」，事物雖有遷流變化，但此「實體」是永恒不變的。依此思想的追尋，於大宇宙上，則肯定有一宇宙之本體，即是肯定有一「梵」的存在；於個人本質上，則肯定有一「我」的存在。且「梵」與「我」是一體、一如的，而人生的隨業輪迴、反覆流轉，若能經由苦行或禪定，以達「梵我一如」的境界，將能解脫輪迴，住於常住不滅的梵界。也正因肯定此「我」的「實體」輪迴，故印度有「種姓」⑰制度，且深深的影響著整個印度的社會、宗教、職業、生活等一切活動。我們稱此爲「有我論」。另一主流是源於佛陀教法的「無我論」，佛教否定有一常恒不變的實體，主張「無常」、「空」、「無我」，事物皆由因緣和合而起，只是暫時之假象，以「緣起論」之「中道」爲其中心思想。「緣起論」主要在說明諸法的無實在性，亦即是「無自性」與「法無我」。然佛陀的「無我論」，並非是虛無主義的「斷滅論」，當然也更不是強調永恒的「常見論」。我們可以說，後來的「中觀派」，對於「緣起法」有另一重新的詮釋。今舉 T.R.V.Murti《中觀哲學》中的論說：

> 在中觀學者的心中，緣起與「空」的意義是相同的，而「空」乃是經驗界事物的相對有效性與事物之本質上的不實性。中觀派所謂的「中道」是：不接受任何一邊之見——不管是肯定的還是否定的（常與斷、來與去、生與滅等相對立的概念。）……中觀派實際上是阿毗達磨佛教的反省與批判，而後者又是因批判婆羅門教的「有我論」而產生的，職是之故，中觀派可以說是「有我論」與「無我論」的批判。⑱

佛陀自身之教法中，有「無記」之存在，即無法加以敘述說明的見解，此乃因「形而上」之問題。已超越經驗之認知，故無法加以判斷並說明。故佛陀曾說明若所提問題與解脫人生之苦惱無關者，則他將不予回答。例如：世界及我爲常或無常？世界及我爲有邊或無邊？死後有神或無神去？後世是身或是神？⑲佛陀對於有無、來去、常斷之二元對立，所採行理解之理路，是超越法，即將視識往上提高，以另一層次來消解彼此之衝突。而正當婆羅門流派「有我論」籠罩並影響著整個印度時，佛陀倡言「無我論」，自有其理路思考之背景。

㈠佛陀出生的背景

宗教家或思想家之出現，無非是要解決人類的困擾，唯因時、因地、因人、因事而所提的解決方法或有不同，但同爲全體人類更趨美好和善之方向則無有差異。因此，佛陀成爲一教教主，且其思想影響至今已兩千五百多年，其所開示的重要法門——「無我」，自有其時代之背景。今分述如下：

1.衆生積習——追求「我」

凡夫喜「我」、追求「我」，且由「我」所產生我見、我慢、我所，在這一場「我」的追求中，將造成緣起法的緣生、緣滅，緣滅又緣生，終無出頭之日。且以「我」爲常，非僅是凡夫而已，就是一般所謂的沙門、婆羅門亦有此思見。據《長阿含經・梵動經》所云：

> 諸沙門婆羅門，於本劫本見，起常論言，我及世間常存。……或有沙門婆羅門，種種方便入定意三昧，以三昧心憶二十成劫敗劫，彼作是說，我及世間是常，此實餘虛。……唯有如來，知此見處，如是持如是執，亦知報應。如所知又復過是，雖知不著，已不著則得寂滅，知受集滅味過出要，以平等觀，無餘解脫，故名如來。（大正一・九〇上~中）

「我及世間常存」、「我及世間是常」、「我於此處是梵大梵，我自然有，無能造我者，我盡知諸義典千世界，於中自在最爲尊貴，能爲變化微妙第一。爲衆生父，我獨先有，餘衆生後來，後來衆生，我所化成。其後衆生，復作是念，彼是大梵，彼能自造，無造彼者。」（大正一・九〇中~下）有情人類習於追求「我」或「眞我」，除是人類之積習外，就人情而言，總希望有一眞實可持、可握的東西存在，才具安全感，如是情懷轉爲人與人之間的相處上，則某一程度的富貴、名利、權勢，可使「我」更具安全感，然也正因對此外在的渴求，才造成人類更大的煩惱，若不能堪破此「我」也是「無常」，人類終將長夜流轉。

2. 印度的社會——「四姓」

印度的思想界中，雖言學派紛呈，然以婆羅門教思想爲其主流，且發展成印度獨特的「四姓」制度，而「四姓」階級中，又以婆羅門爲主的司祭者爲最高至上。且在「四姓」中，又有不可轉之宿命意識在，即若爲奴隸則世代皆奴隸，若爲商賈則子孫永遠爲商賈，刹帝利及婆羅門皆然。此種獨尊「某姓」之制度，恍若築堤以禦洪水，終有爆發潰堤之一日。在這種上者恒上、下者恒下的社會制度中，小老百姓的苦，我們是可以想見的。而佛陀是大智者，他當能明白如是的制度形成，實由思想觀念所造成的。

3. 印度的思想界——學說紛呈

釋尊生處之時代，是印度思想界最爲紛呈時，各種思想、學說、流派各具擅場，據木村泰賢著《原始佛教思想論》所云，當時之思想界大約分爲⑴正統婆羅門教的潮流——主張吠陀天啓主義、婆羅門至上主義、祭式萬能主義。⑵習俗的信仰潮流——以梵天、毗濕奴、濕婆三神爲信仰中心。⑶哲學的潮流——以梵書及奧義書所激發者爲主，如數論、瑜伽乃至六派哲學之大部分。⑷反吠陀的潮流——完全不承認吠陀之威權，而從事於自由獨立之研究，如六師及佛教。⑳

佛陀的出現與示法，皆爲解脫人生之苦惱，而苦惱之源頭皆來自執「我」，故捨離我執、我相，以完成「無我行」，即成爲通往覺境之途，超脫生死輪迴之門。釋尊在思想紛呈、階級明分之印度出現，以「無我」來破衆生之長夜流轉，故以「緣起論」爲其立教根本，而緣起論正是依無我論之立場而成立。

㈡「無我」義的分別

凡夫計執「我」，故求一永恒、常住不滅之「我」，而婆羅門徒守戒、修定，亦爲追求「梵我一如」之境。而釋尊亦曾開示「知已」之法門，如《中阿含經・善法經》：

> 爾時世尊告諸比丘：若有比丘成就七法者，便於賢聖得歡喜樂、正趣漏盡。云何爲七？謂比丘知法、知義、知時、知節、知己、知眾、知人勝如。……云何比丘爲知己耶？謂比丘自知我有爾所信、戒、聞、施慧、辯、阿含及所得，是謂比丘爲知已也。（大正一・四二一上～中）

釋尊身處在思想紛呈之印度中，一方面爲破「我」之執著，一方面亦爲渡化衆生同登覺岸，其立論根本中之「十二因緣」，即依當是時之思想背景而漸次完成。雖言緣起論是以無我論而立足完成，但釋尊在「知已」之法門中，以能「自知我有爾所信、戒、聞、施、慧、辯、阿含及所得」，唯能自知上述之如是，是謂「知已」、「善知已」。足見，釋尊欲破「我執」之「我」，自有其範圍界定；而「無我」義之所欲斷除之「我」，亦有其正見與邪見之分。釋尊以比丘當「知已」中的信、戒、聞、施、慧等，此乃通往成就漏盡涅槃之資糧，而「知已」的目的，並非在一外物之執著，而是融入眞理的實踐方法，而釋尊所提出的「知己」，即是在修行過程中應具有的智慧。在「知己」中，釋尊特提到要知「阿含」㉑，印順法師所著《性空學探源》對阿含所代表的重要性有特別的見地：

阿含經是從佛陀展轉傳來的根本教典，空義當然也是以阿含爲根源。……聲聞學者或明我空，或明法空，思想都直接出之於阿含。即大乘學者，如龍樹、無著他所顯了的空義，也都是出自阿含的。……阿含是古代大小乘學者的共同依據，空有一切理論的共同本源（有人說阿含明有，那是很錯誤的）。源淨而後流淳，研究空義的人，對這根本教源的阿含，應該如何的注意。㉒

查考四部阿含中，言「空」與「無我」義者，以《雜阿含經》爲最多。釋尊特別強調有情依五陰而長夜流轉，佛開示五陰是苦、無常、無我、空，使有情悟入，當斷盡貪瞋癡，即得解脫涅槃。並以五陰爲魔、死法、斷法、滅法、棄捨法、無常法、苦法、非我法、空法、病法、癰法、刺法、殺法、殺根本法等。㉓，而出家之原由正爲斷此五陰之苦，換言之，「無我」法所欲斷除者，是由五陰因緣和合所造成之煩惱，故必斷之。五陰是煩惱之源，故需以「無我」法觀照，即能得知五陰本是無常，苦、空、無我，而爲斷五陰之無常、無我，故釋尊強調要「勤求大師」，《雜阿含經・第一七五經》云：

斷色無常故，勤求大師。斷受想行識無常故，勤求大師。（大正二・四六上）

又爲斷五陰無常，故亦當「隨修內身身觀住」，《雜阿含經・第一七六經》云：

色無常，爲斷彼故，當隨修內身身觀住。如是受想行識無常，爲斷彼故，當隨修內身身觀住。

（大正二．四六中）

又爲斷五陰無常，故應斷「已生惡不善法」，《雜阿含經．第一七八經》云：

色無常故，受想行識無常當斷故，已生惡不善法令斷，起欲、方便、攝心增進。（大正二．四六下）

又爲斷五陰無常，故當修五根，《雜阿含經．第一八〇經》云：

當斷色無常，當斷受想行識無常故，修信根。……如是修精進根、念根、定根、慧根。（大正二．四七上～中）

又爲斷五陰無常，故當修五力，《雜阿含經．第一八一經》云：

斷色無常故，當修信力；斷受想行識無常故，當修信力。……如是精進力、念力、定力、慧力。（大正二．四七中）

以上所舉之法義事例，要約有如下數點：⑴五陰無我，是在說明五陰乃四大聚合，其中確實無有一「我」之存在。⑵五陰雖是無我，卻是凡夫執有中所生煩惱之源，故當斷之。⑶欲斷五陰，故須勤求善知識，並依三十七道品，四聖諦等止觀法門觀察五陰之無常、無我。⑷觀五陰無常、無我，是爲了知有漏因果的身心，終有毀壞之時。⑸五陰雖是壞相，必當否定而斷之；但法身清淨的無漏因果，本來就是法爾常住，即是《雜阿含經．第六三八經》云：

彼舍利弗，持所受戒身涅槃耶？定身、慧身、解脫身、解脫知見身涅槃耶？阿難白佛言：不也！

世尊。佛告阿難：若法我自知，成等正覺所說，謂四念處、四正斷、四如意足、五根、五力、七覺支、八道支涅槃耶？阿難白佛：不也！世尊。（大正二·一七六下）

「無我」義的分別，但在有漏、無漏上，有漏因果爲不究竟法，終有滅無，故當斷之。無漏因果爲究竟法，不可否定，亦不可斷之取消。故釋尊所闡述的「無我」法，並非是虛無、頑空、灰身滅智。

(三)「無我」的困擾與疑惑

以佛教之根本立法爲言，我們稱之爲「法印」，而釋尊共開示四法印，亦言「四法本」，《增一阿含經·增上品》云：

欲得免死者，當思惟四法本，云何爲四？一切行無常，是謂初法本，當念修行。一切行苦，是謂第二法本，當共思惟。一切法無我，此第三法本，當共思惟。滅盡爲涅槃，是謂第四法本，當共思惟。如是諸比丘，當共思惟此四法本。所以然者，便脫生老病死愁憂苦惱。此是苦之元本，是故諸比丘，當求方便，成此四法。（大正二·六六八下）

「無常、苦、無我、涅槃」爲佛法的根本，亦是「免死」的宗要之法。然所謂的「無我」，並非否定一切（前文已論述），佛陀所否定的是虛無與斷見，主張中道的緣起觀，在生活上打破四姓思想，主張人人皆有佛性，人人皆可成佛，是「佛性平等」的思想觀。然佛教的「無我」與婆羅門教的「我論」，可謂是截然的不同思想。而佛陀所處的思想潮流，亦正是正統婆羅門與反動派（新興勢力的一般思想界）思想對立的時代，而佛教的思想體系又與前兩系不同。佛陀思想之建立，實有依當時思想界所帶出之問題，再經個人之深度思惟，而建立「中道」思想，中道思想在生活上，佛陀亦提倡修善、持戒、禪定等法門，其「無我」論最令當是時之思想界及一般衆生所最感到疑惑，今要曰約有三點，分述如下：

1.衆生常識上的疑惑——常人知識之經驗中，「我」是最先被認識之概念，且由「我」才能帶出「我」與「你」、「他」之不同；換言之，我的思想、我的言語、我的行爲皆在表達個人的生活狀況。若主張「無我」，則「我」、「人」之間又當如何界定分別？若「無我」則一切道德的建立又該由何處爲立基呢？若「無我」則人際之往來是否有意義呢？

2.思想界中的疑惑——這裡的思想界是泛指佛教之外的其它思想。「梵我一如」、「生死輪迴」是印度的主要思想之一，肯定「我」才能有輪迴的主體；肯定「我」亦才能有修善的「我」以達與「梵」合一的境界。若主張「無我」將對「有我論」思想造成極大的疑惑與不解，則人生一切的努力——「梵我一如」則毫無意義。同理，爲人生的長夜流轉之苦所持的一切，亦將落空而不需要。

3.教內弟子的疑惑——佛陀依其空慧，以一切存在皆因緣和合而成，主張並無一獨立存在的主體，故主張「無我」。然「無我」思想至部派佛教時，曾被曲解爲「灰身滅智」的虛無思想，唯至龍樹時，才以「緣起自性空」，來說明並恢復佛陀無我（空）的眞實義。足見，「無我」論，不僅在異學與一般衆生上極易產生矛盾，就連教內弟子亦有此困惑。如《雜阿含經・第六四經》云：「世尊！云何無吾我，亦無有我所，我既非當有，我所何由生？佛告比丘：愚癡無聞凡夫，計色是我異我相在。……多聞聖弟子，不見色是我異我相在。……佛告比丘：愚癡凡夫無聞眾生，於無畏處，而生恐畏。愚癡凡夫無聞眾生怖畏無我、無我所，二俱非當生。」（大正二‧一六下）

「無我」是佛教的根本立場，亦是佛教不同於各家思想之差異處，而「無我」亦是中道思想的基礎。釋尊建立「無我」法門，實爲破常人欲求恒久常住的我見與常見，「無我」論不但否定一切事象絕無固定之實體可求，就連「心」亦僅是心理或思惟的因緣發展，也沒有一本體可追求。「一切法無我」是釋尊宣法之「法本」，雖言就「無我」論而言，或許因異學與眾生之執而產生困擾與疑惑，但釋尊欲渡天下眾生脫離繫縛之悲心至爲明顯，印順法師曾就釋尊開示「無我法門」之因，有一段論述：

佛說無我，有兩方面：⑴眾生執我，所以自私；無我是化私爲公（利他爲前提）的道德根本要則。⑵眾生執我、我所見，所以惑於眞理、流轉生死；得無我見，就可以打破惑、業纏縛而得解脫。所以無我又是離繫得解，自利爲歸宿的根本原則。㉔

三、釋尊宣說「我」、「無我」的本懷

「無我」是爲「化私爲公」、「離繫得解」，故「無」並非指一切皆否定，而是要以「利他」之心來從事世間一切有爲之事，換言之，是「以無爲有」之利他、渡眾以合乎中道之思想。

法門之施設，皆爲應機渡衆而已，故一切法皆言之爲方便法。所謂「方便」即是指權法，釋尊開三乘法，其要皆歸於一乘法，即所謂之佛乘。換言之，一切衆生皆可成佛，這才是究竟之實法。在天台宗智顗大師之判教論中，即以第五時爲「法華涅槃時」，在《法華經》（全名《妙法蓮華經》）中，以三車——羊車、鹿車、牛車爲喻，即代表法門施設之權宜，然開權是爲顯實，開跡是爲顯本。故法門施設之數，即以衆生之病而成；在無法計數之下，一切皆言八萬四千。唯衆生有八萬四千煩惱，則法門施設即有八萬四千法。釋尊所處之時代背景，正是主張「有我論」之擅場，故世尊亦有言「我」之追求。然「我」論極易讓人計執現象界的一切事物，在我執之偏見下，生命將處在長夜流轉繫縛中而煩惱叢生。釋尊欲破除我見的偏執，故宣說「無我」，然「無我」在衆生的常識經驗中，又易產生道德建立的無所主、無所依，亦極易令人困惑而茫然無緒。故釋尊時而宣說「我」，時而宣說「無我」，皆是爲渡化衆生的權宜，而其眞正的本懷目的，皆要令衆生解黏去縛，以達圓滿瀟灑的人生。

㈠遠離「偏執」的毒害

據《佛光大藏經·阿含藏·雜阿含經題解》之分類中，「見相應」者，即是「佛陀向諸比丘記說，不如實知五陰而起種種有情的邪見事」㉕。此乃說明以「五陰爲我」，是使衆生產生邪見毒害之本，今據《雜阿含經·第一三三經》云：

> 比丘：色有故，色事起，色繫著，色見我，令衆生無明所蓋，愛繫其首，長道驅馳，生死輪迴，生死流轉，受想行識亦復如是。……若復有見：非此我、非此我所、非當來我、非當來我所、

彼一切非我非異我、不相在，是名正慧。若多聞聖弟子於此六見處，觀察非我、非我所，如是觀者，於佛所狐疑斷，於法、於僧狐疑斷，是名比丘。多聞聖弟子，不復堪任作身、口、意業，趣三惡道。正使放逸，聖弟子決定向三菩提，七有天人往來，作苦邊。（大正二・四一下～四二上）

又《第一三五經》云：

爾時世尊告諸比丘：廣說如上，差別者，若多聞聖弟子，於此六見處，觀察非我、非我所，如是觀者，於佛狐疑斷、於法、僧、苦、集、滅、道狐疑斷。（大正二・四二上）

以「五陰」爲我，是「無明所蓋」，而此無明，正是使衆生「生死流轉」之本，也使衆生於佛、法、僧及苦、集、滅、道四聖諦產生不淨信，唯有能徹悟五陰「非此我、非此我所、非當來我、非當來我所、彼一切非我非異我、不相在」，才能於三寶與四聖諦所產生的狐疑斷盡，而生起淨信之心念。正因一旦執「我」，則一切的憂悲苦惱隨之升起、增廣。而五陰之執，也正是繫著我慢、我所的開始。而「我」的概念，不論是印度或一般常人所用，通常還包括「靈魂」、「自我」、「個我」以至「神我」等意義，並肯定人身中有一長存不變的實體。這種以「我」爲中心的思想，不論靈魂終究受創造主的審判；或經過多生的淨化，以達梵我一如、神我一如，皆有其理論之述。然以「我」爲中心思想，它另一方面又極易產生「我的」、「我慢」、「我執」、「我利」等貪求，故釋尊以「五陰本苦、空、無常、無我」，來破除自我身上有一不變的實體，並以十二緣起㉖來說明世間事物無有一永恒不變的實體，一切皆依因緣條件而互依、互存，而生命的由生至死，即是一個「緣起法」。緣起則必有緣滅，將十二緣起反其序而行，即是緣滅之理。釋尊為斷然否定人身中有一自我的存在，故一再地告誡弟子們，若執「有我論」——靈魂或神實有論，將產生憂慼、煩勞，在《中阿含經．阿梨吒經》世尊有一段與弟子們的對話：

有一比丘向佛白曰：世尊！頗有因內有恐怖耶？

世尊答曰：有也。

比丘復問曰：世尊！云何因內有恐怖耶？

世尊答曰：比丘者，如是見、如是說：彼或昔時無，設有我不得。彼如是見、如是說，憂慼煩勞，啼哭椎胸而發狂癡。比丘！如是因內有恐怖也。……

比丘歎世尊已，復問曰：世尊！頗有因內無恐怖也？……

世尊答曰：有也！比丘者，不如是見、不如是說：彼或昔時無，設有我不得。彼不如是見、不如是說，不憂慼、不煩勞、不啼哭、不椎胸，不發狂癡，比丘，如是因內無恐怖也。……

世尊答曰：比丘者，如是見、如是說：此是神、此是世、此是我，我當後世有。……彼比丘所謂長夜不可愛、不可樂、不可意念。比丘多行彼便憂慼煩勞、啼哭、椎胸而發狂癡。比丘！如是因外有恐怖也。……

世尊答曰：比丘者，不如是見、不如是說：此是神、此是世、此是我，我當後世有。……彼比丘所謂長夜可愛、可樂、可意念。比丘多行彼便不憂慼、不煩勞、不啼哭、不椎胸、不發狂癡。比丘！如是因外生無恐怖也。（大正一・七六四下～七六五中）

世尊以比丘們若執自我即世界、即神我，祈求死後成為常住、恒久、不變異而永存，如此即或聞如來或其弟子所說法，為斷除偏見、離貪、滅愛、涅槃而說的法，亦會因執「我」將滅亡不存在，而產生憂煩啼哭，如此即是因執「實有」而產生恐怖。換言之，若接受靈魂實有論，即會產生一連串的苦惱與困擾。故不接受「神我」觀念者，才能身心眞正自在，見同上經所云：

因神故我，無神則無我。是為神、神所有，不可得、不可施設。……若有比丘，此六見處不見是神，亦不見神所有。彼如是不見已，便不受此世；不受此世已，便無恐怖；因不恐怖已，便得般涅槃，生已盡，梵行已立，所作已辦，不更受有，知如眞。（大正一・七六五中～下）

釋尊已甚為明確的指出「神我」的不存在、不可得，唯在「無神我」的情狀下，則對於一切外在的詈罵或恭敬，才能以平常心待之，既不起惱心，亦不興樂意，唯是「無神我」之立場才能有如是解脫之境。

(二)圓成「解脫」的人生

「執我」是一種偏執、毒害，故釋尊暢言「無我」，尤以「五陰無我」，在《雜阿含經》中有廣面的論述。而代表佛教的根本要義——「三法印」中，除「諸行無常」外，尚有「諸法無我」，故知，除「五陰無我」之外，其它一切的「法」亦是無我。而「法」字的意義當包括有為無為、相對絕對及一切的世出世間法。故「諸法無我」，不但是五陰無我，即使離開五陰依然是無我。則「無我」所強調的，則不僅是「人無我」，也是「法無我」。然「無我」的法門，若包含一切無爲、絕對的法——如：涅槃，則又即易令人產生混淆，而釋尊亦已強調有漏因果的身心會息滅，然所受的戒、定、慧、解脫、解脫知見的法身是永不涅槃的。（有關此部份的論述請參見前面章節）。故釋尊雖明示「執我」的弊病，但另一方面亦宣說「我」。實爲助衆生由我、無我、空、緣起，以證入圓成解脫中道的人生。

印順法師曾將大乘佛法分爲三部份：中觀是「性空唯名論」、瑜伽是「虛妄唯識論」、如來藏是「眞常唯心論」。㉗釋尊爲引導外道的「執我」，故說「無我」，然「我」實乃佛所宣說，而「如來藏」，是爲表示一切的衆生皆具有如來的智慧與德相，故衆生與如來是一非二。而如來藏我與「執我」不同，又更與二乘的灰身滅智有很大的差異，今據印順導師所言如下：

如來藏我，《大般涅槃經》（前一〇卷）是從如來常住大般涅槃而說到的。如來的般涅槃，是常樂我淨的涅槃，是法身常住，壽命無量的。常住是超越時間的，也就不離時間，什麼時間都是如此的。從如來常住，引出衆生本有如來，就是如來藏我。……一切衆生有如來藏（佛性），離一切煩惱，顯出如來法身，也就是見我、得我；我，正是如來的異名。從如來涅槃果位，說到衆生位的如來藏我，我是生死流轉中的我，還滅涅槃中的我，生佛不二。……如來藏是有色相的，等到離一切煩惱，安住大般涅槃的如來，當然不是二乘那樣的灰身泯智，而是色相莊嚴的。㉘

釋尊說法以爲解除人生的苦惱爲其最重要之旨，而修行證悟的最後目的，是法身常住，然此常住是離時空間而言，而常樂我淨的「我」，並非是永恒不變的「執我」本體，而是站在衆生皆有佛性之「我」，此「我」者即是如來、佛，而此種如來、佛的呈現，就是我當下離除煩惱垢障即可證得，此時的「我」，就是得我、見我，也是常樂我淨的「我」，故釋尊的「我」，是眞、實、常、樂、淨，而此「我」若生死流轉即是衆生，此「我」若修菩提道即是菩薩，此「我」若還滅涅槃即是佛、如來，故名稱雖有不同，但皆此同一法身。而以此「我」所證悟而得的色相，必定是無盡的妙色莊嚴，而並非是世俗有盡之色相。

在釋尊宣說「我」與「無我」之法門，若不仔細審思，則極易產生矛盾與混淆，然釋尊是爲引凡入聖，在隨順世俗法中，爲離二邊見，而以緣起中道——即一面破除偏執，另一面又呈顯諸法實相，來達到究竟的解脫——寂靜涅槃。而這種即俗即眞的中道立場，在《雜阿含經・第三〇〇經》中有云：

> 自作自覺則墮常見，他作他覺則墮斷見。義說法說，離此二邊，處於中道而說法，所謂：此有故彼有，此起故彼起。緣無明行，乃至純大苦聚集；無明滅則行滅，乃至純大苦聚滅。（大正二・八五下）

緣起法主要是爲破除常斷、有無、一異等偏執，依緣起可知無常、無我、無我所，若能依緣起法離偏執邪見，而悟入不常不斷，不有不無、不一不異，於緣起生滅法中能離諸偏見，這即是第一義，即是中道。故《阿含經》以五陰無我的立場來說明生命緣起的空，凡夫執假名故生死流轉，聖者於是中體悟第一義空，故得以解脫。

結語

無常、無我、苦、涅槃爲佛法之根本義，而自證「無我」更是多聞聖弟子所當觀察、學習與自覺的。釋尊提倡「無我」是爲破衆生執「我」之毒害，亦是觀當時整個社會與學界之弊病。然「無我」之立論，在道德實踐之建立上，容易引起架空之惶恐，故爲渡衆方便釋尊亦言「我」，然此「我」已非執五陰爲我之義，而是指「五分法身」之「我」，換言之，釋尊言「無我」是就有漏之身而言；釋尊言「我」是就無漏法身而言。《雜阿含經》中有極大部份在論述「五陰無我」，即在說明「我」之構成需在五陰之元素中，若就「五陰」而言，五陰之上確實沒有我。釋尊倡「無我」是爲表明緣起法之生起與緣滅，而緣起論之立論原則乃是「此有故彼有，此滅故彼滅」，若世間有永恒不變的「我」，則無常生滅變化即不可能。《阿含經》中論說「無我」之處甚多，而佛教的「我」又即易與「神我」相混，故後來的大乘佛教，以「空」來說明了義的無我。衆生在「斷」、「常」二邊中往來而受限，而釋尊的教導正是要破除兩極端，以中道法才能觀事物之眞理，而「空」正是立於肯定與否定、存在與不存在、永恒與絕滅之間的概念，而「空」亦是指「無我」的境界，而佛教的終極旨趣即是超脫生死輪迴而進入涅槃，而涅槃更非語言文字可以形容，唯當「無我行」能實踐完成，也就是所謂的涅槃之境了。

【附註】

① 印順，一九九一年，《佛法概論・自序》頁一，台北市，正聞出版社。

② 鳩摩羅什受後秦姚興深加禮遇，待以國師，譯出衆經。羅什所弘者，乃龍樹的空宗。

③ 釋惠敏，〈《阿含要略》出版感言〉，此篇文章收錄於楊郁文，一九九四年，《阿含要略》之序文中，台北市，東初出版社。

④ 東漢・許愼撰，清・段玉裁注，《說文解字注》頁六三八，一九八〇年，台北縣，漢京文化公司。

⑤ 魏・何晏注，宋・邢昺疏，《十三經注疏・論語注疏》頁七十七，一九八一年，台北市，藝文印書館。

⑥ 《金剛經》全名爲《金剛般若波羅蜜經》：「若菩薩有我相、人相、衆生相、壽者相，則非菩薩。」（大正八・七四九上）後秦・鳩摩羅什譯。本文以下所引用藏經之原典，皆採用《大正新脩大藏經》本，唯隨文僅附注「大正」，並依序標明者爲「册・頁・欄」，一九九五年，台北市，新文豐出版公司。

⑦ 龍樹菩薩造，後秦・鳩摩羅什譯。

⑧ 《楞伽經》全名爲《楞伽阿跋多羅寶經》，劉宋・求那跋陀羅譯。

⑨ Charles N.E. Eliot 著，李榮熙譯，一九八七年，《印度思想與宗教》頁二〇二，台北縣，華宇出版社。

⑩ 參閱趙雅博編著，一九八六年，《印度哲學思想史》頁二七二～二八九，台北市，國立編譯館。

⑪ 高楠順次郎、木村泰賢著，高觀廬譯，一九七五年《印度哲學宗教史》頁二一二～二一三，台北市，台灣商務

印書館。

⑫ 參閱同註⑪，頁二五〇~二五二。

⑬ 佛光大藏經編修委員會主編，一九八三年，《佛光大藏經・阿含藏・雜阿含經題解》頁一三，高雄縣，佛光出版社。

⑭ 《雜阿含經・第一一〇經》：「佛告火種居士，凡是主者，悉得自在不。答言：如是瞿曇。佛告火種居士，汝言色是我，受想行識即是我，得隨意自在。」（大正二・三六上）

⑮ 楊郁文《阿含要略》，一九九四年，頁三九六，台北市，東初出版社。

⑯ T.R.V. Murti 著，郭忠生譯，一九八四年，《中觀哲學》頁三一八~三二〇，台北縣，華宇出版社。

⑰ 「種姓」又曰「四姓」，印度將人分爲四階級：一婆羅門，爲修淨行而求涅槃者。二刹帝利，爲王種，統轄其餘三姓者。三吠舍，爲商賈。四戍陀羅，舊云首陀，爲農民及奴隸。四姓中以婆羅門爲最尊貴。以上所引，參見丁福保編，一九八六年，《佛學大辭典》頁七七一「四姓」條，台北市，天華出版社。

⑱ 同註⑯，頁八~九。

⑲ 有關外道十四難句，佛不答之。參見同註⑰，頁二二〇「十四難」條。

⑳ 木村泰賢著，歐陽瀚存譯，一九九三年，《原始佛教思想論》，頁二十九~三〇，台北市，臺灣商務印書館。

㉑ 據《佛光大藏經・阿含藏・中阿含經・善法經》頁五之註解所云：「巴利本無相當於阿含及所得之語。而僅作由信仰、持戒、學問、施與、智慧、辯才（而知自己）惟有此程度。」一九八四年，高雄縣，佛光出版社。另

參閱《中阿含經・住法經》所云：「云何增善法不退不住，比丘者若有篤信禁戒、博聞、布施、智慧、辯才，阿含及其所得，彼人於此法增不退，是謂增善法，不退不住。」（大正一・五七七中）

㉒印順，一九八八年，《性空學探源》頁一五～一六，台北市，正聞出版社。

㉓參閱同註⑥，《大正新脩大藏經・雜阿含經》第二二〇～二二七經，即（大正二・三九中～四一上）

㉔同註㉒，頁一一一。

㉕同註⑬，頁一一五。

㉖「十二緣起」是將整個生命歷程分成十二部分：無明緣行、行緣識、識緣名色、名色緣六入、六入緣觸、觸緣受、受緣愛、愛緣取、取緣有、有緣生、生緣老病死。

㉗印順，一九八八年，《印度佛教思想史》頁一一九～一二〇，台北市，正聞出版社。

㉘同註㉗，頁一六八～一七〇。

【參考書目】

壹、佛教經論類

1.《大正新脩大藏經》，一九九五，台北市，新文豐出版社。

2.《長阿含經》，後秦・佛陀耶舍共竺佛念譯，大正第一冊。

3.《中阿含經》，東晉・瞿曇僧伽提婆譯，大正第一冊。

3.《大般涅槃經》，東晉・法顯譯，大正第一册。
4.《雜阿含經》，劉宋・求那跋陀羅譯，大正第二册。
5.《增壹阿含經》，東晉・瞿曇僧伽提婆譯，大正第二册。
6.《金剛般若波羅蜜經》，後秦・鳩摩羅什譯，大正第八册。
7.《妙法蓮華經》，後秦・鳩摩羅什譯，大正第九册。
8.《楞伽阿跋多羅寶經》，劉宋・求那跋陀羅譯，大正第十六册。
9.《大智度論》，龍樹菩薩造，後秦・鳩摩羅什譯，大正第廿五册。
10.《中論》龍樹菩薩造，梵志青目釋，後秦・鳩摩羅什譯，大正第三十册。

貳、近人著述

1. 印順編，一九八七年，《雜阿含經論會編》，台北市，正聞出版社。
2. 印順，一九八八年，《印度佛教思想史》，台北市，正聞出版社。
3. 印順，一九八八年，《性空學探源》妙雲集中之四，台北市，正聞出版社。
4. 印順，一九九一年，《佛法概論》，台北市，正聞出版社。
5. 李孝本等著，一九七七年，《佛學入門》，台北縣，常春樹書坊。
6. 佛光大藏經編修委員會主編，一九八三～一九八五年，《佛光大藏經・阿含藏》，高雄縣，佛光出版社。
7. 黃懺華，一九八〇年，《佛教各宗大綱》，台北市，天華出版公司。

8. 楊郁文，一九九四年，《阿含要略》，台北市，東初出版社。
9. 趙雅博編著，一九八六年，《印度哲學思想史》，台北市，國立編譯館。
10. 木村泰賢著，歐陽瀚存譯，一九九三年，《原始佛教思想論》，台北市，台灣商務印書館。
11. 水野弘元著，日譯英：山本晃紹譯，英譯中：敦忠生譯，一九九〇年《原始佛教》，台北市，菩提樹雜誌。
12. 和遷哲郎著，譯叢編委會譯，一九八八年，《原始佛教的實踐哲學》，台北縣，華宇出版社。
13. 高楠順次郎，木村泰賢著，高觀盧譯，一九七五年《印度哲學宗教史》，台北市，台灣商務印書館。
14. A.K. Warder 著，王世安譯，一九八八年《印度佛教史》，台北縣，華宇出版社。
15. Charles N.E. Eliot 著，李榮熙譯，一九八七年，《印度思想與宗教》，台北縣，華宇出版社。
16. E.J.D. Conze 著，胡國堅譯，一九八六年，《佛教的本質及其發展》，台北縣，華宇出版社。
17. T.R.V. Murti 著，郭忠生譯，一九八四年，《中觀哲學》，台北縣，華宇出版社。
18. Walpola Rahula 著，劉勝欽譯，一九九四年，《佛陀的啓示》，台北市，慧炬出版社。

劉知幾的多元民族觀與多元主權論

臺灣師範大學
國文學系教授　莊萬壽

一、被遏抑的文明——東方遊牧民族（前言）

古代在中原華夏族（原漢族）的主要邊亂，是與此方所謂「戎狄」或「夷狄」的遊牧民族之衝突。東漢以後，這些遊牧民族或因降服歸順，或因被脅迫而逐漸內遷，受到漢族中央政權統治①，他們被稱爲五胡②，成爲漢族王朝及地方士族的重要兵源與勞動力。在三國、西晉時受到殘酷的剝削與欺凌。終於趁司馬氏兄弟鬩牆之際，而紛紛起來反抗。「五胡亂華」，於焉開始。

舉一重要的例子。晉惠帝太安年間（三〇二至三〇三年）幷州（山西）飢亂、胡人流亡四散，幷州刺史司馬騰乃捕抓成群的胡人，由軍隊押送到冀州（河北）賣給豪族當奴隸，兩胡人一枷，迢迢數千里，羯族人石勒即在奴隸隊伍中，後來賣給茌平人師懽，石勒乃乘機結合其他奴隸成爲群盜，再投靠匈奴族劉元海。③

數千年來，漢族以惡毒的詞彙來形容這些遊牧性的異民族。認爲他們是野獸，「戎狄豺狼，不可厭也。」④，的確他們居住在草原沙漠的惡劣環境，具有爲求族群生存的掠奪性、侵略性，而西晉時的五胡政權，確實也極其凶暴、殺戮之能事，在漢人漢籍史料中留下惡名昭彰的形象，然而漢人既以他們爲沒有文化的野蠻人，那麼以大軍征伐、屠殺，亦視爲當然。尤其以農業社會稠密人口所擁有的雄厚的執久戰力，馬上的牧羊人，終成爲被征服的牲畜。猶如湯恩比(Arnold Toynbee)所說的「人形牲畜」(human flocks and herds)，而他們的文化就是「被遏抑的文明」⑤。

湯恩比指出：

> 終久而言，農業民族無休無止的壓迫，較之遊牧蠻族飆風驟雨的攻擊，可能更使受害者感到痛苦。蒙古人的侵犯，兩三個世代之後即已結束，然而作爲報復行動的俄羅斯殖民攻勢，卻進行了四百年以上……像俄羅斯這樣的農業強權，實無異於推土機與碎石機……恣意將遊牧民族壓塑成型。在它的魔掌之中，遊牧民族不是碎成粉末，無復存在；便是軋入定居生活的模型中，苟延殘喘，而這滲透的過程，經常並不是一種和平的歷程。⑥

在中國，基本上也是這樣的模式⑦。遊牧民族在歷史上所吹起一卷卷的風雲，皆終歸於風消雲散。還未被輾成齏粉的頑石，大抵都是傳世漢籍歷史中的反面人物。

二、唐王朝統治者目中的「戎狄」

從西晉亡（三一六年）到隋兼併南北「五八九」，約兩個半世紀，雖政權林立，兵禍相結。同時也是史學的黃金時代，主要是多元的權力結構，建立了多元的歷史觀，和各民族的主體歷史，十六國

⑧，都撰有自己主體性的國史，約三十種⑨，絕大多是非漢族政權所勅修的，可惜一種也沒有傳留下來。此外，只有被漢人不得不承認爲有重要地位的鮮卑族的拓跋魏的《魏書》，它是以北魏爲主體性所編寫的歷史，是唯一的例外。至於漢人的政權，兩晉、南朝的重要的史料，大抵都能傳世，透過這些史料去看與他們敵對的胡人世界，自然是極端的仇恨，找不出眞實的歷史。由此，可見少數民族在歷史上是沒有發言權的，即使建立了政權、國家，他們的思想與史觀，後世也很難聽到他們的聲音。我們期待著大一統的唐朝，含有鮮卑族血統的李家皇室⑩，能有比較開闊的民族觀。然而因漢族父權王朝，依然需要華夏血統與文化的優越論來維持正統合法的統治，而且北方與遊牧民族對峙的關係仍然存在，尤其李唐更不斷對外擴張，民族之間更是緊張。太宗李世民縱使有懷柔之心，但以武力鎭壓恐怕才是唐王朝的上策。

貞觀四年，李靖大軍擊敗突厥頡利，其部落多南來歸降，太宗召議安邊之策，中書令溫彥博議以河南地收容，一則以實空虛之地，二則以示無猜之心。而秘書監魏徵則稱「陛下以爲降，不能誅滅，即宜遣發河北，居其舊土。匈奴人面獸心，非我族類，強必寇盜，弱則卑伏，不顧恩義，其天性也。」給事中杜楚客亦言：「北狄人面獸心，難以德懷，易以威服。」後來涼州都督李大亮又上疏：「化中國以信，馭夷狄以權。」群臣多主張高壓，反對懷柔，雖然太宗原先同意溫彥博之議，但後來因受突厥降將的襲擊，而後悔不用魏徵之言⑪。

這是千百年的民族矛盾所顯現的不安與不信任感，即使是一方表面上已降服另一方。統治者的敵意，仍未消失。

朝廷大臣從政治上的利害關係來看異族是如此的敵意，史館中的史官也許能從歷史文化的角度來看，他們又如何呢？

三、唐史官的「戎狄豺狼」觀

太宗下令史臣編修的《晉書》，以〈四夷傳〉一卷來寫邊區介乎服與不服的國家，種族的卑視依舊。史臣曰：「蹈仁義者爲中宇，肆凶獷者爲外夷，……夷狄之徒，名教所絕，闚邊候隙，自古爲患。」⑫，包括東夷的夫餘國、馬韓……南蠻的林邑、扶南和北狄的匈奴，其國國王不稱僞，承認其爲中央天子的藩屬。另外，以三十卷的篇幅來記錄一百三十六年間遊牧民族在中原建立的十幾個國家，以新的體裁的〈載記〉，把各國的君主一一的列入，以個人的身分，記述其事跡，根本不承認他們是國君，其統治範圍是國家。凡是文中有稱王稱帝，或追加謚號，皆加「僭」「僞」字。以個人爲主體的紀傳記，卻處處是涉及出身種族的謾罵。〈載記〉的序文稱這些民族爲「異類」「同乎禽獸」⑬，在諸篇後的「史臣曰」更頗多譏言。如「彼戎狄者，人面獸心，見利則棄君親，臨財則忘仁義者也。」⑭，又如「窮凶騁暴，戎狄之舉也。」「石勒出自羌渠，見奇醜類。」「季龍心昧德義，幼而輕險，假豹姿於羊質，騁梟心於狼性。」⑮「赤縣成蛇豕之墟，紫宸遷鼉黽之穴。」⑯。幾乎傾其詈罵禽獸的用語，來作種族的攻擊。

同時間李延壽私修的《北史》，有所修正，終於承認拓拔魏及北齊、北周與南朝宋、齊、梁、陳（南史）同爲正統，而以「僭僞附庸」列傳，來分述赫連夏、慕容燕、姚秦……諸國，以國名爲綱，與《晉書》以個人身分出現不同，雖是僭僞，不承認其正式的國家與國君，但算是以「政治實體」視之。至於高麗、百濟、西域的鄯善、且末……等國，才是藩國。大抵來說，李延壽的民族觀有一些進步⑰。

四、劉知幾對異族政權的基本態度

唐初史臣對異族的見識，與一千年前的「戎狄豺狼」觀，並無軒輊。再看看大史家劉知幾(661-721A.D.)的看法，又如何呢？

首先對於華夏與夷狄的正僞之原則，是不給予改變的，史通稱「僞隅僭國，夷狄僞朝」⑱又「龜鼎南遷，江左爲禮樂之鄉……其於中國，則不然，……先王桑梓，翦爲蠻貊，被髮左衽，充牣神州。……彥鸞，修僞國諸史。」⑲，很明顯以漢人政權爲正統，至於中國（指中原）已淪爲夷狄所統治，所以崔鴻（字彥鸞）的《十六國春秋》，自然是「僞國諸史」又或稱爲「僞史」⑳。

劉知幾很重視自己劉家的世系，推考係陸終裔，不是堯之後世，那麼應該是南方苗蠻族之後，而不是華夏族㉑，時間久遠，當然我們找不出他對苗蠻楚國有什麼特別的感情，不過值得注意的是現存劉知幾的著作中，除了引《左傳》「戎實豺狼」，「非我族類」二句外，還找不到有類似《晉書》〈載記〉一樣的對異民族及其民族性的極端醜化之處。相反，他還反對用「盜賊」之名，來形容胡人的政權[22]。

劉知幾生性耿直，辭鋒凌厲，如在〈浮詞篇〉罵無恤為「鯨鯢是儔，犬豕不若。」在〈曲筆篇〉罵陳壽「雖肆諸市朝，投畀豺虎可也。」以這樣的脾氣卻沒有攻訐夷狄之亂華，寧非怪事？只是他在《史通》中到處批判魏收的《魏書》，魏收漢裔胡人，生於北魏，在北齊時撰《魏書》，以拓跋魏為正統，稱南方王朝及宋、蕭諸帝為島夷[23]。劉知幾之所以批魏，主要在於《魏書》有違直書實錄的精神，他在〈採撰篇〉稱。

> 魏收黨附北朝，尤苦南國，……馬叡出於牛金，劉駿上淫路氏，可謂助桀為虐，幸人之災。

所「尤苦南國」，就是指下文兩事引自南朝沈約的《晉書》，而沈約《晉書》的史料不確實，因此同時也罵「沈氏著書，好誣先代。」[24]。

劉知幾以為魏收「諂齊則輕抑關右，黨魏則深誣江外。」乃是因「愛憎出於方寸，與奪由其筆端。」[25]，劉知幾對於魏收與《魏書》應該沒有種族上的偏見，他最欣賞的宋孝王的〈關東風俗傳〉和王劭《齊志》[26]，兩人兩書亦皆出於北齊。

當然，從現在來看，劉知幾指責南朝漢人史官，對北方異族王朝的誣衊，著墨猶不夠多。然而劉知幾既以漢人王朝為正統，要求如現代的種族公平立場是不可能的。畢竟他抨擊了晉臣以五胡「比諸群盜」，也反對王隱《晉書》的〈索虜傳〉㉗，已是有所突破的。

五、劉知幾時空「遠近無隔」的民族史科學

劉知幾對史學最大的貢獻，在於主張「不掩惡，不虛美」㉘、「善惡必書」㉙的實錄精神㉚。在這樣的基礎下，他必須在一定的時空內，把活動於其間的各民族史料公平的處理。這就是他在〈煩省篇〉所說的原則：

夷夏必聞，遠近無隔

〈古今正史〉是七世紀前，傳世最完整的漢文史學史，從遠古寫到唐初。其中最重要的是魏晉南北朝的史學著述。以數字計算，劉知幾約以三百字寫兩晉史書，以七百字寫南朝史書，這是漢人的政權的修史；而以八百字來寫十六國的史書，以七百字來寫北魏，以三百字來寫北齊北周，這主要是遊牧民族政權的修史。

值得注意的是「十六國」這一百三十多年間黃河流域最動亂的時代，也是唐史官認爲是蟲獸橫行的野蠻時代。劉知幾卻以最多的文字來敘述當時各國官方熱烈修書及因戰亂史書亡佚的經過，他大概提出二十六種的史書，其中有完整的作者、書名、卷數，有的只有作者，或卷數，甚或不知書名。著名的著作有漢劉聰命公師彧修《漢史》（三一一年），後趙石勒命佐明楷等撰《上黨國記》、傅彪等撰《大將軍起居注》、石泰等撰《大單于志》（三一九年）、前趙劉曜命和苞撰《漢、趙記》（三二

八年）……等等㉛，這些都是以各國各民族爲主體性歷史，可惜他們的聲音，老早就消失了。〈史官建置〉是史官制度史，也兼寫修史經過。有近一半的篇幅在陳述「偏隅僭國、夷狄僞朝」「元魏」「高齊及周」，這些胡人政權，也有可觀的文化事業，劉知幾稱：「偏隅僭國，夷狄僞朝，求其史官，亦有可言者。」他把三國時的蜀漢和劉聰的漢、前涼、蜀李、西涼、南涼、前趙、後燕並列，可見是夷夏並列、並重的㉜。他的史學分類主要是正統的考量，而非是種族的成見。而史料的擷取，主要是全方位的考量，尤其對容易被忽略，容易亡佚的史料，格外的重視，因此〈古今正史〉，及〈史官建置〉特別詳加介紹「夷狄」的部分。還有他亦特別重視邊遠民族地區的史才：

> 十室之邑，必有忠信，欲求不朽，弘之在人。交阯遠居南裔，越裳之俗也；敦煌僻處西域，昆戎之鄉也，求諸人物，自古闕載。蓋由地居下國，路絕上京，史官注記，所不能及也。既而士燮著錄，劉昞裁書，則磊落英才，粲然盈矚矣。㉝

六、「夷夏必聞」的多元主權論

史料夷夏並重，是整個歷史發展中我族與他族的關係的實錄，他個人的主張是如此，對過去史籍的詮釋也是如此：

> 彼《春秋》之所記也，二百四十年行事，夷夏之國盡書。㉞
>
> 夫《春秋》者，……中國外夷，同年共世，莫不備載其事……此其所以爲長也。㉟

春秋之時，……經書「某使來聘，某君來朝」者，蓋明和好所通……此皆國之大事，不可闕如。……呼韓入侍，肅愼來庭，如此之流，書之可也。

東晉史家孫盛，稱《左傳》記吳、楚與荀悅《漢記》記匈奴的史事簡略，是因兩書「賤夷狄，貴諸夏」。劉知幾以爲不然。春秋各國錯峙，交通困難，而吳、楚距離魯國又遠，不能備載。何況《春秋》連駒支、長狄、葛盧、郯子等邊隅小國之瑣事都有記錄，怎麼會以夷狄的理由而不記一度想要角逐中原的重要國家吳楚呢？而《漢記》是取材於班固《漢書》，其標準是「中外一概，夷夏皆均」，最後劉知幾以常用的嚴厲口氣，指責「（孫）盛旣疑兵明之擯吳、楚，遂誣仲豫（荀悅）之抑匈奴，可謂「強奏庸音，持爲足曲者也」㊲。

他反對「賤夷狄，貴諸夏」的史料思想，實則是就實錄直書的思想而來，他雖認爲異民族政權，不是正統，卻實際有存在主權，認爲「實同王者」。

金行版蕩，戎、羯稱制，各有國家，實同王者。晉世臣子黨附君親，嫉彼亂華，比諸群盜，此皆苟徇私忿，忘夫至公。自非坦懷愛憎，無以定其得失。至蕭方等始存諸國名謚，僭帝者皆稱之以王。此則趙猶人君，加以主號，杞用夷禮，貶同子爵。變通其理，事在合宜，小道可見，見於蕭氏矣。㊳

自五胡稱制，四海殊宅，江左既承正朔，斥彼魏胡，故氏、羌有錄，索虜成傳。魏本出於雜種，竊亦自號眞君。其史黨附本朝，思欲凌駕前作，遂乃南籠典午，北吞諸僞，比於群盜，盡入傳

中。㊴

這是嚴正批擊東晉、南朝史官，編本國本朝歷史，卻把北方遊牧民族諸國及拓跋魏等國家，收入南朝國史中，並以形同盜賊的地位的傳記來記述。今可見的其時史書，沈約《宋書》有收入北魏的〈索虜傳〉，有記略陽清水氐楊氏和胡大且渠蒙遊的〈氐胡傳〉。其傳序與〈二凶傳〉（劉劭、劉濬）相鄰，即指叛逆盜賊。又東晉干寶的《晉紀》，已佚。其〈總論〉稱：「賊劉曜入京都，百官失守」（見《文選》）這都是極主觀的情緒化語言。事實他們都是在歷史上存在過的獨立的政權，誰也不能抹煞他們。劉知幾稱北魏的口氣，有些輕慢，但卻止爲北魏說話，公然的反對偏袒典午司馬家。他有些「正言若反」，似乎是他自己說過「曩賢精鑑，已有先覺。而拘於禮法，限於師訓，誰口不能言，而心知其不可者，蓋亦多矣。」㊵，劉知幾在此，也許正是這樣的心境。

他認爲這些國家雖是僭僞，但史書上的國號、謚號、王號皆可保留。如趙武靈王學胡人騎射，杞伯用夷禮，雖被貶斥，而無損於其爲君主。所以他認爲蕭方等的《三十國春秋》保存了實際上的史實，而對他高度的贊揚。

他超越了狹隘的偏見的形式上的正統主權論，和一元主體論，他超越了「嚴夷夏之防」，給予歷史上存在的少數民族政權、弱勢文化政權有基本之獨立的歷史地位，這即是多元主權論。

當有晉元、明之時，中原秦、趙之代，元氏膜拜稽首，自同臣妾，而反列之於傳，何厚顏之甚邪！又張、李諸姓，據有涼、蜀，其於魏也，校年則前後不接，論地則參商有殊，何預魏氏而

橫加編載？㊶

此處則反過來又指責北朝魏收撰的《魏書》，當西晉初，有氐苻、羌姚和匈奴劉、羯石等政權時，拓跋氏力量還很卑微。而且涼州張寔，蜀李雄等國家，在時間空間上都與拓跋魏無瓜葛重疊，怎麼這些國家、政權，會被收編進入《魏書》呢？

不分南北，無論夷夏，多元的獨立的國家主權論，是劉知幾的民族觀的基礎，這也是超時代的突破。

此外，他為追求實錄，訂正了許多不實的史料，其中不少精力是用諸少數民族的問題。如他認為南齊頡榮緒《晉書》所稱：「苻堅之竊號，雖疆宇狹於石虎。」他指陳石虎時，瓜、涼、巴、蜀、遼左，等地都是獨立的政權，但後來皆被苻堅所滅，苻堅土地是「禹貢九州，實得其八。」稱頡氏「識事未精，不知量也。」㊷

結　言

遊牧民族與農業民族之對抗，是漫長而殘酷。其過程是在邊界對立的形成→南征、北伐——短兵決鬥——統治與被統治——同化與融合→新對立的形成。這不斷周而復始，一直到最後一波遊牧民族消失為止。

魏晉是進入決鬥到統治與被統治之間的階段，其同化與融合是空前的激盪。李唐一統天下，但內部同化未成，而外來的新對立又形成，政治上不能超過夷夏之防，依舊是諸夏的一元種族主義。史官受政治的束縛，難有前瞻性的觀點，只有工作受壓抑，心懷苦悶的劉知幾，在《史通》論述中，提出較開闊的民族觀，主張歷史上異民族政權，要給予實質的定位，即歷史應存在著多元的主體政權。這對一元的中央封建思想，有相當大的衝擊。唐代畢竟是比較有可能培養多元文化的社會環境。研究唐代劉知幾的多元民族觀，對於華夏民族與東方文化的未來，也許能提供多元的省思。

向來台灣的教育都是灌輸大華夏沙文主義，歷史上的遊牧民族都是野蠻民族，都是侵略者。但，我願以史學家湯恩比作結語：

遊牧民族的垂死吶喊，卻很少能為人聽到。

從十七世紀以降，莫斯科維帝國與滿清帝國，這兩個定居國家各從不同的角落，將觸角伸向歐亞大草原時，遊牧體制的命運便已經註定了。㊹

這可能就是在中國西北西南的最後一波遊牧民族了。

一九九二、十、一）

【附　註】

① 參見唐長孺，〈晉代北境各族變亂的性質及五胡政權在中國的統治〉，《魏晉南北朝史論叢》一二七—一九二頁。

② 按五胡，包括遊牧性的鮮卑、匈奴、羯族和羌族，前三族爲阿爾泰語系民族，羌族爲藏語族，還有非遊牧性的氐族，爲苗瑤語族（或藏語族）。

③ 石勒爲後趙高祖。事見《晉書》卷一百四〈石勒載記〉上。新校本，鼎文版。四册，二七〇八頁。

④ 《左傳》閔公元年，管仲語，按豸、虫偏旁的種族名，皆爲禽獸。

⑤ 湯恩比《歷史研究》，第十五章，〈被遏抑的文明〉。陳曉林譯本。桂冠，三六六頁。

⑥ 同上。三七六頁。

⑦ 比較例外的是滿清執久的統治，但十五世紀女眞族並非全爲遊牧民族，而其所以能建立超穩定的結構，是與漢族士紳與地主共治天下。

⑧ 在北魏併呑北方之前一百三十年間，不止有十六國。「十六國」一詞，係依崔鴻撰《十六國春秋》而來。

⑨ 見金毓黻《中國史學史》四章。王仲犖《魏晉南北朝史》。八九二頁。

⑩ 李淵之母元貞后獨孤氏，李世民之后文德皇后長孫氏，皆鮮卑人。

⑪ 見《貞觀政要》卷九〈議安邊〉。新校本四二八頁。《舊唐書》卷一九四上〈突厥傳〉上，六册，五一六二頁。

⑫ 《晉書》卷九十四，四册，二五五〇頁。

⑬ 《晉書》卷一百一，四册，二六四四頁。

⑭ 《晉書》卷一百三，〈劉曜載記〉，二七〇二頁。

⑮ 《晉書》卷一百七，〈石季龍載記〉下，二七九八頁。

⑯《晉書》卷一百十五，〈苻登載記〉二九五五頁。

⑰按《北史》卷九十三爲〈僭僞附庸列傳〉。卷九十四至九十九爲〈外國傳〉。又南朝所編史書皆不承認北魏，如梁武帝勅編《通史》五胡及拓跋魏皆入〈夷狄傳〉。《史通》〈六家〉一八頁。

⑱《史通》〈史官建置篇〉華世，《史通釋評》本。三五八頁。按該本取浦起龍《史通通釋》（王煦華點校）與呂世思勉《史通評》相湊成書，與王點校本頁碼不同。因慣用此併湊本，姑用此頁碼。

⑲《史通》〈言語〉一七九頁。

⑳《史通》〈古今正史〉：「僞史十六國書」，四〇八頁。

㉑劉知幾撰〈劉氏家史〉及〈譜考〉。見《新唐書》卷一三二、六册，四五二〇頁。按陸終是祝融之子（《漢書》〈古今人表〉），是南方苗蠻及楚國的始祖。

㉒《史通》〈惑經〉批評《春秋》「所未諭四」，評魯哀與吳盟，不書，乃因以吳夷爲耻。魯桓與戎盟則書。劉知幾認前者也可以書；而後者「戎實豺狼」（左閔元年），非我族類（成四年）」，也可以不書。主要在評《春秋》書與不書沒有標準，而非目的在於攻擊戎狄。又〈稱謂〉反對晉臣視胡人爲「群盜」。一二九頁。

㉓《史通》〈稱謂〉「魏書……以司馬氏爲僭晉，桓、劉以下通曰島夷。」一三〇頁。

㉔《史通》〈採撰〉，一三八頁。稱司馬叡爲晉將牛金之子。宋孝武帝劉駿與母路氏私通。

㉕《史通》〈稱謂〉，一三〇頁。魏收爲北齊人，所以護北齊而抑北周（關右）。

㉖《史通》〈直書〉，一二八頁。亦分見他篇。

㉗《史通》〈稱謂〉，一二九、一三〇頁。按晉臣所作，不知何書，亦可能包括王隱《晉書》。

㉘《史通》〈雜說〉下，六三七頁〈載文〉一四七頁。

㉙《史通》〈惑經〉。四八八頁。

㉚參見拙作〈劉知幾實錄史學與孔子思想的關係之研究〉。師大《中國學術年刊》十期。一九八九年二月。

㉛《史通》〈古今正史〉，四一六頁。及《晉書》〈石勒載記〉。

㉜《史通》〈史官建置〉，三五八頁。

㉝《史通》〈雜說〉下，六二九頁。

㉞《史通》〈書志〉，八〇頁。

㉟《史通》〈二體〉，三五頁。

㊱《史通》〈書事〉，三七一頁。

㊲《史通》〈探賾〉，二四八頁。

㊳《史通》〈稱謂〉，一二九頁。

㊴《史通》〈斷限〉，一一六頁。

㊵《史通》〈疑古〉，四五四頁。

㊶《史通》〈斷限〉，一一六頁。

㊷《史通》〈雜說〉中，五八六頁。

㊸《史通》〈語言〉，一七八頁。

㊹《歷史研究》，三七六頁。

「易學」與「孟學」的融攝與會通

——以清儒焦循《孟子正義》爲中心的討論

臺灣師範大學
國文學系教授　賴貴三

提要

清代乾嘉通儒揚州焦循里堂先生(一七六三—一八二〇)，一生學力萃聚於其晚年專著《雕菰樓易學三書——易章句、易通釋、易圖略》與《孟子正義》，已故哲學大師牟宗三先生以為：由焦氏的解《易》，可以見出孔門道德哲學的真面目；焦氏從「旁通、相錯、時行」三方面，從「生成變易」的觀點，發揮其道德哲學以解析價值世界的《易》學體系，以為「《易》之一書，聖人教人改過之書也」，立十二言之教：「元亨利貞吉凶悔吝厲孚無咎。」而以「通」為其中的機轉，通即是情通，情通而欲遂，即是團體情欲的諧和；而元亨利貞是情通的極致，亦即是謂情欲的大諧和。戴東原主張「以情絜情，而各遂其生」，焦里堂吸收而轉化為「旁通情也，而元亨利貞」，遂建構出清儒道德哲學系統的完美①。本此體系，里堂進而以古之精通《易》理，深得羲、文、周、孔之恉者，莫如孟子；故於《孟子》之言通於《易》，堪與《論語》、《中庸》、《大學》相表裏者，闡發更無餘蘊，而從來解《孟子》者，無此實事求是，遂以注《易》鉤貫獨得的旁通體系，以畢生心血完成其學術生命的絕響——《孟子正義》。本文即試圖透過梳理《孟子正義》中，有關性命、道德等詮釋進路及其義涵，以抉揚焦氏重智道德觀的「能知故善」說等命題之如何可能②；及其如何以《易》學求通的外在形式與內在理路的會通融攝，闡發孔、孟一貫相承的道德哲學的奧蘊，並如實體現在「尊德性」與「道問學」的本體論與功夫論的兩大詮證系統中，即是本文所欲探討的課題與蘄響。

關鍵詞：焦循　周易　孟子正義　旁通一貫　通變神化　道德理義

一、焦循學術與生命的絕響——《孟子正義》

焦循《孟子正義》為有清考據最興盛的乾嘉時代，研究《孟子》的集大成之作。根據《孟子正義》目錄卷三十後，焦循弟焦徵於道光五年(一八二五)乙酉中秋日的識語，可以確切明瞭此書撰作與刊刻的艱辛始末：

先兄壬戌③會試後，閉門注《易》。癸酉④二月，自立一簿，稽考所業；戊寅⑤春，《易學三書》成。又以古之精通《易》理，深得伏羲、文王、周公、孔子之恉者，莫如孟子；生孟子後，而能深知其學者，莫如趙氏。惜僞疏踳駁乖謬，文義鄙俚，未能發明其萬一，思作《正義》一書。於是，博採經史傳注以及本朝通人之書，凡有關於《孟子》者，一一纂出，次為長編十四帙。逐日稽考，殫精研慮，自戊寅十二月起稿，逮己卯⑥七月，撰成《孟子正義》三十卷。又復討論群書，刪煩補缺；庚辰⑦之春，修改乃定。手寫清本，未半而病作矣！自言用思太猛，知不起，以謄校囑廷琥而歿。廷琥處苫塊中，且校且謄，急思付梓，又以病歿。……先兄稿本，每一篇末自記課程⑧，如注《易》時，書之成僅八閱月耳。

再參照焦循哲嗣廷琥所撰《先府君事略》，而焦氏父子之苦心孤詣，及其嘔心瀝血的著述歷程，讀之令人大爲動容：

府君《易學》既成，思爲《孟子正義》一書，乃于丁丑⑨之冬，採錄本朝通人之書，令不孝查寫；或專說《孟子》者，或雜見他書者，一一纂出，依次第編爲《孟子長編》十四帙。戊寅十二月初七日，開筆撰《正義》；自恐懈弛，立簿逐日稽省，仍如前此注《易》。簡擇《長編》之可採與否者，有不達則思，每夜三鼓後不寐，擁被尋思：某處當檢某書，某處當考某書。天將明，少睡片刻，日上紙窗，府君起盥漱，即依夜來所尋思，一一檢而考之，語不孝曰：「著書各有體，非一例也。有全以己見貫串取精，前人所已言不復言，余撰《易學三書》及《六經補疏》是也。有全錄人所已言，而不參以己見，余輯《書義叢鈔》是也。有採擇前人所已言，而以己意裁成損益於其間，余所撰《孟子正義》是也。各有所宜，亦各有所難。」

己卯七月十四日，《孟子正義》草稿成，次爲三十卷。於是，討論群書；至庚辰正月，修改既定，乃手寫清稿三卷，就正於舅父阮芸臺先生。四月，令不孝校對一過，又重自手錄；至七月，共手錄十二卷，而病作，病中猶以未能錄完爲憾，語不孝曰：「《孟子正義》無甚更改，惟所引書籍，仍宜逐一校對，恐傳寫有誤耳。」

復檢閱《孟子正義》卷三十〈孟子篇敘〉循親疏的文字，可以證成以上二條資料的信實可徵，而其中編撰時間的互有參差，可以比較異同⑩，其自述曰：

循傳家教，弱冠即好《孟子》書，立志爲《正義》，以學他經，輟而不爲；茲越三十許年，於丙子⑪冬，與子廷琥，纂爲《孟子長編》三十卷，越兩歲乃完。戊寅十二月初七日，立定課程，次第爲《正義》三十卷；至己卯秋七月，草稿粗畢。間有鄙見，用「謹按」字別之；廷琥有所見，亦本范氏《穀梁》之例，錄而存之。

《孟子正義》洋洋七十餘萬言的鉅著，焦氏父子僅花費了三年多一點的時間，書稿成而相繼謝世，其用力之勤謹，成就之卓越，有目共睹，故焦循摯友黃承吉《夢陔堂文集》卷五，於道光七年(一八二七)閏月朔日所作〈孟子正義序〉云：「……此書一出，實可爲義疏、正義之準則，後之作者因其例以發明《禮》、《傳》諸經，當如百川趨海，匯爲千古巨觀！則里堂尤諸經之功臣已。」因此，梁啓超先生《中國近三百年學術史》稱譽此書是「新疏家模範作品，價值是永永不朽的」⑫。筆者近十年來董理編撰其著作，深有感於焦循孜矻匪懈的治學精神與毅力，於其學術與生命全然投注的《孟子正義》，不惟體察其徵引資料的詳博、考證文獻的精審、闡釋義理的透徹⑬；更加深刻體會其「好學深思，心知其意」，勤敏著述之文心道志，是可謂「積學以儲寶，酌理以富才，研閱以窮照，馴致以繹辭」⑭的善學、善思、能述、能作的一流人物與儒林英俊，實至而名歸。

二、焦循融攝與會通「易學」與「孟學」的基本理念

焦循於《孟子正義》卷三十自述云：「按：爲《孟子》作疏，其難有十：孟子道性善，稱堯舜，實發明義、文、周、孔之學，其言通於《易》，而與《論語》、《中庸》、《大學》相表裏，未可以空悟之言臆之，其難一也。……」《孟子》思想是否淵源、繼承於《易》學，誠如焦循所言「未可以空悟之言臆之」，而歷來研究《孟子》學者，亦無此石破天驚之論⑮，因此如何證成此說，便是焦循及讀者的兩難問題。因爲，綜觀《孟子》全書，未嘗有一言一句提到或論及《周易》；反之，據筆者考察所知，焦循不僅認定《孟子》思想與《易》學相通，而且於《孟子正義》的按語中屢見明言「孟子深於《易》」⑯的論點。在焦循的觀念裏，孟子之學是承繼伏羲、文王、周公、孔子而來，可謂得道統之正宗。有鑑於此，筆者試就焦循《雕菰樓易學三書》的主要發明——「旁通、相錯、時行」的總體觀點，及其衍生的詮釋方法——「假借、數理、比例」的一貫原則⑰，統整分析焦循聚精會神而成的《易學三書》，以及盡瘁結晶的《孟子正義》，如何融攝與會通的基本理念，申說如下：

㈠證之以實，運之於虛

焦循嘗於《里堂家訓》卷下，殷殷教示其子廷琥學經之法，云：

> 學經之法，不可以注爲經，不可以疏爲注。……儒者說經，言人人殊，學者熟復經之本文，引申而比例之。……要之，既求得注者之本意，又求得經文之本意，則注之是非可否，了然呈出，

而後吾之從注非漫從，吾之駁注非漫駁。不知注者之本意，駁之非也，從之亦非也。

學經之法，焦循以爲要在不盲從注疏，而直求經文之本意，熟復之而引申比例之，乃能自得，此其「證之以實」之顯示，故其治《易》如是，治他經亦莫不皆然。讀其《易圖略・自序》云：「本經文而實測之，《易》亦以漸而明，非可以虛理盡，非可以外心衡也。……既實測於全《易》，覺經文、傳文有如是者，乃孔子所謂相錯，……測之既久，益覺非相錯、非旁通、非時行，則不可以解經文、傳文；則不可以通伏羲、文王、周公、孔子之意。……」更能瞭解焦循如何以實測的體驗，進而引申觸類，參伍錯綜，鉤貫諸經爲一脈的用心命意。又衡觀《雕菰樓集》卷十三〈與劉端臨教諭書〉，焦循深刻體悟之言，文云：

蓋古學未興，道在存其學；古學大興，道在求其通。前之弊，患乎不學；後之弊，患乎不思。證之以實，運之於虛，庶幾學經之道也。

焦循治《易》，從經傳文辭的參伍錯綜中，悟得「旁通、相錯、時行」義例，以通貫《周易》經傳全文，是所謂「證之以實」；復引申觸類，比例之⑱以通說他經，而尤以《論語》、《孟子》爲彰明較著，是所謂「運之於虛」。故何澤恆教授《焦循研究》之貳〈焦循論語學析論——五、論焦循治論語之法源於治易〉⑲、之參〈焦循論孟子性善義闡釋——六、以易旁通義說孟子性善〉⑳，皆持批判而肯定之立場爲之析論與闡釋。觀照焦循《論語補疏・自序》曰：

自學《易》以來，於聖人之道稍有所窺，乃知《論語》一書，所以發明伏羲、文王、周公之恉。

蓋《易》隱言之，《論語》顯言之；其文簡奧，惟《孟子》闡發最詳最鬯。……以《孟子》釋《論語》，無不了然明白；至《論語》一書之中，參伍錯綜，引申觸類，其互相發明之處，亦與《易》同。

焦循《易學三書》的闡釋進路大別之爲：天算學方法與語言文字學方法；兩者中，前者最有特色的是「運之於虛」的數學比例原則，後者最有特色的是「證之以實」的六書假借原則。而焦循本此匠心獨運的經學研究的特識與別裁，輾轉而用於詮解《孟子》的利器與管道，實具有詮釋學與方法論的二元向度意義，因而成爲焦循融攝與會通《易》學與孟學的重要前提。

(二)好學深思，心知其意

焦循說經之長，在於善於巧思，而主用功之序，先學而後思，故前所謂「證之以實」即學也；「運之於虛」即思也，而學思之功在於「心知其意」，故曰㉑：

學貴善用思，吾生平最得力於「好學深思，心知其意」八字，學有輟時，思無輟時也。

里堂又嘗以所著《釋橢》質諸沈方鍾先生，爲之簽出數條缺失，遂作書答之，以爲足正其誤，眞益友矣！其書㉒云：

友朋之益，不在揄揚，而在勘核；揄揚爲一時之名計，勘核爲百年之名計，然又必「好學深思，心知其意」，以肫誠去其浮游之氣，異於忌嫉故伺其隙者，而後乃曲中無不當。

焦循「好學深思，心知其意」，爲其一貫治學的特色，故本之以解《易》、釋《孟》，皆能根於經，發於史，參以諸子百家，固有取之不窮，核之不破者，嘗自謂：「學問之道，在體悟，不在拘執，故不憚耗精損神，以思其所以然之故；雖知無用，不能舍也。向亦爲六書訓故之學，思有以貫通之，一滌俗學之拘執，用力未深，無所成就。」㉓，又嘗取《何大復文集》，檢所爲〈與李空同論詩書〉之言曰：「僕觀堯舜、周孔、思孟之書，皆不相沿襲，而相發明，是故德日新而道廣，此實聖聖傳授之心也。……不相沿襲，而相發明，此深得乎立言之指者矣！」㉔，以上所陳，對照《雕菰集》卷七〈述難〉五篇，可印證里堂述作群經的一貫理念，及其治學旁通的精神風格與識見規模。略引述之，以爲徵驗：

然惟孔子能述伏羲、堯、舜、禹、湯、文王、周公，惟孟子能述孔子；孟子歿，罕有能述者也。述其人之言，必得其人之心；述其人之心，必得其人之道。（〈述難一〉）

學者述人，必先究悉乎萬物之性，通乎天下之志，一事一物，其條理縷析分別，不窒不泥，然後各如其所得，乃能道其所長，且亦不敢苟也。（〈述難五〉）

趙航先生《揚州學派新論》第四章〈比例以成說〉㉕，專抒焦循學術的成就與貢獻，文分三節：一、治《易》—「至精至實」，二、疏經—「損益得當」，三、訓詁—「學渥識博」，分別析論焦循於《周易》、《孟子》及諸經的卓越研究成果，可以《孟子正義》代表其「好學深思，心知其意」的最後結響。而其特色，厥有以下數端：其一，他的治學不盲從舊說，不墨守成說的實事求是態度㉖；其二，表現在焦循立新說、陳新義，不囿于正統的開創精神；其三，表現在焦循數十年如一日，孜孜以求，學而不厭的刻苦精神。綜合以上說明，可以貞定焦循學思並進，意志並行的研《易》、治《孟》以及注經的全體大用，而其融通諸經的方便法門，可以說是如實體現在其主觀與客觀的學思持志的生命進程之中。

㈢通變神化，道本一貫

焦循在《易話》卷上載有兩篇文章：〈說權〉㉗、〈通變神化論〉，可以明確證知「通變神化」之道㉘，既是焦循《雕菰樓易學》的一貫思想，也是藉以詮釋《孟子》的基本立場。謹迻錄部份原文，以供考索研證之資：

法不能無弊，有權則法無弊；權也者，變而通之之謂也。法無良，當其時則良。……故爲政者，以寬濟猛，以猛濟寬；夏尚忠，殷尚質，周尚文，所損所益，合乎道之權。《易》之道，在於趨時，趨時則可與權矣！……故以權運法，猶因病用藥，以將來之有弊，而致廢見在宜行之法，不知權者也；以前此之有弊，而致廢見在宜行之法，亦不知權者也。(〈說權〉)

能通其變，爲權；亦能通其變，爲時。然而，豪傑之士無不知乘時，以運用其權，而遠乎聖人之道者，未能神而化之也。「大而化之之謂聖，聖而不可知之之謂神」㉙，神化者，通其變而人不知之也；惟人性靈，故可教而使之善，重乎此則輕乎彼。民趨所重，則害生，聖人有以平之，而權生焉。權而見其權，通變而見其通變，惟人性靈，且有以窺之，而害生焉！權而不見其權，通變而不見其通變，百姓日用而不知，神而化之也。孔子曰：「民可使由之，不可使知之。」孟子曰：「殺之而不怨，利之而不庸，民日遷善而不知。」所以爲之者，通變神化之謂也。通變而神化，此堯所以民無能名焉，舜所以無爲而治，蓋民知其爲而得而名之，則必有所重，有所重即有所偏，偏則害矣！惟民善變，故必通其變；惟民窺上之所變以爲變，故必神而化之，不可使知之。惟時時知其變而通之化之，民乃爲上變，而上不資民以變；惟上知民之變，而民乃不知上之通其變，上通之化之，而民不知，故覺上之無爲而治，欲窺之而無從窺，故名之而無可名；無消詐之跡，而詐自消，無息爭之形，而爭自息，如天日運於上，寒暑晝夜風霆霜露，民安之而莫容測。在天爲行健，在聖人爲恭己；恭者，敬也；敬者，無倦也。無倦則時時知其變，即時時通其變，故修己以敬，即修己以安百姓，此神化之實功也。伏羲作八卦以明治世之大法，孔子贊之曰：「通其變，使民不倦；神而化之，使民宜之。」又曰：「《易》窮則變，變則通，通則久。」⑳通其變而能久，神化之效也。（〈通變神化論〉）

試觀《孟子正義．離婁上》第十九章(已見注⑯所引)，焦循認爲孟子孜孜探究先聖先王仁義道統，乃融攝與會通《易》學「通變神化」之道的深刻瞭解。故於《易通釋》「寡　孤」條曰：「孟子云：『得道者多助，失道者寡助，寡助之至，親者畔之；多助之至，天下順之。』此數語，與《易》相發明。」焦循認定孟子所理解的道，實爲發明《周易》的「通變神化」之道。故〈告子上〉第七章，焦循引《說卦傳》：「和順於道德而理於義，窮理盡性以至於命。」而申之曰：「孔子言道德性命，指出理字，此孟子所本也。凡事之可通行者爲道，得乎道爲德，對失道而言也。」㉛焦循將「通變神化」

視爲《周易》所顯示「道」的眞正精義所在。而於《孟子正義》中，以「深造自得」來融通此《易》之「道」，故於〈離婁下〉第十四章申說之曰：

孟子曰：「君子深造之以道，欲其自得之也。自得之則居之安，居之安則資之深，資之深則取之左右逢其源。」凡此皆精於道之謂也。按：《易・繫辭傳》云：「夫《易》所以極深而研幾也。唯深也，故能通天下之志；唯幾也，故能成天下之務。」深造，則極深也；以道，即研幾也；自得，則通天下之志，成天下之務也。一陰一陽之謂道，道者，反復變通者也。

由此可見，焦循將《周易》中所謂「研幾」之道㉜，與孟子「深造自得」之道，論證其間的一貫思想，而以「趨時」與「行權」來詮釋《周易》與《孟子》「通變神化」的根本精義。故焦循於〈梁惠王下〉第十五章，又對孟子的「通變神化」說作了《易》學的發揮，可爲此段作結：

按：〈梁惠王〉上下篇，至此二十二章，皆對時君之言，而結之以「君請擇於斯二者」，趙氏以權解之是也。權之義，孟子自申明之；聖人通變神化之用，必要歸於巽之行權。請擇者，行權之要也。孟子深於《易》，七篇之作，所以發明伏羲、神農、黃帝、堯、舜之道，疏述文王、周公、孔子之言，端在於此。儒者未達其指，猶沾沾於井田封建，而不知變通，豈知孟子者哉！

焦循於《易圖略》卷五〈比例圖〉有言：「……以六書之假借，達九數之雜揉；事有萬端，道原一貫；義在變通，而辭爲比例，以此求《易》，庶乎近焉！」比例之用，隨在而神，而以變通之道爲一貫之本。《雕菰集・一以貫之解》，可爲詮證，蓋孔子貴仁，孟子性善，俱發揮《周易》通變神化、一貫旁通之精義，故統貫融攝而爲《周易》、《論語》、《孟子》與諸經「簡而賅」、「博而辨」、「通而貫」、「神而化」的道德體系，是爲焦循的經學特識。綜合以上三點資料的爬梳分析，可以確認焦循融攝、會通《周易》與《孟子》的基本理念根據。

三、焦循融攝與會通「易學」與「孟學」的具體表現

此節擬以三點：「以旁通說性靈」、「以變通說性善」、「以時行說性命」，以論述焦循如何具體表現其融會貫通《周易》與《孟子》的道德系統。在展開表詮之前，謹先迻鈔《易話》卷上〈道德理義釋〉一文，以爲緒端：

何爲道？道者，行也；凡路之可通行者爲道，則凡事之可通行者爲道也。通而四達不窮者爲大道，即爲達道；雖通行而致遠則泥者爲小道，其偏僻險仄、孤危高峻不可通行者，非道也。何爲德？德者，得也；得乎道爲德，對失道者而言也。道有理也，理有義也。何謂理？理者，分也；何謂義？義者，宜也。其不可行者，非道矣！可行矣，乃道之達於四方者，各有分焉，即各有宜焉。歸燕者行乎南，趨齊者行乎西，行焉而弗宜矣，弗宜則爲失道，失道非德也。歸燕者雖行乎北，而或達諸趙；趨齊者雖行乎東，而或止於魯；行焉而猶弗宜矣，弗宜則爲失道，失道非德也。故道必察乎其理，而德必辨乎其義，道而不德，其失也愚；理而不義，其失也賊。故傳曰：「和順於道德而理於義。」理於義者，分於義也；分於義，則各正性命，保合大和。

惟明乎天下所行之路，而如其所宜者趨焉，於是各得其所而不亂，而天下之命立於聖人，故傳曰：「窮理盡性以至於命。」㉝

道德、理義、性命，本爲孔孟學說思想之核心，焦循據以爲其引申比例、觸類旁通的全體大用，亦其道本一貫的最佳印證，故拳拳服膺以融通《周易》與《孟子》。茲分別詮釋析解如下：

㈠以「旁通」說性靈

《里堂家訓》以爲學經者，如能博覽衆說，而自得其性靈，此爲上也；執於一家以和之，以廢百家，唯陳言之先入，而不能出其性靈者，斯爲下矣！《雕菰集》卷十三〈與孫淵如觀察論考據著作書〉，焦循有感而發云：

經學者，以經文爲主，以百家子史、天文算術、陰陽五行、六書七音等爲輔，匯而通之，析而辨之，求其訓詁，核其制度，明其道義，得聖賢立言之指，以正立身經世之法，以己之性靈，合諸古聖之性靈，並貫通於千百家著書立言者之性靈。以精汲精，非天下之至精，孰克以與此？……蓋惟經學可言性靈，無性靈不可以言經學。

此辨考據非即經學，而治經須有性靈，無性靈不可以言經學。揆其要義，在於學問的貫通，而以經學爲主體的學問，更應當成其爲後代經學家注釋經書的性靈，以與古代聖賢著作經書的性靈相互通貫的產物。依焦循的體會，人的內在本性是本具性靈，借用孟子的話說，就是人與禽獸「幾希」的那一點靈明之性。因此，焦循認爲：經學也正是因爲有那麼一點性靈，所以才成其爲經學。而經學的本質特徵，不離客觀的經文本身與主觀的性靈內涵。從這個角度來看，焦循的《易》學研究動機之一，就是要抉發經學所內蘊的性靈；而《孟子正義》便是其以生命與性靈貫注的最後結響與注腳。「性靈」㉞一詞，最初始見於六朝時代；焦循《易餘籥錄》卷十二曰：「性靈二字，見鍾嶸《詩品》及《顏氏家訓・文章篇》。」而反映於其《易》學研究之中，《易話》卷上〈性善解〉五則，以爲人心最靈，而性無他，「食色」而已，性何以爲善？能知故善；因此，焦循的人性論是以「能知」的「性靈」爲基點，據此綰合其經學的一貫旨趣。而焦循《易》學的中心內容，一言以蔽之爲「旁通」㉟，旁通是象數易學的卦爻變換的操作方法，而焦循以爲旁通就是性靈的體現，並以知性作爲解析與論證道德的進路，因爲他堅信：從知性性靈，可以直接通向倫理道德的內涵。其《孟子正義・滕文公上》第一章曰：

按：孟子之學，述孔子者也；孔子之學，述伏羲、神農、堯、舜、文王、周公者也。……《繫辭傳》云：「以通神明之德，以類萬物之情。」神明之德，即所謂性善也，善即靈也，靈即神明也。

而《易章句》先於此而爲言，是可以相觀而善，其文曰：

伏羲察天地萬物，又推己以系人，而知人之性善，可以先覺覺之。故爲之畫八卦，示以有母必有父，而後有六子。使男女有定偶，民知父子長幼；尊卑緣是而序，三綱五倫由是而建。其先民知有母，不知有父，與禽獸同。畫八卦示之，而民遂悟，以示禽獸，禽獸則不悟也。是以人性之善，異乎禽獸，所謂神明之德也。

性靈說的核心在於超脫常規，不拘常態，焦循《易》學中的旁通說也具備這個意思㊱，轉化至《孟子》的詮釋中，則特別強調所有人都具備「能知故善」的性靈與道德能力。而這種能力的基礎，根植於《易》學中內蘊的卦爻旁通之中，旁通就是性靈。旁通在《周易》為卦爻之旁通，此為學術之意義；在《孟子》為人情之旁通，此為道德倫理的價值——「己欲立而立人，己欲達而達人」。故曰：

所謂性善，善即靈也，靈即神明也。……何以知人性之善也？以己之性推之也。己之性既能覺於善，則人之性亦能覺於善，第有無開之者耳。㊲

人性所以有仁義者，正以其能變通，異乎物之性也。以己之心通乎人之心，則仁也；知其不宜，變而之乎宜，則義也。仁義由於能變通，人能變通故性善；物不能變通，故性不善。㊳

觀乎此，可知焦循將旁通與仁義聯繫在一起，通過《易》學上的旁通為中介，遂使得性靈和《孟子》中的道德倫理思想關聯起來，而成為焦循論證儒家道德倫理的知性基礎。因此，焦循以其獨到的《易》學「旁通」體系，以闡釋《孟子》思想中的「性靈」觀點，以發揮其「能知故善」的道德主觀能動性，可以說是他的經學研究的殊勝之處。㊴

(二)以「變通」說性善㊵

「能知故善」的道德人性辨析，是焦循《孟子》學詮釋中的重要特徵。而《孟子》書中詳言性善之義，則具載於〈告子〉篇中，試引其上篇第六章之疏釋：

謹按：孟子「性善」之說，全本於孔子之贊《易》。伏義畫卦，觀象以通神明之德，以類萬物之情，俾天下萬世無論上智下愚，人人知有君臣父子夫婦，此「性善」之指也。孔子贊之，則云：「利貞者，性情也。六爻發揮，旁通情也。」禽獸之情不能旁通，即不能利貞，故不可以爲善。情不可以爲善，此性所以不善。人之情則能旁通，即能利貞，故可以爲善；情可以爲善，此性所以善。禽獸之情何以不可爲善？以其無神明之德也。人之情何以可以爲善？以其有神明之德也。神明之德在性，則情可旁通；情可旁通，則情可以爲善。於情之可以爲善，知其性之神明。性之神明，性之善也。孟子於此明揭「性善」之指在其情，則可以爲善，此融會乎伏義、神農、黃帝、堯、舜、文王、周公、孔子之言，而得其要者也。……荀子據以爲「性惡」，荀子但知《禮》而不通《易》者也；孟子據以爲「性善」，孟子深通於《易》而知乎《禮》之原也。孔子以旁通言情，以利貞言性；情利者，變而通之也。以己之情，通乎人之情；以己之欲，通乎人之欲。己欲立而立人，己欲達而達人；己所不欲，勿施於人。

焦循以爲人性所以有仁義者，正以其能變通，而人能變通，故性善。能通故能仁，能變故能義，以教化順人性爲仁義，即其所謂變通。而《易》之元亨利貞之義，厥在變通㊶；在〈離婁下〉第二十六章，焦循有更進一層之說解：

按：《孟子》此章，自明其「道性善」之指，與前「異於禽獸」相發明也。《易．雜卦傳》云：「革，去故也；鼎，取新也。」故，謂已往之事；當時言性者，多據往事爲說。……孟子獨於故中指出「利」字，利即《周易》「元亨利貞」之利。《繫辭傳》云：「變而通之以盡利。」《彖傳》云：「乾道變化，各正性命，保合太和乃利貞。」利以能變化，言於故事之中，審其能變化，則知其性之善。利者，義之和。……於故之中知其利，則人性之善可知矣！《繫辭傳》云：「感而遂通天下之故。」又云：「是以明於天之道，而察於民之故。」又云：「又明於憂患與故。」通者，通其故之利也；察者，察其故之利也；明者，明其故之利也。故者，事也；傳云：「通變之謂事。」非利不足以言故，非通變不足以言事。諸言性者，據故事而不通其故之利，不察其故之利，不明其故之利，所以言性惡，言性善惡混，或又分氣質之性、義理之性，皆不識故以利爲本者也。孟子私淑孔子，述伏羲、神農、文王、周公之道，以故之利而直指性爲善，於此括全《易》之義，而以六字盡之云：「故者以利爲本。」明人之所以異於禽獸者，在此利不利之間，利不利即義不義，義不義即宜不宜，則智也。不能知宜不宜，則不智也。智，人也；不智，禽獸也。幾希之間，一利而已矣！即一義而已矣！即一智而已矣！

焦循於〈告子〉上第一章明確肯定「仁義由於能變通，人能變通故性善」；而這裏不僅認爲人性之善，乃於「乾道變化，各正性命，保合太和」的體現；而且性之所以能善的關鍵，尤在於「審其能變化」。故《雕菰集．性善解一》曰：「人之性可引而爲善，亦可引而爲惡。唯其可引，故性善也；唯人能移，則可以爲善矣！」而這等於否定了孟子「我固有之」的性善論，從而與他的《易》學感通理論聯繫在一起㊷。上述「通變神化之道」、「感而遂通之性」是焦循《孟子》學所顯現的《易》學意義，同樣的亦以《易》學來論證《孟子》的理想人格㊸。

通觀焦循疏解《孟子》說的言論，可知擷取《周易》變通、旁通之義，以論證性善之所以可能。故以爲《易》之一書，聖人教人改過之書也㊹；改過則可以遷善，而旁通即變通，亦即改過遷善之意，此孟子性善之說，全本於孔子之贊《易》。

明乎此，則焦循以《易》旁通即變通之旨，以說孟子性善之義，在於貴義之變通，亦其重權之反於經之善者也，是其確解。

㈢以「時行」說性命

「時行」一辭，本出於《周易・大有・彖傳》：「柔得尊位，大中而上下應之，曰大有。其德剛健而文明，應乎天而時行，是以元亨。」焦循之「時行」法則，爲其變通說的進一步發揮，而「時行」必本於「旁通」，始能明吉凶變化之道。蓋不知時行，則變化之道不神；故在旁通法則之基礎上，以見其變通趨時之義。時行即爲通變，通變之即爲元亨利貞，元亨利貞則生生不息，行健自強。故《易圖略》卷三〈時行圖〉說曰：

傳云：「變通者，趨時者也。」能變通即爲時行，時行者元亨利貞也。而行健之不已，教思之不窮，孔門貴仁之旨，孟子性善之說，悉可會於此。由元亨而利貞，由利貞而復爲元亨，則時行矣。

按二五先行爲元，大中之元性善也；元亨而利貞，則仁也。單指元而言，即是「天命之謂性」之性；而所謂「通」，所謂「時行」，所謂「元亨利貞」，即是「率性之謂道」。故牟宗三先生贊之曰㊺：「性、道、仁、教，皆於通中見之，皆於時行中顯之，是何等氣魄！而焦氏能從《周易》方面以幾個數學式的公理推演出全部的道德思想，則名之謂中國的斯賓諾薩，誰曰不宜？」焦循推其時行之旨，而性命之理，教道之義，趨時變通而不窮，此里堂殷殷之用心。讀《焦里堂軼文．寄王伯申書》㊻云：

> 曰時行，即變通以趨時，元亨利貞全視乎此。《易》者，變通之謂，因變通而有大中上下應，有四象。……大中，元也；上下應，亨也；變通不窮，利也；終則有始，利而貞也。聖人教人存有餘，而不可終盡，故如是乃宜，如是乃不窮。……其教人之義，文王、周公已施諸政治，孔子已質言之於《論語》、《大學》、《中庸》，傳之七十子，此《易》辭全在明伏羲設卦觀象，指其所之，故不言義理，但用字句之同以爲鄉導，令學者按之，而知三百八十四爻之行動。

聖人之作《易》，依時行說，而焦循以爲無論當位、失道，均需經過變而通之之步驟，方能實現元亨利貞的程序，故能變通即爲時行，時行者元亨利貞也。變通以時行的觀念，在於教人改過遷善，一以貫之而通神明之德，以類萬物之情，以達天下之志，而成合乎天地之大人。其《雕菰集》卷十三〈與朱椒堂兵部書〉以言：「《易》之道，大抵教人改過，即以寡天下之過。改過全在變通，能變通即能行權，所謂使民宜之，使民不倦，窮則變，變則通，通則久。聖人格致誠正，修齊治平，全於此一以貫之，則《易》所以名《易》也，《論語》、《孟子》已質言之。」㊼故焦循《孟子正義》三十卷，自以為孟子深於《易》之道，七篇之作，所以發明伏羲、神農、黃帝、堯、舜之道，而疏述文王、周公、孔子之言，觀讀〈公孫丑上〉第二章里堂疏語，可證此言之不虛，文曰：

惟孟子之學，在自反以求心，持志以帥氣，縮而合乎義道，則氣不餒；不縮而乖乎義道，則氣不暴，全以心勿忘為要而已。……通變則為道、為義，勿止則自強不息，勿妄則進德修業。此孟子發明《周易》之旨，故深於《易》者，莫如孟子也。

《易》之道，大中而上下應之，此志帥氣之學也。分陰分陽，迭用柔剛，通其變，使民不倦；神而化之，使民宜之，此「可仕可止，可久可速」之學也。至於通變神化，而集義之功，極於精義，求心之要，妙於先心，此伏羲、神農、黃帝、堯、舜、文王、周公相傳之教，孔子備之，而孟子傳之。惟得乎此，而詖、淫、邪、遁之言，乃不致以似是而非者，惑亂而昧所從也。

由時行、變通、行權而貫乎性命之道，焦循本《易．繫辭傳》：「樂天知命故不憂。」以知命申明同天之義，此《孟子．盡心上》第一章「盡心，知性，知天」⑱之道德奧蘊，而里堂特以《周易》「乾道變化，各正性命」詮釋，以為有命斯有性，而各分於道也。故《易餘籥錄》卷十二第二十五則，申之曰：

知命之說，詳於孔孟，而皆本於《易》。命有宜順者，口目耳鼻四體是也；命有宜改者，仁義禮智天道是也。順則不任力，改則任力，豈至無可奈何，而推之於命乎？委命而任力，聖人之權也；順命而不任力，亦聖人之權也。或順或改，惟聖人之心主宰而斡旋之。能用命，不為命所用，是爲知命。

知命之義，於此甚洽。焦循以爲命爲道之所分，故道爲時間之永恆，命爲空間之永恆㊾，因此道命爲時空之永恆，亦陰陽之交易所生成之絕對繼續，落實於倫理上而言，則道爲旁通情，爲大中而上下應也，故命有定焉，性有存焉。《易通釋》卷五「命」條，申之曰：

道變化而不已，命分於道則有所限。有當安於所限者，不舍命是也；有不當安於所限者，申命、改命、致命是也。命而能改、能申、能致，則命不已，即道之不已，如是乃爲命。自變通之義不明，而未受命、未順命之文，遂成一莫解之說矣！

焦循既以《易》道之旁通言性靈，以變通言性善，復以時行言性命；然性之靈、善與命，原非三事，必合而言之，其義始全。而旁通、變通與時行三原則，亦本無分殊之別，皆具有一貫之創造發展義，故其知命之說，乃在於知所當安於此命之所限，亦當知所不當安於此命之所限。《孟子正義》卷二十六〈盡心上〉「莫非命也」章，里堂於「注畏壓至命也」條，有精闢的說解：

《論語》言「五十而知天命」，「不知命，無以爲君子也」；又云「死生有命」，又云「道之將行也與，命也；道之將廢也與，命也」。孟子既云「殀壽不貳，修身以俟之，所以立命」，此章又詳言之。……皆發明孔子知命之說也。……君子立命，則盡其心使之不愚、不不肖。口體耳目之命，己溺己饑者操之也；仁義禮智之命，勞來匡直者主之也，皆盡其心也。故己之命聽諸天，所謂「修身以俟之」，而天下之命任諸己，所謂「盡心」，所謂「立命」也。於己則俟命，於天下則立命。於正命則順受，於非命則不受。聖賢知命之學如是，俗以任運之自然為知命，將視天下之饑寒愚不肖而不必盡其心，且自死於畏、自死於桎梏、自死於巖牆之下，而莫知避也。㊿

焦循以為命乃分道之謂，故為分，為定，為限。牟宗三先生㊿詮釋為「特體之外鑠品德」；而命之所以互相不同而有具體之差異者，則在「性情才特體之內具品德。性是內具之潛蓄者，情是發於外之實現者，才是使其所以如此發之能力。由性情才即可識別命間之互相歧異。但性情才之所以互相不同者，要不外因其命之各有所限而已，此內外互定之義也。里堂《易》學與《孟子》性命道德之精義，在於情之旁通，利之行權，命之趨時，故能窮理盡性以至於命，此其道德哲學之總歸攝與根本旨要，絜靜精微而清明條達，可謂統之有宗，而會之有元也。

四、結　語：學貫《易》《孟》歸性善　道通仁義志薪傳

錢穆賓四先生《中國近三百年學術史》第十章㊿言焦循說性之失至明，以為其專恃人心知之靈，以「能知故善」之教而改過遷善，故其說往往偏於信教服義，重因而不重創。而其說知命立命，則多申創發之義，故其立說之最明通者，為其發明孟子性善之旨；然里堂論性，一本氣質之欲以為言，而離善於性以為二，以為善即人心之靈，亦即專致辨於人類心知之異於禽獸之所在，乃明承戴震《孟子字義疏證》之宗旨。而言人心之欲，又歸於好惡以為言，其立論又略近於王陽明良知之學。其指心知

之靈以爲善，而獨據《易傳》旁通之旨以爲闡釋，則其創說；然孟子性善之義，其根基不止於人禽之異之一端，而焦循獨得於此最多。何澤恆教授《焦循研究》特爲之總評曰⑤③：

要之，里堂之學問根柢惟在治《易》，其所用心，則盡在《易》參伍錯綜引申觸類之互相發明處，而謂《論語》一書，亦所以發明伏羲文王周公之恉，而其文簡奧，孟子則詳爲之闡發，是其不惟以《語》、《孟》爲一，即於《易》與《論語》亦不爲分辨，乃本其治《易》旁通之所悟，而縱橫貫穿於群經中以求其互通發明之所在，其得在此，其失亦在此也。至此三十卷之書，旁徵博引，雖自稱於趙說或有所疑，不惜駁破以相規正，然實則往往爲之委曲回護，而於朱子《集注》，則幾於一字不取；其於當朝著作，採摭凡六十餘家，且多大段引錄，而於宋元明儒，則雖有明通之說，亦概從擯棄。里堂論學，極惡拘守門户，其於時人專漢據守之習，亦屢加指摘，而己則不免於自陷，無乃明於燭人而闇於自照乎？

此評公允切實，亦誠如錢穆先生之說：「里堂論學極多精卓之見，彼蓋富具思想文藝之天才，而游於時代考據潮流，遂未能盡展其長者。」綜觀以上所述，是亦不礙《孟子正義》成爲一部極有價值的著作。總括而論，焦循秉持一貫歷聖同揆之道統說，以爲聖人相傳修己治人之道，旨在仁之忠恕，即成己成物也，故以孔孟之言證釋《周易》內在道德之哲學，於「道命性情才」與「仁義禮智信」之絜和，立十二言之教——「元亨利貞吉凶悔吝厲孚無咎」爲《周易》全書綱領，以爲《易》之一書，聖人教人改過遷善之書，乃旁通時行哲學之體現，而成生生條理之道德哲學之完美理想與圓成系統，故《周易》「各正性命，保合太和，乃利貞」之生成原理與理想，遂與孔子貴仁之旨，孟子性善之義，融攝而會通，此可貞定焦循一生潛研經學的生生之德、通貫之志與時行之道。

【附註】

① 詳見牟先生《周易的自然哲學與道德函義》（臺北：文津出版社，一九八八年），第四部份〈清焦循的道德哲學之易學〉，頁二六五—三四九。

② 詳見張麗珠《清代義理學新貌》（臺北：里仁書局，一九九九年），第四章〈焦循發揚重智主義道德觀的「能知故善」說〉，頁二〇〇—二三四。

③ 時爲嘉慶七年，西元一八〇二年，焦循四十歲。

④ 時爲嘉慶十八年，西元一八一三年，焦循五十一歲。

⑤ 時爲嘉慶二十三年，西元一八一八年，焦循五十六歲。

⑥ 時爲嘉慶二十四年，西元一八一九年，焦循五十七歲。

⑦ 時爲嘉慶二十五年，西元一八二〇年，焦循五十八歲。

⑧ 焦循遺稿有《撰孟子正義日課記》，係吳承仕先生於《里堂道聽錄》草稿紙背中發現而整理者，刊載於章炳麟太炎先生主編之《華國》雜誌——第一卷第九期(民國十三年五月十五日發行)、第十期(同年六月十五日發行)、第十一期(同年七月十五日發行)。筆者已鈔錄附刊於所編《焦循年譜新編・補遺》（臺北：里仁書局，一九九四

⑨ 年），頁四五〇—四七三。

⑩ 時爲嘉慶二十二年，西元一八一七年，焦循五十五歲。

中研院文哲所林慶彰教授〈焦循《孟子正義》及其在孟子學之地位〉一文，於《孟子正義》編纂之經過有確切詳實之分析，刊於黃俊傑教授主編之《孟子思想的歷史發展》（臺北：中國文哲研究所，一九九五年），頁二一七—二四一。

⑪ 時爲嘉慶二十一年，西元一八一六年，焦循五十四歲。

⑫ 見氏著該書（臺北：里仁書局，一九九五年）—十三　清代學者整理舊學之總成績(二)，頁二七六—《孟子正義》三十卷。

⑬ 詳參北京大學中文系董洪利教授《孟子研究》下編（南京：江蘇古籍出版社，一九九七年）—第十一章〈清代的孟子研究〉，頁三五五—三五七。另見於《北京大學古文獻研究所集刊(一)》（北京：燕山出版社，一九九九年），頁八一—九一〈《孟子》三家注論略〉之三。

⑭ 語見劉勰《文心雕龍・神思第二十六》，依王更生教授注譯《文心雕龍讀本》（臺北：文史哲出版社，一九八三年）下篇頁三。

⑮ 按：趙岐《孟子章句・盡心上》「舜居深山中」章，章指言：「聖人潛隱，辟若神龍，亦能飛天，亦能小同，舜之謂也。」雖以《易・乾卦》「潛龍」、「飛龍」喻之，而原書尚未寓有此意。

⑯ 如《孟子正義・離婁上》第十九章，焦循疏云：「……孟子深於《易》，悉於聖人通變神化之道，故此篇首言

行先王之道，而要之以道揆，蓋不獨平天下宜如是也。人倫日用，均宜如是。既明援天下以道，道何在？通變神化也。……」

⑰ 此處的詳細鉤稽與評析，可以參考臺灣大學中文系何澤恒教授《焦循研究》（臺北：大安出版社，一九九〇年）——〈壹、雕菰樓易學探析〉，頁一—八八。以及筆者《焦循雕菰樓易學研究》（臺北：里仁書局，一九九四年）。另外，上海復旦大學古籍研究所陳居淵先生著有〈論焦循易學〉，《孔子研究》一九九三年二期，頁八八—九五；〈論焦循易學的通變與數理思想〉，《周易研究》一九九四年二期，頁二三—三五。而北京清華大學思想文化研究所程鋼先生作有〈假借與焦循的易學闡釋方法〉，《清華大學思想文化研究所集刊》（北京：清華大學出版社，一九九四年），頁一八〇—一九八；〈焦循易學的引申論研究〉，《傳統文化與現代化》一九九七年三期，頁五三—六三；〈著作考據之爭與焦循易學〉，《華學》第三輯，頁一三六—一五二。以上資料均具研究參考價值。

⑱ 按：焦循《易圖略》卷五云：「……以六書之假借，達九數之雜揉，事有萬端，道原一貫；義在變通，而辭爲比例。以此求《易》，庶乎近焉。」故牟宗三先生以爲：「比例即是數學上的比例，也即是類推之謂。以此而比他，則可以擴展其範圍也。焦氏之比例，即以數學上之比例，及六書上之假借爲基礎而成者也。藉此比例，則可以把全經鉤貫起來。」文詳見注①書，頁二七五—二七六。

⑲ 詳注⑰氏著書，頁一四七—一五〇。其結語云：「要之，里堂論語要旨在明一貫，其意亦謂聖人之道無逾於此，故於易之經傳，認爲義旨相貫，不加分辨，即於論語孟子，亦謂與易不殊。一經之文，固主觸類引申；諸經之

間，亦惟重其相同相通之一面，而泯其相異相差之一面。此在里堂之治諸經，自見其爲宗旨之一貫，然一若治經之法，舍此無他途，則庸非仍爲一執乎？烏乎執？一言以蔽之，曰執於易之旁通二字而已矣。」客觀而中肯的評論，足資參考。

⑳ 同前書，頁一九八—二〇二。其結語云：「明乎里堂以易旁通之旨以說孟子性善之義，則其所以貴義之變通，所以重權，皆可得其解。」

㉑ 文見焦廷琥《先府君事略》引錄其三叔父焦徵《愧酪集・後記》所記里堂教示之言。

㉒ 文見《先府君事略》所引，並可見臺大圖書館所藏《焦氏叢書》本，以及中研院傅斯年圖書館所藏《焦氏遺書》本，無單行本傳世。

㉓ 見筆者所編、羅振玉輯印之《昭代經師手簡箋釋》（臺北：里仁書局，一九九九年）二編，焦循〈三月望日與王引之書〉（復王伯申書）。

㉔ 文見焦循《易餘籥錄》卷十五（臺北：新文豐出版社《叢書集成續編》本）。

㉕ 詳參該書（南京：江蘇文藝出版社，一九九一年），頁五七—七五。

㉖ 同前書，頁六四—六六，趙先生以爲焦循著書立說有三個很重要的觀點：第一、經文中注文、疏文，要重視又不能執著，這是很辨證的。第二、他十分強調「細推」，強調「探其神液」。這在焦循對群經的注釋中，可謂俯拾即是。第三、由于焦循能得注之本意，是非，可否了然，因此他能做到從之有理，駁之有據。

㉗ 按：〈說權〉凡八篇，《易話》僅錄其一，餘載《雕菰集》中。又《易話》無單行本，僅刊載於《焦氏叢書》

與《焦氏遺書》本中。

㉘ 按：陳居淵先生〈論焦循《孟子正義》的易學詮釋〉一文，首揭之義即是「通變神化之道」，《孔子研究》二〇〇〇年一期，頁一〇三—一一〇

㉙ 文出《孟子·盡心下》第二十五章：「浩生不害問曰：『樂正子何人也？』孟子曰：『善人也，信人也。』，『何謂善？何謂信？』，曰：『可欲之謂善，有諸己之謂信，充實之謂美，充實而有光輝之謂大，大而化之之謂聖，聖而不可知之之謂神。樂正子，二之中、四之下也。』」

㉚ 此又見於《孟子正義·滕文公上》第一章：「聖人治天下之道，至堯舜一變。《繫辭》云：『黃帝堯舜氏作，通其變，使民不倦，神而化之，使民宜之。』又云：『《易》窮則變，變則通，通則久。黃帝堯舜垂衣裳而天下治。』蓋堯舜以變通神化治天下，孟子稱堯舜，正稱其通變神化也。」

㉛ 此義詳見於《易話上》末篇〈道德理義釋〉，原文將備錄於後文之說解。

㉜ 按：焦循以卦爻位相互置換的爻位運動規律，以說明《周易》「研幾」之道；其《易通釋·幾》條可為之證，曰：「知幾也，乾三不之坤五，而四之坤初成復，失道而不善也。若不變通則不善不能改，自知不善即知幾。變而旁通於後，是為反復其道，贊云：『終日乾乾，反復其道也』然則，由當位而變通，為知幾、為反復道；由失道而變通，亦為知幾、為反復道。……」

㉝ 按：《孟子正義》卷二十二〈告子上〉第七章「心之所同然者何也？謂理也，義也。聖人先得我心之所同然耳！故理義之悅我心，猶芻豢之悅我口」，亦本《易》理而同此說，曰：「《易·說卦傳》云：『和順於道德而理

於義，窮理盡性以至於命。』孔子言道德性命，指出理字，此孟子所本也。(以下同〈道德理義釋〉)孟子以理義明性，即孔子以理於義明道也。趙氏以得道之理明之，得道之理即和順於道德而理於義也。後儒言理，或不得乎孔孟之指，故戴氏詳爲闡說是也；說者或並理而斥言之，則亦芒乎未聞道矣！」

㉞ 何澤恆教授《焦循研究》（臺北：大安出版社，一九九〇年）——陸、〈袁簡齋章實齋焦里堂三家比論〉之五〈論性靈〉，頁三六九—三七八，有詳細考證比論可以參究，茲不引述。

㉟ 筆者《焦循雕菰樓易學研究》（臺北：里仁書局，一九九四年）第二章〈焦循之「旁通」易學〉，頁一二五—一八六，可以參考，不具論。又，用「旁通」說來概括焦循《易》學，可以其《易章句・乾文言傳》「六爻發揮，旁通情也」的自注最爲代表，曰：「發，謂由此之彼也；揮，動也。全《易》之義，惟在旁通。聖人于此特表出之。六爻發揮，《易》卦之旁通也；己欲立而立人，欲達而達人，人情之旁通也。惟旁通乃知來物，所謂格物，所謂絜矩，所謂強恕也。」

㊱ 程鋼先生〈著作考據之爭與焦循易學〉一文，於注㊺中特爲補充說明：「焦循的性靈概念之中，實際上包含有兩種似乎是相反的涵義，一是無拘無束、毫無限制的心靈自由和創造，一是義理上質樸簡單、能爲所有人贊同的算術性計算。前者保證創造性和變通，後者保證普遍性和簡單。前者能適時變通，以保證儒家精神在不同情境中的發揚和發展；後者能通俗易懂，以保證儒家精神在所有民衆中得到普及和認同。在學術上，前者要靠文學，後者要靠科學(天算學和音韻學)。性靈實際上是這兩種對立因素的均衡結合。」

㊲ 並見《孟子正義・滕文公上》開頭部份，《易話》卷上及《雕菰集》卷九〈性善解〉第二。

㊳ 文詳《孟子正義・告子上》開頭部份。

㊴ 焦循《尚書補疏》卷下「惟我周王靈承于旅」條，以神若善釋靈字，實欲通《易》、《書》、《孟》而一其旨。文曰：「靈之訓爲神，亦爲善，則善之義爲靈、爲神。《易傳》云：『通其變，使民不倦；神而明之，使民宜之。』即此所謂『靈承于旅』也。不執於一，隨時爲變通爲靈，乃爲善。《書》於善多稱靈，靈則能變化。故惟人性能轉移，則爲性善，性善即性靈也。韶盡美，又盡善；武盡美，未盡善。善則變通神化，民無能名。武定天下，未受命，故未能盡善。周公成文武之德，制禮作樂，而亦盡乎善矣！」

㊵ 《焦循研究》（臺北：大安出版社，一九九〇年）──參、〈焦循論孟子性善義闡繹〉，頁一六三─二一〇；其中「三、以變通言性善」，「六、以易旁通義說孟子性善」，並可與前此兩節互參。

㊶ 《易圖略》卷二〈當位失道圖〉云：「六十四卦本諸乾坤坎離震巽艮兌之八卦，而八卦之生生，不外元亨利貞四字。而所以元亨利貞，則『窮則變，變則通，通則久』九字盡之。括以一言，則謂之『易』而已矣。」

㊷ 《孟子正義・告子上》第三章：「人生而靜，天之性也；感於物而動，性之欲也。」《易通釋・性情才》：「性爲人生而靜，其與人通者，則情也，欲也。」

㊸ 〈離婁上〉第二章正義：「聖人，人倫之至也。」第十一章：「大人者，言不必信，行不必果，惟義所在。」〈盡心上〉第三十二章：「居仁由義，大人之事備矣！」故〈盡心上〉第十九章：「孟子深于《易》，此大人即舉《易》之大人而解之也。篤恭而天下平也，惟黃帝堯舜通變神化，乃足以當之。」互參〈離婁下〉第十二章：「夫孟子所謂大人，即《易》之利見大人也。……大人以先覺覺後覺，以先知覺後知，不以己之聖而忘人

之愚，不以己之明而忘人之暗，如羲、農、黃帝、文王、周公、孔子是也。惟不失其赤子之心，所以正己而物正，孟子蓋深于《易》，而此其發明之者也。」則焦循所描繪的具有最高精神境界的理想人格特徵的「大人」形象，實際上是體現了《乾・文言傳》的「大人」的理想人格思想。

㊹ 詳見《易圖略》卷三。又《易話》卷上〈學易叢言〉末條：「余學《易》稍知聖人之教，一曰改過，一曰絜矩，兩者而已。絜矩則能通，改過則能變；惟能絜矩，乃知己過；惟知改過，乃能絜矩。」此段最能表現焦循道德哲學的精義。

㊺ 見注①書，頁二七三。其實焦循於《易通釋》卷三「通」，卷五「道」、「命」、「性情才」、「教」各條，詳闡此義，可謂曲盡其理。

㊻ 共一卷，見刊於藝文印書館《叢書集成三編・鄦齋叢書本》。

㊼ 《易》乃聖人教人改過之書，焦循屢言之，而實有所本，其《易廣記》卷三嘗曰：「吾里中徐坦庵先生，……論學之書頗多精卓。嘗論《易》云：『《周易》六十四卦，可一言以蔽之曰：見善則遷，有過則改。非遷善無以趨吉，非改過無以避凶。』」

㊽ 臺灣大學歷史系黃俊傑教授〈孟子盡心上第一章集釋新詮〉，於焦循《孟子正義》諸說引述甚為詳贍，可以參考。文刊於《漢學研究》第十卷第二期，頁九九—一二二，一九九二年十二月。

㊾ 本牟宗三先生說，義詳《周易的自然哲學與道德函義》，頁三二九。

㊿ 《孟子正義》卷二十八「口之於味也」章「注聖人至命也」條，可與此互明，不具錄。

(51) 同注①書，頁三三一—三三六。並可參釋《易通釋》卷五「性情才」條。

(52) 其文曰：「里堂謂人初不知夫婦，伏羲教之有夫婦；人初不知熟食，神農教之有熟食，而曰『非性善無以施其教，非教無以通其性之善』，其說是矣。然伏羲、神農所以發明人倫火食以教人者，正亦由其性之善，則亦可謂非性善無以開其教，亦非能教無以證其性之善也。聖人與我同類，後世非不能再有伏羲、神農。孟子言聖人，有性之者，有反之者。性之則自誠而明，因人之教，反之吾心而知其誠然，信教服義者也。里堂斥心悟心覺之說，故其論性善，似偏於信教服義者言，於開教創義之理未能深闡，故其言重因不重創，則以當時漢學家讀書博古之風方盛，里堂浸染者深，遂不覺其言之偏倚。」

(53) 見該書——參、〈焦循論性善義闡繹〉，頁二〇九—二一〇。又前輩學者裴學海先生〈孟子正義補正〉，原發表於北平清華學校研究院編輯之《國學論叢》第二卷第二期，一九三〇年十二月；一九七八年二月，臺北學海出版社將之輯印成書出版。毛子水先生〈孟子焦疏補正〉，《孔孟學報》第十六期，一九六八年九月。兩文篇幅甚長，對焦氏訓釋字義之疏失，以及牽合《周易》以訓釋《孟子》之非，頗有匡正之功，可資參考。

【參考書目】

王　茂　等四人　清代哲學　安徽人民出版社

毛子水　孟子焦疏補正　孔孟學報第十六期　頁九一—一一八、

牟宗三　周易的自然哲學與道德函義　文津出版社

何澤恆　焦循研究　大安出版社

梁啓超　中國近三百年學術史　里仁書局

陳居淵　論焦循易學　孔子研究一九九三年二期　頁八八－九五
從易學的通變理論看焦循對孟子的理解　中國文化月刊　頁三八－四五
論焦循易學的通變與數理思想　周易研究一九九四年二期　頁二三－三五
論焦循孟子正義的易學詮釋　孔子研究二〇〇〇年一期　頁一〇三－一一〇

張舜徽　清儒學記　齊魯書社

張麗珠　清代義理學新貌　里仁書局

黃俊傑　孟學思想史論(卷一)　東大圖書公司
孟學思想史論(卷二)　中研院文哲所
孟子思想的歷史發展　中研院文哲所
孟子盡心上第一章新詮　漢學研究第十卷第二期　頁九九－一二二

焦　循　雕菰樓易學三書　廣文書局
雕菰集　藝文印書館
論語通釋　木樨軒叢書本
孟子正義　文津出版社
易話　焦氏遺書本

易廣記　焦氏遺書本
里堂家訓　文史哲出版社
易餘籥錄　新文豐出版社

焦廷琥
先府君事略　焦氏遺書本

程　鋼
假借與焦循的易學闡釋方法　清華大學思想文化研究所集刊第一輯　頁一八〇－一九八
焦循易學的引申論研究　傳統文化與現代化一九九七年三期　頁五三－六三
著作考據之手與焦循易學　華學第三輯　頁一三六－一五二

董洪利
孟子研究　江蘇古籍出版社

裴學海
孟子正義補正　國學論叢第二卷第二號　頁三－二一三

趙　航
揚州學派新論　江蘇文藝出版社

劉德明
焦循孟子正義之義理學研究　中正大學一九九四碩士論文

錢　穆
中國近三百年學術史　商務印書館

賴貴三
焦循年譜新編　里仁書局
焦循雕菰樓易學研究　里仁書局
昭代經師手簡箋釋——清儒致高郵二王論學書　里仁書局
焦循手批十三經註疏研究　里仁書局

以內藤湖南的螺旋循環史觀論近世以來中日文化傳播的軌跡

日本長崎大學
環境科學部副教授　連清吉

問題提起：內藤湖南的螺旋循環史觀

有關文化發展，有所謂由於各個地域的人或集團配合自身生存的自然生態，根據固有的文化傳統，吸收外來的知識、技術、制度而自發性的創造出文化的「內發性」（endogenous）發展的理論。①然而探究東亞文化形成與發展的問題時，恰如宇宙太陽系的形態，是以中國為中心，其周邊地區受中國影響，引發文化的自覺而後創造出自身的文化。根據內藤湖南的說法，東亞文化是萌芽於中國黃河流域的文化，而後向西邊或南方展開，再向東北發展，最後跨海傳到日本。②即發生於黃河流域的中國文化傳到周邊地區後，刺激周邊地區民族，喚起該地域的自覺意識，逐漸形成其自身的文化形態，最後影響及日本，日本也創造出「日本的」的文化。因此在思考東亞文化全體發展的問題時，所謂中國的、日本的、韓國的國家主義或民族意識，就各國而言，固然是相當重要的問題；但是就文化發展而言，則不是以民族為主體的自我展開的過程而已，是超越民族的獨自性和差別性而產生三度空間之文化繼承與融合的過程。換句話說東亞文化的發展是超越民族的境界，以東亞全體為一的文化形態而構築形成的。

東亞文化的傳播是中心向周邊影響的正向運動和周邊向中心影響的相反方向運動交織而成的「螺旋循環」。③內藤湖南說：東亞文化的中心在中國，中原文化首先流傳到周邊的地區，周邊民族受到中國文化的刺激，也形成文化的自覺。中世以後隨著周邊民族的勢力增強，文化擴張的運動也改變其方向，逐漸由周邊向中心復歸。此正向運動與相反運動，作用與反作用交替循環即是東亞文化形成的歷史。④因此，就東亞文化發展而言，其主體雖然是中國的文化，中世以後則形成包含中國以內的東亞文化的時代。至於東亞文化形成的軌跡，則是最初發生於黃河流域的中國文化逐漸發展而影響周邊民族的「中心向周邊」的發展徑路。周邊民族吸收中國文化而產生「文化自覺」，周邊民族自覺的結果，終於形成影響中國的勢力，周邊的文化也流入中國，即「周邊向中心」發展的文化波動。本文擬根據「中心向周邊」傳播而形成「周邊地區文化自覺」，其後「周邊向中心」回流影響的徑路，探究東亞文化的發展軌跡，說明東亞文化的形態。

一、中心向周邊傳播

安井小太郎說：到江戶時代為止的日本的學問始終是模倣中國的。⑤西村天囚的《日本宋學史》

指出：以朱子學爲主的宋學最初傳入日本的時期，是在日本的南北朝初期，即距離朱子的時代約有一百五、六十年。又伊藤仁齋或荻生徂徠的學問，類似中國明朝中葉的學者，伊藤仁齋和荻生徂徠與明朝中葉的學者的年代，亦有一百三、四十年到一百六、七十年的差距。此學問流傳的情況，內藤湖南以天候氣象的自然現象來說明。內藤湖南說：連結同一緯度地區的同一時期的氣象溫度，可形成一條曲線；然而此一曲線與地球的緯度有相當的差距。在中國形成的風雲，於一些時日之後，也吹到了日本。此一曲線與思想的層面有深遠的關連，中國產生的學問於一百五、六十年之後，也傳到日本。⑥茲以日本江戶後期接受清朝考證學的概況，說明東亞、特別是中日文化之「中心向周邊」傳播的情形。

江戶時代所謂的折衷學派，只是折衷古注、新注、仁齋、徂徠之說，尙未能樹立一家之言而開拓新局，代表的學者是井上蘭臺、井上金峨。至於井上金峨的門下山本北山似有別立一派，如清儒考據學的趨向，但尙不能超越折衷學派的境域。至其弟子大田錦城（一七六五～一八二五）之時，才有眞正的考據學的盛行。大田錦城的《九經談》卷五指出「予作大疏，以古注爲主，古注所不通，則以朱注補之，朱注所不通，則以明清諸家之說補之，諸家所不通，則以一得之愚補之」。大田錦城的學風是純然的考據學，其說兼採漢宋、參酌明清而成一家之言。因此日本的考據學可以說是以大田錦城爲嚆矢。⑦

與大田錦城幾乎同時，亦宜歸屬爲考證學者的是龜井昭陽（一七七三～一八三六）。龜井昭陽的家學雖然是古文辭學派的傳承，其著作大抵是經學的研究爲主，學問的特色則旣有古學派嚴密於字句考證的本領，更留意於文章全篇段落章節的前後連屬，進而以構圖的方式顯示文章的脈絡關係。⑧因此龜井昭陽的學問乃超越古文辭學系統的藩籬而進入嚴謹考證的領域。至於其之所以重視經學，誠有反省傳統漢學研究的用心，探究其以經學為中心的治學態度，乃不滿於幕府官學以宋學為中心的學界趨勢，主張復古而以五經為中心，從事根本學問的研究。

安井息軒（一七九九～一八七六）兼修漢唐古註、宋儒新註、清儒考證之學，又出入仁齋、徂徠的古學，其《論語集說》《孟子定本》《管子纂詁》皆足以代表日本考證學的著作。故安井息軒可以說是幕末考考證學之集大成者。如《論語集說》一書並舉古注、即魏晉何晏集解、皇侃義疏等及朱子集註，又兼收清朝考據學家的考證與伊藤仁齋、荻生徂徠等江戶儒者的注釋，更旁徵經傳諸子史書的典故，以為自身見解的根據而補正諸說的不足與脫誤。由於旁徵博引與取捨精當，故明治四十二年（一九〇九），服部宇之吉監修《漢文大系》（富山房出版）時，即以安井息軒的《論語集說》《孟子定本》《大學說》《中庸說》為卷首。⑨

有關江戶時代的儒學，安井小太郎指出：江戶時代的儒者是以《四書》與古文經學的研究為主。⑩至於江戶儒者的研究方法，雖然未必有如清朝儒之於校勘與辨偽方面有原則的發現和專門論著的撰述，又古籍亡佚的輯佚工作也未必有關注。但是探究大田錦城等人的學問，或可以窺知日本的考證學的特色。大田錦城的學問在旁搜博引的基礎上，以「實事求是」，即實證為原則，追求文獻考證學的究極。晚年又主張以文獻考證為基礎，精確地發揮聖人之道，探究學問的究極，企求重建儒學的精神。

換句話說，大田錦城反省當時的儒學研究缺乏實用性，因此，在考證學流行的時代中，「實事求是」的學問方法固然是極為必要的手段，但是聖人之道的發揚與實踐，才是學問的究極。江戶末期於經傳有深入探究的學者並不多，異於當時的學術潮流，埋首於經學研究，獨樹一格的是九州出身的龜井昭陽。龜井昭陽說：「余用畢生之力於詩書，猶先考之於論語」（《家學小言》第二十五章）正說明自身學問的宗尚乃在於經書的研究。至於龜井昭陽於經學研究的特徵，不僅是經書的注釋而已，乃在於精確地解釋經書的內容，進而分析文章的構造，探究全書的體例，尋求考證原則與方法的建立。雖然龜井昭陽未必發明了明確的考證經書的法則，但是龜井昭陽重視經書之構造性分析的研究方法，乃開日本經學考證方法的先聲。

幕末昌平黌教授安井息軒於經學研究的一貫態度是不拘泥於古注或新注而唯善是取。因此，於其經書注釋中，不但有漢唐古注、宋明新注，也有清朝考證學成果的引述，至於字句考證則頗為精審，論斷亦極其愼重。此一學問態度乃反映了幕末既不極端地傾向朱子學，也不一味地倒向漢唐注疏之不執著於學派學統的學風。⑪

二、周邊地區的文化自覺

由於日本幕末尊王攘夷論，即抵抗西洋強大勢力而高唱大日本主義思潮的影響，在學問研究方面，以日本為中心的思想也盛極一時。特別是幕末到明治初期，反對西洋至上之風潮而產生與西洋文明對抗之東洋傳統漢學復興的主張，其代表的儒者是安井息軒。安井息軒以爲維繫西洋文明之基督教所架構的是神主支配的世界，但是儒家經典所重視的是士大夫爲主宰的世界。又基督教的宗教精神是萬民平等，儒家的理想社會則是秩序整然，二者是扞隔不入的。再以科學理性主義檢尋聖經的記載，則聖經所記載的奇蹟和預言，是荒誕不經的，又聖經原罪論乃違反宗教淑世的精神。於是安井息軒撰述《辨妄》一書，批判聖經的虛妄，質問西洋文明的合理性，向西洋傾向的時勢提出了質疑。⑫雖然如此，到了明治十年前後，幕末的漢學家於先後死去，以松崎慊堂、安井息軒爲中心的幕末漢學隆盛期亦已成爲歷史的痕跡，西洋的學問如排山倒海而不可抑制地充斥日本全國。維新政府感受東洋的傳統學問將沈淪不復，乃於明治十年，在東京大學設置和漢文學科，企圖維護逐漸衰退的日本傳統學問。再者當時無論研究歷史或政治學，都必需要有和漢古典、歷史、文學等基礎知識，又於十五年五月、設立以「國學」爲主的「古典講習科」。同年十一月、文部省專門局長濱尾新提出設立漢文學講習科的必要。於是以「國學」爲主的「古典講習科」稱爲「古典講習科」甲部、以「漢文學」爲主的稱爲「支那古典講習科」屬於「古典講習科」乙部。修業年限爲四年，招收四十名學生。但是由於大學經費短缺，而且受到一般社會流行尊重「洋學」風氣的影響，明治十八年停止招收古典講習科的學生，明治二十年將古典講習科的修業年限縮短了一年，翌年廢止古典講習科。雖然古典講習科的歷史甚短，畢業生也才有四十四名，但是由明治後半到昭和初年，由於古典講習科發揮有其承先啓後的功能，代表日本東洋學的才俊輩出，建立日本近世中國學的基礎。因爲「古典講習科」所講授的是以《皇清經解》

爲中心的實證之學，開啓近代的「漢學」研究的先聲。又由於漢學研究領域的擴大而開展了嶄新的研究領域，如林泰輔的中國古代史和甲骨文的研究，長尾雨山的中國藝術論，安井小太郎日本漢學史即是。再者「古典講習科」的畢業生不但自身活躍於當時的日本漢學界，亦於大學培育人才，建立了近代中國學研究的基盤，確立了承先啓後的地位。⑬

明治十年「西南戰役」以後，日本國內政治安定，逐漸發展成亞洲中唯一的近代國家。明治十八年，締結天津條約，日清兩國在政治上形成對等關係，日本人的中國觀自此以後也有了重大的改變。在中國學研究上，日本漢學研究有足以與中國本土學問匹敵的傑作存在，而日本文化亦擁有日本獨特的形態，可爲東洋文化代表的思惟逐漸形成。特別是明治末期以來，由於研究方法新穎，成果堅實，以超越中國本土的研究而達到世界學術水平爲目標，逐漸走向確立日本近代中國學的道路。

明治三、四十年代，由於日本獲得中日、日俄戰爭的勝利，穩固其亞洲先進國家的地位，完成近代國家的政治體制。隨著時代的推移，日本人自以爲是先於中國實踐近代化的先進國家，形成日本比中國優越的價值意識。在此風潮的影響之下，日本的知識階層的中國觀自然也有所更易。漢學者固然尊重中國傳統的學問，然而在民族意識的高昂，提倡日本主義的聲浪不絕於耳的情勢下，⑭先哲前賢著述而足以匹敵中國學者的編纂，以史學觀點整理江戶儒者學說的撰述一時興盛。前者的代表是服部宇之吉編修的《漢文大系》、早稻田大學出版的《漢籍國字解全書》。後者的代表則是以學案、學派的形式論述江戶時代儒學史的安井小太郎的《日本儒學史》。

《漢文大系》是從明治四十一年（一九〇九）到大正五年（一九一六）的七年間刊行而成的，全書共二十二卷，收載三十八種書籍。按四部分類的話，可分為

經部：易經、書經、詩經、春秋左氏傳、禮記、四書、弟子職、小學。

史部：戰國策、史記（列傳）、十八史略。

子部：老子、莊子、墨子、韓非子、管子、荀子、淮南子、七書、孔子家語、近思錄、傳習錄。

集部：楚辭、唐詩選、三體詩、古文眞寶、文章規範、古詩賞析。

服部宇之吉編集《漢文大系》目的有二，一為系統的介紹具有代表性而且是常識性的中國古典及其精審的注釋，二為蒐集日本幕末到明治時代儒學家的研究成果。至於《漢文大系》所顯示的意義，則在於介紹中國最新的學術研究，推崇日本幕末以來前賢於漢學研究的成果。因為《漢文大系》所收集的中國古典注釋不但有漢魏唐宋的注解，也有孫詒讓《墨子間詁》、王先謙《荀子集解》等清人的注釋，。至於日本前人的注釋，特別是諸子的注疏更是大量的收錄。如安井息軒的《四書注》《管子纂詁》，太田全齋的《韓非子注》等。因此《漢文大系》的編集固然可以代表日本近代學術研究的成果，更重要的是，在日本近代化國家確立的時代背景下，其學術研究上，特別是諸子研究，也有足以與中國當代的學問，即清朝學術比肩的成果，這或許是服部宇之吉編集《漢文大系》最大的用心所在。

⑮《漢籍國字解全書》是早稻田大學出版部於明治四十二年（一九一〇）到大正六年（一九一七）

的八年間，分四次出版而成的。全書收集了江戶時代的國字解，特別是日本漢學鼎盛之元祿（一六八八～一七〇四）至享保（一七一六～一七三六）年間的「先哲遺著」和當時學者的新注而成的。

第一輯：四書、易經、詩經、書經、小學、近思錄、老子、莊子、列子、孫子、唐詩選、古文眞寶。

第二輯：春秋左氏傳、傳習錄、楚辭、管子、墨子、荀子、韓非子。

第三輯：禮記、莊子、唐宋八家文讀本。

第四輯：文章規範、續文章規範、十八史略、戰國策、國語、淮南子、蒙求。

所謂漢籍國字解，是中國古典的國字化，即融和漢學與國學的注釋，換句話說是漢學的日本化，此乃形成日本文化的重要關鍵。因此，《漢籍國字解全書》雖然和《漢文大系》同樣是整理漢籍，但是《漢籍國字解全書》的主要目的在保存日本文化的遺產與發揚近代日本學術研究的成果，不止是江戶時代到明治大正期漢學史的參考資料，更是探究日本近代學術文化的重要依據。再者，《漢文大系》的編集有兼收中國與日本於漢學研究成果，進而顯示日本漢學特色的用心。[16]《漢籍國字解全書》則全盤顯示漢學日本化的色彩，換句話說日本本土文化意識的顯揚是《漢籍國字解全書》的編集目的。

《日本儒學史》六卷是補訂安井小太郎講授於東京文理大學及大東文化學院的原稿，在昭和十四年（一九三九），經過門人的校正，附錄安井小太郎的「日本朱子學派學統表」及《日本漢文學史》的稿本，由富山房出版的。安井小太郎以爲元祿時期，反朱子學的古學派，即山鹿素行的古學，伊藤仁齋、東涯父子的古義學，荻生徂徠的古文辭學的盛行，是江戶時代儒學的鼎盛時期。至於文化文政（一八〇四～一八二九）到嘉永安政（一八四八～一八五九），朱子學與陽明學的復興，漢唐學及考證學依次興起，則是江戶期儒學的第二個高峯。《日本儒學史》的體例，是先辨明江戶儒者學問的系統和學派的歸屬，然後敍述生平傳略，論述其學術的內容及在儒學史上的地位，進而品評其學術的優劣得失。換句話說安井小太郎並非列舉先哲的著作和學說而已，是以學術史的觀點，進行取捨品隲。就此意義而言，安井小太郎的《日本儒學史》可以和黃宗羲的《宋元學案》《明儒學案》相提並論。

三、周邊向中心復歸

明治三十三年，內藤湖南以爲日本近代中國學宜以融合東西學術，創造第三新文明爲目標，至於學問的方法則是清朝的考證學，因爲德川末期的漢學是固守傳統而無進展的學問，而清朝學者的考證學，乃體得了西歐理性主義的學問方法，因此日本的學者應提昇自身的學問而到達清朝考證學的學問水準，進而確立研究方法，樹立東洋學術，開拓世界文明的新局面。⑰以內藤湖南、狩野直喜爲中心而創刊的《支那學》雜誌，則是實現以合理的科學的精神爲治學的態度，蒐集了達到世界學問水準之研究論著的具體成果，確立了日本近代中國學的基礎。再者以內藤湖南、狩野直喜爲中心之京都中國學派所從事的「敦煌學」與「俗文學」的研究，更開啓以「與中國當代考證學風同一步調」之新學風爲目標，而形成合乎世界學術水準的學問。至於內藤湖南有關「日本文化史」的一系列研究論述，更是脫離傳統漢文的「場」而以世界爲目標之學風下的產物。內藤湖南以爲富永仲基的「加上說」不但江戶時代漢學研究中最獨特且有邏輯性的理論，也是通用於世界的研究方法，⑱因此祖述富永仲基獨創性學風，發揮其博學識見而提出的「文化中心移動說」、「螺旋循環史觀」。雖然內藤湖南自稱其研究爲「獨斷史觀」，由於有歷史文化的底據，何嘗不是放諸四海皆準的學界通說。再者一般以爲應仁之亂是日本黑暗時代，但是內藤湖南卻認爲當時的公卿盡其所能地保存書籍和文化，則是象徵著具有「日本文化素質」的時代。賀茂眞淵、本居宣長主張日本具有優異於中國學問的特殊性，而鼓吹日本主義。內藤湖南則以爲日本文化中固然有中國文化的存在，但是由於前人的愛惜保有與融合受用，中國既已亡佚的文物，卻尚存在於日本，進而形成「日本的」文化，此「受容而變容」的文化即是日本獨特的文化形態。明治以來，以「受容而變容」的形態融通西洋近代文化與東洋傳統文化而形成的日本近代學術文化，即通過各種管道而傳入中國。⑲

吉川幸次郎爲內藤湖南、狩野直喜之後，京都學派中國學的代表學者之一。其在《支那學》發表的〈日本の中國文學研究〉⑳是繼承內藤湖南、狩野直喜通向世界學術之學風的著作。吉川幸次郎首先整理明治時代到昭和初期，日本有關中國文學研究的論著，探究日本於中國文學研究的歷史發展，進而指出近年研究的偏差與將來研究發展的課題。其以爲以返本開新的歷史觀點，對戲曲、俗文學等新領域，從本質內涵上進行精密的研究，則必有著實新穎的成果。吉川幸次郎的論述，乃有袂別明治時期的漢學研究，超越中國本土的文學研究，躋身世界學術水準，確立日本近代中國學於世界中國界之地位的意義在焉。

日本近代以來既繼承包含中國文化在內的日本傳統文化，又融合西洋文化而形成日本近代文化。十九世紀以後，日本的近代文化不但傳入中國，也影響其周邊的國家，引發亞洲各國東洋文化的衝擊，形成東洋化的風潮。就東亞文化傳播的發展徑路而言，這是由周邊向中心逆向傳播的現象。回顧東亞文化傳播發展的歷史，東亞是一個文化共同體，再審視現代東亞各國的文化現象，融通中心所在的中國文化與周邊位置的日本近代文化而形成東亞現代新文化，或爲當今東亞文化的理想形態。

四、東亞的文化形態

東亞雖然包含數個國家和地區，然就文化形態而言，則是以相同基底而形成的共同體。既是共同體，則必須有共通的文化認同意識來維繫其存在。換句話說東亞的國家和地區，雖然以其自身的傳統思想文化而展開，形成其獨自的文化形態，但是探究其基底，則是儒家和佛教的思想文化。而東亞各國的佛教並不是印度佛教，是融合中國思想文化而開展的佛教。因此東亞的文化就可以說是儒家文化，東亞的文化形態即以儒家思想爲普遍性價值觀而形成的文化。

衆所周知的，儒家思想是中國傳統思想文化之普遍性價值觀的所在。唐宋以來，中國文化東傳日本，儒家思想根植於日本社會各階層，而「愛物」以產生的惜物保有的精神則是中國所闕如的。在探究東亞思想形態的問題時，會通儒家「安仁」與道家「安順」之極致發用的「和諧」㉑及日本惜物而保有的精神，或爲圓滿具足而有「普遍性價値觀」的東亞文化形態。因爲由於「和諧」的體得珍惜而長久保有，才能構築協調性的社會組織。《論語・學而》說：「禮之用和爲貴」，禮的作用在於調和的追求，即秩序整然而且諧調的社會才是理想的社會。《孟子・梁惠王下》說：「君子不以其所以養人者害人」，「所以養人者」是指生養衆生的土地，爲了食糧或財產的取得而殘害百姓是君子所不爲的。土地再貴重，也是生養大衆的大地，爲了爭奪土地而犧牲人命是本末倒置的行爲。換句話說，「和」的究極意義不但是以調和的精神孕育出的共同社會之結合意識的倫理思想，同時也是泯除彼我的差別，進而產生人與自然共生的和諧思想。

東亞各國的文化雖然是以儒家思想爲主體而形成的；但是依然有其獨自開展而成的所在。在自身歷史文化的發展過程中，由於與鄰接國家的交錯，終不免會發生文化的衝突。雖然如此，杭庭頓說：今日世界應有阻止文化、文明間衝突的必要性之認識，進而呼籲「文明化對話」以探索減少文化、文明差異之道，增進文化、文明的共通融合性的互動，是世界平和的重要課題。㉒若然，以「和」而開展出來的人與人共生、人與自然共存的思想則是東亞地區的共同意識。

結　語

日本儒學的特質在於庶民化、文物保存的精神與禮文制度化，㉓即使明治維新全盤西化的時代，尙能維繫其傳統文化的精髓。此西洋科技與東洋文化兼容並蓄的文化傳統持續至戰前。戰後日本雖依然遵行其禮文制度；其立禮的涵義卻逐漸爲人所淡忘。經濟優先、科技第一而文化其次的結果，即使政府提倡教育改革，依然無法挽回人文教養日趨微薄的事實。至於當代研究中國學的學者或許是維持江戶時代古義學派政教分離而專事學問的傳統，也或許是不屑明治期東京部分學者依附政府，致使學術淪爲政治的附庸的學問形態，㉔甚少以社會關懷和社會教化的實踐爲其職志的。金谷治先生強調對現代有強烈的關心是中國學者共同的傾向，這是中國人的傳統，也是中國思想的特色。㉕此一論述正可以透露出日本中國學者對現代社會漠然無關的消息。

戰後的台灣維繫了中國傳統文化，特別是一九七五年以來，台灣的新儒家更開展了儒學的進路。相對於中國大陸和臨國的日本而言，知識分子關懷時代，而且能提出具有文化慧命的理論架構是台灣新儒學的特質。就今日的時代趨勢而言，以台灣鄉土文化建立的人文心靈和文化理想的新儒學爲原點，恢宏儒家以「和」爲主體的「普遍價值觀」，構築共生共存的倫理，則是東亞社會的終極理想。

【附　註】

① 鶴見和子《內發的發展論》（東京大學出版會、一九八九年）。

② 〈日本文化とは何ぞや（その二）〉（《日本文化史研究》（上）、一九八七年三月、講談社學術文庫、《內藤湖南全集》第九卷、一九九七年七月、筑摩書房）。

③ 內藤湖南〈學變臆說〉說：文化傳播的路徑不是直線的，而是螺旋狀的提昇。（《涙珠唾珠》所收、《內藤湖

南全集》第一卷、一九九六年一月、筑摩書房）。

④ 同註②。有關內藤湖南「螺旋史觀」的學說，參宮崎市定〈獨創的なシナ學者內藤湖南博士〉（《宮崎市定全集》二十四、一九九四年二月、岩波書店），小川環樹〈內藤湖南の學問とその生涯〉（《內藤湖南》、一九八四年九月、中央公論社）。

⑤ 安井小太郎〈《篁村遺文》跋〉。

⑥ 內藤湖南〈履軒學の影響〉（《先哲の學問》、一九八七年九月、筑摩書房）。

⑦ 安井小太郎〈大田錦城〉（《日本儒學史》六、一九三九年四月、富山房）。有關安井小太郎的《日本儒學史》，參連清吉〈安井小太郎及其《日本儒學史》〉（《東亞文化的探索——傳統文化的發展》、黃俊傑・町田三郎・福田殖主編、正中書局、一九九六年十一月）。

⑧ 町田三郎先生〈『漢學』二題〉（川添昭二《地域における國際化の歷史的展開に關する總合研究——九州地域に於ける》所收、一九八九年三月科研究成果報告書）。

⑨ 連清吉〈安井息軒：集日本考證學的大成〉（《日本江戶時代的考證學家及學問》、一九九八年十二月）。

⑩ 同註⑦。

⑪ 參連清吉〈清代與日本江戶時代經學考證學的異同〉（《日本江戶時代的考證學家及其學問》、一九九八年十二月）。

⑫ 安井息軒的基督教批判，參考町田三郎先生〈安井息軒覺書〉（《東方學》七十二輯、一九八六年七月）。

⑬　關於「古典講習科」，參閱町田三郎先生的「東京大學『古典講習科』の人々」（《九州大學哲學年報》五十一期、一九九二年三月）。

⑭　神田喜一郎說：大抵以中日戰役爲契機，一般人日本人對中國文化的態度遽變。（《日本における中國文學Ⅱ》、《神田喜一郎全集》第七卷、一九八六年十二月、同朋舍）中日戰爭的結果，與其說一般日本人輕視中國，毋寧說誘發蔑視中國文化的風潮。漢學、漢詩文之所以受到嚴重的打擊，與此社會背景有極大的關連。（《日本における中國文學Ⅱ》、《神田喜一郎全集》第七卷、一九八六年十二月、同朋舍）。

⑮　有關《漢文大系》，參町田三郎先生〈漢文大系について〉（《九州大學文化史研究》三十四輯、一九八九年三月）。

⑯　關於《漢籍國字解》的論說，參町田三郎先生「《漢籍國字解全書》について」（《東洋の思想と宗教》第九號、一九九二年五月）。

⑰　內藤湖南〈讀書に關する邦人の弊風付漢學の門徑〉（於《內藤湖南全集》第二卷、《燕山楚水》、筑摩書房、一九九六年十二月）。

⑱　內藤湖南《先哲の學問》、筑摩書房、一九八七年九月。宮崎市定說顧頡剛以「加上說」論述中國古代史的發展，（《古史辨》自序）或受到富永仲基「加上說」和內藤湖南「加上原理」的影響。（宮崎市定〈獨創的なシナ學者內藤湖南博士〉（《宮崎市定全集》二十四、一九九四年二月、岩波書店）。

⑲　內藤湖南〈日本國民の文化的素〉（《日本文化史研究》（下）、一九八七年三月、講談社學術文庫、《內藤

湖南全集》第九卷、一九九七年七月、筑摩書房）。內藤湖南〈日本國民の文化的素質〉（《日本文化史研究》（下）、一九八七年三月、講談社學術文庫、《內藤湖南全集》第九卷、一九九七年七月、筑摩書房）。

⑳ 收入《吉川幸次郎全集》第十七卷、筑摩書房、一九六九年三月。

㉑ 余英時先生說：「維繫自然關係的中心價值則是『均』『安』『和』。……均衡與和諧都是獲致，而是必須克服重重矛盾與衝突才能到達的境界。」（《從價值系統看中國文人的現代意義』》、時報文化出版公司、一九筏四年三月）可知「和」是中國文化價值的中心所在。

㉒ 杭庭頓(Huntington)《THE CLASH OF CIVILIZATIONS AND THE REMAKING OF THE WORLD ORDER》的譯本（《文明の衝突》、鈴木主稅譯、東京集英社、一九九八年八月）。

㉓ 辻達也《江戶時代を考える》、頁一七九－一八一、中公新書、一九九〇年九月。

㉔ 坂出祥伸〈中國哲學研究の回顧と展望－通史を中心として〉（《東西シノロジー事情》、東方書店、一九九四年四月）。

㉕ 金谷治先生〈中國の傳統思想と現代〉（《中國思想を考える》、中公新書、一九九三年三月）。

《孟子・養氣》章的篇章結構

臺灣師範大學
國文學系教授　陳滿銘

提　要

《孟子》的〈養氣〉章，自古以來，對它的章句、思想加以疏解、闡釋的，既多且精，似乎已沒有空間作進一層的探討了。而本文卻從其篇章結構（含內容與形式）切入，試予分析，發現它雖呈現了凡目、因果、問答、平側（平提側注）、正反、淺深、點染、敘論、並列等結構，卻以本末、往復、偏全三者，最關緊要。因為它們形成互動、循環而提昇的螺旋關係，將自「知言」（智）而「持志」（仁），由「持志」（仁）而「養氣」（勇）的通路打通，然後經由「不動心」而邁向聖人之域，這是合大智、大仁、大勇而為「聖」的一貫歷程，不但令人嚮往之，而且是必須不斷地盡力以赴的。

關鍵詞：孟子、養氣、持志、知言、篇章結構、本末、往復、偏全。

一、前　言

自古以來，孟子的養氣說，和他的性善論一樣，一直受到衆多學者的重視，也很自然地對它加以論述的，便相應地多而精①，似乎沒有留下任何空間可談了。不過，若試著從不同的角度去探析，則或許能呈現一些不同的結果，有助於人對孟子養氣說的了解。因此本文即由其篇章結構（含內容與形式）②切入，將《孟子．養氣》章作一分析，以探其究竟。

二、全篇結構

《孟子》的〈養氣〉章，若從整體（篇）來看，則可用下表來呈現：

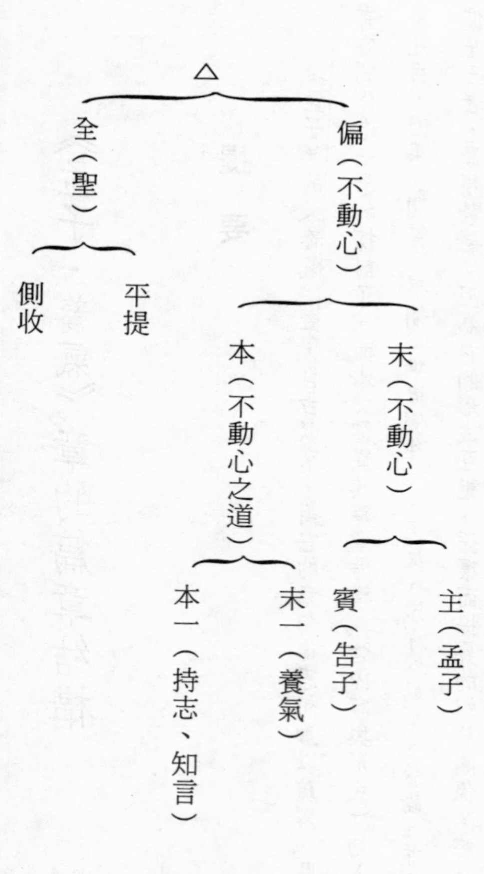

由上表可知，《孟子》的〈養氣〉章，大約可分爲兩大部分：先用「先偏後全」③的結構組合而成的。其中的「偏」，又由「先末後本」④的順序來安排：「末」自「公孫丑問曰」起至「告子先我不動心」止，先提出本章的主題「不動心」，以生發下面的議論；「本」自「曰：不動心有道乎」起至「必從吾言矣」止，具論「不動心」之道，亦即養氣（勇）、持志（仁）、知言（智），乃本章之主體所在。而「全」，則自「宰我、子貢善爲說辭」起至「未有盛於孔子也」止，交代了「不動心」（養氣、持志、知言）的最終成效，就在於成爲一個聖人，也藉此來贊美孔子「仁且智（含勇）」的聖人境界。這樣由「養氣」（持志、知言）而「不動心」，又由「不動心」而「仁且智（含勇）」（聖），其本末終始是極其清楚的。

三、章節結構

《孟子》這章文字，既然採「先偏後全」的結構組成，底下便分「偏」和「全」兩個部分加以探析：

㈠「偏」的部分

1.就「末」來看

這個部分的文字是這樣子的：

公孫丑問曰：「夫子加齊之卿相，得行道焉，雖由此霸王，不異矣。如此，則動心否乎？」

孟子曰：「否。我四十不動心。」
曰：「若是，則夫子過孟賁遠矣。」
曰：「是不難。告子先我不動心。」

末
- 主（孟子）
  - 問（反）
  - 答（正）
- 賓（孟賁、告子）
  - 側注（反——孟賁）
  - 平提（正——告子）

這段文字，通常被視為全文的引子，可用下表來呈現：

這短短的一段，由公孫丑之二「問」與孟子之二「答」，採「先主後賓」⑤的順序來安排。它首先就「主」（孟子），採「先反後正」⑥的形式，由公孫丑之第一「問」引生孟子之第一「答」，提明「不動心」的一章主題；接著以「先側注後平提」⑦的形式，由公孫丑之第二「問」帶出孟子之第二「答」，指出自己（孟子）要遠過孟賁不難，卻後於告子之「不動心」，藉此將「特例」變成「通則」，從孟、告子身上推擴到一般情況，以備作進一步之論述。

2. **就「本」來看**

這個部分主要論「不動心」之道，可依據其「先本後末㈠」的結構，分成兩半：

⑴就「末(二)」來看

這段文字是這樣子的：

曰：「不動心有道乎？」

曰：「有。北宮黝之養勇也，不膚撓，不目逃，思以一毫挫於人，若撻之於市朝；不受於褐寬博，亦不受於萬乘之君；視刺萬乘之君，若刺褐寬博；無嚴諸侯，惡聲至，必反之。孟施舍之所養勇也，曰：『視不勝猶勝也，量敵而後進，慮勝而後會，是畏三軍者也。舍豈能爲必勝哉？能無懼而已矣。』孟施舍似曾子，北宮黝似子夏。夫二子之勇，未知其孰賢，然而孟施舍守約也。昔者曾子謂子襄曰：『子好勇乎？吾嘗聞大勇於夫子矣：自反而不縮，雖褐寬博，吾不惴焉？自反而縮，雖千萬人，吾往矣。』孟施舍之氣，又不如曾子之守約也。」

此論「不動心」之首要在於「養氣（勇）」，可用下表來呈現：

這一段文字，由公孫丑與孟子之一問一答所組成，其中孟子之「答」，是採「先凡後目」⑧的順序回答的。孟子在此，首先以一「有」字，一面上承公孫丑之「問」作一回應，一面又下啓後面的議論，作一總冒，爲「凡」的部分。接著用「先目㈠後凡㈠」的順序，分別論述北宮黝與孟施舍的「養勇」（目一），並加以比較，認爲孟施舍較能「守約」（凡一）；這是就「淺」⑨來說的部分。然後以「先側注後平提」的形式，論述曾子有關「養勇」的說法，並和孟施舍加以比較，認爲孟施舍在「守

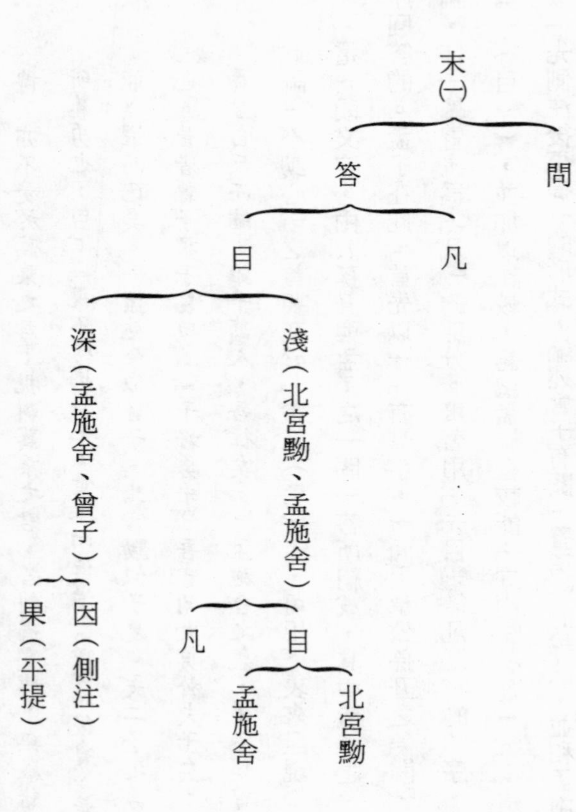

約」上又遜曾子一籌，因爲孟施舍的「養勇」，只是操持一股無所畏懼盛氣，而曾子卻以義理之曲直爲斷⑩；這是就「深」來說的部分。如此一層深一層地來論述⑪，將「養勇」須「守約」的意思，表達得十分明白。

(2)就「本(二)」來看

此段文字是這樣子的：

曰：「敢問夫子之不動心，與告子之不動心，可得聞與？」

「告子曰：『不得於言，勿求於心；不得於心，勿求於氣。』不得於心，勿求於氣，可；不得於言，勿求於心，不可。夫志，氣之帥也；氣，體之充也。夫志至焉，氣次焉。故曰：持其志，無暴其氣。」

「既曰：『志至焉，氣次焉。』又曰：『持其志，無暴其氣。』何也？」

曰：「志壹則動氣，氣壹則動志也。今夫蹶者趨者，是氣也，而反動其心。」

「敢問夫子惡乎長？」

曰：「我知言，我善養吾浩然之氣。」

「敢問何謂浩然之氣？」

曰：「難言也。其爲氣也，至大至剛，以直養而無害，則塞於天地之間。其爲氣也，配義與道，無是，餒也。是集義所生者，非義襲而取之也。行有不慊於心，則餒矣。我故曰：告子未嘗知義，以其外之也。必有事焉而勿正；心勿忘，勿助長也。無若宋人然；宋人有閔其苗之不長而揠之者，芒芒然歸，謂其人曰：『今日病矣，予助苗長矣！』其子趨而往視之，苗則槁矣。天下之不助苗長者寡矣。以爲無益而舍之者，不耘苗者也；助之長者，揠苗者也；非徒無益，而又害之。」

「何謂知言？」

曰：「詖辭知其所蔽，淫辭知其所陷，邪辭知其所離，遁辭知其所窮。生於其心，害於其政；發於其政，害於其事。聖人復起，必從吾言矣。」

看起來，此段文字顯然較爲複雜，是由公孫丑與孟子的五問五答，採「先凡後目」的順序加以組合的，可用下表來呈現：

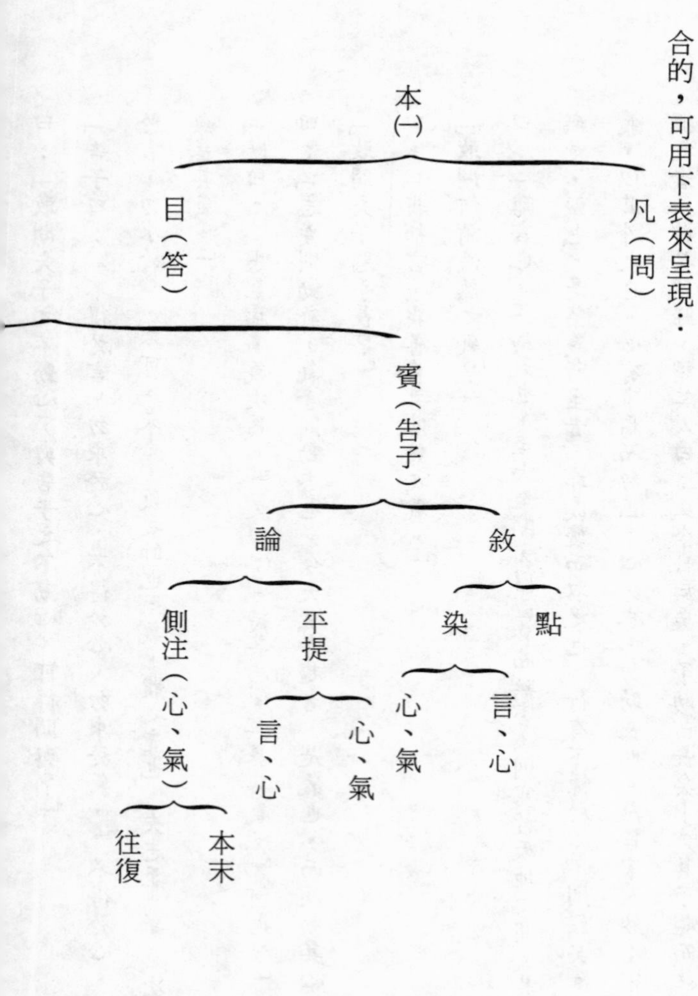

凡(一)
問
答

主（孟子）
目(一)
一、養氣
問
答
論
敘
論
側注
平提

二、知言
問
答
實
正
反
本
末
虛

它首先回應到一開端的「不動心」，來談告子與孟子的不同，以統攝底下的議論；這是「凡」的部分。其次用「先賓（告子）後主（孟子）」的順序，針對公孫丑之「問」加以回答。其中的「賓」，自「告子曰」起至「而反動其心」止，主要藉告子之說法，在論持志與養氣的關係，是採「先敘後論」

⑫的順序加以處理的。它先引告子「言」與「心」、「心」與「氣」之說，爲「敍」，再就此生發議論，採「先平提後側注」⑬的順序來呈現，爲「論」。其中自「不得於心」起至「不可」止，論述「心與氣」、「言」與「心」，爲「平提」；自「夫志，氣之帥也」起至「而反動其心」止，側於「心與氣」上，就其本末、往復的關係加以論述，爲「側注」。經過這番論述，「養勇（氣）」必先「持志」的意思，闡釋得很清晰，而「持志」與「守約」二而一的關係，也不言而喻。

至於其中的「主」，自「敢問夫子惡乎長」起至「必從吾言矣」止，主要藉孟子自身之見解，在論「知言」與「養氣」的關係，是用「先凡㈠後目㈠」的形式來組合的。其中公孫丑「惡乎長」之「問」與孟子「我知言」之「答」，提出「知言」與「養氣」的兩個論題，以統括下文，爲「凡㈠」；而公孫丑「敢問何謂浩然之氣」之「問」與孟子「難言也」之「答」，爲「目㈠」之一；至於公孫丑「何謂知言」之「問」與孟子「詖辭知其所蔽」之「答」，則爲「目㈠」之二。就「目㈠」之一來看，孟子之「答」，是用「論、敍、論」⑭來形成結構的。它的頭一個「論」，自「難言也」起至「勿助長」止，從正面來論「浩然之氣」，指出它「至大至剛」、「配義與道」，而由此以至於「不動心」，是與告子義外的「不動心」，是有所不同的。中間的「敍」，自「無若宋人然」起至「苗則槁矣」止，引述宋人揠苗助長的故事，從而帶出下文的議論。而後一個「論」，則自「天下之不助苗長者寡矣」起至「而又害之」止，針對宋人的故事，呼應上文的「勿忘」、「勿助長」，從反面來論「浩然之氣」，使人由此而掌握「養氣（勇）」的體與用。就「目㈠」之二來看，孟子之「答」，是以「先實後虛」⑮形成其結構的。其中的「實」，自「詖辭知其所蔽」起至「害於其事」，又採「先正後反」的順序來安排。所謂「正」，指「詖辭」四句，是就能「知言」者來說的；所謂「反」，指「生於其心」四句，是就本末來說不能「知言」者之害的。而「虛」，則指「聖人」二句，在此，孟子假設後世有聖人復起，就必定會肯定他的言論，以增強說服力。

(二)「全」的部份

這個部份，以「聖」（仁且智）統合上文所論的「不動心」與「不動心」之道（養氣、持志、知言）。其文字是這樣子的：

「宰我、子貢善爲說辭，冉牛、閔子、顏淵善言德行。孔子兼之，曰：『我於辭命，則不能也。』然則夫子既聖矣乎？」

曰：「惡，是何言也！昔者子貢問於孔子曰：『夫子聖矣乎？』孔子曰：『聖則吾不能，我學不厭而教不倦也。』子貢曰：『學不厭，智也；教不倦，仁也。仁且智，夫子既聖矣。』夫聖，孔子不居。是何言也！」

「昔者竊聞之：子夏、子游、子張，皆有聖人之一體；冉牛、閔子、顏淵，則具體而微。敢問所安？」

曰：「姑舍是。」

曰：「伯夷、伊尹何如？」

曰：「不同道。非其君不事，非其民不使；治則進，亂則退，伯夷也。何事非君，何使非民；治亦進，亂亦進，伊尹也。可以仕則仕，可以止則止；可以久則久，可以速則速，孔子也。皆古聖人也，吾未能有行焉。乃所願，則學孔子也。」

「伯夷、伊尹於孔子，若是班乎？」

曰：「否。自有生民以來，未有孔子也。」

曰：「然則有同與？」

曰：「有。得百里之地而君之，皆能朝諸侯，有天下；行一不義，殺一不辜，而得天下，皆不為也。是則同。」

曰：「敢問其所以異？」

曰：「宰我、子貢、有若，智足以知聖人，汙不至阿其所好。宰我曰：『以予觀於夫子，賢於堯舜遠矣。』子貢曰：『見其禮而知其政，聞其樂而知其德，由百世之後，等百世之王，莫之能違也。自生民以來，未有夫子也。』有若曰：『豈惟民哉？麒麟之於走獸，鳳凰之於飛鳥，泰山之於丘垤，河海之於行潦，類也。聖人之於民，亦類也。出乎其類，拔乎其萃，自生民以來，未有盛於孔子也。』」

這一大段文字，用「先平提後側收」⑯的形式加以組成，可用下表來呈現：其中「平提」的部份，自「宰我、子貢善為說辭」起至「是則同」止，用五問五答的形式，分論

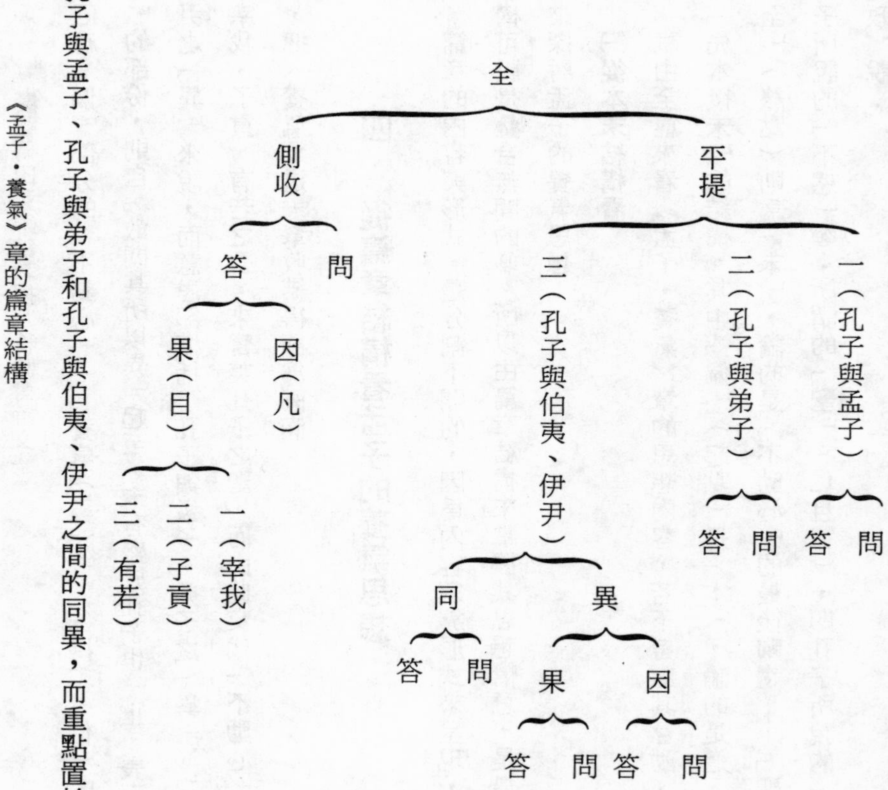

孔子與孟子、孔子與弟子和孔子與伯夷、伊尹之間的同異，而重點置於孔子「仁且智（含勇）的聖德，

以回應「偏」部分的「不動心」（「養氣（勇）」、「持志（仁）」、「知言（智）」）⑰。而「側收」的部份，則自「敢問其所以異」起至「未有盛於孔子也」止，表面上看來，只是側就孔子與伯夷、伊尹之「異」來說，而意思卻概括了孔子與孟子、弟子之「異」。它以「先因後果」⑱的順序，分別舉宰我、子貢、有若之言，來贊美孔子之聖，而由此交代「不動心」（養氣、持志、知言）的終極境界，把〈養氣〉這一章收結得極爲圓滿。

四、從篇章結構看孟子的養氣思想

篇章的內容與形式，是分割不開的，因爲內容須靠形式來呈現，而形式也要內容來支撐，兩者的結構可說是疊合無間的⑲。所以由篇章結構來掌握其思想情意，是最好不過的。以下就以三種篇章結構來探討孟子的養氣思想：

㈠從本末結構看

試由全篇來看《孟子．養氣》章的思想內容，若不考慮其互動、循環而提昇的關係，則所形成的是「先本後末」的結構。其中「偏」（起點）是「本」，論的是邁入聖域的基礎——「不動心」，而「全」（終點）則爲「末」，論的是「不動心」的最後歸趨——「聖」。孟子所謂的「不動心」，即孔子所說的「不惑」⑳；所謂的「聖」（仁且智），即孔子所說的「從心所欲不踰矩」㉑。《論語．爲政》說：

子曰：「吾十有五而志於學；三十而立；四十而不惑；五十而知天命；六十而耳順；七十而從心所欲，不踰矩。」

說的便是這個道理。

再由「本末」來看它章節的內容，所形成的是「先末後本」的結構。它先在「末」的部分，先提「不動心」；再由「本」的部分，說明「不動心」之道就在於「養氣」（勇）、「持志」（仁）、「知言」（智）。這樣由「不動心」而談「養氣」（勇），由「養氣」而談「持志」（仁），由「持志」（仁）而談「知言」（智），用的正是「由末而本」的闡釋手法。如此說來，在這章節裡，「知言」（智）爲本，「不動心」爲末，而「持志」（仁）、「養氣」（勇），則是其過程了。《朱子語類》第五十二卷說：

孟子論浩然之氣一段，緊要全在「知言」上、所以《大學》許多工夫，全在格物、致知。㉒

又說：

或問「知言養氣」一章。曰：「此一章專以知言爲主。若不知言，則自以爲義，而未必是義；自以爲直，而未必是直；是非且莫辨矣。」㉓

又說：

問：「浩然之氣，集義是用功夫處否？」曰：「須是先知言。知言，則義精而理明，所以能養浩然之氣。知言正是格物、致知。苟不知言，則不能辨天下許多淫、邪、詖、遁。將以爲仁，

不知其非仁，將以為義，不知其非義，則將何以集義而生此浩然之氣。」㉔

這是極有見地的。《論語・子罕》說：

子曰：「知者不惑，仁者不憂，勇者不懼。」

朱熹注說：

明足以燭理，故不惑；理足以勝私，故不憂；氣足以配道義，故不懼；此學之序也。㉕

可見知（智）、仁、勇是有先後之序的。而萬先法也說：

吾謂知言，大智也。集義，大仁也。浩然之氣，大勇也。智以知仁，勇以行仁，此儒家三達德之教，固已盡備于本章之旨矣。㉖

由此看來，「不動心」之道是形成本末結構的。

㈡從往復結構看

所謂「往復」，是往而復來、循環不已的意思。如仁與智，就人為教育上來說，是由智而仁（自明誠）；就天然性分上來說，是由仁而智（自誠明）。兩者是互動而循環不已，以至於合仁與智為一的。所以《中庸》第二十一章（依朱子《章句》）說：

自誠明，謂之性；自明誠，謂之教；誠則明矣，明則誠矣。

這所謂的「明（智）則誠（仁）」、「誠（仁）則明（智）」，說的不就是「性」（天然）與「教」（人為）互動而循環不已的結果嗎？其實，這種往復的作用，孟子也曾就「志」與「氣」加以說明過，他說：

> 志壹則動氣，氣壹則動志。

朱熹注說：

> 言志之所向專一，則氣固從之；然氣之所在專一，則志亦反為之動。㉗

《朱子語類》卷五十二也說：

> 持志養氣二者，工夫不可偏廢。以「氣一則動志，志一則動氣」觀之，則見交相為養之理矣。㉘

而徐復觀更說：

> 此二語乃說明志與氣可以互相影響，氣並非是完全被動的地位，故二者須交互培養。㉙

所謂「反」、「交相為養」，所謂「互相影響」、「交互培養」，便指出了這種往復的作用。由此將往復的作用，擴而大之，則「知言」（智）與「持志」（仁）、「持志」（仁）與「養氣」（勇），也應是如此。如用圖來表示，是這樣子的：

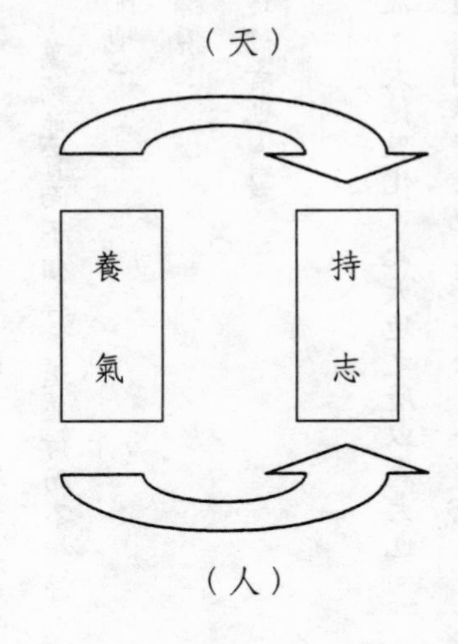

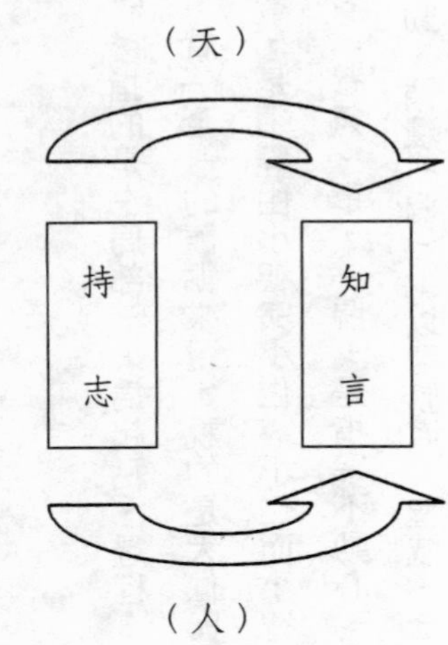

它們是兩兩交互作用，而形成往復結構的。㉚

㈢從偏全結構看

偏全是以本末、往復爲基礎的一種結構。這所謂的「偏」，指的是「局部」，爲起點、過程；所謂的「全」，指的是「整體」，爲終點。拿仁與智作爲例子，就「全」的觀點來說，說的是大仁與大智；就「偏」的觀點來說，說的是小仁與小智。而大仁與大智，是須經由小智與小仁、小仁而小智，交相作用，逐漸循環、擴充，才能達到的㉛。用這種觀點來看〈養氣〉章，「偏」是指「不動心」和「不動心」之道（知言、持志、養氣）。它們是經由不斷的互動、循環（偏），以至於邁入聖域（全）的。《中庸》第三十章說：

> 仲尼祖述堯舜，憲章文武（成己——仁）；上律天時，下襲水土（成物——智）；辟如天地之無不持載，無不覆幬，辟如四時之錯行，如日月之代明；萬物並育而不相害，道並行而不相悖，小德川流，大德敦化，此天地之所以爲大也（配天、配地）。

對這段話，王夫之在其《讀四書大全說》裡，曾總括起來闡釋說：

> 小德、大德，合知、仁、勇於一誠，而以一誠行乎三達德者也。㉜

而唐君毅也以爲：

> 所謂「萬物並育而不相害，道並行而不相悖。小德川流，大德敦化，此天地之所以爲大也。」一切宗教的上帝，只創造自然之萬物。而中國聖人之道，則以贊天地化育之心，兼持載人文世

界，人格世界之一切人生。故曰「大哉聖人之道，洋洋乎發育萬物，峻極于天。悠悠大哉，禮儀三百，威儀三千，待其人而後行。」因中國聖人之精神，不僅是超越的涵蓋宇宙人生人格與文化，而且是以贊天地化育之心，對此一切加以持載。故不僅有高明一面，且有博厚一面。「高明配天，博厚配地。」「崇效天，卑法地。」高明配天，崇效天者，仁智之無所不覆也。博厚配地，卑法地者，禮義自守而尊人，無所不載也。㉝

足見孔子的偉大，是靠「好學」不已，經由「智」、「仁」、「勇」三者，在「天」與「人」的互動、循環而提昇的螺旋作用㉞下，終於合「智」、「仁」、「勇」而爲「聖」（一誠），而達於配天配地（與天地參）的境界。孟子會說：「乃所願，則學孔子也。」又說：「自有生民以來，未有孔子也。」不是由於這個緣故嗎？

五、結語

綜上所述，《孟子．養氣》這一章的篇章，雖相當複雜，卻依然有條理可循。我們試著疊合內容與形式切入，就「篇」而言，發現它形成偏全結構；就「章」而言，發現它形成了本末、凡目、因果、問答、平側、正反、淺深、點染、敘論、平列及往復等大小層級不同的結構。而其中又以「本末」、「往復」、「偏全」三者，對孟子這一章的思想脈絡來說，最關緊要，是可藉以理清「知言」、「持志」、「養氣」、「不動心」與「聖」的關係的。

【附　註】

① 各家注疏，如趙岐注、孫奭疏的《孟子注疏》、朱熹《孟子集註》、趙順孫《孟子纂疏》及焦循《孟子正義》等，皆作了疏理；而近、今人，如徐復觀、戴君仁、錢穆、胡簪雲、何敬群、周群振、毛子水、王文欽、楊一峰、程兆熊、王道、左海倫、蔡仁厚、萬先法、曾昭旭、佘培林等，也作了精要的闡釋。

② 篇章結構，是指篇章中組織其內容與形式的一種型態，而內容與形式，是相疊合的。參見拙作〈談篇章結構〉（上）、（下），《國文天地》十五卷五、六期，頁六五-七七、五七-六六及〈談縱橫向疊合的篇章結構〉，《國文天地》十六卷七期，頁一〇〇-一〇六。

③ 所謂的「偏」，指局部；所謂的「全」，指整體。用此章法可形成「先偏後全」、「先全後偏」、「偏、全、偏」、「全、偏、全」及「偏全疊用」等結構類型。

④ 本末法的結構類型之一，參見拙著《章法學新裁》，萬卷樓圖書有限公司，民國九十年一月初版，頁三二六-三三四；另參見仇小屛《篇章結構類型論》（上），萬卷樓圖書有限公司，民國八十九年二月初版，頁一八一-一九八。

⑤ 賓主法的結構類型之一，參見拙著《章法學新裁》，同注④，頁八九-九九；另參見仇小屛《篇章結構類型論》（下），同注④，頁三七四-四〇四。

⑥ 正反法的結構類型之一，參見拙著《章法學新裁》，同注④，頁一一〇-一二三；另參見仇小屛《篇章結構類型

論》（下），同注④，頁四〇五-四三七。

⑦ 平側法的結構類型之一，參見拙著《章法學新裁》，同注③，頁三四八-三四九；另參見仇小屏《篇章結構類型論》（下），同注③，頁五〇三-五二九。

⑧ 凡目法的結構類型之一，參見拙著《國文教學論叢續編》，萬卷樓圖書有限公司，民國八十七年三月初版，頁一九一-二四八；另參見仇小屏《篇章結構類型論》（下），同注④，頁三四一-三五七。

⑨ 「淺」，指「先淺後深」的「淺」。而「先淺後深」為淺深法的結構類型之一，參見拙著《章法學新裁》，同注b，頁三三七；另參見仇小屏《篇章結構類型論》（上），同注④，頁一九九-二〇七。

⑩ 參見楊伯峻《孟子譯注》，河洛圖書公司，民國六十六年五月台影印初版，頁六五。

⑪ 萬先法：「孟子講北宮黝等三人之勇，是一層深一層來講的。」見〈孟子知言養氣章申釋〉，《中華文化復興月刊》六卷二期，頁七。

⑫ 敘論法的結構類型之一，參見拙著《章法學新裁》，同注④，頁四〇七-四四四；另參見仇小屏《篇章結構類型論》（上），同注④，頁二六七-二八八。

⑬ 同注⑦。

⑭ 同注⑫。

⑮ 虛實法的結構類型之一，參見拙著《章法學新裁》，同注④，頁九九-一一〇；另參見仇小屏《篇章結構類型論》（下），同注④，頁三三〇-三四〇。

⑯ 平側法的一種變體，參見拙作〈談「平提側收」的篇章結構〉，《第二屆中國修辭學學術研討會論文集》，民國八十九年六月，頁一九三-二一三。

⑰ 智、仁、勇三者與聖的關係，見下文「從篇章結構看孟子的養氣思想」一節說明。

⑱ 因果法的結構類型之一，相當原始，參見拙著《章法學新裁》，同注④，頁三五〇-三五一；另參見仇小屏《篇章結構類型論》（上），同注④，頁二〇八-二二五。

⑲ 同注②。

⑳ 朱熹：「四十強仕，君子道明德立之時。孔子四十而不惑，亦不動之謂。」見《四書集註》，學海出版社，民國七十三年九月初版，頁二三二。

㉑ 朱熹：「隨其心之所欲，而自不過於法度，安而行之、不勉而中也。」同注⑳，頁六一。所謂「安而行之」，指「仁」；所謂「不勉而中」，指「智」；而「仁且智」即爲「聖」。

㉒ 見《朱子語類》四，文津出版社，民國七十五年十二月出版，頁一二四一。對這一點，戴君仁加以申釋說：「朱子文集裡〈與郭沖晦書〉，有一段話，可當作這章書的提要。他說：『孟子之學，蓋以窮理集義爲始，不動心爲效。蓋唯窮理爲能知言，唯集義爲能養其浩然之氣。理明而無所疑，氣充而無所懼，故能當大任而不動心。』拿先儒的學說來比，知言相當於格物致知，養氣相當於誠氣正心。拿後儒的學說來比，程伊川所謂『涵養須用敬』，相當於養氣；『進學則在致知』，相當知言。二者都是如車兩輪，如鳥兩翼，不可缺一。」《戴靜山先生全集》，戴靜山先生遺著編審委員會，民國六十九年九月初版，頁一八四六。

㉓同注㉒，頁一二七〇。

㉔同注㉒，頁一二六一。

㉕同注⑳，頁一一五。

㉖同注⑪，頁一三。

㉗同注⑳，頁二三四。對這種作用，陳大齊從心理與生理加以解釋說：「我們平常總以爲樂了纔笑，悲了纔哭，亦即只知道心理上的變化之會引發生理上的變化。但亦有心理學家，作相反的主張，謂笑了纔樂，哭了纔悲，以生理上的變化心理上變化的起因。事實告訴我們：表情確能影響感情，令其有所昇降，愈笑則愈樂，愈哭則愈悲，忍住不笑不哭，其樂與悲亦逐漸退而卒至消失。孟子已見及此，亦承認生理上的變化足以引發心理上的變化，所以緊接下去說道：『氣壹則動志也』，並且舉『今夫蹶者趨者，是氣也，而反動其心』爲例證。心理上的變化與生理上的變化，可以互相影響，可以互爲因果。」見《淺見集》，臺灣中華書局，民國五十七年四月初版，頁二二七-二二八。

㉘同注㉒，頁一二三九。

㉙見徐復觀〈孟子知言養氣章試釋〉，《中國思想史論集》，學生書局，民國六十四年五月四版，頁一四三。

㉚參見拙作〈從修學的過程看智仁勇的關係〉（上）、（下），《孔孟月刊》十七卷十二期、十八卷一期，頁三三-三五、三〇-三四。

㉛參見拙作〈孔子的仁智觀〉，《國文天地》十二卷四期，頁八-一五。

㉜ 見《讀四書大全說》，河洛圖書出版社，民國六十三年五月臺影印初版，頁三三一。

㉝ 見《人文精神之重建》，新亞研究所，民國四十四年三月初版，頁二二八。

㉞ 螺旋作用，即互動、循環而提昇之作用，由本末、往復、偏全等組合促成，見拙作〈談儒家思想體系中的螺旋結構〉，臺灣師大《國文學報》第二十九期，頁一-三五。

《禮記》對女誡文學影響之探討

韓國大田大學校　姜賢敬

提　要

中國傳統社會自古以來就深知婦女力量之偉大，故十分重視婦女生活。其原因則在家為女，出嫁為婦，生子為母，必有賢女而後有賢婦，有賢婦而後有賢母，有賢母而後有賢子孫，王化始於閨門，家人利在女貞也。而傳統社會之婦女未能受正式學校教育機關之教育，只處於閨閫內，學習女紅，修養禮教，其教育僅依於祖父母．父母．舅姑．兄姊等家族成員，以及保姆之教育而已。中國傳統社會對婦女之要求與期望，乃『正位乎內』而類似『無非無儀，唯酒食是議』等觀念，或便為『正位乎內』理想之註腳與補充，今所謂女誡文學者，根據此觀點而記述之，可言女誡文學乃歷代以對婦女之教育與訓戒為目的，且闡揚婦德之文學形態也。

自古以來撰述女誡文學者，蓋本諸己身之學問素養與生活經驗，反映當代社會風氣，進而援引前代典籍，或採摭其意，或略更數者，或簡括其事，或參合二三處之文而成一篇，皆欲教誡婦女也。經書中所包含之思想以及文辭，對於女誡文學之產生，其影響甚大。清．朱浩文《女三字經》曰：「聖人教，在六經：易家人，利女貞；書釐降，帝典篇；詩刑于，始以南；禮昏義，及內則。」經書有關教誡婦女者雖少見且為散載，卻可謂女誡文學之源流也。本稿僅根據禮記中有關婦女禮教之文辭，探討其影響之予歷代女誡詩文，以證明女誡詩文源於經書矣。

關鍵詞：女誡文學　女教　內治　禮教　教誡之辭　閨範　四德　婦道，婦德。

一、緒　言

自古以來中國傳統社會對婦女之期望與要求頗不為少，尤甚於強調婦女閨中生活儀禮與其生產活動。而傳統社會之婦女未能受到正式學校教育機關之教育，一生處於閨闥內，勞力於婦功。但古人對女子教育，並未忽視，導之以修養閨範，實踐婦道。其教訓僅依於祖父母・父母・舅姑・兄姊等家族成員，以及褓姆之訓導而已。古人以為「娶婦賢孝，固為幸事。若其失教，在為夫者，諄復教導之；為舅姑者，詳言正色，以訓誡之；妯娌先至者，亦宜款曲開諭，使其知所趨向，久而服習與之俱化矣。」①）於此，凡傳統女子教育，其內容以修養品德與參與日常家務者為主，其目的乃培養女子持身事人之道與主持家務之能力。

至於先秦古籍當中有關傳統女子教育方面的資料，其專述者未見，而《周易》・《詩經》・《儀禮》・《禮記》等經書中，稍有斷片散漫的文辭，可觀其一面。尤其於《禮記》記載比較詳細，詳細處莫如〈內則〉。歷來有志於女教者，撰述女誡詩文以教導訓育之，大概依據諸經書以述錄其教女婦訓的觀點。於此，筆者將於本稿中搜羅《禮記》中之有關女教之辭，且探討歷代女誡詩文如何引據其女誡性的文辭，以把握後代女誡文學的思想根源，進而論證《禮記》之影響歷代女誡詩文的狀況。

二、《禮記》思想與女教的關係

中國傳統社會以爲家政修明，國家自然昌盛，而修明家政，首在女子之受閨中教育而知守禮法，故女子之在閨中往往以貞靜孝順，慈淑端儉諸美德教導之，總期不背傳統之禮教與懿媺之風俗。凡爲女・爲婦・爲母之道，崇重於女德之風氣及傳統女子受教之立場下，有藉用詩文以表現者，遂形成所謂女誡文學，其以對婦女之教育訓誡爲目的，且闡揚婦德之文學形態也。本於傳統女子訓育之立場，所開導訓婦女之文辭，何時纔產生，今無法具體考究，蓋始發於『王政必自內治』之認識，歷來自然而然隨風俗倫紀之影響，以續出論及也。

女誡文學即強調坤道婦德之教訓文學形態，歷來撰述此文學者，大概根據己身之學問素養與生活經驗，進而援用前代典籍，或採擷其意，或略更數字，或簡括其意，或參合二三處之文辭而成一篇，皆欲教誡訓導閨中婦女也。其中，儒家經書所包涵之思想以及文辭，對於歷來女誡詩文之產生，不可否認其影響甚大，唐・于義方《黑心符》曰：

蓋夫夫婦婦，而天下正，正家而天下定矣。惟女子小人爲難養，近之則不遜，遠之則怨，論語之教也；牝雞之晨，惟家之索，書之訓也；無攸遂，在中饋，易之戒也；能循法度，則可以承

先祖，共祭祀，詩之勸也②

可想而知，儒家經書已涉及教女誡婦之思想內容者矣。其實，諸經書有關教誡婦女者，雖為少見且散載，卻可成爲女誡詩文之源流，唐・陳邈妻所撰《女孝經・唐進女孝經表》亦論之，則如下：

蓋以夫婦之道，人倫之始，考其得失，非細務也。易著乾坤，則陰陽之制有別；禮標羔雁，則伉儷之事實陳。妾每覽先聖垂言，觀前賢行事，未嘗不撫躬三復，歎息久之。③

可見其言及《周易》與《禮記》裡所強調的夫婦之道的綱義。如此，歷來儒家經書皆爲所撰女誡詩文之典據與其主旨，清・章學誠亦論及之，其《文史通義・女學篇》曰：

易訓（女）正位乎內，禮職婦功絲菓，春秋傳稱賦事獻功，小雅篇言酒食是議，則婦人職業，亦約略可知矣。④

可知其陳述《周易》・《禮記》・《春秋》・《周易》・《詩經》等諸經書中亦含有女教之大旨。朱浩文於《女三字經》裡，以三字吟詠女誡之辭，其中談到經書有關女教，如下：

聖人教，在六經：易家人，利女貞；書釐降，帝典篇；詩刑于，始二南；禮昏義，及內則。⑤

朱氏亦簡明地表現儒家經典中仍然包涵女教之辭。明・仁孝文皇后所撰《內訓・序》裡，且陳述其當代所流轉・閱讀的女教書類之面貌以及其編纂狀況，則如下：

古者教必有方，男子八歲而入學，女子十年而聽姆教，小學之書無傳，晦菴朱子爰編輯成書，爲小學之教者，始有所入，獨女教未有全書。世惟取范曄後漢書。曹大家女戒爲訓，恆病其略，有所謂女憲・女則，皆徒有其名耳。近世始有女教之書盛行，大要撮曲禮・內則之與周南・召南詩之小序及傳記而爲之者，仰惟我高皇后教訓之言，卓越往昔，足以垂法萬世。

因此可推知，明代所多見的諸女誡書，大部分依據《禮記》中〈曲禮〉・〈內則〉的內容以及《詩經》而編撰之。

由於以上所引用的文獻記錄，今可言教女誡婦之詩文書所含蓄表達的思想以及其文辭，乃本於儒家經書。雖然如此，於司馬遷《史記》之前，古人甚少記載女子之事蹟行誼，今可見者，皆僅散見於先秦典籍之中而已。蓋先秦儒家典籍中關於女教方面的論述，較爲零碎片斷，且多爲行爲規範一類的條規，散見於六經諸子書中，鮮有專述其言辭。後來勒爲專書者，始有漢・劉向《列女傳》以及班昭《女誡》也。續之嗣是，歷來擇聖賢之言有裨閨淑者，或有爲婦女立傳者，或有爲之詠其懿德善行，或列舉修身持家之道，處處可找出所根據於儒家經書的狀況，例如明・呂坤撰《閨範》則前一卷皆採六經及《女誡》・《女訓》諸文，清・藍鼎元撰《女學》則依據諸經傳及《女誡》・《女史箴》・《顏氏家訓》等書；清・李晚芳撰《女學言行纂》亦博引經史子傳及諸古來賢婦淑媛之嘉言善行而發明引證也。

一言以蔽之，歷來撰成女誡詩文者，深刻認識儒家經書與女教思想之間的緊密關係，尋採其根源思想，將作爲引據典籍。《禮記》較其他諸經書，影響歷代女誡文學者，頗密切且深廣，在《禮記》多篇中尤其〈曲禮〉與〈內則〉則記載誡女警婦的禮教者，多樣且明顯，因而在各種女誡詩文所引據的比率上，占最重要的地位。許多誡女警婦的詩文深受《禮記》以及《詩經》等經書之啓示與影響，今成爲一種具備教訓的內容與其特徵之女誡文學。是以敢言，現今檢討．論述《禮記》之影響歷代女誡文學及其密切關係的事情，有深遠的意義與價值。

三、《禮記》所記載之誡女教婦的禮教

自古以來大抵儒家倫理規範，皆爲自女子出生時始，既被要求予以實踐的一系列言行準則。一般生爲女子者，幼爲父母的女兒，嫁爲丈夫的夫人，爲子女的母親，這一系列身分變化及擔當的角色中所隨伴的儀禮規範，數不勝數。人們既熟知，《禮記》於儒家的諸經書之中，關於傳統社會女性之婦道女事占有多數的條規，述錄亦頗詳細，莫不爲女子一生當中所應實踐的生活規範以及職責，可說都是婦女所應具備且修養的德性懿行。

本章將探討《禮記》裡處處所敘錄之誡女教婦的禮教內容，以引錄直接地或者間接地所影響女誡詩文的實際文辭。其略如下：

㈠事父母舅姑之道：《孟子》嘗言「不順乎親，不可以爲子。」（〈離婁章句上〉），重視爲人子者必須孝順恭敬父母。其他諸儒家經書亦皆言及孝敬父母之辭，特別是《禮記．內則》，其所記錄的事父母舅姑之道，頗詳細且多彩。將有關言論摘取，則如下。

1.男女未冠笄者，雞初鳴，咸盥，漱，櫛，縰，拂髦，總角，衿纓，皆佩容臭。昧爽而朝，問

「阿食飲矣？」若已食，則退，若未食，則佐長者視具。

2.婦事舅姑，如事父母。雞初鳴，咸盥，漱，櫛，……以適父母舅姑之所，及所，下氣怡聲，問衣燠寒，疾痛苛癢而敬仰搔之，出入，則或先或後，而敬扶持之。進盥，少者奉槃，長者奉水，請沃盥，盥卒，授巾。問所欲而敬進之，柔色以溫之，饘酏酒醴芼羹，菽麥蕡稻黍粱秫，唯所欲，棗栗飴蜜以甘之。菫荁枌榆免薧滫瀡以滑之，脂膏以膏之。父母舅姑必嘗之而後退。

3.父母在，朝夕恆食，子婦佐餕，既食，恆餕。父沒母存，冢子御食，群子婦佐餕如初。旨甘滑孺子餕。

4.父母舅姑將坐，奉席請何鄉。將衽，長者奉席請何趾。少者執床與坐，御者舉几，斂席與簟，縣衾，篋枕，斂簟而襡之。

5.父母舅姑之衣衾簟席枕几，不傳。杖屨，祇敬之，勿敢近。敦牟卮匜，非餕莫敢用。與恆食飲，非餕莫之敢飲食。

6.在父母舅姑之所，有命之，應唯敬對。

7.父母唾洟不見。冠帶垢，和灰請漱。衣裳垢，和灰請澣，衣裳綻裂，紉箴請補綴。五日則燂湯請浴，三日具沐。其間面垢，燂潘請靧，足垢，燂湯請洗。

8.子婦孝者敬者，父母舅姑之命，勿逆勿怠。若飲食之，雖不耆，必嘗而待，加之衣服，雖不欲，必服而待。加之事，人待之，己雖弗欲，姑與之而姑使之，而後復之。

9.父母有過，下氣怡色，柔聲以諫。諫若不入，起敬起孝，說則復諫。不說與其得罪於鄉黨州閭，寧孰諫。父母怒，不說而撻之流血，不敢疾怨，起敬起孝。

10.父母有婢子若庶子庶孫甚愛之，雖父母沒，沒身敬之不衰。

11.子有二妾，父母愛一人焉，子愛一人焉。由衣服飲食，由執事，毋敢視父母所愛，雖父母沒，不衰。

12.子甚宜其妻，父母不說，出。子不宜其妻，父母曰，「是善事我。」子行夫婦之禮焉，沒身不衰。

13.父母雖沒，將爲善，思貽父母令名，必果，將爲不善，思貽父母羞辱必不果。

14.凡婦，不命適私室，不敢退。婦將有事，大小必請於舅姑。

15.子婦無私貨，無私畜，無私器，不敢私假，不敢私與。

16.婦或賜之飲食衣服布帛佩帨茝蘭，則受而獻諸舅姑。舅姑受之則喜，如新受賜。若反賜之，則辭。不得命，如更受賜，藏以待之。

17.婦若有私親兄弟，將與之，則必復請其故賜而後與之。

由此可知，《禮記》不只非常重視爲子女者必須孝敬父母，並且爲媳婦者亦應當敬事舅姑如事其父母。明．呂坤嘗肯定女子之道的重要，並陳述「婦道母儀，始於女德，未有女無良而婦淑者也，故首女德」(《閨範》卷中),明・王相母撰《女範捷錄》亦曰:「男女雖異,劬勞則均,子息雖殊,孝敬則一。夫孝者,百行之源而猶為女德之首也。」如此,古人認為孝者乃百行之源,進而女兒未適人之時,養修孝女之道,則至於適人,能孝事舅姑,能敬事丈夫。歷來女誡詩文大概述錄萬善百行,惟孝為尊,是故孝婦之嘉言善行先錄焉。

㈡夫婦之道:凡男女結為夫婦,則將男女之間所須保持的謹慎之道,容易疏忽且輕視,因此,自古以來古人強調男女之防,傾注於守護禮俗。在〈內則〉裡到處敘錄夫婦之道,使之實踐守禮之法,其如下:

1.禮始於謹夫婦,為宮室,辨外內,男子居外,女子居內。深宮固門,閽寺守之,男不入,女不出。

2.男女不同椸枷,不敢縣於夫之楎椸,不敢藏於夫之篋笥,不敢共湢浴。

3.夫不在,斂枕篋,簟席襡,器而藏之。

謹按夫婦本來非疏遠之人,因而容易失禮放恣。上記所提出的道理,雖是不適當於現代人適生活態度,卻而古人論夫婦之道時,無不否定夫婦之間以狎昵始,必是保守夫婦居室之法,嘗謂閨門之內,離一禮字不得。

㈢生育訓誡之道:凡為母者生育子女之道,亦是婦道之一。〈內則〉中記錄為母者如何生育訓誡子女之道。按〈內則〉的內容,則男女之教育是從出生之時,各各依據不同的生活規範以及傳統觀念來安排實行，其如下：

1.子生，男子設弧於門左，女子設帨於門右。三日始負子，男射，女否。

2.三月之末，擇日翦髮爲鬌，男角，女羈。否則男左女右。

3.孺子蚤寢，晏起，唯所欲，食無時。

4.子能食食，教以右手。能言，男唯，女俞。男鞶革，女鞶絲。

5.六年，教之數與方名。

6.七年，男女不同席，不共食。

7.八年，出入門户，及即席飲食，必後長者，始教之讓。

8.女子十年不出。姆教婉娩聽從，執麻枲，治絲繭，織紝組訓，學女事，以共衣服。觀於祭祀，納酒漿籩豆菹醢，禮相助奠。

一般來說，傳統社會裡的父母，大都從子女出生之後就開始有男女差別的照顧，不同的訓育方法以及其目的，如此不同的期待與施教方法就又持續影響其成長之後的一連串的生活方法．活動範圍以及規範儀式。因而發生男女有別的觀念與男外女內的實踐德目。

除此之外，〈內則〉還有特別注意的事項，就是關於姑訓誨媳的內容，雖是簡短，但含有其獨特的女教意味，則如下：

1.子婦有勤勞之事，雖甚愛之，姑縱之而寧數休之。

2.子婦未孝未敬，必庸疾怨，姑教之。若不可教而後怒之。不可怒子放婦出而不表禮焉。

由此可知爲姑者對爲媳者，如何照顧，如何教訓，凡爲姑者期待媳婦孝誠敬順，且勤勞不怠。

四男女防閒：〈曲禮〉•〈內則〉仔細地提示男女之間守禮之道，不犯非禮之道。其實踐規範，頗多與現代人生活習俗不同，因而現代人不太接受傳統生活觀念，甚至於很難想像。但古代社會嚴格地區別男女行動舉止的原故，就是以內外之道提防瀆亂，維護風俗。在《禮記》裡，關於男女之防，大略如下：

1.非祭非喪，不相授器。其相授，則女受以篚。其無篚則皆坐，奠之而後取之。

2.外內不共井，不共湢浴，不通寢席，不通乞假，男女不通衣裳。

3.女子出門，必擁蔽其面，夜行以燭，無燭則止。

4.道路，男子由右，女子由左。（以上出於〈內則〉）

5.男女不雜坐。不同椸枷，不同巾櫛，不親授。

6.女子許嫁，纓，非有大故，不入其門。

7.姑姊妹女子，已嫁而反，兄弟弗與同席而坐，弗與同器而食。（以上出於〈曲禮〉）

8.婦人不越疆而弔人。（出於〈檀弓〉）

由此可言，婦禮的基本思想，原出於男女有別•男尊女卑，即使在家庭中，仍有種種清規戒律的限制。

㈤**婦言**：大抵傳統社會規範重在男女所作所爲的一般事情上有男女有別之道。古人認爲男性爲主治外者，不妨參與戶外活動或者政治活動，反而女性爲主治外者，應當主管家事活動，不准隨意參與戶外活動，甚至沒餘地干涉政治問題。因此，歷代女誡詩文處處強調記述所謂「男主外，女主內」的生活準則與活動範圍，以區別論述男女各有其職責與規範，並且重視婦女的言語之法。《禮記》亦是提出閨中生活規範中所容易忽視的婦言，如下：

1.男不言內，女不言外。

2.內言不出，外言不入。（以上出於〈內則〉）

3.外言不入於梱，內言不出於梱。（出於〈曲禮〉）

凡語言者榮辱之樞機，親疏之大節。是故古人強調女子不談論戶外事情以及街談巷語，閨門以內的家務事亦不要宣揚於外。自古以來人們以爲婦言之正道，乃禮所不當言則不言，一出言而不敢忘禮也。

㈥**婦容**：所謂婦容者，乃婦女之粧扮粉飾。依據〈內則〉，則具體記錄女子修容整飾之法，可參見古代婦女之妝容粧飾的面貌。爲女者於妝容粧飾之外，尙須備舉止之有法，〈曲禮〉亦有訓之。其如下：

1.女未冠笄者，雞初鳴，咸盥，漱，櫛，縱，拂髦，總角，衿纓，皆佩容臭。

2.事舅姑，如事父母。雞初鳴，咸盥，漱，櫛，縱，笄總，衣紳。左佩紛帨，刀，礪，小觿，金燧，右佩箴，管，線，纊，施繫袟，木觿，木燧，衿纓，綦屨。

3.女子出門，必擁蔽其面。

4.（在父母舅姑之所）進退周旋慎齊，升降出入揖遊，不敢噦噫嚏咳欠伸跛倚睇視，不敢唾洟。寒不敢襲，癢不敢搔，不有敬事，不敢袒裼，不涉不撅，褻衣衾不見裡。（以上出於〈內則〉）

5.毋側聽，毋噭應，毋淫視，毋怠荒。遊毋倨，立毋跛，坐毋箕，寢毋伏。斂髮毋髢，冠毋免，勞毋袒，暑毋褰裳。（出於〈曲禮〉）

凡婦女舉止儀態，重視莊重有禮法，是故不輕視一舉一動，總是在視聽言動之間，應求爲合禮中節。亦至於修容整飾之法，要在鮮潔不垢辱，無矜尙紛華。因而歷來女誡詩文皆都記述婦女儀容舉止，求爲端莊二字而已。

(七)娣姒相處之道：娣姒者，夫兄弟之妻也，今俗所謂妯娌，古者長婦爲姒，衆婦爲娣。如果一個家庭裡有幾個媳婦，長婦與衆婦們之間，自然地就發生衝突不和藹之狀況。明．呂新吾嘗曰：「天下易而家難，家易而姒娣難」，可知其相處之難。於此人們談女教之際，常強調娣姒相處之道。〈內則〉中亦言及之，如下：

舅沒則姑老，冢婦所祭祀賓客，每事必請於姑。介婦請於冢婦。舅姑使冢婦，毋怠不友無禮於介婦。舅姑若使介婦，毋敢敵耦於冢婦，不敢並行，不敢並命，不敢並坐。

由此可理解，長婦不得怠惰，不得對衆婦無禮；衆婦亦應尊重長婦，不敢和長婦站對立的立場，因此，於女誡詩文多半述錄娣姒和樂可矜範者，以明妯娌間相待之道。

㈧**婦順之道**：大抵女人之道，其大者在敬順，〈昏義〉裡記錄婦順之道的重要，其曰：

> 婦順者，順於舅姑，和於室人，而後當於夫，以成絲麻布帛之事，以審守委積蓋藏。是故婦順備而後內和理，內和理而後家可長久也。故聖王重之。是以古者婦人先嫁三月，祖廟未毀，教於公宮，祖廟既毀，教於宗室，教以婦德婦言婦容婦功。教成，祭之，牲用魚，芼之以蘋藻，所以成婦順也。

古人以爲婦人者，伏於人者也，其處家之法，須能以和爲貴，孝順爲尊。至於四德，尤所當知，四德具備，雖才拙性愚，家貧貌陋，卻不能累其賢；四德不全，雖奇能異慧，貴女芳姿，不能掩其惡。由上文可言，婦人四德完成於實踐敬順之道。

㈨**三從之道**：〈郊特牲〉言及婦人三從之德，曰：

> 1.壹與之齊，終身不改，故夫死不嫁。
>
> 2.婦人，從人者也。幼從父兄，嫁從夫，夫死從子。

婦道從一而從，夫婦結髮，義重千金，夫死不嫁，固其常道也，不幸而遭強暴之變，惟有死而已。古人云：「女子守身，如持玉巵，如捧盈水。」且曰：「女子名節在一身，稍有微瑕，萬善不能相掩。」於此歷來女誡詩文錄取貞婦烈女之行，以示訓焉。

㈩**婦工**：婦人可習之家務多矣，而婦人本爲中饋之主，司酒食焉而已，婦人既主治內，雖有聰明才智，亦不使參與國政，終日居處於閨中，一生從事家內生產活動。〈內則〉處處言及有關婦工的事例，尤其是具體記錄各種烹調之法者最多，但論述上頗繁雜，該文方便上省略，只引述其他有關婦女的實際家務的幾條內容，如下：

1.女子十年不出。……執麻枲，治絲繭，織紝組紃，學女事，以共衣服。觀於祭祀，納酒漿籩豆沮醢，禮相助奠。

2.（婦事舅姑）冠帶垢，秋灰請漱。衣裳垢，和灰請澣，衣裳綻裂，紉箴請補綴。五日則燂湯請浴，三日具沐。其間而垢，燂潘請靧，足垢，燂湯請洗。少事長，賤事貴，共帥時。（以上出於〈內則〉）

3.古者天子諸侯必有公桑蠶室，近川而爲之，築宮，仞有三尺，棘牆而外閉之。及大昕之朝，君，皮弁素積，卜三宮之夫人世婦之吉者，使入蠶於蠶室，奉種浴於川，桑於公桑，風戾以食之。歲既單矣，世婦卒蠶，奉繭以示於君，遂獻繭於夫人。夫人曰，「此所以爲君服與。」遂副褘而受之，因少牢以禮之。古之獻繭者，其率用此與？及良日，夫人繅，三盆手，遂布於三宮夫人世婦之吉者，使繅，遂朱綠之，玄黃之，以爲黼黻文章。服既成，君服以祀先王先公，敬之至也。（出於〈祭義〉）

4.天子親耕於南郊以共齊盛，王后蠶於北郊以共純服。諸侯耕於東郊亦以共齊盛，夫人蠶於北郊以共冕服。天子諸侯非莫耕也，王后夫人非莫蠶也，身致其誠信，誠信之謂盡，盡之謂敬，敬盡然後暇以事神明。此祭之道也。

5.夫祭也者，必夫婦親之，所以備外內之官也。官備則具備。……及時將祭，……夫人亦散齊七日，致齊三日。君致齊於外，夫人致齊於內，然後會於大廟。君純冕立於阼，夫人副褘立於東房。君執圭瓚祼尸，大宗執璋瓚亞祼。及迎牲，君執紖，卿大夫從。士執芻，宗婦執盎從，夫人薦涚水。君執鸞刀，羞嚌，夫人薦豆。此之謂夫婦親之。（以上出於〈祭統〉）

漢·班昭《女誡》曰：「婦功不必工巧過人也。專心蠶績，�勞女紅，潔齊酒食，以奉賓客，是謂婦功。」六朝·顏之推《顏氏家訓》云：「婦主中饋，惟事酒食衣服之禮耳。」古來強調一般婦女從小學習女工之小者，及為人妻者，則以中饋·蠶桑·奉祭祀為婦職之所最重要者。

以上引述《禮記》中有關女教的言論，如事父母舅姑之禮·夫婦之道·生育訓戒之道·男女之防·婦言·婦容·娣姒相處之道·婦順之道·三從之道·婦工等等，理解傳統社會的閨中女子所應實踐的一切居家法規與女德婦道。其所記載的規範有許多屬於貴族家庭生活者，並且這些內容當中或者不適合於現代生活態度，但由此可解古代社會裡所遵守的禮儀規範。

四、歷代女誡詩文所引據之《禮記》的狀況

本章將選擇歷代所引據《禮記》的代表女誡詩文，以示其有關形態焉。其如下：

(一)漢·班昭撰《女誡》

班昭（約四八年～約一二〇年），東漢著名史學家班彪之女，平陽曹世叔妻，昭博學高才，世叔早卒，守節篤行，動有法度。兄固著漢書未就，和帝詔昭踵成之，數召入宮，令皇后貴人師事焉，號曰曹大家。《女誡》七篇，是與劉向《列女傳》竟成為中國歷代女誡文學之撰述上影響最大的女誡詩文之範本。全文分為〈卑弱第一〉・〈夫婦第二〉・〈敬慎第三〉・〈婦行第四〉・〈專心第五〉・〈曲從第六〉・〈和叔妹第七〉等七個部分，其內容著重從理論上論證女子修身居家之閨範，以強調其言行之準則。其中稍有關《禮記》的部分，於〈夫婦第二〉則如下：

> 夫婦之道，參配陰陽，通達神明，信天地之弘義，人倫之大節也。是以禮貴男女之際，詩著關雎之義。由是言之，不可不重也。⑥

班氏簡短言及《禮記》與《詩經》中強調且含蓄的之夫婦之道的重要。比如於《女誡》中極少記述有關《禮記》的具體內容或其篇名，但由於班昭氏博學多識，對《禮記》可能有深刻的理解，可推斷《女誡》裡須反映多少《禮記》的思想。

㈡魏・程堯撰〈女典篇〉

程堯（約二二〇年～二六四年），字季明，有通識，嘉平中為黃門侍郎。程氏撰〈女典篇〉，注重為女者之修四德，並且提出四德未備時所發生的弊害。同時記述《詩經》與《禮記》中所已重視的女教一面，其全文簡略，而其閫教之意，曲盡深奧，至為警醒也。引錄其全文如下：

> 丈夫百行，以功補過；婦人四教，以備為成。婦德闕則仁義廢矣；婦言虧則辭令慢矣；婦容惰

則邪僻生矣；婦功簡則織紝慌矣。是以禮有公宮家室之教，詩有牖下蘋藻之奠，然後家道諧允，儀表則見於內。若夫麗色妖容，高才美辭，貌足傾城，言以亂國，此乃蘭形棘心，玉曜瓦質，在邦必危，在家必亡。⑦）

由此可知當時重視婦德之觀點。撰者如此引據《詩經》與《禮記》所內涵的女教，以表現四德之重要。

㈢宋·朱熹撰《小學》

朱子纂輯《小學》以來，初學者以及閨中兒女子廣爲閱讀之，以有裨於修身之道。全篇分爲〈立教〉·〈明倫〉·〈敬身〉·〈稽古〉·〈嘉言〉·〈善行〉·〈內則〉等而錄之。其中，特於〈立教〉·〈明倫〉·〈敬身〉等的收錄內容則以《禮記》中〈內則〉與〈曲禮〉爲主，間或引據〈祭義〉·〈祭統〉·〈學記〉·〈王制〉·〈樂記〉·〈少儀〉·〈射義〉等而記錄女教之辭。其收錄方式以『禮記曰』爲起端之語而取之，或者用『內則曰』·『曲禮曰』爲開端之語。眞德秀嘗論評《小學》的內容梗概，曰：「小學之書，先載列女傳胎教之法，而繼以內則之文，合二章觀之，小學之教略備矣。」⑧，許衡亦有言，其云：「朱文公以孔門聖賢爲教爲學之遺意，參以曲禮·少儀·弟子職諸篇，輯爲小學之書四卷。」⑨因此初學者能容易理解聖賢嘉言善行，可言《禮記》是在《小學》的纂輯以及教育的效益上，其影響頗大。

㈣明·仁孝文皇后撰《內訓》

仁孝文皇后，明·成祖后妃，賢明博學，所著有《內訓》一卷·《勸善書》二〇卷·《貞烈事實》二卷·《勸善感應》一卷·《勸善嘉言》三卷等。仁孝文皇后奉高皇后之遺意而成之，是書凡二十篇，其內容與從前對於閫範之見解，大同小異，但本爲訓宮壺者，特別注意事君，強調國家發興由於婦之賢否。於其多數篇章裡引用《詩經》·《尙書》·《周易》·《禮記》中之文辭，以論論補充撰者的看法，間或作爲評語之辭，但引據《禮記》者較少見，有關部分，略如下⑩：

1.於〈警戒章〉的文末以本章的評語引用『禮曰：戒愼乎其所不覩，恐懼乎其所不聞』之文，此文原出於〈中庸〉，撰者用『禮曰』的方式載錄之。

2.於〈愼言章〉論及婦言之道，且載錄《禮記》中有關婦人愼言之道，其原文曰：「況婦人德性幽閒，言非所尙多言，多失不如寡言。故書斥牝雞之晨，詩有厲階之刺，禮嚴出梱之戒。善於自持者，必於此，而加愼焉。」此文乃以女子須警戒長舌多言之辭引據《尙書·牧誓》裡之『牝雞之晨，維家之索。』，《詩經·瞻卬》裡之『婦有長舌，維厲之階』，《禮記·曲禮》裡之『外言不入於梱，內言不出於梱』等愼言之文意。

㈤清·傅以漸撰《御定內則衍義》⑪

太學士傅以漸於順治十三年（一六五六）奉清·世祖之御命而編纂之，是書共十六卷。各篇章的要諦分爲孝（順親之要）·敬（內助之要）·教（昌後之要）·禮（持己之要）·讓（睦戚之要）·慈（推恩之要）·勤（修業之要）·學（取法之要）等八類，多方記載誡女之辭，撰者於強調說明八類法度之時，以〈內則〉爲本，援引經史諸書，以佐證推闡之。今分析〈御製序〉則可知世祖多麼認識內治之道，強調女子教育，並且可見熟知〈內則〉於撰述女誡書上有密切關係，以依據之而撰成新的女誡書，其序文曰：

> 謹按內則所載，皆閨門之內，起敬起孝，興仁興讓之事，而首曰：后王命冢宰，降德於眾兆民，謂此乃王后世子所躬行心得而可爲民法者，故不言布教而言降德也。夫聖人言欲治其國者，先齊其家，又言家正而天下定，齊之正之，其惟內則乎！世傳后妃紀·列女傳·家範·內訓諸書著作不少，然未嘗原本內則而發明之，夫豈所以尊經立教與？今是書一本經旨而推衍之，微而聲氣容色，顯而言動儀文，精而樂心養志，粗而中饋女工，所以操其心，而檢其身者，施諸一家，無不宜，放乎四海，無不準。

撰者以《禮記·內則》爲本，或依據經史諸書者，蓋由於其深切地體會〈內則〉所涵有的聲氣容色·言動儀文·樂心養志·中饋女功之法等各種訓戒之辭。⑫

實際上檢討茲書的表現方式，則以〈內則〉裡之文辭爲八類各條規之首，而後隨意依據《尚書》·《周易》·《詩經》·《孟子》·《史記》·班昭《女誡》·徐皇后《內訓》，或者根據其他經史類與《通鑑》等而記載前代所爲稱揚的諸婦女之嘉言善行。其中，引據〈內則〉者，當然多於其他諸典籍，可能是出於撰者所欲衍義〈內則〉之的尊經立教的態度。將找出本書所引據《禮記·內則》的部分，分析其態度，則如下：

1.先用『內則曰』開端而引用一個條規，再用『謹按』導出撰者解釋〈內則〉原文的觀點，且加以說明女教的觀點，如此表達的方式，本書當中較多見。例如：

內則曰：子婦無私貨，無私畜，無私器，不敢私假，不敢私與。

謹按：家事當統於尊。故資財牲，養器用，皆不可私。即以物借人，以物遺人，以稟命而後行。每見官吏之受財納賄，皆起於私妻子之一念，妻子之失孝失敬，皆起於豊殖一己之心。故閨闈儉約之家，必無越禮犯分之舉，丈夫之廉，非婦人有以贊襄之不可。（見於贊廉章）

2.先用『內則曰』引用其原文，再次引用〈內則〉之時，則以『又曰』的方式轉載之，加以『謹按』的內容，或者於各各原文上附加『謹按』的內容。例如：

內則曰：男不言內，女不言外。

又曰：內言不出，外言不入。

謹按：古聖人訓人之言者，多矣。大約以愼默爲要，考之內則則尤致謹於男女之際，內外之間……採古人之論婦言及賢媛之能謹言者，以備法戒焉。（見於謹言章）

3.故意省略於整個文辭中，只採用有關的內容而引用之，例如：

內則曰：妻將生子，及月辰，居側室。夫使人日再問之，作而自問之。妻不敢見，使姆衣服而對。至於子生，夫復使人日再問之。夫齊則不入側室之門。（中略）三日始負子，男射，女否。（中略）大夫之子有食母，士之妻自養其子。（見於教子章

4.並行引用〈內則〉以及別的典籍，再加以『謹按』的看法，例如：

內則曰：女子出門，必擁蔽其面，夜行以燭，無燭則止。

詩・柏舟之三章曰：我心匪石，不可轉也，我心匪席，不可卷也，威儀棣棣，不可選也。

君子偕老之首章曰：委委佗佗，如山如河，象服是宜

謹按：女子舉止容飾之間，端重則足以表貞，輕佻則足以招咎。故內則於晝而出，夜而行，必示以遠恥之道，皆一動而不可苟也。然必內堅其貞一之心，而後能外著其備美之度。……若夫豔冶炫飾，是取人褻狎，而聖人所深惡矣，爲婦女者可不愼哉？（見於愼儀章）

茲書引用〈內則〉之外，又依據〈月令〉（三則），〈曾子問〉（一則），〈禮器〉（二則），〈祭義〉（一則），〈祭統〉（三則），〈郊特牲〉（二則）以及〈曲禮〉（一則）而引錄之，這些都是用片斷式記載之。

㈥清・藍鼎元撰《女學》⑬

康熙年間，藍鼎元（一六八〇年～一七三三年）撰成《女學》一書。撰者以爲婦女爲風化之本，以《周禮》天官有九嬪掌婦學之法，謂婦人不可不學，然班氏《女誡》，劉向《列女傳》，鄭氏《女孝經》，宋尙宮《女論語》，《女範》等書，尤爲鄙陋淺率，因採經格言，參摭史傳，分爲德・言・容・功四篇。藍氏於其自序中詳述成書動機，其言云：「天下之治，在風俗；風俗之正，在齊家；齊

家之道，常自婦人始。昔周盛時，淑女流徽，化行江漢，降及鄭衛，帷薄不修，禍延家國，閨門風化之原，自開闢以迄於今，不可易也。婦人善惡不同，性習各異，比而齊之，宜莫如學。」如此重視婦德以及婦學，以述錄婦德篇凡百二十章．婦言篇凡七十六章．婦容篇凡六十一章．婦功篇凡五十六章焉。此四篇分章別類，雜引諸書故事傳記以實之，復間加按語。其中引據《禮記》者，有三十餘則：〈內則〉（九則）．〈曲禮〉（五）．〈昏義〉（三則）．〈雜記〉（二則）．〈祭統〉（二則）．〈玉藻〉（一則）．〈喪大記〉（一則）．〈坊記〉（一則）．〈祭義〉（一則）．〈禮器〉（一則）．〈明堂位〉（一則）等等。其引用方法亦多彩多樣，大略找出其特點，則如下：

1.文頭先用『禮曰』二字引用經文，至於中間，一面以『（節）』表示截取之，但不提示其篇名，例如：

禮曰：古者，婦人先嫁三月，祖廟未毀，教於公宮，祖廟既毀，教於宗室，教以婦德．婦言．婦容．婦功．教成，祭之，牲用魚，芼之以蘋藻，所以成婦順也。（節）男子親迎，男先於女，剛柔之義也。天先乎地，君先乎臣，其義一也。執贄以相見敬章別也。男女有別，然後父子親；父子親，然後義生；義生，然後禮作；禮作，然後萬物安，無別無義，禽獸之道也。（見於女學總要）

撰者於上文中只以『禮曰』表示其所引據的典籍名而已，但若具體考察篇名，則（節）以前者引出於《禮記．昏義》；其後乃引出於《禮記．郊特牲》。

2.截取於兩篇，但明示各其篇名，例如：

曲禮曰：毋側聽，毋噭應，毋淫視，毋怠荒。遊毋倨，立毋跛，坐毋箕，寢毋伏。斂髮毋髢，冠毋免，勞毋袒，暑毋褰裳。（節）　玉藻曰：足容重，手容恭，目容端，口容止，聲容靜，頭容直，氣容肅，立容德，色容莊。（見於婦容篇）

上文乃〈婦容篇〉第十五章，撰者欲陳述婦女的起居之容，以引用〈曲禮〉以及〈玉藻〉兩篇，加以明示篇名焉。

3.欲提示各條規的首章，引用有關原文之後，於其下段附述撰者所論的按語，其實例較多見，例如：

禮曰：男女不雜坐。不同椸枷，不同巾櫛，不親授。（節）　嫂叔不通問。（節）　男女非有行媒，不相知名，非受幣不交不親。

右第五十八章。男女之防，人獸之關，最宜愼重，不可紊也。女子守身，當兢兢業業，如將軍守城，稍有一毫疏失，則不得生。故曰無不敬也，敬身爲大焉。別嫌明微，必防其漸；正本清源，必愼其始。可貧可賤，可死可亡，而身不可辱。述敬身之德，自此以下凡八章。（見於婦德篇）

上文乃引取於〈曲禮〉，本爲本書之〈婦德篇〉第五十八章的全文，亦爲〈敬身之德〉總八則中的首章。

4.於一個條規中，同時引用《禮記》與他書，其例如：

易曰：恆其德貞，婦人吉，象曰：婦人貞吉，從而終也。（節） 禮曰：壹與之齊，終身不改，故夫死不嫁。（節） 王蠋曰：忠臣不事二君，烈女不更二夫。（見於婦德篇）

上文乃引據於《周易》‧《禮記‧郊特牲》以及王蠋的語錄，以強調說明女子守節之德。

5.引據《禮記》中的某篇之部分，以強調說明一個說規，其例如：

祭統曰：天子親耕於南郊，以共齊盛；王后蠶於北郊，以共純服；諸侯耕於東郊，亦以共齊盛；夫人蠶於北郊，以共冕服。天子諸侯非莫耕也，王后夫人非莫蠶也，身致其誠信，誠信之謂盡，盡之謂敬，敬盡然後，可以事神明。此祭之道也。（見於婦功篇）

上文乃引據《禮記‧祭統》，以強調婦女的蠶績之功。

6.截取《禮記》中的某篇之部分，但用（節）標識前後內容上所省略者，以提示兩個部分所合成為一個條規。其例如：

禮曰：壻親御授綏，親之也。敬而親之，先王之所以得天下也。出乎大門而先，男帥女，女從男，夫婦之義，由此始也。（節） 共牢而食，同尊卑也，故婦人無爵，從夫之爵，坐以夫之齒。（見於婦容篇）

上文乃根據〈郊特牲〉而錄之，撰者用（節）的標記來表示所省略的部分，其為省略的內容本為「婦人，從人者也。幼從父兄，嫁從夫，夫死從子。夫也者，夫也。夫也者，以知帥人者也。玄冕齊戒，鬼神陰陽也，將以爲社稷主，爲先祖後，而可以不致敬乎？」，撰者有意省略之。

7. 截取《禮記》某篇的部分之時，文章中間仍有暗中省略之句，但故意隱蔽其所省略的內容以引錄之，例如：

祭統曰：夫祭也者，必夫婦親之，所以備外內之官也。官備則具備。（節）　及時將祭，（……）夫人亦散齊七日，致齊三日。君致齊於外，夫人致齊於內，然後會於大廟。君純冕立於阼，夫人副禕立於東房。君執圭瓚祼尸，大宗執璋瓚亞祼。及迎牲，君執紖，卿大夫從。士執芻，宗婦執盎從，夫人薦涚水。君執鸞刀，羞嚌，夫人薦豆。此之謂夫婦親之。（見於婦功篇）

在「夫人亦散齊七日」之前，原有「君子乃齊。齊之爲言齊也，齊不齊以致齊者也，是以君子非有大事也，非有恭敬也，則不齊。不齊則於物無防也，耆欲無止也，及其將齊也，防其邪物，訖其嗜欲，耳不聽樂。故記曰，「齊者不樂。」言不敢散其志也。心不苟慮，必依於道。手足不苟動，必依於禮。君子之齊也，專致其精明之德也。故散齊七日以定之，致齊三日以齊之。定之之謂齊，齊者，精明之至也，然後可以交於神明也。是故先期旬有一日，宮宰宿夫人」的長文，今可以推斷撰者由於其省略之句無相關於女教之辭，是以故意省略之。

(七)清．張承燮撰《張氏母訓》⑭

張氏之先柯太夫人，其母儀嚴肅，播稱遐邇。張氏少孤，母氏率子女，授經義。母氏命承燮亟緝各書之關女教者，以爲新婦之讀本。其內容分爲二篇：前篇爲〈禮訓〉，一以〈內則〉爲主，更以三禮之言經緯之；後篇爲〈傳訓〉，主劉向《列女傳》，間參司馬光《家範》以及呂氏《閨範》。大抵〈禮訓〉篇以前代聖賢嘉言闡述婦禮女道之宗旨與準則；〈傳訓〉篇敘述歷代節婦、淑女、孝婦、賢母的事蹟。撰例皆節錄原文，編次五言韻句，取易成誦，且就原文，分繫箋釋，就易講貫，至二篇義要，以女道、婦道、母道三者爲綱領。各篇主旨於其通論中言及之，〈禮訓〉篇之通論曰：古者重內則，教莫備乎禮。凡婦有三從，聽命父夫子。在家而適人，女道此終始。凡婦有四德，曰德、言、容、功。行無一可闕，女道此統宗。凡婦有七去，不順淫妒忌，多言及竊盜，無子與惡疾，雖有三不去，女戒此爲最。」又於〈傳訓〉篇之通論有言，其云：「伊昔多賢淑，行在列女傳，孝敬與貞順，大節凜可鑑。凡女有百行，數者實弁冕，燦然著簡編，用作閨中範。」

張氏採錄典籍之範圍頗廣，尤其是《禮記》於本書撰述上，其啓示特別至大，其所引據《禮記》的方式大體皆以五言韻文句縮小表現《禮記》原文之一部分，而後改換行間，附錄箋釋之辭。其例如：

1.凡在舅姑所，有命必敬對，不欠伸跛倚，不噦噫唾洟。

《禮》在父母舅姑之所，有命之，應唯敬對，進退周旋愼齊，不敢噦噫嚏咳欠伸跛倚睇視，不敢唾洟。

註：噦，嘔逆聲，噫，食飽聲，嚏，噴嚏，咳，咳嗽，氣乏則欠，體疲則伸，偏任爲跛，依物爲倚。

2.不縣夫楎椸，不藏夫篋笥，夫出斂枕簟，少賤咸率是。

《禮》不敢縣於夫之楎椸，不敢藏於夫之篋笥，夫不在，斂枕篋，簟席襡器而藏之。少事長，賤事貴，咸如之。註：直者曰楎，橫者曰椸，掛衣者也。篋笥，皆竹爲之貯衣者也。器，器重也，斂於襡，器重而藏之。

茲書今載於《女兒書輯八種》，而《女兒書輯八種》乃張承燮所楫也。張氏收錄朱氏《女三字經》・呂近溪《女小兒語》・《女訓約言》・《女不費錢功德》・班昭《女誡》・陳夫人《女孝經》・宋尚宮《女論語》，以及《張氏母訓》而名之曰《女兒書》也。

(八)歷代女誡文學之表現方式，大體分爲傳記體之女性教誡・告誡體之女性教誡・傳記與告誡並用之女性教誡・詩歌體之女性教誡等四類。這些方式中運用詩歌體者亦不少，但具體引據《禮記》者，難以探究。於此，筆者只引用下面的女誡詩，找出女誡詩受容《禮記》的態度爲何。

1.清・高景芳撰〈誨女〉四章⑮

高景芳，世襲一等侯張宗元妻，能詩文，著有《紅雪軒詩文集》。高氏嘗作出較長的〈誨女〉四章，尤其於第三章一部分表現《禮記》有關的內容，其如下：

爰有內則，聖訓宜從，

裕此懿行，蔚爲女宗，

鍼黹粗諳，文辭尠攻。

雞鳴就盥，火滅修容。

汝母弗德，頗知謹恭。

如此表現出撰者向女兒如遵守〈內則〉所強調的教誡之辭而實踐之，以孝順舅姑，勤儉治家，則人人稱揚之，且警戒女子雖能詩文，可勿忽視婦功。

2. 清・左錫嘉撰〈送五女季碩歸張氏〉⑯

左錫嘉，字冰如，江蘇陽湖縣人，江西吉安府知府曾詠妻。著有《冷吟仙館詩稿》。左氏嘗作一首〈送五女季錫歸張氏〉以誡其女，其詩如下：

大義應如此，何須淚滿衣。令門欣有託，內則敬無違。

今夕雖云別，明年當更歸。願言好珍重，臨去復依依。

由此可知女兒將結婚而離開母親的懷抱時，母親最後向女兒囑咐她遵守〈內則〉中所強調的女誡之辭，又於其感情充滿的告辭之言，亦可見母親擔憂女兒的心境。

3. 清・顧蘊吾撰〈送四妹於歸清河〉⑰

顧蘊吾，字惠卿，吳縣人，廣西潯州府知府元凱次女，著有《評花閣古今體詩》。顧氏有一首〈送四妹於歸清河〉詩，其曰：

珍重兒時課，奩中內則篇。恐君或忘卻，叮囑在離筵。

撰者面臨其四妹結婚而離家之時，殷殷囑咐使之勿忘幼年時所修學的教訓，時時閱讀〈內則〉，以勉勵修養婦德。

以上所見的三首女誡詩，只是提起〈內則〉的篇名而已，但由此可推知撰者已理解〈內則〉的教誡之辭，以訓誡咐囑其女兒或其妹，使之修養婦德，勤勞女紅。如此有志於女教者，雖或採用簡短的詩句，卻誠懇地表達誡女訓婦之旨意，以強調女子之嫻美德修閨範。

五、結　論

先秦儒家典籍中關於女教女誡方面的論述，頗片斷散漫。而由於《禮記》較其他諸經書所述錄教女誡婦之條規繁多，特別是〈內則〉，幾乎涉及到婦女一生所應遵循實踐的諸多婦體閨範與嚴別男女之道，以具體規定女子言行的準則。因此可謂〈內則〉乃中國歷史上最早的女教名篇也。

《禮記》匯聚男女防閑婦禮閨範的女教奠基之典籍，對於後代女誡詩文的撰述，頗有深遠之啓示及影響。大抵歷來有志於女教者，皆舉依據《禮記》以及其他諸典籍，或反映撰者之學問素養與思想，以節錄其儀禮規範之辭，或直接引用其原文，且添錄淺釋，或只提出《禮記》篇名，以暗示其教誡之辭，其所記載之言，皆為嫻其德性，熟於儀則也。歷來所引據《禮記》以撰述女誡詩文者，頗多為流轉閱讀，其中以班昭《女誡》‧朱熹《小學》‧傳以漸《御定內則衍義》‧藍鼎元《女學》‧張承燮《張氏母訓》等為代表作。

總而言之，《禮記》裡所內涵的女教思想，對於歷代女誡詩文的內容，其影響與啓示頗為深遠。

歷來撰述女誡詩文的撰者，大蓋依據《禮記》中的閨範閫道，表現出『男主外，女主內』，『夫夫婦婦』的生活指針，以鞏固女教，圖謀禮俗。於此，向後代傳統社會的閨中女子，教示女性的生活法度，使她們實踐內治的主角所應當具備之名實相符的責務與作用，可言其影響與效益實爲甚大。

【附　註】

① 張履祥，〈訓子語〉．《課子隨筆鈔》卷四，廣文書局。

② 王雲五。主編，叢書集成初編本，商務印書館。

③ 《女孝經》，女兒書輯八種本，聽雨堂刊本。

④ 章學誠，《文史通義》，頁一七一～一七二，華世出版社。

⑤ 《女三字經》，女兒書輯八種本，聽雨堂刊本。

⑥ 《女誡》，女兒書輯八種本，聽雨堂刊本。

⑦ 嚴可均，《全上古三代秦漢三國六朝文》卷三十九，頁一二七一，中文出版社。

⑧ 張伯行纂《小學集解．小學輯說》，國學基本叢書本，商務印書館。

⑨ 同註⑦。

⑩ 仁孝文皇后，《內訓》，欽定四庫全書本。

⑪ 傅以漸，《內則衍義》，欽定四庫全書本。

⑫ 嚴格言之，勸學・贊廉・勉學・訓忠・定變・守貞・睦宗族・好學・著書等篇則未引據〈內則〉，而根據其他典籍而錄之。

⑬ 藍鼎元，《女學》，近代中國史料叢刊續編第四十一輯。

⑭ 《張氏母訓》，女兒書輯八種本，聽雨堂刊本。

⑮ 懺庵，《閨範詩》，廣文書局，頁十五。

⑯ 懺庵，《閨範詩》，廣文書局，頁八三。

⑰ 懺庵，《閨範詩》，廣文書局，頁一〇四。

《史記》人物個別性與普偏性結合的幾個例子

——文景朝皇權與功臣、諸侯王的結構性矛盾及其意義

國立清華大學
中文系教授　林聰舜

摘要

《史記》是紀傳體史書的首創者，全書以人物傳記為主。但《史記》能透過人物傳記，呈現出歷史中的大問題與大趨勢，到達「通古今之變」的高度，則有賴於史公結合了人物個別性與普偏性。由於《史記》人物也是能反映歷史的普偏性的人物典型，因此就能夠顯示一種「更高的真實」——一種未來仍可能發生的真實。如此，亞里斯多德認為歷史所陳述的只是特殊的已發生之事，不具有普偏性的評價就不能成立了。而史公透過人物傳記的歷史詮釋，也使「述往事，思來者」的用心，有了具體落實處。

本文以文景朝周勃父子與吳、梁、淮南三王之傳為例，探討《史記》如何藉著這些個別的人物傳

記，呈現具有普偏性的皇權與功臣宿將及皇權與諸侯王的結構性矛盾。周勃父子與三王最後都以悲劇收場，他們的悲劇反映了背後的社會矛盾，此一矛盾不因當事人不同而改變，也不是當事人個人可以迴避，而是由背後的社會結構所決定。

了解皇權與功臣宿將及皇權與諸侯王的必然矛盾，也就可以找到漢代相權逐步萎縮及諸侯國趨於式微等重大問題的癥結。而《史記》就是藉著人物個別性與普偏性的結合，呈現出具有普偏性的社會關係，也就呈現了史公卓越的歷史見識。

一、前　言

秦漢大一統專制帝國成立之後，伴隨權力愈來愈向皇權集中的趨勢，以及不容覬覦的封閉性，在體制上有資格由皇權分享到權力者，往往與皇權形成結構性的權力矛盾。此一矛盾經常激化到以悲劇作結，而且此一權力矛盾不因當事人不同而改變，諸如帝王的賢不肖，臣下的忠奸，甚至雙方性格的剛柔，均無法改變其矛盾性，所以可以稱之爲結構性的權力矛盾。

本文取漢文景朝作爲論述對象，乃因文景時距漢帝國成立不久，帝國體制尚未定型，結構性的權力矛盾更爲豐富多樣；尤其文景時號稱治世，文帝景帝皆爲英主，文帝且以仁君著稱，《史記・孝文本紀》〈贊〉就以「豈不仁哉」作結，①以文景朝爲例更能看出此一結構性權力矛盾不是偶然發生的。

在論述上，本文重點放在兩個領域：其一是討論朝廷內部帝王與功臣宿將的矛盾。以周勃、周亞夫父子爲例，因爲他們父子都曾手握重兵，「習兵」，且都出將入相，是具有威脅性的重臣的典型。父子二人個性不同，但不論如何自處，都難逃皇帝的猜忌，可以印証他們與皇權的矛盾是結構上的，與個人行事作風殊少關係。而父子二人都曾擔任位高權重的漢丞相，又同樣遭遇皇權的打擊，皇權對相權的猜忌，以及日後相權逐步被侵削，由此也可以看到一些端倪。其二是討論朝廷與地方諸侯王的矛盾。以吳王劉濞、梁孝王劉武、淮南厲王劉長爲例，因爲他們是最具代表性的諸侯王。②他們與朝廷的親疏不同，處境各異，面對朝廷的態度也不一，然同樣得承受朝廷的猜忌，由此也可以印証藩國與中央的矛盾是結構性的。諸侯國日後不管是遭遇來自朝廷嚴厲的摧折，或是軟性的「推恩」政策下的分化，以致逐步趨於式微，也可以在此見到一些端倪。

尤有進者，本文取材以《史記》爲主，並不只因爲《漢書》有關這些人物的敍述本諸《史記》，更是想發掘司馬遷如何透過具體的人物傳記，呈現其獨特的歷史觀照。由於司馬遷寫作人物傳記，傳主不但是活生生的、特殊的具體人物，更具有能代表某些重要的社會面，發掘出一定社會矛盾的典型。③因此《史記》透過人物傳記，就可以呈現出歷史中的大問題與大趨勢，到達「通古今之變」的高度。人物個別性與典型性的結合，其實也是個別性與普偏性的結合，司馬遷的《史記》達到這個程度，也就顛覆了亞里斯多德（Aristotle）在《詩學》（On Poetics）中對詩與歷史的評價。亞氏說：

> 歷史家與詩人間的區別，並非一寫散文，一用韻文。……二者眞正之區別爲：歷史家所描述者爲已發生之事，而詩人所描述者爲可能發生之事，故詩比歷史更哲學與更莊重；蓋詩所陳述者

毋寧為具普偏性質者，而歷史所陳述者則為特殊的。④

亞氏認為詩比歷史更哲學更莊重的理由，是歷史家只描述已發生的特殊事件，如此則不具有普偏性；詩人所描述的，則是某種理想的型，具有更大的普偏性，是未來可能發生之事。亦即「詩所顯示的為一種更高的眞實（a higher reality）。所謂更高的眞實，不是已有的眞實，而是可能的眞實。」⑤然而，若能理解《史記》藉著人物個別性與典型性結合的「創作」，⑥也能達到個別性與普偏性結合的高度，那麼亞氏重詩而輕歷史的評價就被顚覆了。

本文藉著對周勃父子與吳梁淮南三王悲劇的探討，發掘其背後的結構性權力矛盾，正可揭示《史記》將人物個別性與典型性結合，呈現歷史中的大問題與大趨勢，以呈現其獨特的歷史觀照，達到「通古今之變」的用心。而我們也就能了解，《史記》中一篇篇的人物傳記，敘述的不只是活生生的、特殊的具體人物，也是能反映歷史的普偏性的人物典型。因此，本文所論述的朝廷內部帝王與功臣宿將的矛盾，或朝廷與地方諸侯國的矛盾，在漢以後的歷史上也史不絕書。《史記》在這些傳記中確實顯示了「更高的眞實」——一種未來仍可能發生的眞實。

二、帝王與功臣宿將的結構性矛盾

——周勃、周亞夫父子在皇權壓力下的不自安

周勃與周亞夫父子在西漢政權的穩固過程中，是舉足輕重的人物，周勃的最大貢獻在於呂后死後，

諸呂專政，周勃與陳平等人合謀，奪北軍將印，矯節入北軍，誅滅諸呂，迎立代王劉恒，親上天子璽符，是文帝能得帝位的關鍵人物。周亞夫的細柳營故事早已膾炙人口，他後來更以三個月的時間，敉平來勢洶洶的七國之亂，讓朝廷安然渡過來自封國最嚴厲的一次挑戰。

司馬遷對周勃、亞夫父子極爲激賞，他把周勃比爲伊尹、周公，把亞夫比爲司馬穰苴，「諸呂欲作亂，勃匡國家難，復之乎正。雖伊尹、周公，何以加哉！亞夫之用兵，持威重，執堅刃，穰苴曷有加焉！」⑦這種崇高的評價在漢初諸臣中僅有韓信可與比擬。

尤有進者，史公在〈絳侯周勃世家〉中，全力描寫周勃父子與文景二帝的緊張關係，凸顯了彌天蓋地的專制皇權壓力下，功臣的不自安。由於性格不同，周勃、亞夫各以不同的方式，面對專制皇權的壓力：亞夫剛直，常出諸抗爭方式；周勃木強敦厚，經常委屈求全，甚至痛苦地扭曲自己。但不論他們如何自處，始終無法擺脫皇帝的猜忌，加以君臣地位懸殊，他們遂始終痛苦地活在君權壓力的陰影下，過著膽戰心驚的日子。周勃後來在遭到獄吏折磨後，孤獨地就國，孤獨地離開人世；亞夫則在反叛的罪名下，義不受辱，在獄中悲壯地以「不食五日，嘔血而死」⑧的方式，用死亡寫下他的悲憤。

㈠周　勃

周勃是劉邦豐沛起義的舊部，在反秦與楚漢戰爭期間，跟隨劉邦東征西討，立下不少戰功。天下一統後，又參與平定臧荼、韓王信、陳豨等反叛的戰役。「最從高帝得相國一人，丞相二人，將軍、二千石各三人；別破軍二，下城三，定郡五，縣七十九，得丞相、大將各一人。」⑨是與曹參、樊噲、灌嬰等齊名的戰將。

勃木強敦厚，劉邦認爲可託付大事，劉邦臨終時告訴呂后：「周勃重厚少文，然安劉氏者必勃也，可令爲太尉。」⑩後來他成爲誅殺呂氏集團，迎立文帝的重要人物，文帝封他爲右丞相，賜金五千金，食邑萬戶，位在誅殺諸呂另一要角陳平之上。

然而，功高震主者身危，周勃對文帝雖有擁立的大功，文帝對這位權柄傾國的大功臣卻心懷戒懼，這就註定了周勃後半輩子要在疑懼不安中熬過。

周勃擔當右丞相才月餘，就有人勸他：「君既誅諸呂，立代王，威震天下，而君受厚賞，處尊位，以寵，久之即禍及身矣。」周勃的反應是退讓以求保身，「勃懼，亦自危，乃謝請歸相印。上許之。」⑪對於功高震主者的下場，周勃應該是很能體會的，淮陰、黥、彭等族誅，留侯稱病，蕭何繫獄，都是他親眼目睹的，而自己現在卻正處在朝廷猜忌的核心，「懼」、「日危」深刻刻劃著周勃當時惶惶不可終日的心境。文帝雖然相當仁厚，但在客觀形勢上，他以外藩身份，因緣際會入繼大統，對高帝舊臣顧忌甚深，此觀劉邦舊臣誅諸呂後，迎立代王，代王猶疑再三可知，當時代王郎中令張武所議的：「漢大臣皆故高帝時大將，習兵，多謀詐，此其屬意非止此也。」⑫這也正是文帝日後揮之不去的疑忌。然而，文帝既接受擁立，就不能不承認誅殺諸呂的正當性，以及諸老臣的功勞，於是又不得不擺出優寵劉邦舊臣的姿態，但在他內心深處仍缺乏安全感，對具有興風作浪，顚倒乾坤能力的劉邦舊臣是極端不放心的，周勃身爲政變要角，「習兵」，更是文帝猜忌的焦點。

周勃的請歸相印，馬上得到文帝的批准。但一年後，丞相陳平卒，論資望，文帝不得不再度起用周勃，然文帝雅不欲周勃久居具有實權的相位，十餘月後，就以列侯就國爲藉口，告訴周勃：「前日吾詔列侯就國，或未能行，丞相吾所重，其率先之。」⑬於是周勃免相就國，孤獨地脫離政治核心。然而，文帝並沒有因此就放過他，司馬遷用力刻劃周勃家居時被文帝捉弄，戰戰兢兢活著，以及下獄被折磨的痛苦：

歲餘，每河東守尉行縣至絳，絳侯勃自畏恐誅，常被甲，令家人持兵以見之。其後人有上書告勃欲反，下廷尉。廷尉下其事長安，逮捕勃治之。勃恐，不知置辭。吏稍侵辱之。勃以千金予獄吏，獄吏乃書牘背示之。曰「以公主爲証」。公主者，孝文帝女也，勃太子勝之尚之，故獄吏教引爲証。勃之益封受賜，盡以予薄昭。及繫急，薄昭爲言薄太后，太后亦以爲無反事。文帝朝，太后以冒絮提文帝，曰：「絳侯綰皇帝璽，將兵於北軍，不以此時反，今居一小縣，顧欲反邪！」文帝既見絳侯獄辭，乃謝曰：「吏方驗而出之。」於是使使持節赦絳侯，復爵邑。絳侯既出，曰：「吾嘗將百萬軍，然安知獄吏之貴乎！」⑭

這是周勃被整得神經兮兮，備受煎熬的慘狀。小小的河東守尉居然敢在大功臣絳侯的門前囂張，當然是文帝授意的，而周勃「常被甲，令家人持甲以見之」的神經質反應，生動刻劃了朝廷屠戮功臣的陰影已籠罩著周勃。等文帝的神經戰告一段落，果然是「誣以謀反」故事的重演，「勃恐，不知置辭」，固然是因周勃木強敦厚，但也因這是莫須有的罪名，是無從辯白的。太后的求情之語固是平情之論，但這不是皇帝慣常的思考模式。周勃曾「綰皇帝璽，將兵於北軍」，正是遭忌之由；而「居一小縣」也不會消除皇帝的猜忌，否則淮陰、彭越廢王後，不會再遭族滅。只要是有可能對皇權成威脅者，都是皇帝猜忌的對象，此一猜忌不會因地位的改變而消除，幸好文帝只想折辱周勃，並未有除之而後快的決心，否則太后的求情未必有用。「吾嘗將百萬軍，然安知獄吏之貴乎！」感嘆的不只是酷吏的囂張，更是自己面對彌天蓋地的專制皇權下的卑微與痛苦，這種悲憤由親身經歷過獄吏折磨的司馬遷寫來，⑮更令人動容。

由自請歸相印以避禍，免相就國，到盡力討好太后弟薄昭，周勃是儘量的收斂，儘量的委屈求全。但專制皇權並沒有放過他，下獄受折辱而不死，已是不幸中的大幸了。周勃最後就在類似放逐的情況下就國，孤獨的離開政治核心，淒清的走向人生的盡頭。他後半生的痛苦，正是專制皇權壓力下功臣不自安的典型。

(二)周亞夫

周亞夫面對的是猜忌苛深更甚文帝的景帝，他又常用抗爭的方式伸張自己的理念與尊嚴，雖然他爭的是國家大體，他忠心耿耿，卻依然引發景帝的猜忌，下場比其父周勃更慘。

亞夫嶄露頭角在文帝細柳勞軍之時，這時他除了治軍的才能外，剛直的個性也已表現出來。「軍中聞將軍令，不聞天子之詔」，是公然否定天子對軍隊的直接指揮權，這是極易引起猜忌的話，所以文帝出軍門後，「群臣皆驚」。群臣驚駭的，一則是亞夫的軍威，但更是對「君威難測」的可能反應的驚懼。幸好此時文帝外懼匈奴，內憂吳楚，是急於用人之時，所以能包容，欣賞亞夫治軍的作風，升亞夫爲中尉，且在臨終時誡太子：「即有緩急，周亞夫眞可任將兵。」⑯

吳楚反時，亞夫被任命爲太尉，統率三十六將軍出征，由於他卓越的戰略與指揮能力，僅僅三個月就平定了亂事。亞夫在此役的戰略部署，已可看出他不計個人得失，爲朝廷長遠利益打算的耿耿忠心。他的基本戰略是以梁委吳，自己堅守昌邑，派兵絕吳楚兵糧道，待吳楚兵乏糧疲弊，再出精兵追擊。這基本上是楚漢相爭時劉邦對付項羽的故智，劉濞雖強，但強不過項羽；而漢中央的力量，遠比劉項之爭時穩固。所以當亞夫乘六乘傳先一步搶占滎陽、雒陽戰略要地後，七國之亂已不足憂。⑰然而以梁委吳，是要深深得罪梁孝王與竇太后的，梁王是太后最鍾愛的少子，景帝爲討好太后，曾說過「千秋萬歲後傳於王」⑱的話，可見梁王的尊寵。但亞夫站在朝廷長治久安的立場考慮，以梁委吳是一石二鳥之計，旣可制吳之死命，兼可弊梁，消除日後梁對中央的威脅。所以儘管梁日使使請太尉出兵相救，景帝亦礙於太后情面下詔救梁，亞夫仍守便宜不奉詔，堅壁不出。亞夫此一爲天下國家計長利的忠誠，雖得到景帝諒解，但「由此梁孝王與太尉有卻」、「梁孝王每朝，常與太后言條侯之短。」⑲亞夫的正直，使他在朝廷樹強敵。這些專斷的行爲在景帝仍信任他時，固然可得到諒解，甚至欣賞；但當物換星移，景帝開始猜忌他以後，所有專斷的行爲都可能被解釋爲對皇權的挑戰。

亞夫與景帝關係趨於緊張，緣於三件事，亞夫在這三件事上的抗爭，都出諸爲國家計長利的耿耿孤忠，但景帝感受到的，卻是亞夫對皇權無上權威的挑戰。亞夫在平吳楚軍後五年，升爲丞相，後景帝廢栗太子，亞夫固爭之，不得，景帝開始疏遠他。這時梁王常在太后面前言條侯之短，更使亞夫的處境雪上加霜。就穩定帝國秩序的立場出發，廢太子易使國本動搖，亞夫的堅持有其道理，但景帝不免認爲亞夫越俎代庖，桀傲不馴。接著，竇太后想讓皇后兄王信封侯，景帝與丞相亞夫商議，亞夫曰：「高皇帝約『非劉氏不得王，非有功不得侯。不如約，天下共擊之。』今王信雖皇后兄，無功，侯之，非約也。」⑳亞夫抬出高皇帝之約，迫使景帝打退堂鼓。就亞夫的想法，外戚勢力抬頭，難保不再發生呂氏之亂，對政局安定不利，所以盡力防堵，這又得罪了景帝、太后與皇后。其後，匈奴王徐盧等五人降，景帝欲侯之以勸後，亞夫又持反對意見，曰：「彼背其主降陛下，陛下侯之，則何以責人臣不守節者乎？」㉑就維護封建道德的立場而言，亞夫之言正表現他對漢王朝的忠心；但就現實招降納叛的利害考慮，景帝自有其道理。而且這次景帝的怒火再也彆不住，曰：「丞相議不可用。」悉封徐盧等爲列侯。亞夫面對自己的理念的挫敗，採用激烈的抗爭方式，以「謝病」的方式表示抗議，景帝也不示弱，讓他「以病免相」。㉒

於是亞夫爲國家計長利的正直行爲，完全被景帝視爲不遜、不忠的表現，加以亞夫本就功高足以震主，景帝對他的猜忌之心，就更加表面化。

頃之，景帝居禁中，召條侯，賜食。獨置大胾，無切肉，又不置櫡。條侯心不平，顧謂尚席取櫡。景帝視而笑曰：「此不足君所乎？」條侯免冠謝。上起，條侯因趨出。景帝以目送之，曰：「此怏怏者非少主臣也！」㉓

景帝的「賜食」是爲了捉弄、侮辱亞夫，但亞夫絕不逆來順受，忍辱苟活。景帝準備了未切的大塊肉，又不放筷子，欲觀亞夫反應，亞夫的不平馬上表現出來，自行向尙席要筷子。在景帝「此不足君所乎？」此一銳利如刀的調笑聲中，在「上起」的動作下，亞夫遂拒絕再受侮辱，拂袖而出。「此怏怏者非少主臣也」顯露了景帝蓄之已久的不滿與猜忌，此語一出，亞夫的命運已經註定。

接著發生的又是誅殺功臣的故技—誣以謀反。亞夫子向工官尙方買甲楯五百套作葬器，被誣指爲預備謀反，事件牽連亞夫，吏簿責之，亞夫不回答以示抗議。景帝大怒，召詣廷尉，廷尉責問：「君侯欲反邪？」亞夫曰：「臣所買，乃葬器也，何謂反也？」廷尉的話頗堪玩味：「君侯縱不反地上，即欲反地下耳。」㉔地下造反是「莫須有」的罪狀，這代表景帝欲置亞夫於死地而後快了。

面對自己的悲慘命運，亞夫是有自覺的，所以先前廷尉逮捕時，亞夫就想自殺，夫人止之，以故不得死。但他面對景帝的威逼，卻絕不低頭，絕不委屈自己的信念，最後他悲壯地選擇自我毀滅的方式，在廷尉獄中，「不食五日，嘔血而死」。他的嘔血，含藏了多少的無助與悲憤！景帝雖摧毀了亞夫的軀體，卻不能毀滅他的靈魂。但面對被猜忌、被羅織謀反罪名的命運，亞夫也僅能以絕食、嘔血而死的方式表達些微的抗議。

(三)小 結

在彌天蓋地的專制皇權壓力下，具影響力的功臣的不自安是必然的發展，不管是委屈求全如周勃，或是剛直地堅持理念如亞夫，都不能擺脫被猜忌的陰影，這是專制體制下功臣的宿命，是他們必須承受的痛苦。

《史記》爲周勃父子單獨立傳，㉕不但刻劃出傳主獨特的面貌，更奇妙地將人物的個別性與典型性結合，呈現出周勃父子這類人物重要的社會面，發掘出他們一生的悲劇所凸顯的社會矛盾。於是我們就看到了曾經具有左右國家大局能力的功臣宿將，與皇權之間具有的結構上的緊張性。此一結構性的矛盾，不但會出現在開國時期的劉邦與韓信、彭越、黥布等人之間；也會出現在治世的文景帝與周勃父子之間。當然以後的歷史也會繼續出現。《絳侯周勃世家》透過對具體人物的刻劃，完成個別性與普徧性的結合，呈現出此一歷史上具普徧性的重要面相，顯示了亞里斯多德在《詩學》中所說的「更高的眞實」。透過人物個別性與典型性的結合(或個別性與普徧性的結合)，《史記》所描述的也是未來「可能發生之事」。如此，司馬遷已將「以史爲鑑」的功能發揮到了極致。

三、朝廷與諸侯王的結構性矛盾

——吳梁淮南三王在朝廷猜忌下的不善終

吳王劉濞、梁孝王劉武、淮南厲王劉長是文景朝最具代表性的諸侯王，司馬遷看出他們的代表性，單獨給他們立傳。他們結局的不幸，表面上雖似咎由自取，但更重要的原因，是結構上朝廷與諸侯王的矛盾。他們與朝廷親疏不同，劉濞是高帝兄劉仲之子，與文帝、景帝關係已疏。劉武是文帝子，景帝同母帝，竇太后最鍾愛的少子，尊寵非比尋常。劉長是高祖擊韓王信時，趙王張敖所獻美人所生，文帝即位時，高帝子唯文帝與劉長二人在，「淮南王自以為最親」、「常謂上大兄」。㉖吳梁淮南三王，雖與朝廷親疏不同，畢竟都是皇室成員，劉姓骨肉，但他們卻仍然擺脫不了朝廷的猜忌。當漢朝廷剷除了異姓諸侯王後，這些同姓諸侯王的代表人物就成為朝廷猜忌的焦點。

漢初至文景之時，諸侯王的權力極大，大國連城數十，地位極尊，服章號令幾與皇帝相埒。文帝時賈誼曾為此而「長太息」，他說：

諸侯王所在之宮衛，織履蹲夷，以皇帝所在宮法論之；郎中謁者受謁取告，以官皇帝之法予之；事諸侯王或不廉潔平端，以事皇帝之法罪之。曰：「一用漢法，事諸侯乃事皇帝也。」是則，諸侯王乃埒至尊也。……天子之相，號為丞相，黃金之印；諸侯之相，號為丞相，黃金之印，而尊無異等。……天子親，號云太后；諸侯親，號云太后。天子妃，號曰后；諸侯妃，號曰后。然則諸侯何損而天子何加焉？妻既已同，則夫何以異？㉗

諸侯王權力地位如此尊隆，加以漢代立嫡立長並未形成定規，㉘文帝本身又係以外藩因緣際會入承大統，因此劉姓諸侯王在理論上都是競逐帝位的可能人選。文帝本人在立太子時，也必須客套禮讓一番，謂：「楚王，季父也，春秋高，閱天下之義理多矣，明於國家之大體。吳王於朕，兄也，惠仁以好德。淮南王，弟也，秉德以陪朕。豈為不豫哉……今不選舉焉，而曰必子，人其以朕為忘賢有德者而專於子，非所以憂天下也。」㉙再加上景帝也在太后、梁王面前說過「千秋萬歲後傳於王」的話，可見具宗室身分的劉姓諸侯王確有繼承大統的可能性與正當性。然而，皇帝的謙讓只是故作姿態，皇權基本上是不容覬覦的。對於強大又可能覬覦帝位的諸侯王，朝廷必然如芒刺在背。

賈誼對諸侯王坐大給中央帶來的威脅，言之最爲痛切。他在〈治安策〉中，站在朝廷立場，認爲這些劉姓諸侯王，「雖名爲臣，實皆有布衣昆弟之心，慮亡不帝制而天子自爲者。」他甚至預言同姓諸侯王將繼異姓諸侯王而動，「其異姓負強而動者，漢已幸勝之矣，又不易其所以然。同姓襲是跡而動，既有徵矣，其勢盡又復燃。」更重要的，賈誼看出諸侯王的威脅不是親疏關係或道德忠誠的問題，而是形勢造成的，無法用仁義恩厚的方式解決，他甚至直言朝廷與諸侯王互相猜忌的必然性。「夫樹國固必相疑之勢，下數被其殃，上數爽其憂，甚非所以安上而全下也。」「臣竊跡前事，大抵強者先反。淮陰王楚最強，則最先反；韓信倚胡，則又反……長沙乃在二萬五千戶耳，功少而最完，勢疏而最忠，非獨性異人也，亦形勢然也。曩令樊、酈、絳、灌據數十城而王，今雖以殘亡可也；令信、越之倫列爲徹侯而居，雖至今存可也。」由是賈誼提出「衆建諸侯而少其力」的主張，希望以漸進的手段削弱割據勢力，完成中央集權的目標。而且此一中央與諸侯王矛盾的形勢非常嚴竣，必須儘早解決，否則難以挽救。「天下之勢方病大瘇，一脛之大幾如腰，一指之大幾如股，平居不可屈伸，一二指搐，身慮亡聊，失今不治，必爲錮疾，後雖有扁鵲，不能爲已。」㉚

賈誼看到了漢初中央與諸侯王的嚴重矛盾與猜忌之必然性，而且看出這是形勢造成的，與人性或道德無關。亦即他看到了漢初的封建與周的封建本質有所差異，不可能長治久安，㉛這種矛盾是一種結構上的必然矛盾。

然而，賈誼雖看到了漢初諸侯王與皇權之間結構上的矛盾，他的立場卻是偏向皇權，企圖以漸進的方式削弱割據勢力，完成中央集權的目標。司馬遷則是站在歷史的高度，對此一結構性的矛盾作出比較全面性的反省，在〈吳王濞列傳〉、〈梁孝王世家〉、〈淮南衡山列傳〉中，史公透過人物傳記，將個別性與典型性結合，亦即將個別性與普徧性結合，呈現出諸侯王與中央的結構性矛盾。由於司馬遷的歷史家立場，不同於賈誼作爲朝廷策士的立場，以及《史記》的人物傳記特色，吳、梁、淮南三傳讓我們看到了更豐富、更複雜的人性與政治，看到了三位諸侯因與皇權之間結構性的權力矛盾譜成的悲歌。司馬遷透過人物傳記的歷史詮釋，也呈現了歷史發展中一些普徧性的問題，値得進一步思考。

㈠吳王劉濞

吳王劉濞是漢代最大規模的一場諸侯王叛變的首難者，亂事雖因周亞夫指揮得當及劉濞戰略失策僅三月即敉平，但初起時聲勢浩大，「景帝往來兩宮間，寒心者數月」，㉜帶給朝廷莫大的壓力。這場叛變，正是朝廷對諸侯王長期猜忌後的總清算，由於劉濞是叛變的主角，是最具典型性的代表人物，《史記》爲他單獨立傳，結合了人物個別性與普徧性，忠實呈現文景時中央與諸侯王間的結構性矛盾，也呈現身爲朝廷猜忌核心的吳王劉濞譜出的悲歌。㉝

劉濞轟轟烈烈搞了一場流血政變，但他其實不是一個具賭徒性格，勇於打天下的人物，他最後把自己的身家性命都賭上，走向反叛的不歸路，正是在朝廷猜忌下，在缺乏安全感中，一步步走上絕路。

劉濞舉事時，年已六十二，白頭舉事，絕非可以預謀已久視之。若非被逼急了，實難理解。陳傳良云：「濞以壯年受封，至是垂老矣。寬之數年，濞之墓拱，則首難無人，七國雖強，皆可以勢恐之也。錯不忍數年之緩暇，欲急其攻，而躑躅為之，身殞國危，取笑天下。」㉞朝廷不能「寬之數年」，急著削藩，正是劉濞舉事的導火線。景帝後來用袁盎計，斬晁錯於東市，固是塞諸侯「共誅晁錯」之口實，恐亦是怪錯急切削藩之失。當然，朝廷若未急切削藩，中央與諸侯王的結構性矛盾仍是存在，只是此一矛盾會以不同的形式表現出來罷了。劉濞瞻前顧後，不具一往直前的打天下性格，也見諸舉事後的戰略布署，當時吳大將軍田祿伯建議：「兵屯聚而西，無佗奇道，難以就功。臣願得五萬人，別循江淮而上，收淮南、長沙，入武關，與大王會，此亦一奇也。」吳王不許。吳少將桓將軍建議：「吳多步兵，步兵利險；漢多車騎，車騎利平地。願大王所過城邑不下，直棄去，疾西據雒陽武庫，食敖倉粟，阻山河之險以令諸侯，雖毋入關，天下固已定矣。即大王徐行，留下城邑，漢軍車騎至，馳入梁楚之郊，事敗矣。」吳王亦接受老將「此少年推鋒之計」的批評，不用桓將軍計。㉟吳王瞻前顧後的性格，使他在戰略布署上喪失良機，此觀諸周亞夫乘六乘傳，迅速入據滎陽後，喜曰：「吾據滎陽，以東無足憂者」可知。而此一性格，最後居然賭上身家性命，走向反叛之路，可見這是在朝廷猜忌下，不由自主的發展。

劉濞封王始於隨高帝征英布後，「荊王劉賈為布所殺，無後。上患吳、會稽輕悍，無壯王以塡之，諸子少，乃立濞於沛為吳王。」已拜受印，高帝召濞相之，謂曰：「若狀有反相。」心裡後悔，但業已拜，乃撫其背告曰：「漢後五十年東南有亂者，豈若邪？然天下同姓為一家也，愼無反！」㊱這是一則傳奇性的預言，但這個故事不就顯示劉濞從封王那天起，就受到朝廷猜忌！

吳與朝廷結釁於文帝時吳太子入見，侍皇太子飲博爭道，爲皇太子所殺。「於是遣其喪歸葬。至吳，吳王慍曰：『天下同宗，死長安即葬長安，何必來葬爲！』復遣喪之長安葬。吳王由此稍失藩臣之禮，稱病不朝。」㊲劉濞的表現，是賭氣，因爲中央對吳太子被皇太子所殺未有任何交待。朝廷不作任何交待，是皇權的展示，是立威，是不願對諸侯王示弱。這些細微的動作，已隱約可以看出朝廷與諸侯王間微妙的緊張關係。至於劉濞膽敢「稱病不朝」，消極反抗，除了朝廷理屈外，是因爲此時諸侯王權力仍大，且他們之間唇齒相依，「動一親戚，天下圜視而起」，㊳仍保有與朝廷抗衡的本錢。但朝廷爲展示權威，逼迫更緊。

> 京師知其以子故稱病不朝，驗問實不病，諸吳使來，輒繫責治之。吳王恐，爲謀滋甚。及後使人爲秋請，上復責問吳使者，使者對曰：「王實不病，漢繫治使者數輩，以故遂稱病。且夫『察見淵中魚，不詳』。今王始詐病，及覺，見責急，愈益閉，恐上誅之，計乃無聊。唯上弃之而與更始。」於是天子乃赦吳使者歸之，而賜吳王几杖，老，不朝。吳得釋其罪，謀亦益解。㊴

「察見淵中魚」生動地刻劃出朝廷的猜忌。而由吳使者一再被治罪，吳王仍一再派出使者，可見吳仍採取低姿態。最後文帝賜吳王几杖，許其不朝，則是此時中央準備尚未充分，仍不想刺激生變，是文帝在黃老思想引導下採用的「與民休息」政策的表現。至於劉濞由「爲謀滋甚」到「謀亦益解」，可以看出若非朝廷逼迫太急，劉濞並未有舉事之志。

劉濞終究起兵，膠西等六國應之，這是朝廷與諸侯王矛盾關係的總清算。這時朝廷對諸侯王的猜忌到達臨界點，想一勞永逸解決諸侯王坐大問題，採晁錯之議，大規模削藩，於是趁楚王入朝的機會，以楚王「爲薄太后服，私姦服舍」的罪名，罰削東海郡，因削吳之豫章郡、會稽郡，趙之河間郡，並削膠西六縣。晁錯削吳郡的理由：「今削之亦反，不削之亦反。」並不盡然。但不削地則朝廷與諸侯王的緊張關係會一直僵持下去，終究是朝廷的心腹大患，倒是實情。在諸侯王方面，面對朝廷的猜忌、打壓，除非甘心納土撤藩，否則只好挺而走險。「吳王恐削地無已，因以此發謀，欲舉事。」另外，膠西王的反應也可看出諸侯王面對朝廷的猜忌，已經喪失安全感，故起兵自保。「膠西群臣或聞王謀，諫曰『承一帝，至樂也。今大王與吳西鄉，弟令事成，兩主分爭，患乃始結。諸侯之地不足爲漢郡什二，而爲畔逆以憂太后，非長策也。』王弗聽。」⑩膠西王寧可選擇前途不可測的險路，而放棄「承一帝」的「至樂」，是因爲在朝廷的逼迫下，「承一帝」已不可得了。

晁錯勸景帝削諸侯地時，將吳「即山鑄錢，煮海水爲鹽，誘天下亡人」視爲「驕溢」、「謀作亂」的罪狀，⑪也是羅織的罪名。因爲鑄錢爲當時法律所允許，⑫鹽鐵專賣也尚未施行，而「誘天下亡人」其實更是很好的政績，因爲吳國國用富饒，「無賦」，比起其他郡國自高祖四年起，以算賦名稱收人頭稅，⑬往往逼得人民流離失所，成爲「亡人」，吳王算是相當善於拊循其民的。徐復觀謂：「在正常情況下，郡守縣令的政治清明，常爲流民(亡命)所歸，即可列爲好的政績。但在諸侯王則視爲圖謀不軌的證據。」⑭這段話說明了朝廷對吳擁山海之利，且內政清明，能得民心的眼紅與猜忌。晁錯建議削地的眞正動機事實上不關乎吳是否有過，而在乎關係疏遠的強藩分享了過大的權力。他說：「昔高帝初定天下，昆弟少，諸子弱，大封同姓，故王孽子悼惠王王齊七十餘城，庶弟元王王楚四十餘城，兄子濞王吳五十餘城：封三庶孽，分天下半。」㊺這不就反映了朝廷對吳、楚、齊的眼紅與猜忌！

透過〈吳王濞列傳〉，我們看到了身為諸侯王領導人物的劉濞的不自安，也看到了諸侯王與皇權的結構性矛盾。此一矛盾不是劉濞本人能解決的，這是他的悲劇。賈誼早就看到此一結構性矛盾的必然性，所謂「夫樹國固必相疑之勢，下數被其殃，上數爽其憂。」諸侯王強大無可避免會與皇權產生猜忌，最後必然以悲劇收場。司馬遷在本傳〈贊〉云：「故古者諸侯地不過百里，山海不以封。『毋親夷狄，以疏其屬』，蓋謂吳邪？」㊻這裡畫龍點睛地指出：諸侯王封地大，享山海資源，又靠近夷狄，結盟引以為外援，與朝廷的矛盾是不可避免的。用賈誼的話，這種矛盾是「形勢」造成的，非關人性、道德。因此是結構性的矛盾。

《史記》的特殊處，在於以人物傳記的方式，結合了人物的個別性與普徧性，一方面踫觸到歷史發展的重大關鍵，一方面又呈現豐富多姿的人物形相，更生動地傳達他的歷史觀察與反省。

(二)梁孝王劉武

梁孝王劉武是景帝同母弟，竇太后最鍾愛的少子，寵眷之隆，無以倫比。後來卻因爭立為太子未遂，心生怨望，使人刺殺反對他立為後嗣的袁盎，被景帝疏遠，最後在憂懼中病熱而死。他的一生反映了諸侯王與朝廷的矛盾，而且是有可能入承大統的同母弟與皇權的矛盾。

劉武一生由隆寵無比到被景帝疏遠後憂懼而死，關鍵在於他仗恃景帝是親兄弟，且自己有太后鍾愛，因此恃寵而驕，甚至在太后主導下，覬覦神器，犯了大忌。他無法看清景帝對他的優遇，除了討好太后外，頗出於政治考量。劉武漠視了凶險的政治鬥爭，尤其是微妙難測的皇位繼承鬥爭。他與景帝的關係，不只是親兄弟的關係，更是帝王與有可能入主大統的諸侯王的矛盾關係。就後者而言，他們二人之間的利害、鬥爭關係會壓過親情。劉武一再恃寵而驕，挑動他與景帝之間最敏感、脆弱的矛盾關係，結果自然是雙方矛盾的表面化，是皇權對他制裁的陰影的日漸迫近。

然而，劉武恃寵而驕，景帝要負很大責任，是他先挑起劉武對皇位的幻想。景帝前三年，未立太子，劉武入朝，「上與梁王燕飲，嘗從容言曰：『千秋萬歲後傳於王。』王辭謝。雖知非至言，然心內喜。太后亦然。」㊼劉武雖知景帝「非至言」，但從此入承大統一事成為他揮之不去的欲望，並緊緊地與他後來的行為與命運綁在一起。景帝的戲言雖有討好太后之意，但更應注意的，這是政治考量很濃的一句承諾，景帝是在拉攏、利用劉武的梁國，作為朝廷的扞蔽。因為當時吳楚反事已山雨欲來，同年春，吳楚七國反，「吳楚先擊梁棘壁，殺數萬人。梁孝王城守睢陽……吳楚以梁為限，不敢過而西，……吳楚破，而梁所破殺虜略與漢中分。」㊽景帝的拉攏發揮了功用，梁成為朝廷的前線堡壘，設若梁未死守睢陽，吳楚就會長驅而入，直取滎陽、成皋，朝廷也就來不及作「以梁委吳」的戰略部署。萬一梁加入反叛軍陣容，吳楚軍更可直撲關中，朝廷危矣。由此可以看出，景帝「傳於王」的話，有很強的政治動機。吳楚破後，「明年，漢立太子。」這時朝廷心腹之患已除，劉武的梁國已不具利用價値，景帝也不用拉攏劉武，在乎他的感受了。前人從「君無戲言」的道德角度，批評景帝「不宜出好言於梁王」，[49]是未察及景帝的政治動機。

由於在吳楚之役立下大功，又是太后鍾愛少子、景帝親弟，劉武著實過了好幾年風風光光的歲月，築東苑、廣睢陽城、大治宮室，「得賜天子旌旗，出從千乘萬騎。東西馳獵，擬於天子。出言蹕，入言警。招延四方豪傑，自山以東游說之士，莫不畢至。」「二十九年十月，梁孝王入朝。……以太后親故，王入則侍景帝同輦，出則同車游獵，射禽獸上林中。梁之侍中、郎、謁者箸籍引出入天子殿門，與漢宦官無異。」[50]

表面的榮寵卻掩蓋不了結構性的矛盾，出入游戲，僭於天子，已冒犯皇權，「天子聞之，心弗善也。」[51]作爲有資格入承大統的儲君候選人，劉武不曾忘懷神器，更犯了大忌。劉武與景帝的矛盾終於表面化：

> 上廢栗太子，竇太后心欲以孝王爲後嗣。大臣及袁盎等有所關說於景帝，竇太后議格，亦遂不復言以梁王爲嗣事由此……乃辭歸國。其夏四月，上立膠東王爲太子。梁王怨袁盎及議臣，乃與羊勝、公孫詭之屬陰使人刺殺袁盎及他議臣十餘人。[52]

竇太后欲以梁王爲後嗣的提議受阻後，劉武終於絕望。但他無法了解景帝對他的優寵只是「以太后親故」，對於他們兄弟的關係，景帝是偏於政治性操作遠勝於親情考慮。[53]景帝從未將劉武列爲嗣君的眞正候選人。劉武無知，遂發怒於袁盎等人，於是他與景帝的表面和諧，遂告結束。

由於劉武理屈在先，景帝不用再顧慮太后感受，嚴厲徹查梁案。

於是天子意梁王，逐賊，果梁使之。乃遣使冠蓋相望於道，覆按梁，捕公孫詭、羊勝。公孫詭、羊勝匿王後宮。使者責二千石急……王乃令勝、詭皆自殺，出之。上由此怨望於梁王。梁王恐，乃使韓安國因長公主謝罪太后，然后得釋。㊹

這是劉武「初寵後辱」的轉捩點。雖然「上由此怨望於梁王」的眞正原因是在權力結構上，梁王有奪嗣的可能性與企圖心，就如吳齊賢所說的「非爲殺大臣而怨，爲奪嗣而怨。」㊺但劉武派人刺殺袁盎等人的愚蠢作爲，讓景帝因顧念太后而壓抑許久的猜忌之心徹底爆發，此後朝廷對劉武的猜忌遂排山倒海而來。劉武連表面的尊寵也無法再維持，「景帝益疏王，不同車輦矣。」㊻朝廷給他的壓力終於超過他的負荷能力：

三十五年冬，復朝。上疏欲留，上弗許。歸國，意忽忽不樂。北獵良山，有獻牛，足出背上，孝王惡之。六月中，病熱，六日卒，謚曰孝王。㊼

面對朝廷日益增強的猜忌壓力與自己的茫茫前途，劉武「意忽忽不樂」。他終於知道，自己已被朝廷視爲背上作亂之人，正一步步走上被猜忌的諸侯王的共同命運。北獵良山，有人獻牛，足出背上，不就蹠觸到他最脆弱、最忌諱的心理防線，所以他崩潰了。「足當處下，所以輔身也；今出背上，象孝王背朝以干上也。北者，陰也。又在梁山，明爲梁也。」㊽劉武恃寵而驕，卻不知不覺把自己推向無法挽回的「背上」的境地。

梁王劉武與景帝雖親爲兄弟，但因皇權不容覬覦的特性，他們之間依然存在著結構性的矛盾，此一矛盾無法藉親情化解，梁王的內史韓安國其實早有體會。他說：

大王自度於皇帝，孰與太上皇之與高皇帝及皇帝之與臨江王親？……夫太上、臨江親父子之間，然而高帝曰：「提三尺劍取天下者朕也」，故太上皇終不得制事，居于櫟陽。臨江王，適長太子也，以一言過，廢王臨江；用宮垣事，卒自殺中尉府……語曰「雖有親父，安知其不爲虎？雖有親兄，安知其不爲狼？」……有如太后宮車即宴駕，大王尚推攀乎？[59]

在政治圈中，親情敵不過權力的矛盾，親父可以爲虎，親兄可以爲狼，梁王劉武與景帝雖親爲兄弟，得太后鍾愛，且立有大功，但因覬覦神器，踫觸到權力的禁忌，終遭親兄猜忌，憂懼而死。他的一生，見證了有資格入承大統的諸侯王，與皇權形成的矛盾帶來的悲劇。

㈢淮南厲王劉長

淮南厲王劉長是高帝少子，其母因貫高謀反事被牽連，在獄中生下劉長後高帝未理，恚恨自殺。後劉邦令呂后母之，因此得以安然度過呂后當政時期。劉長約二歲封淮南王，王黥布故地。文帝即位時，年十九，此時高帝諸子只賸文帝與劉長二人，「淮南王自以爲最親，驕蹇，數不奉法。」「從上入苑囿獵，與上同車，常謂上『大兄』。」[60]然而，文帝顯然並不放心這位曾與他同列帝位候選人的異母弟，[61]六年，以謀反罪名將他放逐到蜀郡嚴道邛郵，劉長在道上不食死。

劉長造反的事蹟，史公敍述很簡略，卻詳述朝廷官員劾奏之辭，然劾奏之辭代表朝廷觀點，很難據以斷定劉長謀反事件的眞假。至於本傳所載劉長的違法事蹟，諸如自袖鐵椎、椎辟陽侯，令從者頸之，然後馳走闕下，肉袒謝罪一事。因辟陽侯審食其往昔得幸呂太后，屬於諸呂集團的一員，劉長雖是爲報母仇而椎殺審食其，勉強可算是「爲天下誅賊臣」。所以「孝文傷其志，爲親故弗治，赦厲王」，[62]表面是友愛寬大，事實上劉長是替新政權除去舊勢力。但劉長如此作爲卻表現出剛狠倔強的性格，坐實朝廷後來對他「數逆天子之令」的指控。有關謀反一事更是疑竇叢叢，「六年，令男子但等七十人與棘蒲侯柴武太子奇謀，以輂車四十乘反谷口，令人使閩越、匈奴。」[63]以七十人、四十乘車造反，終是可疑。縱使是行刺天子，也應有大規模的動員、部署配合，以便行刺成功，趁亂謀反。但本傳中卻看不到任何這方面的證據，包括朝廷百官劾奏劉長之辭亦然。尤有進者，棘蒲侯太子柴奇謀反，理應誅殺三族，但「棘蒲侯柴武以文帝後元年卒，諡剛。嗣子謀反，不得置後，國除。」[64]嗣子謀反，柴武無須連坐，可見朝廷只是要對付劉長罷了。

劉長謀反一事殊爲可疑，但可以確定的是文帝對他極爲猜忌。猜忌的結構性原因是劉長曾爲帝位的競逐者，對皇權具有威脅性，而劉長的作爲又加深了文帝的不安。劉長剛狠倔強，又沒有意識到他與文帝間的矛盾，所以他們很快就面臨攤牌的局面。他「自以爲最親」，「常謂上『大兄』」，又椎殺審食其，加上本身「有材力，力能扛鼎」，是故冒犯皇權、引起猜忌而不自知。至於文帝三年，長入朝後歸國，「益驕恣，不用漢法，出入稱警蹕，稱制，自爲法令，擬於天子。」[65]這些行爲，若依《漢書》本傳帝舅薄昭予厲王書所載，有些是經文帝特准的，但依然強化了文帝的猜忌、不悅。

文帝對劉長逼迫甚急，劉長在文帝三年入朝，尙「從上入苑囿獵，與上同車」，但六年即以謀反罪名流放蜀郡，短短三年中間，文帝還令薄昭予劉長書，責難甚切。這封責備、恐嚇兼具的信，可視爲朝廷對劉長的思想鬥爭，爲緊接著的整肅行動的正當性作預備。或者有見於此，《史記》並未收錄此書信。即便此書代表朝廷的詮釋觀點，但依然可以由此發掘一些被湮滅的眞相，其中提到劉長曾「欲屬國爲布衣，守冢眞定」。亦即劉長曾上書欲放棄淮南王爵位，到眞定爲其母守墓。薄昭以這件事爲核心，給劉長扣上不孝、不誼、無禮、不順、不知等八條罪名，恐嚇劉長走的是「危亡之路」，逼迫劉長上書謝罪。⑯薄昭的書信代表皇權對劉長猜忌的表面化，而在此之前，由劉長欲棄國守墓一事，可以看出皇權對劉長的猜忌已到達他不能忍受的地步。

劉長剛狠倔強的個性使他冒犯皇權，當他遭遇猜忌、打壓時，依然是以此一個性回應，絕不逆來順受。「欲屬國爲布衣，守冢眞定」，是他面臨猜忌時的反擊，如此使朝廷難堪，遂有薄昭以此事爲核心對他的譴責。接到薄昭的信後，他的反應是「得書不悅」，未如薄昭要求的上書認錯謝罪。最後以謀反的罪名被放逐到蜀郡時，依然是以「不食死」的方式，回應皇權的摧逼。

劉長以絕食而死的方式將他與皇權的矛盾暴露出來。他死後，文帝受到很大的壓力，問袁盎如何善後，袁盎答以「獨斬丞相、御史以謝天下乃可。」由袁盎之言不得罪文帝，可看出當時輿論多不直文帝所爲，亦即認爲劉長謀反有其冤情。另外，當時有民謠歌淮南厲王曰：「一尺布，尙可縫；一斗粟，尙可舂。兄弟二人，不能相容。」⑰銳利地諷刺文帝對親弟猜忌的殘酷。

以寬仁著稱的文帝，走的依然是猜忌諸侯王，甚至猜忌、摧折身為諸侯王的親弟的道路。

四小　結

在劉濞、劉武、劉長的傳記中，我們看到了個性不同、與朝廷親疏關係不同，對朝廷猜忌反應不同的三個諸侯王，最後都同樣以不幸的結局告終。由於他們擁有王國的資源，又是劉氏宗族，朝廷在處理他們的問題時比對付功臣更為棘手，但他們一樣得承受被猜忌的陰影，承受朝廷摧折的痛苦。

諸侯王與皇權的結構性矛盾根源在於藩國太大，又位尊權尊，對朝廷形成威脅。加以具劉氏宗室身分的諸侯王在漢初具有入承大統的正當性，不管他們是否真正覬覦神器，都會成為皇權猜忌的對象。因此在皇權不容覬覦、不容挑戰的情況下，皇權與諸侯王的緊張是必然的，這是「形勢」使然，與人性或道德無關，所以此一矛盾是結構性的。

諸侯王與皇權的矛盾雖是結構性的，不因其他因素而消失，但諸侯王的不同個性、關係、反應，卻會使矛盾呈現出不同的型態。劉濞最後以轟轟烈烈的反叛行為為雙方的矛盾關係作一總清算，劉武以奪嗣不成憂懼而死，劉長則以絕食而死的方式回應皇權的摧折。《史記》將三位諸侯王單獨立傳，除呈現出他們獨特的形相外，更將人物的個別性與典型性(普徧性)結合，呈現了他們所凸顯的悲劇、社會矛盾等重要的社會面相。這三個傳記所呈現的不同型態的諸侯王與皇權的矛盾，合而觀之，更可確認此一矛盾的必然性。而我們也由此可以瞭解，只要地方有強藩存在，皇權與強藩的矛盾就會存在著。而如何處理封國的問題，也必然會是中國歷史上皇權最頭痛的問題之一。

《史記》透過人物傳記，透過人物個別性與普徧性的結合，呈現皇權與諸侯王的結構性矛盾，更眞實、更生動地反映了處在此一矛盾中的諸侯王的無奈，也讓我們具體地看到了帝制中國的歷史中，分封建藩所面臨的最難以解決的難題。司馬遷站在歷史的高度，確實蹤觸到了歷史上此一具普徧性的重要面相。在吳、梁與淮南三傳中，透過人物個別性與普徧性的結合，《史記》確實顯示了《詩學》中所說的「更高的眞實」，描述了未來「可能發生之事」。

四、結 語

《史記》以人物傳記的方式，呈現其獨特的歷史觀照，傳主不但是具個別性的特殊人物，也是能反映某些重要的社會面，能呈現某些具普徧性的社會關係的人物典型。藉著人物個別性與普徧性的結合，《史記》就達成了亞里斯多德在《詩學》中認爲的，歷史所不能呈現的「更高的眞實」——一種未來仍可能發生的眞實。

在周勃父子以及吳、梁、淮南三王之傳中，《史記》呈現了文景朝皇權與功臣，及皇權與諸侯王的結構性矛盾。由於此一矛盾是結構性的，因此也是必然會發生的、具有普徧性的矛盾。了解此一矛盾，就更能接近歷史的大問題與大趨勢，達到「通古今之變」的高度。也由於此一矛盾具有普徧性，未來仍可能發生，司馬遷所說的「述往事，思來者」，⑱或傳統學者喜言的「以史爲鑑」就更有落實處。

當專制帝王以天下爲一己之產業時，任何對皇權有威脅性的力量，都很容易成爲被猜忌的對象。在曾經「出將入相」的周勃、周亞夫父子被猜忌的過程中，我們就看到具有左右國家大局能力的功臣宿將，與皇權間具有的結構上的緊張性。而且由《史記・絳侯周勃世家》對此一普徧性矛盾的呈現，我們就更能理解身居官僚系統樞紐地位的相權何以一再被剝奪。仲長統曾對相權萎縮的原因加以解釋：「光武皇帝慍數世之失權，忿強臣之竊命，矯枉過直，政不任下，雖置三公，事歸台閣。自此以來，三公之職，備員而已。」⑲這裡點出了皇權「忿強臣之竊命」的心理，但仍遠不及《史記》對此一矛盾的具象化描述。另外，漢代充當統帥的軍人，逐步改由具外戚身分的人充任，亦可以由周勃父子與皇權的矛盾看出端倪。簡言之，皇權既猜忌任何有威脅性的力量，那麼「權移外戚之家，寵被近習之豎」遂成必然的發展，而此一發展在〈絳侯周勃世家〉已可看出端倪。

吳、梁、淮南三王的悲劇，呈現出皇權與諸侯王間結構性的矛盾，呈現出皇權對諸侯王窺伺神器的不安與猜忌。由於這些人物典型是個別性與普徧性的結合，於是漢代皇權對諸侯王的壓制，由此已可看出是必然的走向；而漢代諸侯國趨於式微，其原因亦早已爲史公藉著結合個別性與普徧性的人物典型所揭露。《漢書・諸侯王表》〈序〉云：

> 文帝采賈生之議分齊趙，景帝用晁錯之計削吳楚。武帝施主父之冊，下推恩之令，使諸侯王得分戶邑以封子弟，不行黜陟，而藩國自析……景遭七國之難，抑損諸侯，減黜其官。武有衡山淮南之謀，作左官之律，設附益之法，諸侯惟得衣食稅租，不與政事。至於哀平之際，皆繼體

苗裔，親屬疏遠，生於帷牆之中，不爲士民所尊，勢與富室無異。⑰
這是皇權軟硬兼施，裁抑諸侯王的過程，也是諸侯王逐步趨於式微的過程。而這樣的發展，在吳、梁、淮南三傳中，已可看出是形勢所趨。獨占性極強的皇權，對勢大位尊的諸侯王如芒刺在背，必然會軟硬兼施加以裁抑。

當然，漢朝廷裁抑了諸侯王，卻未必能阻止其他力量對皇權的覬覦，這是權力遊戲的弔詭。所以班固接著感嘆地說：

> 王莽知漢中外殫微，本末俱弱，亡所忌憚，生其姦心……漢諸侯王厥角稽首，奉上璽韍，惟恐在後，或乃稱美頌德，以求容媚，豈不哀哉！⑪

皇權裁抑了諸侯王，自然也就喪失了諸侯國屏障藩翼之衛，此一權力安排的左右爲難，遂一直與專制帝國相終始。而司馬遷將人物個別性與普偏性結合，呈現的歷史觀照，卻早已踫觸到問題的癥結。

【附註】

① 司馬遷，《史記‧孝文本紀》，卷十，頁四三七—八。《新校本史記三家注并附編二種》，台北：鼎文，一九八五。

② 《史記》有〈吳王濞列傳〉、〈梁孝王世家〉、〈淮南衡山列傳〉，單獨給他們立傳（或以其子封王者附之），有別於其他諸侯王。

③ 有關司馬遷筆下人物，往往富有個性，也富有典型性，可參看季鎭淮，《司馬遷》，頁一一七—八。上海人民，一九五五。本文因「個性」一詞易引起誤解，故有時使用「個別性」一詞。

④ 亞里斯多德著，姚一葦譯註，《詩學箋註》，頁八六。台北：中華，一九七八。

⑤ 見姚一葦，《詩學箋註》〈箋〉，頁八九。

⑥ 以人物傳記爲主的「紀傳體」是司馬遷首創，由此一形式表現其獨特的歷史觀照，可視爲一種原創性的「創作」。

⑦ 《史記・絳侯周勃世家》，卷五七，頁二〇八〇。

⑧ 《史記・絳侯周勃世家》，頁二〇七九。

⑨ 《史記・絳侯周勃世家》，頁二〇七〇—一。

⑩ 《史記・高祖本紀》，卷八，頁三九二。

⑪ 《史記・絳侯周勃世家》，頁二〇七二。

⑫ 《史記・孝文本紀》，卷十，頁四一三。

⑬ 《史記・絳侯周勃世家》，頁二〇七二。

⑭ 《史記・絳侯周勃世家》，頁二〇七二—三。

⑮ 司馬遷在〈報任安書〉中自述下吏的悲痛，謂：「遂下於理，拳拳之忠終不能自列，因爲誣上，卒從吏議。家貧，財賂不足以自贖，交遊莫救，左右親近不爲一言。身非木石，獨與法吏爲伍，深幽囹圄之中，誰可告愬者！

……悲夫！悲夫！」（見班固，《漢書・司馬遷傳》，卷六二，頁二七三〇。《新校本漢書集注并附編二種》，台北：鼎文，一九八三。）

⑯《史記・絳侯周勃世家》，頁二〇七四—五。

⑰《史記・吳王濞列傳》載：「絳侯將乘六乘傳，會兵滎陽。至雒陽，見劇孟，喜曰：『七國反，吾乘傳至此，不自意全。又以爲諸侯已得劇孟。劇孟今無動。吾據滎陽，以東無足憂者。』」（卷一百六，頁二八三一。）

⑱《史記・梁孝王世家》，卷五八，頁二〇八二。

⑲《史記・絳侯周勃世家》，頁二〇七六—七。

⑳《史記・絳侯周勃世家》，頁二〇七七。

㉑《史記・絳侯周勃世家》，頁二〇七八。

㉒《史記・絳侯周勃世家》，頁二〇七八。

㉓《史記・絳侯周勃世家》，頁二〇七八。

㉔《史記・絳侯周勃世家》，頁二〇七九。

㉕《漢書》將周勃父子與張良、陳平、王陵合傳，就個別性與典型性（或普徧性）結合的標準而言，遠不及《史記》。

㉖《史記・淮南衡山列傳》，卷一〇八，頁三〇七五—六。

㉗賈誼，《賈子新書・等齊》。吳雲、李春台校注，《賈誼集校注》，頁四一。河南：中州古籍，一九八九。此外，漢初諸侯王的權力地位，《史記・五宗世家》〈贊〉云：「高祖時諸侯皆賦，得自除內史以下，漢獨爲置

丞相，黃金印。諸侯自除御史、廷尉正、博士，擬於天子。」（卷五九，頁二一〇四。）《漢書・諸侯王表》〈序〉亦云：「藩國大者，夸州兼郡，連城數十，宮室百官，同制京師。」（卷十四，頁三九四。）

㉘ 漢代以嫡長太子身分繼位的只有三人，即使惠帝爲太子時，亦差點被廢，改立戚夫人子趙王如意。有關漢代皇位繼承的問題，可參看邢義田，《奉天承運—皇帝制度》，收入《中國文代新論・制度篇》・《立國的宏規》，頁六〇—六二。台北：聯經，一九八三。

㉙ 《史記・孝文本紀》，頁四一九。

㉚ 《漢書・賈誼傳》，卷四八，頁二二三一九。有關賈誼對漢初中央與諸侯王矛盾形勢之討論，可參看拙著《西漢前期思想與法家的關係》，頁九五—一〇〇。台北：大安，一九九一。〈「禮」世界的建立—賈誼對禮法秩序的追求〉，《清華學報》，新二三卷二期，一九九三。

㉛ 此一差異可參看徐復觀，《周秦漢政治社會結構之研究》，頁一六八—一七二。台北：學生，一九七四。

㉜ 武帝時博士狄山語。見《史記・酷吏列傳》，卷一二二，頁三一四一。

㉝ 有人不了解《史記》此一用心，質疑吳與淮南單獨立傳之失，如司馬貞，《史記索隱》云：「其吳濞請與楚元王同爲一篇，淮南宜與齊悼惠王爲一篇。」（瀧川資言，《史記會注考証》，卷一百六，頁一一二八。台北：中新，一九七六。）

㉞ 轉引自《補標史記評林》，卷一百六，頁二四一三。台北：地球，一九九二。

㉟ 《史記・吳王濞列傳》，頁二八三二。

㊱《史記・吳王濞列傳》，頁二八二二。

㊲《史記・吳王濞列傳》，頁二八二三。

㊳賈誼，〈治安策〉。《漢書・賈誼傳》，頁二二三四。

㊴《史記・吳王濞列傳》，頁二八二三。

㊵以上幷見《史記・吳王濞列傳》，頁二八二四―七。

㊶《史記・吳王濞列傳》，頁二八二五。

㊷徐復觀，《周秦漢政治社會結構之研究》，頁一七六。另《漢書・荊燕吳傳》改「益」爲「盜」，更坐實劉濞的罪名。（卷三五，頁一九〇四。）

㊸參見加滕繁，〈漢代的國家財政和帝室財政的區別及帝室財政一斑〉，《日本學者研究中國史論著選譯・三》，北京：中華，一九九三。

㊹徐復觀，《周秦漢政治社會結構之研究》，頁一七六―七。

㊺《史記・吳王濞列傳》，頁二八二五。

㊻《史記・吳王濞列傳》，頁二八三六。

㊼《史記・梁孝王世家》，頁二八〇二。

㊽《史記・梁孝王世家》，頁二八〇二。

㊾褚先生言。《史記・梁孝王世家》，頁二〇九〇。

㊿《史記·梁孝王世家》，頁二〇八三—四。
(51)《史記·韓長孺列傳》，卷一百八，頁二八五七—八。
(52)《史記·梁孝王世家》，頁二〇八四—五。
(53)不管是利用梁抵擋東方諸侯王，或優寵劉武以取悅太后，都可視為政治性操作。
(54)《史記·梁孝王世家》，頁二〇八五。
(55)轉引自《補標史記評林》，卷五八，頁一六八〇。
(56)《史記·梁孝王世家》，頁二〇八五。
(57)《史記·梁孝王世家》，頁二〇八六。
(58)司馬貞，《史記索隱》，引張晏言。《史記·梁孝王世家》，頁二〇八六。
(59)《史記·韓長孺列傳》，卷一百八，頁二八六〇。
(60)《史記·淮南衡山列傳》，頁三〇七五—六。
(61)大臣誅諸呂後，欲立諸侯王最賢者為天子，當時被考慮的有齊王、淮南王、代王三人。見《史記·呂后本紀》，卷九，頁四一〇—一。
(62)《史記·淮南衡山列傳》，頁三〇七六。
(63)《史記·淮南衡山列傳》，頁三〇七六。
(64)裴駰，《史記集解》引徐廣言。《淮南衡山列傳》，頁三〇七八。

⑥⑤《史記・淮南衡山列傳》，頁三〇七六。

⑥⑥《漢書・淮南衡山濟北王傳》，卷四四，頁二一三六—二一四〇。

⑥⑦《史記・淮南衡山列傳》，頁三〇八〇。

⑥⑧《史記・太史公自序》，卷一三〇，頁三三〇〇。

⑥⑨仲長統，《昌言・法誡》。引自范曄，《後漢書・仲長統列傳》，卷四九，頁一六五七。《新校本後漢書幷附編十三種》，台北：鼎文，一九八一。

⑦⓪《漢書・諸侯王表》，卷十四，頁三九五—六。

⑦①《漢書・諸侯王表》，頁三九六。

莊子文學理論舉隅

銘傳大學應用中
國文學所系副教授　徐麗霞

一、前　言

中國思想在先秦諸子的縱橫捭闔裡開啓了光輝燦爛的史頁，中國文學也在這相同的領域拓展里程，所以章學誠《文史通義》說：「周衰文弊，六藝道息，而諸子爭鳴，蓋至戰國而文章之變盡，至戰國而著述之事專，至戰國而後世之文體備。……知文體備於戰國，而始可與論後世之文。」①諸子的文學表現，一如其哲學思想，各具體貌，別有姿態，他們渾身解術地一聲聲喊出了哲人的智慧，一筆筆刻勒下文藝的奇葩，而後期所有的學術討論、文學藝術，就自然而然從這裡吸取精髓，去做承繼與結果。本來，諸子並非有意於文學表現，因此，作品形式、寫作技巧等很少被付諸實際論敘；然而今日我們欲瞭解「文學理論」與「文學批評」，追本溯源，便不期地回顧諸子了。

儒家哲學與道家哲學，分出南北，統領支配整個歷史思潮的大局，孔子對文學的闡述，比較起老莊，明顯化得多了，他說詩可以興觀群怨，邇之事父，遠之事君；又說言以足志，文以足言，不言誰知其志，言之無文，行而不遠②；那種尙文的意識流露無遺。當漢武帝罷黜百家，獨尊儒術，孔門的尙文尙用即成了文學的圭臬，尤其在經師用力修飾之下，諷諫說、載道說根株於下，榮葉於上，文學教化相結合的道統論，一代接著一代，一直處於領導地位。然而在文學創作方面，不可諱言，道家所開闢出來的理境，對歷代文學的影響，實遠在儒家之上，中國文學如果沒有道家的滋潤，不知要減去多少活活潑潑的生機、悠遠跳脫的空靈，其間，莊周的成就，又非語約的老子可以望其項背。

正如前述，莊子一書作爲哲理呈現，實乃漆園的寫作動機，因此，無字無句不是精闢入裡，卻也一字一句皆非文學說明；今日，我們將莊周的哲學導入文學理論的範疇，做種種闡發，眞要如徐復觀先生所自嘲的：「把活句當作死句去理會」，③難免又是糟粕之說了。雖然，莊子原如廬山之峰，任憑左觀右眺，皆能各得其彷彿，他不予人以「必然」，一切風流卻盡藏茲中，因此林西仲論其文曰：「須知有天地以來，止有此一種至理，有天地以來，止有此一種至文。絕不許前人開發一字，後人摹倣一字。至其文中之理，理中之文，知其解者，旦暮遇之也。」④林西仲可以算是遇之矣，中國歷史透過莊子去瞭解文學、說明文學、創作文學者不乏其人，他們也都是知其解者了。但在作這方面的說明時，卻不得不重申一下：莊子原無意於文學理論、文學技巧的發明。職是之故，本末倒置，錯把文學理論、文學技巧去範圍莊子，是沒有必要的。

何以莊子在無意於文學創作之下，能產生如此偉大的文學作品，佔有文學之首席，而敲出振撼千古的感動力？原來，哲學與文學本有其共通之處，哲人們的思考來自宇宙萬物的引發，他們燃燒自己，企圖在瞬息萬化中找出「眞理」，找出「永恆」，詩人、文學家又何嘗不是如此呢？梁宗岱在《談詩》

裡說：「都是要直接訴諸於我們整體：靈與肉，心靈與官能，內在世界與外在世界，理想與現實；它不獨要使我們得到美感的愉悅，並且要指引我們去參悟宇宙和人生的奧義；而所謂參悟，又不獨間接解釋給我們的理智而已，並且要直接訴諸我們底感覺和想像，使我們全人格都受它的感化和陶鎔。」⑤文學的生命取諸宇宙生命，文學家所力求把捉的也就是哲學家所尋的永恆和亙古不變的眞理，因此，凡根植於哲學的文學，其內涵便更深入、更透澈，包孕思想的文藝，作者的情感，才有最合理的寄存、最高度的提昇。那麼，莊子之所以成爲哲學界和文學界的先驅，也就不言而喻了。

二、莊子文學的現代美學基礎

莊子哲學被轉換爲文學理論與文學批評，已是衆所皆知之事實，可惜，古來學者承繼莊子「呈現而非剖析」的慣例，都只做簡單扼要、境界式的說明，罕將何以如此之端緒，抽絲剝繭地覓出，於是談論起莊子的文學理論，仍不免予人「霧裡看花，終隔一層」的錯覺。因此，本文擬就現代文藝美學的觀點，嘗試把莊子與其不期而遇之妙處，加以粗淺解說，肯定一下它在文學理論的園地獨樹旗幟之可能性，當然，孟浪與不成熟，不敢覆缶，只求姑妄言之，姑妄聽之耳。

㈠鼓盆而歌與表現距離

「情」是文學創作不可或缺的要素，如果缺乏情所鼓舞的一份狂熱，創作便無由產生，所以柏拉圖說：「無論是誰，如果沒有這種詩人的狂熱，而去敲詩神的門，他儘管有極高的藝術手腕，詩神也不會讓他登堂入室。」⑥然而莊子卻對惠施「人故無情乎」的質詢，堅定的回答「然」，他認爲擁有一張人的形骸，同時具備一副人的感情，是人類所以只是平庸凡人的主因，眇乎小哉，人的累贅都在這裡泛濫了，因此，他要脫卻感情的羈絆，純粹做一個「無情之人」⑦〈至樂篇〉記載著：「莊子妻死，惠子弔之，莊子則箕踞鼓盆而歌。惠子曰：與人居，長子，老身死，不哭亦足矣，又鼓盆而歌，不亦甚乎？」莊子委實已經渾然忘情而無情。那麼，把它引做文學的闡述，實在了無關連，然而如果將莊子下面一段話，細加咀嚼，卻可以豁然貫通到：所謂無情方是大情，唯獨莊子這一位大情之人，才有如此之無情。他回答惠施說：

不然，是其始死也，我獨何能無概然，察其始而本無生，非徒無生也，而本無形，非徒無形也，而本無氣，雜乎芒芴之間，變而有氣，氣變而有形，形變而有生，今又變而之死，是相與爲春夏秋冬四時行也，人且偃然寢於巨室，而我噭噭然隨而哭之，自以爲不通乎命，故止也。

拿著一副人的感情，就人的拘限觀看形骸之有無存虧，實不能免乎生樂死悲，而就全體宇宙的大化流形言，死不過一種聚與散的自然回歸，回歸並非終點，而是另一個開始，儻深知如此，敲著盆歌頌造化的偉大罷！所以惠子說「既謂之人，惡得無情」，便非莊子「不以好惡內傷其身，常因自然而不益生」的情了。⑧妻始死時，莊子不能無慨然，這代表著：人類那副人的情感在作用著。如果一任其奔泆，勢必瀉而不返，沈溺自扼；唯獨智慧者能夠在奔泆中收煞，把自己安放在情感與情感的距離裡，去接受理智的澄清。因爲，從「何能獨無概然」的第一秒，到落入悼亡痛哭的庸者，生者的感情是一個不斷的連續，纏綿串組，密集壓縮，此時此地，唯有掄起一把慧劍，斬斷它的連續，造出它的距離，一切才能清醒，才有迴旋；就莊子對妻言，距離使莊周之妻從親屬的聯繫裡「孤立」而出，孤立後的妻方能爲莊周納入物種，去與芒芴四時相與變化；就莊子自身言，距離又使他從紛雜混淆、沈溺自扼的情感之罟「超脫」，因爲感情的作用在用力拉著莊子面對低層的現實界，超脫則去除所有現實所造成的魔障，讓他與原始本眞更接近；由此可見，「距離」如何造就一位哲人。文學創作也相同於此，一個文學家儘管有滿懷排山倒海之情，卻不能錙銖不漏全盤表現在作品裡，爲什麼呢？因爲感受和表現是有距離的。將自己最切身的情感抒寫出來，固然作品不致流於空疏，但感受最深刻之時，卻並不全等於創作之時，所以朱光潛先生說：

藝術所用的情感，並不是生糙的，而是經過反省的。蔡琰在丢開親生子回國時，決寫不出悲憤詩，杜甫在「入門聞號咷，幼子飢已卒」時，決寫不出奉先詠懷詩。悲憤詩和奉先詠懷詩都是「痛定思痛」的結果。藝術家在寫切身的情感時，都不能同時在這種情感中過活，必定把牠加以客觀化，必定由站在主位的嘗受者退爲站在客位的觀賞者。一般人不能把切身的經驗放在一種距離以外去看，所以情感儘管深刻，經驗儘管豐富，終於不能創造藝術。⑨

法國心理學家德臘庫瓦在他的《藝術心理學》也說：

感受和表現完全是兩件事。純粹的情感，剛從實際生活出爐的赤熱的情感，在表現於符號、語言、聲音或形相之先，都須經過一番返照。越魯維頁以爲藝術家須先站在客位來觀照自己，然後纔可以把自己描摩出來，這是很精當的話。藝術家如果要描寫自己切身的情感，須先把它外射出來，他須變成一個自己模倣者。⑩

換言之，一定要在自己和情感之間開闢一段適當距離，因著這距離才能使主觀的感受和旁觀的欣賞有換位之機，但是莫錯以爲距離使作者與物隔絕，上面已說明孤立與超脫在莊子哲學中的作用，乃在於擺脫感情把人拉向現實界，文學的距離，也在造成孤立與超脫，孤立就物言，超脫就作者言，它能消極地讓吾人拋開物的實際作用，積極地使物的形相更清晰，更刻意的觀賞。

㈡削木爲鐻與純粹直覺

上文說到距離造成孤立與超脫，讓吾人拋開物的實際作用，使物的形象更清晰，這句話什麼意思呢？原來，人類的知，有直覺、知覺、概念三種；當外物出現眼簾，像照相一般只留下此物本身的形相，喚不起任何由經驗得來的聯想，這是原始的知，稱爲直覺；設若經由此物而引起與該物有關的聯想，便叫做知覺；如果超越此物，產生另一些抽象思考即爲概念。知覺與概念最大的差別是：知覺的階段，由物產生的意義仍附著於該物的形相上，概念則完全可以捨棄割離於既有物的形相外；然而不論附著也好，割離也好，它們都是「已經獲得經驗」的堆積作用，這些都是現實實用界的產物，我們姑且將它分爲兩大類：知識與欲望。因此，當文學家面對著外在景物時，社會價值、實有經驗難免要闖入景物形相與作者之間，作某些干擾，甚至帶著壓倒性的姿態，取代該景物的形相。所以文學創作實有賴於作者從現實實用觀念中獲得解脫，換言之，把物從層層團團的實用包圍裡渾圓透剔地剝取出來，對它做「純粹直覺」的觀賞。那麼，排除與淨化人類的心，便成爲文學創作的最基本工夫。朱光潛先在《談美》一書中說：

> 木商由古松而想到架屋、製器、賺錢等等，植物學家由古松而想到根、莖、花、葉、日光、水分等等，他們的意識都不能停止在古松本身上面。不過把古松當作一塊踏腳石，由牠跳到和牠有關係的種種事物上面去。所以在實用的態度中和科學的態度中，所得到的事物的意象都不是獨立的、絕緣的，觀者的注意力都不是專注在所觀事物本身上面的。注意力的集中、意象的孤立、絕緣，便是美感的態度的最大特點。⑪

德國心理學家閔斯特堡於《藝術教育原理》有很好的說明：

> 如果你想知道事物本身，祇有一個方法，你必須把那件事物和其他一切事物分開，使你的意識完全爲這一個單獨的感覺所佔住，不留絲毫餘地讓其他事物可以同時站在他的旁邊。如果你能做到這步，結果是無可疑的：就事物說，那是完全孤立，就自我說，那是完全安息在該事物上面，這就是對於該事物完全心滿意足；總之，就是美的欣賞。⑫

如此，一個文學家最大的敵人，即爲既有經驗：知識與欲望。那裡還有比忘去知識，排泄欲望更重要的事呢？《莊子．達生篇》中梓慶削木爲鐻，製造得唯妙唯肖，使魯侯驚猶鬼神，便是採用這種方式，不斷地作心的淨化。梓慶自己說：

> 臣將爲鐻，未嘗敢以耗氣也，必齊以靜心。齊三日，而不敢懷慶賞爵祿；齊五日，不敢懷非譽

> 巧拙；齊七日，輒然忘吾有四枝形體也。當是時也，無公朝，其巧專而外骨消。然後入山林，觀天性，形軀至矣，然後成見鐻，然後加手焉，不然則已。

「齊以靜心」即是「心齋」，「忘吾有四枝形體」即是「坐忘」，心齋、坐忘本來就是莊子得道必由的途徑。天地宇宙本爲一個眞，偏偏每個人執著自己的是非，去是其所是，非其所非，道如何不被掩蓋產生眞僞呢？紛亂如何能避免？這些都起因於吾人之「成心」，而成心的鑄成則是既有的外在世俗之知在攪動我們的欲望，塑造訛謬的主觀，因此，要得道，要合參宇宙萬物的眞，就須日損其欲，捨棄俗知，損之又損，棄而又棄了。何謂心齋、坐忘？〈大宗師〉曰：

> 顏回曰：回益矣。仲尼曰：何謂也？曰：回忘仁義矣。曰：可矣，猶未也。他日，復見，曰：回益矣。曰：何謂也？曰：回坐忘矣。仲尼蹴然曰：何謂坐忘？顏回曰：墮肢體，黜聰明，離形去知，同於大通，此謂坐忘。

〈人間世〉曰：

> 回曰：敢問心齋？仲尼曰：一若志，無聽之以耳，而聽之以心，無聽之以心，而聽之以氣，聽止乎耳，心止於符，氣也者，虛而待物者也，唯道集虛，虛者，心齋也。

仁義禮智乃至於自我形骸，皆是道的腳鐐手銬，欲同於大通，而不破除這些障礙，如何可行？就心齋來說，莊子無異在告訴吾人：用感官形器去接觸，乃下乘之法，因爲感官形器往往反變成交感過程的隔閡，即使用心也不行，心已爲既有經驗，訓練得成爲接納符號的工具，這些都有所摻雜而不純粹，唯獨用虛氣去觀點，始能得道，爲什麼呢？因爲道的本身就是虛，他的作用就發源於氣。換言之，文學家面對外在景物，欲捕捉該景物精純之至眞至善至美，就必須付出等量的精純，讓我的心如同一面瀏亮的明鏡，去放射最純之直覺。然而莊子視美學家更高深奧妙許多，美學家雖然已拋開現實實用的累贅，卻不能完全去掉「覺」的作用，莊子則連「覺」都忘，純任虛，純任氣。

㈢道在屎溺與移情作用

在莊子的宇宙觀裡，萬物生生的本源是一個抽象存在的道，它有情有信，無爲無形，生長在太極之先、六極之下，未始有物、未始有始之時⑬，爲一超乎時間與空間的存在者，只是特不得其朕而已。雖然，道究竟何在呢？〈知北遊〉曰：

東郭子問於莊子曰：所謂道惡乎在？莊子曰：無所不在。東郭子曰：期而後可。莊子曰：在螻蟻。曰：何其下邪？曰：在稊稗。曰：何其愈下邪？曰：在瓦甓。曰：何其愈甚邪？曰：在屎溺。東郭子不應。莊子曰：夫子之問也，固不及質，正獲之問於監市履狶也，每下愈況，汝唯莫必，無乎逃物。

原來，道雖是個物物者，而物物者的本身卻是與物無際，而寄存於有際的庶物中⑭，簡言之，道是遍在的，它分散在一切物裡，不論該物的高低貴賤、壽夭貧富。換個立場觀，萬物的生長都是「通天下之一氣耳」的變化，都是肅肅至陰、赫赫至陽的交通成和罷了！聚則生，散則死，臭腐化爲神奇，神奇復化爲臭腐，用不同形體相禪；如果把這些分散的庶物結合起來，道便完完全全顯現出來了。因此求道離開物，乃欲之南越而北行，背道驅馳，終無所得，但，偏執著物去求道，卻又落入所蔽，好比瞎子摸象，莫能窺其全豹，因爲道建立在可分與不可分之上，所謂「道通爲一」者是也，所以向下看它是散，向上看則爲全、爲一，它是投入於萬物，又出乎於萬物。職是之故，當其爲蝴蝶，莊周可以變成蝴蝶，當其覺醒，莊周仍然可以是莊周⑮。何故？因爲莊周的生命就是蝴蝶的生命，蝴蝶的生命就是莊周的生命，乍觀之下，是兩個截然相異的形體，然而破除這累贅的形骸，二者都是道體的產物，那麼又有何差別呢？不僅蝴蝶與莊周如此，天下萬物莫不如是，那麼，物無彼我，渾然一體了，就文學創作言，史邦卿說：「此情老去須休，春風多事，便老去越難回避。」「臨斷岸新綠生時，是落紅帶愁流處。」⑯其實風的形成只是空氣的流動，那管得著人間之事呢？花謝當落是物理常態，豈能含愁帶怨呢？然而在文學家的筆下卻栩栩然，都具備了與人類相同的生機和情感。不僅中國文學如此，古今中外莫不皆然，泰戈爾在其詩集中寫道：「使我做你的詩人，哦，夜，覆蓋著夜，……把我放在你沒有輪子的戰車上，從世界到世界，無聲的跑著……。」⑰哥德在《浮士德》的開場便說：「太陽繞著古道道鳴，在衆星裡競行，自創世，他的路徑已前定，一聲雷響，結束行程。」⑱這即爲文學創作「宇宙人情化、生命化」的表徵，爲什麼宇宙可以人情化、生命化呢？就理智觀點論，人是人，物是物，人與物似乎必然存在於兩個不同世界，然而人的情感卻具有「外射作用」，文學家常把自己內在的情感外射於物上，物與人便產生迴流交感，我的生命寄託於物，使物也產生了生命，再由物反射回轉予我，如此，物我交融，綰成一體，此即爲「移情作用」，波德萊爾說：

你聚精會神地觀賞外物，便渾忘自己存在，不久你就和外物混成一體了。你注視一棵身材停勻的樹在微風中盪漾搖曳，不過頃刻，在詩人心中只是一個很自然的比喻，在你心中就變成一件事實，你開始把你的情感欲望和哀愁一齊假借給樹，它的盪漾搖曳也就變成你的盪漾搖曳，你自己也就變成一棵樹了。同理，你看到在蔚藍天空中迴旋的飛鳥，你覺得它表現超凡脫俗，一個終古不磨的希望，你自己就變成一個飛鳥了。⑲

移情作用在文學創作中爲極重要的一環，因此，此說的創始人立普司便被推爲美學的達爾文。「移情作用」這個詞的原義是：感到裡面去。亦即說：把我的感情移注到物裡，去分享物的生命。⑳莊子曾與惠施出遊於濠上，莊子曰：「儵魚出游從容，是魚樂也。」㉑莊子即是用自己的快樂去外射魚，使魚也快樂起來，又使自己感覺到魚的快樂，莊子的儵魚之樂，固然有前述哲學體系做它的基礎，同時也是一種文學家移情作用的自然流露。爲什麼呢？移情作用與漆園哲學的道體遍在，都有一個共同的特質：物我不分。當然，移情作用比較起道體遍在渺小許多，那是極易明白，不必贅敘。

三、莊子哲學所含蘊的文學創作論

㈠純任自然

「自然」，是道家哲學的精華，亦是莊子文學的特色，是以由此發展出來的文學理論便首重「自然」二字，認爲文學的創作，非勉強可得，一切在「妙造自然」而已。〈養生主〉載庖丁爲文惠君解牛，手所觸，足所履，膝所踦，砉然嚮然，奏著刀在筋骨之間悠遊，好比音樂家演奏堯舜樂章一般，何以然哉？庖丁自己說：

始臣解牛之時，所見無非全牛者；三年之後，未嘗見全牛也；方今之時，臣以神遇而不以目視，官知止而神欲行。依乎天理，批大郤，導大窾，因其固然。技經肯綮之未嘗，而況大軱乎？良庖歲更刀，割也；族庖月更刀，折也；今臣之刀十九年矣，所解數千牛矣，而刀刃若新發硎。彼節者有間，而刀刃者無厚，以無厚入有間，恢恢乎其於遊刃必有餘地矣，是以十九年而刀刃若新發於硎。

這一段文字標出了「神」，要人們唾棄形體之養，去養精神的精純，因爲形體有消虧，精神無止境，然而精神是一抽象不可見者，養神之法唯在「神遇」，不能以固定方式去私相授受，而且其遇不可求，既來欲行則無往不入，泉湧不止。爲什麼呢？因爲「神」須「任自然」，非人力所能左右。〈天道篇〉中桓公讀書堂上，輪扁譏其拾古人糟粕，桓公大怒，要他有說則可，無說則死，輪扁的道理正與此同，他說：

臣也以臣之事觀之。斲輪，徐則甘而不固，疾則苦而不入，不徐不疾，得之於手而應於心，口不能言，有數存焉於其間。臣不能以喻臣之子，臣之子亦不能受之於臣，是以行年七十而老斲輪。

可見修道與得道，貴在天機妙悟，雖然也數存於其間，但要不疾不徐，得心應手，卻是口所不能言傳者，既然不能喻，非可受，那麼，唯有「純任自然」。文學創作也是如此，創作的妙道與靈思皆不可把捉，雖說似有章法條理可循，但硬循著章法條理，泰半的作者難免落入陳腔爛調的窠臼中，那談得上出新意、創新局呢？而文學貴在「收百世之闕文，採千載之遺韻」，要「謝朝華於已披，啓夕秀於未振」㉒，發人之所未發，言人之所未言，這便仰仗「神」了，這並非純靠「學養」所能獲致。淺顯地說：是仰仗作者「天賦的文學才能」，自然得之，無以假借。這種文學創作天才說，在建安時代便被曹丕標舉出來，〈典論．論文〉云：

> 文以氣爲主，氣之清濁有體，不可力強而致。譬諸音樂，曲度雖均，節奏同檢，至於引氣不齊，巧拙有素，雖在父兄，不能以遺子弟。

毫無疑義，曹丕這種鋒銳新穎的論點是在莊子學說薰陶下有感而發的。自是，莊子純任自然的創作理論，便成爲文學理論家樂道之法則，如宋蘇東坡論文的「行於所當行，止於所不可不止。」王世貞所謂：「非琢磨可到，要在專習，凝領之久，神與境會，忽然而來，渾然而就，無歧級可尋，無色聲可指。」㉓鍾惺所謂：「如訪者之幾于一逢，求者之幸于一至。」㉔嚴羽《滄浪詩話》所謂：「詩有別才，非關學也；詩有別趣，非關理也。此得於先天者，才性也。」趙翼《甌北詩話》評李清蓮所云：「詩之不可及處，在乎神識超邁，飄然而來，忽然而去，不屑屑於雕章琢句，亦不勞勞於鏤心刻骨，自有天馬行空，不可羈勒之勢。」他們都或多或少帶著莊學色彩以及出乎莊學轉化的跡象，此皆足以證明莊子對文學影響之鉅。

㈡味外之味

唐司空表聖《詩品》標出「含蓄」一目曰：「不著一字，盡得風流。」嚴滄浪也有「不涉理路，不落言詮者，上也」的論調，這些都已成爲文學理論及文學批評界的慣用語，其來源即本諸莊子的「言無言」㉕。何謂言無言？莊子之意：不言者上乘，既言者下乘；蓋妙道在神遇，不在稱說，但不言他人何以知之？故不得已強爲之說，是所說皆姑妄說耳，聽者取其言外之意，則棄其言可也。換言之，語言文字都只不過是引出意的媒介，當任務已達成，便可拋掉，所以莊子把語言文字比筌蹄，曰：

筌者所以在魚，得魚而忘筌；蹄者所以在兔，得兔而忘蹄；言者所以在意，得意而忘言。㉖

筌的作用在捕魚，蹄的作用在捉兔，言的作用在達意，它們都是工具而已，但世俗之人每每抱著工具，不去追求意義，好比水中撈月、守株待兔，眞是不可與之言呀！爲什麼呢？因爲「即器求道」雖是至理，但道實非器，朱子《四書集注》有句話，適與此不謀而合，他說：「學者不可厭末而求本，亦非謂本即末，但學其末，本在是矣。」故莊子又曰：

世之所貴道者書也，書不過語，語有貴也。語之所貴者，意也，意有所隨。意之所隨者，不可以言傳也，而世因貴言傳書，世雖貴之哉，猶不足貴也，爲其貴非其貴也。㉗

王弼便將此理移入《易經》，去解釋聖人之書，其《周易略例》有極好的說明：

夫象者，出意者也；言者，明象者也。盡意莫若象，盡象莫若言。言生於象，故可尋言以觀象；象生於意，故可尋象以觀意。意以象盡，象以言著；故言者所以明象，得象而忘言；象者所以存意，得意而忘象。……存言者，非得象者也；存象者，非得意者也。象生於意而存象焉，則所存者乃非其象也；言生於象而存言焉，則所存者乃非其言也。然則忘象者，乃得意者也；忘言者，乃得象者也。

《易》的道理假借自然現象以表現，自然現象復用言辭以闡述，那麼欲得象須透過言辭，欲得理須透過象；雖然，儘在言辭裡探求現象，所得之象必非眞象，儘在現象裡揣摩道理，所得之理決非眞理，因此要忘言得象，忘象得意，因爲：「大義類者，抽象之簡理；馬牛者，具體之繁象。具體之繁象生于抽象之義類，知其義類，何必拘于牛馬？」㉘那麼，文學也不能拘囿於文字章法結構，而是要出乎文字章法結構之外，追求更高一層的理境，此即所謂「味外之味」了。嚴羽提倡興趣，其《滄浪詩話·詩辨篇》云：「盛唐諸公惟在興趣，羚羊掛角，無跡可求，故其妙處透徹玲瓏，不可湊泊，如空中之音，相中之色，水中之月，鏡中之象，言有盡而意無窮。」阮亭與王士禎標榜神韻，王士禎的《唐賢三昧集》附有王氏之徒王立極的後序，〈序〉中云：「大要得其神而遺其形，留其韻而忘其跡，非聲色臭味之可尋，語言文字之可求也。」民初王國維拈境界二字，自謂在嚴王之表，其言曰：

嚴滄浪詩話謂盛唐諸公，唯在興趣，羚羊挂角，無跡可尋，故其妙處，透澈玲瓏，不可湊泊，如空中之音，相中之相，水中之影，鏡中之象，言有盡而意無窮。余謂北宋以前之詞亦復如是，然滄浪所謂興趣，阮亭所謂神韻，猶不過道其面目，不若鄙人拈出境界二字爲探其本也。㉙

王氏又謂：「詞之雅鄭，在神不在貌。」㉚其實興趣說、神韻說，乃至王國維的境界說，內容雖小大差異，都是莊子「言無言」下一脈相承的產物，朱東潤在〈王士禎詩論述略〉一文中所點出的「在筆墨之外」者便是也。

㈢技巧潛藏

上述「言無言」及「文字糟粕」說，用於創作理論固然極爲巧妙，用於實際寫作的技巧方面，則又另有其契機，文字的作用既然是達意的手段，終極目的在求味外之恉、自然神妙，那麼，一切修辭雕琢等技巧經營，便非一個成功文學家所應專意致力之所在了，但，這也並非意味著文學家可以不懂得寫作技巧。庖丁解牛的記載中，庖丁所以能以神遇不以目視，做到官知止而神欲行，是在所見無非全牛之後的第三年；就算梓慶削木爲鐻，仍須齋七日，不斷地一層層忘卻慶賞爵祿、非譽巧拙，乃至四肢形體，然後入幽林、觀天性，然後成見鐻，最後始加手焉；其他心齋、坐忘，在在皆透露出道是循序漸進修爲而來的消息：〈大宗師〉南伯子葵問女偊何以年已老大還能色若孺子，女偊的攖寧境界，也正如此：

吾猶守之告之，參日而後能外天下；已外天下矣，吾又守之，七日而後能外物；已外物矣，吾又守之，九日而後能外生；已外生矣，而後能朝徹；朝徹而後能見獨；見獨而後能無古今，無古今而後能入於不死不生。殺生者不死，生生者不生。其爲物也，無不將也，無不迎也，無不毀也，無不成也，其名爲攖寧。攖寧也者，攖而後成者也。

可見修爲達於神凝，至於至人、眞人、神人的階段，一切修爲便一掃而空，便像藐姑射山的神人，晶瑩淖約，婉如處子㉛，這實是反璞歸眞。文學寫作適同於此，文學家固然要以自然流露爲表現的登峰造極，但登逢造極仍須一步一履往上攀援，是以寫作技巧的經營以及學養工夫的貯藏，或許會變成直接觀照時的阻礙，卻不能不具備，況且上乘的作者仍然可以將這些工作做在事先，成爲寫作的預備，方其眞正提筆搦翰之時，則運斧於天工，完全不見鑿斫之痕；這種工夫近代學者稱之爲「二度和諧的鍛鍊」，何謂二度和諧呢？就是在原來生糙渾沌的初度和諧中，經過鍛鍊與洗滌，超昇於透徹玲瓏、恬靜圓通的第二度和諧之歷程；表面觀，似乎沒有多大變動，實際卻早已脫胎換骨、判若雲泥了。許印芳《詩法萃編》錄司空圖〈與李生論詩書〉並評論道：

唐人中王孟韋柳四家，詩格相近，其詩皆從苦吟而得。人但見其澄澹精緻，而不知其幾經陶洗而後得澄澹，幾經鎔鍊而得其精緻。

張汝瑚稱王世貞：

先先少時，才情意氣，皆足以絕世，爲于鱗七子輩，撈籠推輓，門户既立，聲價復重，譬乘風破浪，已及中流，不能復返。迨乎晚年，閱盡天地間盛衰禍福之倚伏，江河陵谷之遷流，與夫國事政體之眞是非，才品文章之眞脈絡，而慨然悟水落石出之旨於豐濃繁盛之時，故其詩若文，盡脱去牙角繩縛，而以自然爲宗。㉜

許張二人的說法，正是二度和諧鍛鍊的最佳注腳。陶淵明的詩，可以算得上中國詩史上沖淡深粹，最最出乎自然者，技巧自不在其經營之中，然而元遺山仍慧眼獨具，洞瞻其「豪華落盡見眞淳」㉝。

所以袁枚主張：「詩宜朴不宜巧，然必須大巧之朴；詩宜澹不宜濃，然必須濃後之澹。」㉞其《詩話補遺》卷一曰：

凡多讀書爲詩家最要事，所以必須胸有萬卷者，欲其助我神氣耳，其隸事不隸事，作者不自知，讀詩者亦不知，方可謂之眞詩，若有心矜炫淹博，便落下乘。

此即是「入乎其內」，又能「出乎其外」，一切學養技巧到此，唯須「如水中著鹽，但知其味，不見鹽質」，縱若有他山便便書史，在吟詠之際，如何可不棄捐隱藏呢！㉟

㈣虛構手法

文學本貴乎想像，句句是眞，字字皆實，固然可以號稱本色，卻嫌板滯，味同咀臘；由想像而來者則文章可以虛構，這種手法在中國文學界早已流行普遍，屈原的作品百分之九十九憑空摹出，上天入地，無所不至，他可以命令義和和豐隆替他駕車，來往於崦嵫咸山，讓蹇修爲媒，追求虙妃姚女，這些虛構情節、假想人物，都在文學家的生花妙筆下有了眞實生命和意識行爲，像〈漁父〉一篇假託漁父問答，〈卜居〉一篇假託鄭詹尹占卜，更留予後人摹仿的範本，洪興祖《楚辭補注》云：「〈卜居〉〈漁父〉皆假借問答，以寄意耳。」洪邁在《容齋隨筆》裡云：「自屈原詞賦假爲漁父問答之後，後人作者悉相規倣；司馬相如〈子虛〉〈上林賦〉以子虛、烏有先生、亡是公；揚子雲〈長揚賦〉以翰林主人、子墨客卿；班孟堅〈兩都賦〉以西都賓、東郭主人；張平子〈西都賦〉以憑虛公子、安處先生，左太沖〈三都賦〉以西蜀公子、東吳王孫、魏國先生，皆改名換字，蹈襲一律，無復超然新意，稍出法度規矩也。」兩漢賦家雖蹈襲屈原，但虛擬手法卻也使它們從附庸而蔚爲大國，造成辭賦的新氣象，唯獨以上作者，都不曾明白地說明自己正在虛構，好像說謊者怕給人拆穿底細般。莊子一書更以想像虛構爲擅場，內篇之首〈逍遙遊〉裡的北冥之魚，千變萬化，忽而爲鵬，忽而爲鯤，可以搏扶搖而上九萬里，乘著六月海上的暴風，怒起一飛，前往南冥㊱；〈至樂篇〉裡空髑髏可以與生人娓娓交談㊲；甚至孔老夫子也被拉入文中，披上道家的外衣，說了許多莊周的話；莊子更臉不紅氣不喘，從從容容地寫了一篇〈寓言篇〉，一清二楚告訴世人，他在虛構文章。〈寓言篇〉云：

寓言十九，重言十七，卮言日出，和以天倪。寓言十九，藉外論之，親父不爲子媒，親父譽之，不若非其父者也。非吾罪也，與己同則應，不與己同則反，同於己爲是之，異於己爲非之。重言十七，所以已言也，是爲耆艾，年先矣而無經緯本末以期年耆者，是非先也，人而無以先人，無人道也，人而無人道，是之謂陳人。卮言日出，和以天倪，因以曼衍，所以窮年。

〈天下篇〉也說：

莊周聞其風而說之，以謬悠之說，荒唐之言，無端崖之辭，時恣縱而不儻，不以觭見之也。以天下爲沈濁，不可與莊語，以卮言爲曼衍，以重言爲眞，以寓言爲廣。獨與天地精神往來而不敖倪於萬物，不譴是非，以與世俗處，其書雖瓌瑋而連犿無傷也，其辭雖參差而諔詭可觀。

林西仲《莊子雜說》對寓言、重言、卮言有很好的解釋：

寓言者，本無此人此事，從空驀撰出來。重言者，本非古人之事與言，而以其事與言屬之。卮言者，隨口而出，不論是非也。作者本如鏡花水月，種種幻相，若認爲典實，加以褒譏，何啻說夢。

莊子可以說把世人調侃盡了，也把寓言虛構的手法把弄得出神入化了，因此劉大杰禁不住贊歎道：「他有絕出的天才，超人的想像，高尚的人格與浪漫的感情。文字到了他的手裡，成了活動的玩具，顚來倒去，離奇曲折，創造了一種特有的文體，這樣的文體，在中國有二千多年，從沒有一個人能夠模擬，能夠學得像。」「他不顧一切的規矩，使用豐富的字彙，倒裝重疊的句法，奇怪的字眼，巧妙的寓言，使他的文字，格外靈活，格外新奇，格外有力量。」㊳這位王公大人不能器之的莊子，可以推爲虛構手法的鼻祖了。

四、結語

總而言之，吾人若要在中國歷史上，尋出第二個人，能與莊子並駕齊驅，實在難乎其難，所以錢賓四先生誇他是一卮盡日汩汩地流也流不盡的水。㊴不錯，《莊子》一書確是取之不盡、用之不竭的靈泉，古來多少文人、哲人，從這裡汲取智慧，以啓迪自我的頭腦，昇華自我的情操。雖然莊子文學中所包含大量自然主義的文學理論，在標榜儒學主宗經尊孔的漢朝，似乎很黯淡，但它的血液流在底層的脈管裡，潺潺湲湲地流著，揚雄極推崇聖教，舉凡不道仲尼者，皆被他擠出正統文學的門牆外，譏之爲書肆說鈴，㊵但他仍按耐不住去請教司馬相如的「賦心」，贊美他爲「賦神」，不似從人間來

㊶，這皆足以證明莊子文學的潛在力量正在對儒家傳統的文學理論，做一種解放工作，這股暗潮，終於匯成洪流，在儒家哲學崩潰瓦解，不足以維繫人心的魏晉時代，隨著道家思想的勃興，全面的瀰漫整個文學界，於是文學才得以逐漸脫離教化的束縛，慢慢找回眞正的定義，而針對純文學而發的文學理論也相繼出現，陸機〈文賦〉、葛洪〈抱朴子〉等，都是很好的代表。可以說，沒有莊子，文學只好永遠蜷屈於教化的大帽下昏睡著，文學家的眞性靈便唯任它活生生埋葬斷送，今日，我們能在花團錦簇的文學園地裡獲得陶養，豈能不歌頌莊子的偉大呢？

【附註】

① 見《文史通義・詩教上篇》。

② 《論語・陽貨篇》：「詩可以興，可以觀，可以群，可以怨，邇之事父，遠之事君，多識草木鳥獸之名。」又《左傳》襄公二十五年引孔子之語：「志有之：言以足志，文以足言，不言，誰知其志。言之無文，行而不遠。」

③ 徐復觀《中國藝術精神》第二章：中國藝術精神主體之呈現：「老子乃至莊子，在他們思想起步的地方，根本沒有藝術的意欲，更不曾以某種具體藝術作爲他們追求的對象。因此，他們追求所達到的最高境界的『道』，假使起老莊於九泉，驟然聽到我說的『即是今日所謂藝術精神』，必笑我把他們的句當作死句去理會。」

④ 見林西仲《莊子雜說》。

⑤ 見《哲學與文化》第四卷第十一期張肇祺〈文學與哲學〉引《詩與眞》。

⑥ 見《文藝心理學》第十三章：藝術的創造，引柏拉圖《斐竺臘司》。

⑦ 《莊子・德充符》：「惠子謂莊子曰：人故無情乎？莊子曰：然。惠子曰：人而無情，何以謂之人？莊子曰：道與之貌，天與之形，惡得不謂之人？惠子曰：既謂之人，惡得無情？莊子曰：是非吾所謂情也，吾所謂無情者，言人之不以好惡內傷其身，常因自然而不益生也。」

⑧ 見註⑦。

⑨ 見《談美》二：當局者迷，旁觀者清：藝術和實際人生的距離。

⑩ 見《文藝心理學》第二章：美感經驗的分析㈡心理的距離。

⑪ 見《談美》一、我們對於一棵古松的三種態度：實用的、科學的、美感的。

⑫ 見《文藝心理學》第一章：美感經驗的分析，㈠形相的直覺。

⑬ 《莊子・大宗師》：「夫道，有情有信，無為無形，可傳而不可受，可得而不可見，自本自根，未有天地，自古以固存，神鬼神帝，生天生地，在太極之先而不為高，在六極之下而不為深，先天地生而不為久，長於上古而不為老。」

⑭ 《莊子・知北遊》：「物物者與物無際，而物有際者，所謂物際者也，不際之際，際之不際者也。」又曰：「人之生，氣之聚也，聚則為生，散則為死。若死生為徒，吾又何患？故萬物一也，是其所美者為神奇，其所惡者為臭腐，臭腐復化為神奇，神奇復化為臭腐，故曰通天下一氣耳，聖人故貴一。」〈田子方〉：「至陰肅肅，

至陽赫赫，肅肅出乎天，赫赫發乎地，兩者交通成和而物生焉，或為之紀而莫見其形。」

⑮〈齊物論〉：「昔者莊周夢為胡蝶，栩栩然胡蝶也，自喻適志與，不知周也。俄然覺，則蘧蘧然周也，不知周之夢為胡蝶與，胡蝶之夢為周與？周與胡蝶則必有分矣，此之謂物化。」

⑯史邦卿《梅溪詞、祝英台近》：「柳枝愁，桃葉恨，前事怕重記；紅藥開時，新夢又溱洧；此情老去須休，春風多事，便老去越難回避。阻幽會；應念偷翦酴醾，柔條暗縈繫；節物移人，春暮更憔悴；可堪竹院題詩，蘇階聽雨，寸心外安愁無地。」又〈綺羅香、春雨〉：「做冷欺花，將煙困柳，千里偷催暮；盡日冥迷，愁裡欲飛還住；驚粉重蝶宿西園，喜泥潤燕歸南浦，最妨他佳約風流，鈿車不到杜陵路。沈沈江上望極，還被春潮晚急，難尋官渡；隱約遙峰，和淚謝眉嫵；臨斷岸新綠生時，是落紅帶愁流處，記得當日門掩梨花，剪燈深夜語。」

⑰見泰戈爾詩集《採果集》（二0）。

⑱歌德《浮士德》天上序曲。

⑲見《文藝心理學》第三章：美感經驗的分析㈢物我同一，

⑳同註⑲。

㉑《莊子‧秋水》：「莊子與惠子遊於濠梁之上，莊子曰：鯈魚出游從容，是魚之樂也。惠子曰：子非魚，安知魚之樂？莊子曰：子非我，安知我不知魚之樂？惠子曰：我非子，固不知子矣，子固非魚也，子之不知魚之樂，全矣。莊子曰：請循其本，子曰女安知魚樂云者，既已知吾知之而問我，我知之濠上也。」

㉒ 見陸機〈文賦〉。

㉓ 王世貞《藝苑卮言》卷一：「西京建安，似非琢磨可到，要在專習，凝領之久，境與神會，忽然而來，渾然而就，無歧級可尋，無色聲可指。」

㉔ 鍾惺《詩歸．序》：「眞詩者，精神所爲也，察其幽情單緒，孤行靜于喧雜之中，而乃以其虛懷定力，獨往冥游於寥廓之外，如訪者之幾于一逢，求者之幸于一至。」

㉕ 《莊子．寓言》：「不言則齊，齊與言不齊，言與齊不齊也，故曰無言。言無言，終身言，未嘗不言；終身不言，未嘗不言。」

㉖ 見《莊子．外物篇》。

㉗ 見《莊子．天道篇》。

㉘ 見《周易略例。明象篇》。

㉙ 見《人間詞話》卷上。

㉚ 同註㉘。

㉛ 《莊子．逍遙遊》：「藐姑射之山，有神人居焉。肌膚若冰雪，淖約若處子，不食五穀，吸風飲露，乘雲氣，御飛龍，而遊乎四海之外，其神凝，使物不疵癘而年穀熟。」

㉜ 見張汝瑚〈王弇州傳〉。

㉝ 見《元遺山詩集箋註》卷十一〈論詩絕句〉。

㉞ 見《隨園詩話》卷五。

㉟ 《隨園詩話》卷七：「用典如水中著鹽，但知鹽味，不見鹽質。」又〈倣元遺山論詩詠、查愼行〉：「他山書史腹便便，每到吟詩盡棄捐。一味白描神活現，畫中誰似李龍眠。」

㊱ 《莊子・逍遙遊》：「北冥有魚，其名爲鯤，鯤之大不知其幾千里也，化而爲鳥，其名爲鵬，鵬之背不知其幾千里也，怒而飛，其翼若垂天之雲，是鳥也，海運則將徙於南冥，南冥者天池也。齊諧者，志怪者也；諧之言曰：鵬之徙於南冥也，水擊三千里，摶扶搖而上九萬里，去以六月息者也。」

㊲ 《莊子・至樂》：「莊子之楚，見空髑髏，髐然有形，撽以馬捶，因而問之曰……於是語卒，援髑髏，枕而臥，夜半，髑髏見夢曰：子之談者似辯士，視子所言，皆生人之累也，死則無此矣。子欲聞死之說乎？莊子曰：然。……。」

㊳ 見劉大杰《中國文學發達史》第三章：詩的衰落與散文的勃興。

㊴ 錢賓四《莊老通辨》：「莊周的心情，初看像悲觀，其實是樂天的，初看像淡漠，其實是懇切的，初看像荒唐，其實是平實的，初看恣縱，其實是單純的。他只有這些話，像一隻卮子裡流水般，汩汩地盡日流，只爲這卮子裡的水盛得滿，盡日汩汩也流不完。其實總還是那水，你喝一口是水，喝十口百口還是水。」

㊵ 揚雄《法言・吾子篇》：「好書而不要諸仲尼，書肆也；好說而不要諸仲尼，說鈴也。」

㊶ 《西京雜記》卷三：「司馬長卿賦，時人皆稱典而麗，雖詩人之作不能加也。揚子雲曰：長卿之賦不似從人間來，其神化至邪？」又卷二相如云：「賦家之心，苞括宇宙，總覽人物斯乃得之於內，不可得而傳。」

《文心雕龍·原道》的美學觀析探

高雄師範大學
國文系副教授　王義良

一、前言

文心雕龍文學理論中包含了極豐富的美學思想，〈原道〉主要是從「審美對象」①探討美的客觀屬性及其特徵，進而對美的形象性、具體性、直觀性的內涵加以說明。至如「審美活動」②中，人主觀意識的外射，主客體交融的問題，〈物色〉中始有較集中的陳述。本文的探討以〈原道〉所揭示的觀點爲主，析究的重心也因此放在下列數項：

1、美的物質基礎由物之自然屬性、特徵所決定。

2、美的客觀性，是事物內在客觀規律（道）具體感性的顯現。

3、藝術美的源泉在美的自然性，藝術美的創造要以自然美爲遵循原則。

4、人的審美意識雖有主觀性，但審美活動在使美的客觀性與美感的主觀性相統一。

5、形文、聲文、情文之間，有著美的共同特徵。

以上觀點外，《文心雕龍》在下篇創作論、鑑賞論的相關篇章中，也從文藝美的創作、文藝美內在構成的規律、美的感性形式的呈現、形式美的法則、形象的美學特徵、風格之美等，構成頗完整的美學理論體系，其間，劉勰更明確析釋出中國傳統美學自然均衡、和諧統一的精粹所在。如其以「和諧」爲形式美之最高標準，故主張創作中整體與部分、形式與內容應和諧統一，而各種對立因素如奇與正、通與變、隱與秀、風骨與辭采、法度與自然，以及聲韻、對偶、典故的運用等，也應以和諧統一爲最高準繩。以上的看法，雖不是本文討論的重心，但爲了有較完整的說明，本文的陳述中，間也提出作大概的解釋。

二、〈原道〉之「道」

《文心雕龍、序志》云：「蓋文心之作也，本乎道，師乎聖，體乎經，酌乎緯，變乎騷，文之樞紐，亦云極矣。」其中原道篇所涉及的美的本質、美的本乎道、所本何道等相關問題，無疑是研究《文心雕龍》文學理論、美學思想的樞紐，因此，本文的研究，乃由此切入。

原道篇中的「原」，意同「本」，即紀昀評《文心雕龍、原道》所謂：「文原于道，明其本然。識其本，乃不逐其末」之意。而原道之「道」，歸納歷來學者的說法，則有儒家之道、佛道、老莊之道、自然之道、自然規律，以及兼含數道等不同觀點，各家之說也多能言之成理。如主佛道說者，以劉勰生當南朝佛學鼎盛之際，又長期托身佛門，博通經論，其爲文又長於佛理，文心雕龍的寫作，不拒斥佛理，自屬必然。但主儒家之道者則以劉勰在〈序志〉與文之樞紐的相關篇章中，皆明言效法孔子立言傳世，其徵儒家之聖、宗儒家之道，不容置疑。又有以劉勰生在齊梁老莊玄學盛行之世，爲全面掌握魏晉以下文學現象，建構其文藝理論體系，那能不涉及老莊玄學？今觀〈論說〉評魏初至正始的「玄論」，如傅嘏〈才性論〉、王粲〈去伐論〉、嵇康〈聲無哀樂論〉等爲「師心獨見，鋒穎精密」，其所堅持，亦非無的放矢。

在以上的衆說紛紜中，個人以爲較客觀的說法應是：兼采衆說而不主一家。蓋劉勰以「折衷」的態度作文心一書，「擘肌分理，唯務折衷」（序志），自是不必獨尊一家而排斥他說。因此，雖尊崇儒家思想，但書中所言，也不乏非儒之論。如〈奏啓〉以「墨翟非儒，目以羊彘；孟軻譏墨，比諸禽獸」爲「多失折衷」即是。何況，劉勰所尊奉的〈易傳〉思想，從漢儒到魏晉的玄學家，早已「折衷」了幾番。再說，儒佛不二，本是魏晉南北朝的普遍思潮，佛徒講、註儒家經書，儒生譯、論佛書，在當時皆甚普遍③。職是，本文在析解文心美學思想所依據的「道」，乃不先入其爲儒、爲道、爲佛，而是從文心折衷出來的「道」來觀照。

文心雕龍全書一談及某一概念或文學現象時，必「原始以表末」，其「本乎道」的「原道」，論文的本質與起源，就從廣義的天地萬物之文，談到人性靈具體表現的狹義文章，再進一步從人文的起源、發展，來闡明人文的本質特徵，說明這一切都是「道」的體現，是一自然的道理。「道」既是萬物自然有文的規律，聖人也只能遵循它，「原道心以垂文」，何況，能透過天地萬物的現象，去認識天地萬物之「道」的，也非那識鑒周密、能洞悉幽隱的聖人莫屬。故曰：「玄聖創典，素王述訓，莫不原道心以敷章，研神理而設教」。正因儒家聖人能體察、遵循此「自然有文」之規律來寫文章，並集中體現在六經中，來闡明此自然有文的規律，進行教化，因此，聖人之文的「六經之文」，可以說是闡明「道」的最集中最典型的呈現，〈原道〉之後，所以繼以〈徵聖〉、〈宗經〉的觀點，意義也在此。可知〈原道〉立篇之意是用天地萬物必有「文」的規律，說明文是道的顯現，說明任何一個具體的「物」，都是「道」的一種表現形式，而「道之文」是客觀存在的，只有透過人文主觀的製作，其價值才得以彰顯。聖人能以「心」觀「文」、體「道」，故其「雕琢情性，組織辭令」而成的人文，「志足而言文，情信而辭巧」，「辭約而旨豐，事近而喻遠」，正是人文製作的理想典範。是以「論文必徵於聖；窺聖必宗於經」。

再則，從中國學術發展的客觀事實看，五經是中國學術文化長期發展之後的代表作，後人溯源學術，不論思想、文學，其必自經文始，也是客觀現實的不得不然，劉勰「原始以表末」，從廣義之文談到人文，到人文發展成熟的五經之文，正是表現其「見其本源，見其大」的著述原則罷了。

概括上述，可知〈原道〉之「道」指的應是任何事物內在的本質、規律，它是「文」的本體、內容；而「文」則是「道」的表現的形式、現象，兩者的關係，近似黑格爾美學中「理念」與「理念的感性顯現」的關係④。因此，〈原道〉立篇之意，不盡是在闡明儒道或老莊之道，也不是在弘揚佛法，而是在闡釋人文（美）創造的規律。

三、〈原道〉的美學觀

㈠道之文——美的物質基礎是客觀事物本身某種特徵的自然表現：

〈原道〉謂：「原道心以敷章」、「道沿聖以垂文，聖因文而明道」，意在明示「道」是「文」的根本，「文」是「道之文」，二者不可分離。劉勰此明確的概括，正是理解中國藝術精神的關鍵所在。近人宗白華曾謂：「燦爛的藝賦予道以形象和生命；道給予藝以深度和靈魂」⑤，此與劉勰之意是一致的。因爲原道篇廣義的「文」的概念，實質上就是「美」的概念。天地萬物的絢美紋采、聲音，劉勰統稱之爲「文」。它們透過光的作用，以形、聲、色等顯現其美感特徵，而爲人的感官知覺所攝取，成爲人的審美對象，美的物質基礎。

劉勰文即是美的觀念，一本中國傳統美的觀點。蓋中國古代「文」與「美」的概念本極相近，「文」字在甲骨文中，作紋理交錯之形；小篆中的「文」，許愼《說文解字》謂：「錯畫也，象交文」，段玉裁《說文解字、注》更引《考工記》，解爲「青與赤謂之文」。可見前人認爲凡富有紋理、色彩，能帶給人美感形象的，都可謂之文。至於聲音的「文」，古人也表述得很淸楚，《禮記、樂記》說：「凡音者，生人心者也。情動於中，故形於聲；聲成文，謂之音。」〈詩大序〉也說：「情發於聲，聲成文謂之音。」可知凡具有美感的聲音變化，古人也謂之文。

劉勰所體認的「道」，實際也是陰陽二氣運動變化的規律，具有規律的、和諧的本質。自然的外在現象既是「道」的表現形式，它所呈現的自然之美，當可爲人在描繪、再現感性現象之依據。〈原道〉談人文的起源、發展、本質特徵，從廣義的天地萬物之文說到狹義的人文，主要也是依據「文」的本義，從美的角度來闡明「人文」的本質特徵，以明白「人文」正是人「心」之美的一種自然表現形式。其言：「心生而言立」、「言以足志，文以足言」，是言辭須具有文采，始足以表達人心之道，故「言之文也，天地之心哉」，一切莫非自然。〈原道〉說：

夫玄黃色雜，方圓體分，日月疊壁，以垂麗天之象；山川煥綺，以鋪理地之形；此蓋道之文也……旁及萬品，動植皆文：龍鳳以藻繪呈瑞，虎豹以炳蔚凝姿；雲霞雕色，有踰畫工之妙；草木賁華，無待錦匠之奇；夫豈外飾，蓋自然耳。至於林籟結響，調如竽瑟；泉石激韻，和若球鍠；故形立則文生矣，聲發則章成矣。夫以無識之物，鬱然有采；有心之器，其無文歟？⑥

劉勰將天地、日月、山川的感性存在形式稱爲文，它是天地之「道」的外現。有天地，就有天地之美，「日月疊璧」是天之美，「山川煥綺」是地之美，推及萬物莫不皆然。故凡萬物特徵的自然呈現就有美，如：「龍鳳以藻繪呈瑞，虎豹以炳蔚凝姿」是動物之美，「草木賁華」是植物之美。至於萬物美的呈現方式，則不外藉形色、聲韻以顯現：「雲霞雕色」是自然現象藉形以顯現形之美；「林籟結響」「泉石激韻」是自然現象以聲韻顯其聲之美，此謂「道之文」。由此亦可知劉勰所說的「道」，與道家、魏晉玄學所謂的「道」並不相同，他所重視的是感性物質在自然界的生成變化，及其客觀規律性，而非道家、玄學家那種超越任何物質實在的絕對本體，劉勰的「道」雖不可見，但不是「無」，而是近於《周易》所說的陰陽變化、萬物生成變化的自然規律的「道」，此在〈物色〉等篇中也有明白表示。

天地萬物皆自有其形、其聲，皆具備了可感的形象、聲韻之美，這一切皆是宇宙萬物客觀存在的自然規律，凡此事物內在的本質規律就是「道」，其外顯的表現形式就是「文」，就是「美」。故美的對象是由物的屬性所決定，自有其客觀性。然而，劉勰對美的客觀性的說法，也不能簡單化的理解成「美爲物質所具有的某些屬性特徵」，因爲如果把美的客觀性簡單的等同於物的特徵、屬性，想從客觀之物的屬性、規律中去找到美，而忽略了主體情感、理想，在審美中的作用，那也將永遠無法獲得眞正的美感。審美過程畢竟是一主客統一的過程，此劉勰在〈物色〉中有進一步的陳述。

(二)人文之美——形文、聲文、情文皆具有「美」的共同特徵：

劉勰原道篇依據自然有文的規律，也就是「本乎道」論文，從自然物的形文、聲文談到人文。形文表現爲「形立則文生」，聲文表現爲「聲發則章成」，人文則表現爲「心生而言立，言立而文明」的情文，明確顯示了劉勰是以美的角度來看文。劉勰認爲既然萬物必有文以外顯其道，則人作爲自然物之一，自無例外。人的形體本身就是一種「文」，也具有可感的形象之美，且人爲「五行之秀」，是「有心之器」⑦，其天賦的思惟能力，使人心本身又具備了審美、創造的能力，自不同於自然界的「無識之物」⑧，因此，透過審美活動，當人的創作心靈孕育之後，就能主動創造自己的「文」。「心生而言立，言立而文明」，人心靈的情之美，又豈只形器之美而已？所以〈情采〉中談人文創作，劉勰就從形、聲、情並論，提出形象美、聲韻美、情感美結合的人文⑨，〈物色〉稱美詩、騷作者的「以少總多，情貌無遺」，也都自形、聲、色的「隨物婉轉」立言。由此可知，劉勰觀念中的文與美誠不可分，且特別重視直接訴諸視聽感官的形色聲音之美。

從〈原道〉的天、地、動、植之文，到人為繪畫的黼黻，從自然界的「林籟結響」「泉石激韻」，到舜、禹的人為美樂，一樣都具有美的特徵。至於「五性發而為辭章」的文，人類情感活動形諸於語言文字的辭章，又豈能不有美的特點？所以〈情采〉開宗明義就說：

聖賢書辭，總稱文章，非采而何？夫水性虛而淪漪結，木體實而花萼振，文附質也。虎豹無文，則鞹同犬羊；犀兕有皮，而色資丹漆：質待文也。若乃綜述性靈，敷寫器象，鏤心鳥跡之中，織辭魚網之上，其為彪炳，縟采名矣。

聖賢的書籍文辭，所以稱為文章，原來是因為有「采」，有「美」的基本特徵。劉勰從自然事物的質、文關係立論，將美的特徵、形式，視為「質」的一種外現形態與必要性，以此推論人在抒發內在性靈，描寫器物形象的「鏤心」「織辭」，也需要「縟辭」，始能成就文章之功。故〈總術〉曰：

視之則錦繪，聽之則絲簧，味之則甘腴，佩之則芬芳，斷章之功，於斯盛矣。

依其「形立則文生矣，聲發則章成矣」的規律，則是有其物才有其文。天地萬物的文采都是建立在它們的形體上，要依附在一定的本質實體，才能表現出文采來，日月山川、龍鳳虎豹如此，林籟、泉石的文采，也是建立在物體相撞擊而發出的聲音上，離此，就無所謂文采可言。故表現事物形式的美（文），會受到事物內在本質規定性的約束，必也在本質美的前提下，外表的修飾才能起積極的作用。文學創作所以要「依情待實」，以述志爲本，要「爲情造文」，吟詠情性，意義同此。

㈢美的自然性——人為創造的美應以自然美為依循標準：

美的特徵需要透過客觀屬性的物質載體來呈現，此物質載體以其形、色、音、質，及其間的組合關係，感性的呈現出美的外在形象的自然屬性，有此形象和具體可直觀的特性，始能成爲人審美活動中可感的對象，也才能成就自然之「美」。依〈原道〉對自然萬象形、聲、采的描摹看來，此自然性所呈現的形式法則不外和諧、對稱、多樣統一，而劉勰也認爲此正是人類在創造、發展心靈之美時，所應依循之標準。《文心雕龍》下篇在談及文學形式美的規律時，不論是對偶的運用、事類的引用、字句的提煉、聲律的要求、結構布局，其所揭示的形式美原則，都不外乎此。

要了解劉勰對「自然美」的看法，首須把握《文心雕龍》一書先總括大凡，再探幽索隱的結構方式。〈原道〉立篇旨在從哲學本體去論證藝術的本質，文中的「文與天地並生」、「文之爲德也大矣」，將美的產生與自然緊密聯繫在一道，其目的是在藉自然「美」形成的規律，以明白人文藝術美的創造，爲何當以自然美爲準的道理，故其所謂：「雲霞雕色，有踰畫工之妙；草木賁華，無待錦匠之奇」，並非疏於把握有關美的形成的實際，後人所謂論述不足者，如自然美是因人而生、人對自然有審美意識，要在自然屬性與人的主觀意識、審美情感相結合後，才會形成自然「美」等道理，劉勰是集中在〈物色〉〈隱秀〉〈比興〉等篇加以闡述的。

其次，劉勰此「自然」的美學觀，表面上雖承自老莊、魏晉玄學，實質上卻有所不同。老子以天地萬物的運動變化是「莫之命而常自然」，只有合於自然才會有美，美與自然、無爲是不可分的；莊子是更進一步的將自然與主體生命、性情聯繫。魏晉玄學興起後，一些玄學家如何晏、王弼、阮籍、嵇康等，則是將老莊「自然」觀念，推及到人內在精神性的重視，強調理想人格本體的建構，必須表現爲感性的現象存在，此由人性的覺醒，到主體情感活動的重視，與審美活動本有相通之處。然而，不論老莊或玄學家，他們努力的目標都在追求一種超越形色感官，一種純粹、素樸、絕對的美的理想，這與劉勰重視「人文之美」、追求可感的藝術形象的形色感官之美，決然不同。

今觀劉勰的強調「自然美」，其用意實在說明人文之美的產生與存在，乃出諸自然；人爲藝術美的創造，應符合自然規律的道理。自然美的具體可感性、生動性，能使人直接產生美感，所以劉勰認爲「美」是事物內在自然規律——道，以具體感性的形式的表現，是由事物的本質所決定，非從錦匠、畫工的外飾而來。因此，美的本質在道。然而，天地萬物的「道」，又是一種客觀存在的自然規律，所以「美」自有其客觀性。從〈原道〉看來，美既是客觀事物本身某種特色的自然表現，它不依賴人的意識活動，卻又可以被意識活動所反映的屬性，正是所謂美的客觀性，美的物質基礎，構成美的形式因素。

然而，劉勰強調美的客觀性，並非要抑制人爲的藝術創造，而是要揭示出藝術美的創造，實際是一主客統一活動的道理。「自然」是運思、審美的客體，對審美的客體，要尊重其形狀、色采、音響、質地的自然屬性，亦即〈物色〉所謂「寫氣圖貌，既隨物以婉轉」的意思。當然，劉勰也深知自然界的種種形象、聲音之美，只有通過人心具體的審美活動，以人之審美理想與審美趣味，再加以補充或提煉，才能對人心具有意義和價值。何況在文學創作過程中，自然美的具體現象，只能引發人思想感情的變化，其單純、片面的美，並不足以滿足人類複雜多變的心靈世界，所以劉勰認爲人文之美是要在主客觀統一的條件下完成，既「隨物以婉轉」，亦要「與心而徘徊」；「目既往返，心亦吐納」，凡此，劉勰在〈物色〉等篇，皆有極精闢的闡述。

當然，以上有關劉勰的審美認知，與西方近代建立在康德唯心主義先驗論、柏格森直覺觀、弗洛伊德精神分析理論下的現代派文藝觀點⑩，是有所不同的，彼因講求文藝的純粹性，拒斥理性、現實、邏輯，因而一味追求表現精神深處的所謂「藝術眞實」，而劉勰卻認爲唯有將自然美與人的思想情感、社會生活的感受結合，始能提煉出眞正的藝術美。故〈原道〉雖從自然之文談起，但重心實在「杼軸獻功，煥然乃珍」的人文創作上。實質上，劉勰是認爲美的創造是不離自然但又高於自然，如〈隱秀〉曰：

> 故自然會妙，譬卉木之耀英華；潤色取美，譬繒帛之染朱綠。朱綠染繒，深而繁鮮；英華耀樹，淺而煒燁。

〈事類〉亦曰：

> 夫山木爲良匠所度，經書爲文士所擇，木美而定於斧金，事美而制於刀筆。

文成自然，妙合天機的作品，如奇花異采之顯耀於花草樹木，淺淡的光澤雖無絲綢上渲　染朱紅碧綠的繁縟鮮豔，卻不失其盛美鮮明。而良匠能度量美木，讓衆美輻輳，人爲與自然諧合，則得藝術創作之要。可見劉勰在〈原道〉所強調的自然美，眞正的意涵當在美的自然性上，劉勰以爲任何「自然」，符合它自身的本性、目的，其性格自然發展的極致就有其「自然性」，這自然就是美。但是單就此自然性來說，還僅是一客觀的物質屬性，尙非人欣賞的對象，因爲美感需自主體和客體相互適應的關係上來談，這正是〈原道〉所以用「道沿聖以垂文，聖因文以明道」結束全篇的眞意所在。

四眞善美——「具美」的美學理想：

劉勰重視感性存在的大自然現象的美，也認爲人文美的產生出於「自然之道」。「自然之道」即是一種沒有任何意識、目的，完全決定於本身規律性，自然而然的事，合規律性即眞。既然如此，人文的本質應也隱含著「眞」的意義。其次，從「道之文」到「人文」的發展，劉勰認爲是「道沿聖以垂文，聖因文而明道」，聖人在「觀天文以極變，察人文以成化」中，「原道心以敷章」，以人文來闡明「天文」所顯示的精神、情感意義，而爲「人文」。因此，劉勰認爲人文有「寫天地之輝光，曉生民之耳目」，進而，「光采玄聖，炳耀仁孝」的作用。職是，作爲人文本體的「道」，既是天地陰陽變化之「道」，也兼具政治倫理之「道」。可見劉勰觀念中的「自然」意，與《易傳》將倫理道德、情感意義聯繫在自然現象的變化中的思想頗一致，因此才認爲具美的理想，應是眞善美一體，眞善要表現在美的形式中，美的形式也應具有眞善的意義。

以此，劉勰乃以爲：人與自然之美的感興中，通過言語文辭等以體現人文的藝術之美，其理想要建立在思想性與藝術性統一的基礎上。它必須是內容與形式的高度統一，眞、善、美兼具，才能成就人文藝術的完整性。換言之，即是要求作品題材的眞實性、思想性，須與美結合。《文心雕龍》一書中，不論是創作過程的闡述，或對構成文學形式美的因素與規律的要求、「風骨」「隱秀」等審美標準的論述、文體風格形成的解析等，莫不依循此「具美」的理想。如〈情采〉曰：

夫以草木之微，依情待實；況乎文章，述志爲本　言與志反，文豈足徵？

〈哀弔〉曰：

至於蘇順、張升，並述哀文，雖發其情華，而未極其心實。

〈章表〉曰：

魏初章表，指事造實，求其靡麗，則未足美矣。

眞實是文學的生命，也是衡量一切藝術品美學價值的首要標準，文學藝術的創作，要符合生活本質的規律與情理上的可信度，其基礎就要從作者眞實的感受出發，而後美的形象顯現，才能被人感覺到，才能達到最高的眞實存在，才是「具美」的理想，〈情采〉謂：「言與志反，文豈足徵？」「眞宰弗存，翩其反矣」，〈總術〉說：「若任情失正，文其殆哉！」〈樂府〉說：「淫辭在曲，正響焉生？」意皆在此。甚至如「章、表、哀、弔」等應用文類的寫作，劉勰也有一樣的的審美要求，他說：

章以造闕，風矩應明，表以致策，骨采宜耀。循名課實，以文爲本者也。是以章式炳賁，志在典謨；使要而非略，明而不淺。表體多包，情味屢遷，必雅義以扇其風，清文以馳其麗。然懇惻者辭爲心使，浮侈者情爲文屈，必使繁約得正，華實相勝，脣吻不滯，則中律矣。

「哀」爲對未成年死者傷痛、悼念而作的文辭，「弔」爲致悼死者、以慰苦主的文辭，「章」是用來答謝君恩，「表」是用來陳情事情，皆屬應用文之屬。「哀弔」寫作的原則在「情往會悲，文來引泣」，以「情性」爲本，「理道」爲準，至於「章表」則須「骨釆宜耀」「華實相勝」，注意藝術美的表現。他如「誄碑」之體，也須經過「寫實追虛」的藝術改造，來突出其生前言行道德之美，達到「觀風似面，聽辭如泣」（誄碑）的效果。陳情言事的應用文，尚且須注意到藝術美的表現，其他文體的要求「麗辭雅義，符采相勝」（詮賦），要求以「情志爲神明，事義爲骨髓，辭采爲肌膚，宮商爲聲氣」（附會），眞善美兼具，那就可想而知了。

(五)具美的人文典範——五經之文

劉勰以「五經之含文」，爲「群言之祖」。因爲在人文的制作中，聖人能「率志委和」，順其情性，自然生發而爲文，既能在內容上合乎「道心」「神理」，又能在形式上合於「自然」之規律，故劉勰以爲從人文發展的現實看，「義既挻乎性情，辭亦匠於文理」的五經之文，誠可謂「性靈鎔匠，文章奧俯」（宗經），是最能體現人文「具美」的審美理想。〈宗經〉以「六義」概括其說，曰：

故文能宗經，體有六義：一則情深而不詭，二則風清而不雜，三則事信而不誕，四則義貞而不回，五則體約而不蕪，六則文麗而不淫。

以上六義的優點，實即眞、善、美兼具的審美理想。情眞、事信、風清、義直、體約、文麗的統一體，就是從作品內容與形式的自然和諧中，表現出眞、善、美的和諧統一。按照劉勰的說法，凡作者情動於中，志思蓄憤，從而吟詠情性，爲情造文，其作品便是「情深而不詭」的「體情之制」。況且，情本爲無根而可變遷者⑪，必也能眞確的把握事物的本質、規律，而後「情以物興」時，始能得「物」所興之「實情」，有此深情，才能言之有物而不詭於物，才能求言與事之若合符契，達成「事信而不誕」的要求。也就是說：情感的眞實，要建立在眞象的基礎上，用「事」的條件則要繫乎「信」。此「眞象」即「事」，泛指客觀現實的萬事萬物。「事以明核爲美」（議對），「爲情者要約而寫眞」（情采），凡事物眞，始涵有美的質素。

其次，風清、義直的作品，自然蘊含教化與感動的精神因素，可以「持人情性」，自有「善」的意義。依王師夢鷗之解析，「風」爲作者運氣於文辭上的樣式，「風清」即駿健、明爽之意⑫。就作品言，「風」即文風，是讀者觀文時，由作品之氣所喚起而形成的；「氣」則爲作者綴文時所運用，多與作者當下之心理有關。〈風骨〉說：「意氣駿爽，則文風生焉」、「索莫乏氣，則無風之驗也」、「文明以健，則風清骨峻」，即是發明此意。

再者，經文所呈現的「義貞而不回」的特色中，「貞」有專一無二，絕對正直的意思，與游移拗曲的「回」相對，故王師夢鷗釋爲「洞察事理，見於言辭，一字見義，不可與奪」⑬。能洞察事理，則持理正大，此從〈明詩〉之「辭譎義貞」、〈論說〉之「時利而義貞」、〈比興〉之「尸鳩貞一，故夫人取義」等可知，其具有善意，自不待言。

當然，文藝作品有了眞、善，有了美的本質，最後還得以美的形式呈現。六義中的體約、文麗，要求形式上的體製簡潔，言辭雅麗，即〈宗經〉的「辭約而旨豐」、〈物色〉的「麗則而約言」、〈銘箴〉的「義典則弘，文約爲美」的意思，一種文質兼備，內容與形式統一的形式之美。而情眞、事信、風清、義直、體約、文麗之作，所表現出的自然、剛健、明朗、典雅的審美理想，正是人文製作的典範。〈宗經〉說：「若稟經以制式，酌雅以富言，是即山而鑄銅，煮海而爲鹽也。」可見劉勰雖承襲傳統，以「五經之文」爲制式之楷模，但所重並不在經義本身，而是就「五經之含文」爲言。

此外，劉勰也常將上述「六義」的優點概括成「麗雅」的風格，來贊美聖文。如「聖文」之雅麗，固銜華而佩實者也」（徵聖）、「商、周麗而雅」（通變）等皆屬。然而，「麗雅」誠難以概括五經之文，也難從經文與經義的整體去理解，大抵劉勰宗經之說，應偏向「宗其文」立言，尤其是宗爲賦頌歌贊立本的「詩」，因此，劉勰所謂「稟經制式」，指的應是立《詩》爲文學之正統，制式之楷模的意思，欲把握劉勰審美觀念中「具美」的典範所在，此亦不可不深思。

劉勰論及人文美的本質時，又特別重視藝術的感染作用。他認爲文藝的「洞性靈之奧區」（原道），其目的是在「雕琢情性」。通過情感的感染，陶冶人之情操，以達成教化的作用，即文藝之所以須具有「善」的本質的意義所在。因此，劉勰也特別對作者才德有所要求，〈才略〉、〈程器〉等篇，即在申發此意。

肆：小　結

《文心雕龍》以〈原道〉作爲「文之樞紐」中的「樞紐」，釐出「物自有文」的客觀規律，作爲論述人文的依據，其最大的價值在指出審美客體於創作活動中的地位，認爲它有引發主體情感反應、觸發創作契機，進而影響主體情感變化、直接影響藝術創作的作用⑭。其次，〈原道〉「心生而言立，言立而文明」的說法，又能兼顧審美活動中主體心、意的能動作用，以爲只有在主體心思活動下，才有文（美）的產生⑮；只有主體能深入客觀世界，「仰觀吐曜，俯察含章」，體悟「道之文」的「自然之道」，才能作出情感反應，發而爲人文之美。其圓熟的觀點，印證後人創美的實踐，誠可謂「體大思精」。尤其文中能從前人簡單的「自然美」的概念，深入到美的「自然性」的認識，更屬難能可貴，雖然〈原道〉中也出現：「雲霞雕色，有踰畫工之妙；草木賁華，無待錦匠之奇」，近於自然美高於藝術美之語，但揣摹全文旨意，劉勰文意所在，當就人文創作中應遵循之法度、規矩而言。

【附　註】

① 審美對象指凡是客觀上能與人構成一定的審美關係，能引起人審美感受的事、物，也稱作審美客體。有時、空的對象，有動態、靜態的對象，有社會生活、自然現象等，內容豐富。

② 人類創造審美價值、發現美、欣賞美的實踐活動謂之「審美活動」。它始終伴隨著對具體個別感性形象的感受，

主要是一種再造性、創造性的形象思維與情感體驗活動。

③《高僧傳》本傳記慧遠「博綜六經」，康僧會「博覽六經」，支謙「博覽經籍，莫不精究」，縣諦「晚入吳虎丘寺，講禮、易、春秋各七篇」，僧旻「爲僧回弟子，從回受五經」。《隋書、經籍志》記慧始、慧琳有《孝經注》，僧智有《論語略解》等。儒生講、譯佛書例亦不少，從《南史、儒林傳》，或顏延之沈約、蕭統、蕭綱等之文集，亦多其例可證。

④黑格爾（一七七〇-一八三一），德國古典唯心主義美學的集大成者，認爲美是理念的感性顯現。理念就是絕對精神，它構成藝術之內容。此主張強調感性與理性、形式與內容、主觀與客觀的統一。

⑤語出宗白華〈美學散步〉一文，本文刊登在北京大學出版社編，宗白華著《藝境》一書頁二一五。

⑥引文據王更生《文心雕龍讀本》，文史哲出版社印行，以下皆同。

⑦〈序志〉云：「夫人肖貌天地，稟性五才，擬耳目於日月，方聲氣乎風雷，其超出萬物，亦已靈矣。」

⑧〈明詩〉云：「人稟七情，應物斯感，感物吟志，莫非自然。」

⑨〈情采〉云：「故立文之道，其理有三：一曰形文，五色是也；二曰聲文，五音是也；三曰情文，五性是也。五色雜而成黼黻，五音比而成韶夏，五性發而爲辭章，神理之數也。」

⑩康德（一七二四－一八〇四），德國唯心主義哲學家，古典美學的奠基者。他強調先天理性，將審美活動歸諸判斷力，不歸於單純的感官，把審美判斷的內容看作是情感而非概念。其學說對西方近代美學的發展，影響深遠。

弗洛伊德（一八五六—一九三九），奧地利精神病、心理學家，精神分析學派創始者。主張藝術家的活動，是在本能推動下進行的一種非理性的直覺活動。其學說影響西方現代派藝術家，熱衷於表現人的無意識活動甚鉅。柏格森（一八五九—一九四一），法國現代非理性主義代表。認爲人的本能不受外界決定，人之所以能審美，因人具有完美的認識功能——審美直覺。主張捨棄理性，注重直接的、剎那間的感情。

⑪《文心雕龍》曰：「情數稠疊」（附會）又曰：「情數詭雜」（體性）、「情以物遷」（物色）等可證。

⑫見王師夢鷗著《古典文學論探索》頁一八六，〈劉勰宗經六義試詮〉，一九八四、正中書局出版。

⑬同②頁一九二。

⑭《文心雕龍》一書中，相關說法甚多，如〈詮賦〉的「睹物興情，情以物興」「體物寫志」，〈物色〉的「物色之動，心亦搖焉」「物色相召，人誰獲安」等，皆觸及到文學藝術創作的本質。

⑮〈神思〉的「意授于思，言授于意」「神與物游」「神以象通」等談的就是創作過程中主客體統一的問題，拙作〈文心雕龍『爲文之用心』中關於主體精神的虛靜與創造意象探析〉一文（高雄師大學報十二期），有進一步的析解。

新世紀《文心雕龍》研究的展望

北京大學
中文系教授　張少康

在已經過去的一個世紀中，《文心雕龍》的研究確是取得了很輝煌的成績，根據不完全的統計，二十世紀有關《文心雕龍》的研究論文有二千八百多篇，研究專著二百一十多部，但是爲了使《文心雕龍》研究進一步向縱深發展，從一個更高的標準來要求，也還有不少問題需要認眞加以解決。在新的二十一世紀剛剛開始的時候，我們應當爲《文心雕龍》研究提出一些新的希望。人類已經進入一個信息化的時代，學術研究也進入了跨學科、跨文化研究的新時期，《文心雕龍》研究在繼續深入解決二十世紀尚沒有能解決好的許多問題的同時，還應該運用新的研究方法，開拓新的研究領域，努力把《文心雕龍》研究提到一個新的高度。下面，我們想就此談幾點看法。

一、發展史料與理論并重的研究

從二十世紀《文心雕龍》研究的狀況來看，無論是在中國還是外國，實證研究和理論研究結合得很好的仍然比較少，而大多數研究者或是偏重於實證研究，或是偏重於理論研究，這對於提高《文心雕龍》的研究質量是會受到很大限制的。對劉勰的身世、著作的研究考證，《文心雕龍》的版本校勘、文本注釋等都屬於實證性研究，也是基礎性的研究，不重視這方面的研究，理論研究是不容易眞正落實的，往往會流於空泛。比如《文心雕龍》的各種不同版本，在文字上有很多差異，而這些差異直接涉及到對內容的理解，也直接關係到對劉勰文學理論的正確認識。《辨騷》篇的「酌奇而不失其眞」，唐寫本作「酌奇而不失居貞」，楊明照《文心雕龍校注拾遺》云：「按『貞』字是，『居』則非也。《楚辭補注》、《訓詁》本、《廣廣文選》作『其貞』。貞，正也；（《廣雅釋詁》一）誠也。」這裏是「奇不失正」之意，如果作「奇不失眞」解，意義就差得遠了。五、六十年代提倡兩結合，有人就認爲劉勰的「酌奇而不失其眞」，就是浪漫主義和現實主義的結合，這本來也是很勉強的，但如果按照唐寫本「眞」作「貞」，也就不會發生這種問題了。實證研究本身是一個獨立的方面，它可以獲得有很高學術價值的成果，也是整個科學研究中十分重要的一部分，但實證研究畢竟不是研究《文心雕龍》的最終目的，我們的最終目的還是要深入地探討《文心雕龍》的文學理論內容及其文化意蘊，研究它的重要歷史地位和深遠理論意義，研究它對建設當代文學理論的積極作用和巨大價值。爲此，我們要把實證研究和理論研究非常緊密地結合起來，以實證研究作爲理論研究的基礎，以理論研究作爲實證研究的最終目的。從一般的科學研究來說，研究者可以偏重於實證研究，也可以偏重於理論研究；但對《文心雕龍》這一個案來說，研究者必須既進行實證研究，也進行理論研究，缺少了哪一方面都是難以達到高水平的。一百年來，爲什麼我們還沒有一本在校勘注釋和理論闡述兩方面都能達到高水平的研究專著呢？問題就在於從事實證研究的學者在理論素養方面往往有所不足，而從事理論研究的學者則常常在實證研究方面顯得基礎薄弱。《文心雕龍》研究要有新的重大突破，必須解決好實證研究和理論研究的高度統一問題。

二、從文化史角度看《文心雕龍》

《文心雕龍》是一部文學理論著作，但又不僅僅是一部文學理論著作，它同時又是一部文化史的著作，它對我國從上古一直到齊梁時期的文化發展作了全面的總結。《文心雕龍》包含的內容非常廣泛，經、史、子、集都在他的論述範圍之中。在《文心雕龍．原道》篇中所說的「人文」與「天文」、「地文」相參，是「心生而言立，言立而文明」的結果，指的是包括一切用語言文字寫作的所有各種文章和著作，其含義確是非常廣闊的。劉勰所說的「人文」比我們今天所講的「人文科學」的範圍還要寬泛得多。所以，劉勰不僅是文學理論家，而且也是一位非常傑出的文化思想家。對我們今天所說的藝術文學，劉勰把它看作是整個文化中的一個有機組成部分，他比我們早一千五百餘年，就已經從文化歷史發展的角度來研究藝術文學的發展及其特點，從這方面來說，我們現在研究文學的熱門話題，也就是從人類文化的視角和觀念來看文學，其實，並不是什麼新的發現，而是劉勰早在一千五百年前已經這樣做、並且已經做得相當不錯的了。由於劉勰認識到審美的藝術文學具有文化的品格，因此它首先具有人類文化的普遍共性，也就是說，審美的藝術文學在根本性質上與人類文化的其他方面並無不同，而且也首先要著重研究這種普遍的共性。他提出各類文章源於「五經」說，正是這種思想的具體表現。因爲中國古代的「五經」（《詩》、《書》、《禮》、《易》、《春秋》），是具有典範性的「人文」之代表，包括了哲學、政治、歷史、倫理道德、禮儀制度、文學藝術等各個方面，是中國古代文化的集中代表。由此可以看出劉勰文學觀念的起點是很高的，他對藝術文學的認識並沒有局限在藝術文學本身。在《文心雕龍》上篇二十五篇中，他對「五經」、史傳、諸子和集部的各種文類，都分別研究了它們的發展歷史和不同特點。當然，劉勰比較側重在研究它們的寫作方法和寫作經驗，但他也很全面、很概括地論述和分析了它們的學術內容。從文化的觀念來認識藝術文學，同時又要充分認識藝術文學不同於文化領域內其他部分的特殊特點。從《宗經》篇對「五經」異同的分析中，可以看出劉勰對藝術文學和哲學、政治、歷史等其他科學部門的差別是認識得很清楚的。《詩經》是藝術文學，是「言志」的，它的特點是「摛風裁興，藻辭譎喻」，所以「溫柔在誦，故最附深衷矣」。他認識到作爲藝術的文學是表達人的情懷的，是抒發作者的思想感情的，它需要有感興（靈感）的萌發，需要有美麗的文辭，需要有豐富的比喻和想像，這和其他各「經」是不同的。他並沒有因爲把經、史、子、集都列入「人文」的範圍，而模糊或取消了它們各自的特點，更沒有模糊或取消作爲藝術文學的特徵。相反的，正是在比較中使他們各自的共性和個性都得到了更爲清晰的呈現，讓我們更深刻地瞭解藝術文學的獨特性。以「五經」爲文學的源頭，並不是取消文學的特徵，而是爲了把文學放在廣闊的文化背景下來考察它的特殊個性，以便於正確把握文學的本質。《文心雕龍》從總的方面說，他所論的是「人文」，屬于大文化的範圍，但它的目的是要研究其中各個「文類」之間的同和異，而其中更爲重要的是要研究以詩賦等爲主的審美的藝術文學之創作特徵，《文心雕龍》下篇二十五篇都是圍繞以詩賦爲主體的藝術文學來立論的。由於《文心雕龍》的這種特點，所以我們更必須從廣闊的文化背景上來研究《文心雕龍》，認眞地探討《文心雕龍》所提出的一系列文學理論問題的深遠文化意蘊，在廣泛研究中國思想文化發展、特別是六朝思想文化發展特點的前提下，來研究《文心雕龍》文學理論的意義與價值。

三、從中西比較的角度來研究《文心雕龍》

《文心雕龍》既然是一部具有世界意義的偉大著作，是可以和亞里斯多德的《詩學》相媲美的東方詩學代表作，我們更需要從中西比較的角度來研究《文心雕龍》，考察它在世界文學理論和美學思想發展中的重要地位，這也是研究《文心雕龍》的一個非常重要的方面。文學理論批評的發展是和人們的認識水平、思維能力的發展分不開的，而人們的認識水平、思維能力又常常是和特定的物質文明和精神文明發展狀況相聯繫的，所以在不同國家、不同民族，即使並無直接的文化交流，但在文學理論批評方面，卻可以有許多相類似的共識，當然它們在表現形式上又往往是各有特點的。文學理論比文學創作在不同國家、不同民族中有更多相同的東西，比較文論的研究可以使我們更好地把握中國古代文論的基本原理和發展規律，同時也可以使中國古代文論走向世界，把我國古代豐富多彩、具有東方特色的文學理論批評介紹給廣大的西方朋友。爲此，我們應當努力發展從中西比較的角度來研究

《文心雕龍》，這也有助於對《文心雕龍》文學理論的進一步開掘，更深刻地認識它的意義和價值。在二十世紀的《文心雕龍》研究中，王元化先生在這方面爲我們開了一個好頭，他的《文心雕龍創作論》（後修訂爲《文心雕龍講疏》）中的「文心雕龍創作論八說釋義」，在許多地方都和西方文藝美學中相應的內容作了比較，是非常深刻而富有啓發意義的。王元化先生是我國著名的思想家，尤其對中西比較文化有精深的研究。他不僅十分熟悉西方的思想文化，而且國學根基非常之深厚，對中國古代的思想文化也有極高的造詣。非常遺憾的是在我們大陸的比較文論研究中，特別是對《文心雕龍》的比較研究中，卻很少像王元化先生這樣的學者，有些研究者往往以爲只要弄懂了西方文論（其實也未必眞正弄懂了），就可以作比較了，而在《文心雕龍》和中國文論研究上下的功夫則很不夠，總覺得我是中國人，弄懂《文心雕龍》和中國文論還不容易嗎？事實正好與此相反，有好些比較研究之所以不成功，其原因就是對比較的雙方並沒有眞正的瞭解，特別是對《文心雕龍》和中國古代文論知之不深，其失足處恰恰是在這一方面。比較研究之前提和出發點是對比較雙方要有正確的認識和把握，如果對比較的一方（有時甚至是雙方）還沒有弄懂，那麼也就失去了比較的基礎，這種比較自然不會有任何意義與價值。我們中國人作《文心雕龍》的比較研究，首先要對《文心雕龍》有確切的瞭解和深入的研究，而這需要有很好的國學根底，要熟悉中國古代的歷史與文化，要熟悉中國古代的文學和藝術，這確實也是不容易的。但在西方文論方面，一般說我們是難於和西方學者相比的，而在《文心雕龍》和中國文論方面，西方學者則大約比我們掌握西方文論要更難，因此，我們應當發揮自己作爲中國人的優勢，在深入理解和精通《文心雕龍》和中國文論的基礎上，同時力求正確地把握西方文論的特點和規律，這樣才能作出科學的比較研究。這也是我們在新的二十一世紀中要努力加強的方面。

四、從理論聯繫實際的角度，用歷史的比較的方法研究《文心雕龍》的理論範疇

理論範疇的研究在二十世紀的《文心雕龍》研究中，已經有了很大的發展，也取得了不小的成績，這是一件和可喜的事。因為理論範疇的研究是《文心雕龍》文學理論研究中的一個核心部分，它直接影響著《文心雕龍》文學理論研究的深度。但是在已有的對于《文心雕龍》理論範疇研究中，也存在著一些明顯的不足，這就是有些範疇的研究往往流於空泛，而缺少嚴格的科學的論證，有很大的主觀隨意性，其原因就是缺乏認眞的深入的個案研究基礎，也就是我們前面所說的沒有實證研究的前提。《文心雕龍》中所提出的一系列重要的文學和美學理論範疇，本身就構成了一個範疇體系，互相之間有十分密切的內在聯繫，各自都有特殊的理論內涵，如果我們對《文心雕龍》的文本沒有深入的研究，對它的理論體系缺乏全面的正確的認識和把握，是很難把這些理論範疇的內容和特點闡述清楚的。同時這些理論範疇從文論史的角度看，大都有一個漫長的歷史發展過程，在這個過程中它的含義也是不斷豐富發展的，而且往往在不同的歷史階段和不同的語境中有很不同的特定意義，到劉勰在《文心雕龍》中運用它的時候，又有很多新的發揮，因此如果我們不能從這些理論範疇的歷史演變中去考察，

就很難正確地把它闡釋清楚。而這又需要我們對整個文論史有相當深入的研究。此外，《文心雕龍》中所運用的許多理論範疇，往往並不是僅僅局限在文學範圍之內的，它們有很多是在哲學史、思想史、宗教史上所普遍運用的範疇，例如道、氣、神、心等等，也有很多在繪畫、書法、音樂等藝術理論批評中有廣泛運用，甚至許多很重要的理論範疇是從藝術理論批評中移植到文學領域中來的，比如體勢、風骨、神韻等等，它們在不同的學科領域中所體現的內容和意義常常是並不完全相同的，因此，需要我們作十分細緻的比較和辨析，而這又需要我們對哲學史、思想史、宗教史、藝術史非常熟悉，有比較深入的研究。這樣，才能對這些範疇在不同的領域中的含義之異同作認眞的比較研究，從而正確地研究清楚《文心雕龍》中使用這些範疇的含義。範疇本身總是比較抽象的，但作爲文學範疇又是從非常具體的創作實踐中總結出來的，所以如果我們不能緊密聯繫創作實踐來分析，只是從理論到理論的抽象論證，也是不能眞正把握它的確切內涵的，更無法用它來指導創作實踐。從目前已有的理論範疇研究來說，很少見到有人能用大量作品的實例來說明這些範疇在創作中的具體體現，這其實是一種很不正常的現象，它也是現在的理論範疇研究不能令人滿意的重要原因之一。所以，對我們「龍學」研究者來說，範疇研究如何深入還是一個很大的問題，需要我們化大力氣來加以解決。

五、培養青年「龍學」家，擴大和加強《文心雕龍》的研究隊伍。

目前，從我們研究《文心雕龍》的隊伍狀況來看，並不是很理想的。在中國（包括臺灣、香港），許多老一輩專家年事已高，都陸續退出了《文心雕龍》研究領域。而像王利器、詹鍈、周振甫等著名的研究《文心雕龍》專家均已去世，中國大陸一些很有成就的中年學者（如牟世金、李慶甲、寇效信等），也在十餘年前相繼因癌症去世，在青年學者中專門從事《文心雕龍》的研究，並已取得較好成績的還很少，缺少很拔尖的人才。如果我們著眼於《文心雕龍》研究發展的前景，應當加緊培養青年「龍」學家的工作，必須要有一大批學風正派、基礎扎實的中青《文心雕龍》研究者，「龍學」研究的發展才會有希望。日本本來是國外研究《文心雕龍》水平最高的國家，但目前則正處於低谷時期，原來一些知名《文心雕龍》研究專家，也已經不再從事《文心雕龍》的研究，而專門研究《文心雕龍》的中青年學者則非常之少。和韓國的漢學家中，現在專門從事《文心雕龍》研究的老一輩學者比較少，車柱環先生雖然還健在，但也已不再研究《文心雕龍》。不過，近年來韓國研究《文心雕龍》的青年學者逐漸增多，他們很多是從中國大陸和臺灣地區留學回去的，雖然目前的研究成績還不突出，但是我們希望他們在《文心雕龍》研究方面，會愈來愈繁榮興旺。歐美各國研究《文心雕龍》的學者相對來說就更少了，我們希望這種情況在二十一世紀中會有根本的改變。《文心雕龍》研究的隊伍產生青黃不接的情況，也許是和另外一個問題相聯繫的，這就是目前研究《文心雕龍》很難有新的突破。近年來雖然研究著作和論文很多，但是多數在學術水平上比較一般，并且無意義的重複研究很多。特別是對《文心雕龍》中的一些基本文學理論問題和概念範疇的研究，有深度的著作確實是太少了，新發現的有價值資料也不多。所以，如何使《文心雕龍》研究走出現階段的低谷，需要我們認眞地加以思考，總結《文心雕龍》研究發展的歷史經驗和教訓，在一些薄弱點上投入大量的研究力量，同時尋找新的研究角度和切入點，這樣才有可能使《文心雕龍》研究跨上一個新的臺階，也才有可能吸引更多的中青年學者加入《文心雕龍》的研究隊伍，使《文心雕龍》的研究進入到一個新的繁榮發展高峰。我們熱切地期待著。

六、讓「龍學」研究走向世界

《文心雕龍》作爲一部傑出的文學理論著作，現在已經受到世界各國學者廣泛和充份的注意。《文心雕龍》已經有了英文、日文、韓文、意大利文、西班牙文的全譯本，並有某些篇章被譯成德文、法文、俄文等，很多國外的漢學家都在研究《文心雕龍》，「龍學」已經成爲具有世界性的顯學。因此，如何進一步發展《文心雕龍》研究的國際交流和合作，不僅是必要的也是非常重要的，這將有可能使《文心雕龍》的研究，在東西文化的交融中獲得新的生命力，進一步向縱深方向發展。這就需要中國學者和世界各國的漢學家、特別是對《文心雕龍》感興趣的學者，一起作出更大的努力。在這方面，中國的研究《文心雕龍》學者尤其要擔負起自己的光榮職責，爲《文心雕龍》研究走向世界做出更大的貢獻。《文心雕龍》是一部用精美的駢文所寫的理論著作，文字極其精煉，用典也非常多，要眞正讀懂它是很不容易的，對于外國人來說，就更爲困難了。要使「龍學」研究走向世界，首先要做普及的工作，讓外國人也能夠比較容易地讀懂它，然後才說得上作進一步研究。所以，我們中國學者必須要對《文心雕龍》的版本、校勘、注釋、今譯，特別是對理論概念的闡釋，做得非常細緻精確，然後外國學者的翻譯和研究才會有一個良好的基礎。對《文心雕龍》的文學理論，也必須我們自己首先有深入的研究，達到很高的學術水平，然後外國學者才能夠發揮他們對自己國家思想文化特點熟悉和瞭解的優勢，把《文心雕龍》的研究和他們國家民族的文藝美學狀況聯繫起來，吸收《文心雕龍》的優點和長處，並且從他們的視角對《文心雕龍》的意義和價值作出新的判斷。在二十世紀的後二十年，中國的學者和中國大陸的《文心雕龍》學會已經做了不少的工作，但是從「龍學」發展的前景來看，還是非常不夠的，需要我們充分重視這項工作，並爲此作出更大的努力。

（本文爲《文心雕龍研究史》的最後一節，全書將由北京大學出版社出版）

論蘇東坡的書法藝術美學

屏東師範學院
語文教育學系　余崇生

摘　要

書法是屬於中國特有的一種藝術，而且自古以來便受到大家的學習和重視，書法家在書寫時利用點和線，繁簡快慢進行各種不同書體的藝術結構，在筆墨技巧中表達或創造出各自書法家的神采傑作，而留傳到後世供人鑑賞。蘇東坡是宋四家的代表之一，他的書法藝術融會晉唐各名家的精髓神韻，最後獨創出自己的書法風格，其藝術哲學是理論與實踐合而為一，其藝術個性深受佛道思想之影響，表達出一種蕭散閒遠，豪邁奔放的特色。且其主張書法必須有神、氣、骨、肉、血五者並重，書法猶人的身體一般都是要這五者相結合而成，缺一不可，故而其書法內涵十分深邃，給人的是一種意境閒遠，清境且逸氣十足的魅力，當今在書法教育上我們或應藉蘇東坡對書法融會與轉化，創立新意的理念來推展書法之教學，以期未來書法教育更為普遍與活潑，使社會一般人的心靈精神更高一層的提升與淨化。

關鍵詞：哲學　書法藝術　美學思想　審美風格　禪學　個人主義　人格教育

前言

從我國的文化藝術的發展情形來看，宋代在仁宗和英宗兩個朝代應該可以說是最爲繁榮與發達的時期，在文學方面，作者可以撰寫自由形式的古文以及吟詠各式題材內容的詩歌，而哲學家更可以發揮闡揚人間的理性大道理，再而至於書法的研究及創作方面也有著極大的變遷與突破，它已不再受到過去傳統的束縛，而多已擺脫窠臼，獨創新意，任意揮毫，達到了表露個人自然天眞活潑的精神，這樣的一個轉折與變化，當然不是偶然產生的，它應該是與當時的文化發展，人心轉變以及社會轉型方面有著極密切的關係，其中尤其是趙宋統治者推行重文抑武的政策，並建立了一套嚴格的科舉考試制度，甚至數代的皇帝都耽於丹青翰墨，例如宗徽宗趙佶便自創了有名的「瘦金書」，在宋代由於書風的轉變，故而激起了一股蓬勃的氣勢，名家輩出，佳作無數，比如李西臺（西元九四五－一〇一三）爲宋初的第一名，而後，又有「宋四家」之稱的蔡襄、蘇軾、黃庭堅及米芾等，他們的書作都各有獨特的風格與精神，故而從這個自由環境下所蘊育出來的書法家，他們在書法理論見解上已突破前人的限制，同時更開啓了以後書法人格化以及美學理論的基礎，本論則擬從幾個方向來探討蘇軾的書法藝術的特徵，美學意蘊及書風之對當今書法教育之啓示等。

一、時代背景

蘇軾是出生於宋仁宗景佑三年（西元一〇三六年），陰曆十二月十九日，依據蘇洵在《蘇氏族譜》中的記載，云：

蘇氏出自高陽，而蔓延天下，唐神龍初，長史味道刺眉州，卒於官，一子留於眉，眉之有蘇氏自是始。①

我們在這裡可以瞭解到蘇氏的遠祖是出自於高陽的，而其中的「一子留於眉」，此處的一子就是指蘇氏的後代留在眉州，當然也就是蘇氏的祖先。

蘇軾的祖父序，他是生在宋太祖開寶六年（西元九七三年），卒於宋仁宗慶曆七年（西元一〇四七年），享年七十五歲，蘇軾曾記載云：

公幼疏達不羈，讀書略知其大義，即棄去，謙而好施急人患難，甚於為己，衣食稍有餘，輒費用，或以予人，立盡，以此窮困厄於飢者數矣。然終不悔，旋復有餘，則曰：「吾固知此不能果困人也。」益不復愛惜，凶年鬻其田以濟飢者，既豐，人將償之，公曰：「吾固自有以鬻之，非爾故也。」人不問知與不知，徑與歡笑造極，輸發府藏，小人或侮欺之，公卒不懲人亦莫能測也。②

從這段文字中我們可以略知蘇東坡祖父蘇序的為人處世及其疏達不羈的個性，以及他那鬻田濟飢的慈善行為，而這些豪邁俠氣的性格則在蘇家留存了下來，其實這個風範影響蘇家後代可以說是相當大的，蘇東坡的父親蘇洵，他那發憤苦讀的精神更是令人佩服，歐陽修就曾為文加以贊揚云：

年二十七，始大發憤，謝其素所往來少年，閉户讀書，爲文辭，歲餘，舉進士，再不中，又舉茂材異等，不中，退而嘆曰：「此不足爲吾學也」悉取所爲文數百篇焚之，益閉户讀書，絕筆不爲文者五六年，乃大究六經百家之說，以考質古今治亂成敗聖賢窮達出處之際，得其粹精，涵蓄充溢，抑而不發，久之，慨然曰：「可矣」，由是下筆頃刻數千言，其縱橫上下出入馳驟，必造於深微而後止，蓋其稟之厚，故發之遲，志也慤，故得之精。③

從這段歐陽修所載記的文字看來，蘇洵在二十七歲時應試，雖未盡理想，但他那發憤努力，毫不懈怠的精神，可說也蘊含了奮發向上的個性特質，這種個性與特質對蘇氏家族來說，相信應該也有著極重要的影響性的，就蘇東坡後來多遭貶遷，而仍以豁達的心情去面對，以及在文學作品或書法藝術精神上也呈現瀟灑的氣慨，這些或許也應該受到某種程度的影響吧！

軾出生在這樣的一個世代官宦的家庭裡，再加上他本身的聰慧與勤學，所以在年少時便已嶄露頭角，甚受長輩們的看重，於是蘇東坡便在這樣良好的文化藝術環境下培養出個人高超的人文特質與心懷。

就文學藝術發展的情形來看，北宋時期的文學藝術的運動可以說是繼承唐代的餘緒而來，到了北宋又受到社會、政治方面的影響而有了革新與變遷，而文學藝術也不再拘泥過去的傳統模式，同樣書法也開始走向表現自己人性的天眞與活潑，其先驅人物就是宋代第一書法家蔡襄，再而如顏眞卿的典雅莊重的書風，也是此時期書家所崇尚的標的之一，除此之外，有宋四家的——蘇軾的書風也有相當大的特色，並且其書風對後世的影響也極爲深遠。

談到宋代文化精神的興盛與發達的情形，或許我們可以引王國維先生的一段文字來看，他說：

金石之學創自宋代，不及百年已達完成之域，原其進步所以如是速者，緣宋自仁宗以後海內無事，士大夫政事之暇，得以肆力學問，其時哲學、科學、史學、美術各有相當之進步，士大夫亦各有相當之素養，賞鑒之趣味與研究之趣味，思古之情與求新之念，互相錯綜，此種精神於當時之代表人物蘇軾、沈括、黃庭堅、黃伯思諸人著述中在在可以遇之。其對古金石之興味，亦如對書畫之興味，一面賞鑑的，一面研究的也，漢唐元明時人之於對古器物絕不能有宋人之興味，故宋人於金石畫之學乃陵跨百代。④

王國維在這段文字中剖析得很清楚，宋朝文人無不思求改變，而當時的宋四家，也可說在這種新風氣的激發下朝尙意的書法審美風尙發展。

談到宋人書家的尙意方面，就一般考察看來，宋人之所以尙意，主要是想擺脫技法對於人的性靈的束縛，其中蘇東坡更是主張書法家必須要有「成一家之書」的志向，同時還認爲書法也跟人類的身體一樣，要有神、氣、骨、肉、血等五大要素，因此後來便確立了所謂的「書法人格化」的論說，對於模仿他人的傳統漸漸淡去或拋棄，接換上來的則是尊重創造性，表現個性與行雲流水的活潑氣勢，而這一轉變的確給當時書法界帶來了一個新氣勢與風貌。

然而就蘇東坡在當時的社會背景而言，他是從儒家經世致用的觀點出發的，在他的諸多文章中無不表示了矢志忠於宋王朝，希望施展自己興利除弊的胸襟與抱負，可是在當時由於新舊黨之鬥爭，先後遭到新舊兩黨的夾擊，曾受誣坐牢，險些喪失生命，之後，又屢遭貶謫，到過杭州，徐州、黃州、惠州、海南等地方任職，一直到晚年遇赦後於歸途中死在常州，蘇東坡的仕途生涯可謂不幸與坎坷。

二、書法藝術的特徵

蘇東坡不但是文學家、畫家、更是有名的書法家，他在書法上的成就，於後世人的心目中，甚至有超過他的繪畫的地方，儘管蘇東坡在仕途上屢遭貶謫與不順，可是他在文學藝術這個領域裏卻有驚人的成就，與他同時代的黃庭堅就曾推重他的書法，認爲「本朝善書，自當推爲第一」，被推爲當朝第一的書法家，相信這並不是沒有原由的，現在就讓我們來探討有關蘇東坡在書法上的風格與特徵！

㈠凝練端莊——我們在考察蘇氏在平時較正規理性的情形下所寫的作品時，發現他的書法作品中有些書體是十分工整，而有些則是在楷行之間，且從這類型的書法作品中不難察覺蘇氏在用筆方面的肥腴、扁平、欹側或偃臥等特徵了，比如像〈歸去來辭〉〈洞庭春色賦〉〈祭黃幾道文〉〈前赤壁賦〉〈中山松醪賦〉及〈醉翁亭記〉等都可以看出來他在書法表現上都顯得十分凝練端莊，沒有那種隨意出之，或自由發揮和抒情的感覺。

在蘇軾的書法作品中可以發現用筆多爲端莊、沈著、穩重或以縱有行，橫無列的章法，構成整潔和錯落的格調，這種書法風格特徵，看來的確是即深邃又典雅，筆圓而韻勝，所以蘇軾自評說：「余書如綿裏鐵」。而上面所提的數點僅是對其用筆較凝練沈著的書法作品方面而已，可以參考附圖。

㈡蕭散閒遠——我們在前面曾提到蘇軾的作品，如他自己所說的「端莊雜流麗，剛健復婀娜」，但是除了端莊的特徵之外，我們也可以觀察到蘇軾書法的另一特色，就是他那蕭散閒遠的韻味，然而什麼叫做蕭散閒遠呢？關於這點或許我們可以這樣來瞭解，那就是作者在寫作書法時不是刻意或嚴謹端莊的心理狀況下來發揮的，而是在一種感情閒暢，有意無意間，十分輕鬆的精神狀態下完成的，關於這類型的書法作品，在蘇軾來說多屬一些與友人往來的書信文字，例如：〈人來得書帖〉〈東武帖〉〈北遊帖〉或〈遺過子尺牘〉等都是呈現如此蕭散、流暢、毫無拘束的風格的作品。以上所舉的書帖作品，多爲豐腴而強健，且其波磔、撇、等形態都隱含隸書筆意，然而這種書風的基本筆法原理大致來說應該是得力於唐代書家李邕（北海）的精神，因爲我們知道李北海的書風其源流實出於羲之，不論頓挫起伏，可說無不奕奕動人，然而蘇軾早年也學羲之，後又轉顏眞卿、徐浩、楊風子及李北海等，這些書家的書法特色多是以寬博爲特點，其中李北海更以扁平爲其書法結構特色。同樣當我們比較觀察蘇軾的書法作品時也可以看到字體扁平，點畫肥厚的書體結構。

㈢豪邁奔放——在學習藝術的環境裏，我們知道蘇軾對藝術的見解中認爲修養、學問和文章等是要互相結合在一起的。關於這點黃庭堅就曾說他的書中「學問文章之氣，鬱鬱芊芊，發於筆墨」，這點當我們在鑑賞他的書法作品時就會有如此的一種感覺，熟練生巧，揮灑自如，猶如他的詞作〈水調歌頭〉般的澎湃起伏，瀟灑雄健，毫無滯礙的地方，而這種書法風格也構成了他的一套書藝美學特點：

至於最能代表蘇軾豪邁奔放個性的作品，或應該以〈黃州寒食詩帖〉爲代表，當時蘇軾因烏台詩案遭貶黃州，而在這期間對蘇氏來說是一種精神打擊最大的事情，可是在另一方面，其在詩、文、書方面的成就，卻反而是轉化而到達最高境界，例如：〈黃州寒食詩帖〉這幅作品，它是以宋人慣用的手卷形式寫成，在用筆上是以側鋒爲主，爛漫自然奔放，一氣呵成，給人猶如流水般直奔而下，充滿了一種不可抑止的心中激情，對蘇軾的書法藝術，尤其是這〈黃州寒食詩帖〉，黃山谷曾有這樣的評說：「兼顏魯公，楊少師，李西基筆意」，在這裏所指的是蘇氏的作品，果然隱含有顏魯公的沈雄，楊凝式的顚逸，以及李建中的豐潤等書法精神。

目前蘇軾所留存下來的書作品中，我們常看到的，例如：〈前赤壁賦〉〈答謝民師論文帖〉或〈祭黃幾道文〉等諸書法皆屬行楷，或者稱爲「宋楷」，而至於以上所提及的〈食帖〉則是屬於較奔放的行書，當然我們也知道蘇東坡此作品是在被貶謫黃州時所寫的，把在坎坷的政途上的失意訴諸文學藝術中而未顯絲毫褊狹或苦澀，這必須要有相當寬廣的胸襟者方能將之轉化或調適，而這種心理也不難看出他是沈浸禪學，參禪修道後才昇華到此境界的。

至於〈寒食帖〉應該是蘇東坡法作品中的神來之筆，同時我們也可以說它是展現了蘇東坡在失意後，由參禪而昇華出來的一種無滯無礙的豪放思想，所以傳申在評論此〈寒食帖〉時曾說：「自首至尾，精神抖擻，意氣風發，忽而昂揚，忽而鬱結，味之無窮，翫之不厭」⑤，的確是說得一點也不錯。

三、尚意書風

就中國書藝史的發展來看，宋朝初年文物摧落，藝事曠闕，一直到了太宗時，才開始留意到書法藝術之重要，而有購募名跡等方面的活動，接著到了仁宗天聖（西元一〇二三年）及神宗熙寧（西元一〇六八年）元豐（西元一〇七八年）之間，這段期間的書壇十分活潑，書家輩出，像蔡襄、米芾、黃庭堅及蘇軾等被譽為宋四大家，而在當時各家的書藝風格方面，我們可以從比較分析上看得出來，他們的特色或由唐而溯晉，或取經漢魏，自求變化，自成一家風格，比如徽宗的「瘦金體」就是一例，其他又如徐鉉、李建中、歐陽修、王安石、司馬光等也各具一風格特色。

書法藝術的發展，經過了秦篆、漢隸、晉行、唐楷的幾個階段的變遷，當到了宋朝可說又是一個新的變革而呈現新的面貌，這個變革對往後書藝的發展影響可以說是極為深遠的，它是朝人的意緒和情態方面去開發的，藝術家們只要用有效的方式把個人的「意」與「情」自由地表達出來，這樣就能使藝術接通欣賞者，如此而產生融合、交匯，甚至深受啓悟，最後達到藝術與心靈結合，這樣藝術的功能已不僅只局限於創作者個人的單面活動，而已經發展為全面性的交流，活潑開放並達到了藝術教育的功能境地了。

在前面曾論及宋人尚意，主要是在擺脫技法對人的心靈方面的束縛，同時講究筆墨情趣，從中表現個人的風格、學問與內涵精神。

在宋代書法風格與精神除了以上所略述情形之外，其中書家對於「意」特別重視而且在論說中也常常強調的則要推蘇軾了。其實關於「意」概念的提出，就當時的書法作品的特色比較看來，楊凝式(風子)、蔡邕(君謨)的書法都是以尚意爲主的，但若與蘇東坡相較則略遜一籌，關於書法的「寓意」這方面，以下就讓我們來看看蘇氏到底是怎麼說的，他說：

自言其中有至樂，適意無異逍遙遊，……我書意造本無法，點畫信手煩推求。⑥

又說：

吾雖不善書，曉書莫如我，苟能通其意，常謂不可學。⑦

又說：

吾書雖不甚佳，然自出新意，不踐古人，是一快也。⑧

由以上所列舉的文字中便可以瞭解到蘇東坡所提出的「意」之主要概念乃在於自出新意，也就是抒寫自我的意趣，不必去揣摩古人的筆法而走出窠臼達到一種眞正的創造，如此才能得到心靈上的至樂，站在藝術自由發展心理來看，蘇東坡在宋代就提出了如此進步的理念見解，的確是令人佩服的。再說如果我們從蘇東坡自文學觀來看，同樣的也與此有相通之處，在宋代詩文革新運動中，蘇東坡是十分傾心於司空圖的《二十四詩品》的，而在書法他認爲鍾繇、王羲之，其「蕭散簡遠，妙在筆畫之外」⑨，然至顏眞卿、柳公權而盡，這裏的所謂「妙在筆墨之外」也就是要有超邁豪放的氣勢，也如同他在論文章時主張「如行雲流水，初無定質，但常行於所當行，常止於所不可不止」一樣⑩！

宋代的書法家對於自創新意而建立自己的風格這一點上是十分重視的。例如像黃庭堅就提出了「悟」與「俗」的見解，所謂「悟」就是領悟的意思，也就是得之於心，能如此則能窮微測妙，推求奧賾，又如米芾則提出「天眞」「率意」之說，在米芾認爲書法藝術應該自由地展示美的意態，不是刻意做作，安排費工或俗濁，再而蔡襄則主「神氣」說，他認爲書法應該模象體勢，但是如果只是形似而無內涵精神則不能算爲佳作，所以他說：

> 書法惟風韻難及，虞書多粗糙，晉人書，雖非名家，亦自奕奕有一種風流蘊藉之氣，緣當時人物以清簡相尚，虛曠爲懷，修容發語，以韻相勝，落華散藻，自然可觀，可以精神解領，不可以言語求覓也。⑪

所以淡泊、清簡、虛曠等的注意和重視，如此作品必將有空靈的氣象。

而至於蘇東坡的書法追求寓意，其實並不是漫無目的，毫無規範的自由發揮，其意主要的是不拘古人成法，是要變法出新意，但是要如何變法？如何出新意呢？這是必要有個相當的根本基礎的，蘇東坡在提出此概念之前，他早已廣學博取，比如像學顏眞卿、徐季海、柳誠懸、楊凝式、李北海、王僧虔、王羲之等，將各家的優點融會貫通而後領悟變法出新意來的。

但是在變法新意的過程中，就不能計較工拙的問題，所以蘇東坡曾說：

> 貌妍容有顰，璧美何妨橢。⑫

這句詩的意思是說西施貌美，由於患有心痛的毛病，所以每天皺著眉頭，雖然如此並不失其姸美，再而說到那精美的璧玉即使是不圓，這又有什麼關係呢？由這段話的比喻便能瞭解到蘇東坡在審美上的觀念，那就是不計其工拙，除此之外，蘇東坡又說：

書初無意於佳乃佳爾。⑬

他認爲既求寓意，就不必計較工或拙上的問題，再而他又說書法最忌用意裝綴，因爲書法主要的是在自我的心靈的滿足，又何必刻意做作呢？這些當然是蘇東坡解開束縛而朝向更自由寬廣的空間發揮的地方，然而有一點或許我們要問，如果從心裡動向的發展來推測，蘇東坡仕途坎坷，前面曾提及他因沉浸於禪，故而得到一種精神超然境界，且他在書道上強調寓意的思想概念，除了受禪道之影響外，是否也是一種對當時環境政治上的疏離或失望後的個人心理超越呢。

書法是爲了自己的心靈滿足，既然是這樣，那就不必拘泥於某種格式形態，所以蘇東坡他讚揚懷素說：

然其爲人儻蕩，本不求工，所以能工，比如沒人之舟無意於濟否，是以覆卻萬變而舉止自若，其近於有道者耶。⑭

所以藝術要求其自然，不是刻意雕琢，如果這樣就非自然了，故而有本不求工，所以能工，再而是自若，能這樣就近乎道的地步了，這段文字裏東坡雖是在說人，其實他是在說藝術精神似乎因爲這樣，方能有高邁之作品出現。並且還說：

浩然聽筆之所之，而不失法度，乃爲得之。⑮

蘇東坡的學問是自儒家而來，之後再發展到佛道的領域中去，所以在其文學或書法作品中都會有隱含著這些思想的地方，比如這裏所提到「浩然」，很顯然的就是指儒家的浩然之氣。一個人胸中存有浩然之氣，自然便會顯露於其行爲上，在藝術家而言則在其作品上就會有一種與衆不同的超然氣勢，而書法家亦然，便能聽筆之所至，表現猶如萬斛泉源，不擇地而出，在平地上滔滔汨汨，氣象萬千，雖然如此，但是必須不失法度，這就是所謂的「書必有神、氣、骨、肉、血五者闕一，不爲成書也」⑯，他的意思是說，書法猶人的身體一般，都是要以上這五者相結合而成，缺一是不可的，如果能明白而化之的話，那麼法意互得，互輔互行，自然就行成了，蘇東坡的書法精神就是如此率意而成，大小不一，亦猶如他在寫文章一樣，常行於所當行，常止於不可不止。

蘇東坡的書法內涵的確是相當的深邃，它給人的是一種意境閒遠，清靜且殺氣十足的魅力，這種深邃的背景基礎，他除了從儒家思想中取養分外，更重要的應該是從佛道方面得到啓發，比如在前面我們在談尙意時，他就提到了司空圖的《二十四詩品》，而司空圖的論詩多以空靈爲主要，而空靈其實是禪家語，而蘇東坡在其文學作品中也多處與道佛的思想有著密切的關係，例如其弟蘇轍在〈亡兄子瞻端明墓志銘〉中就說：

既而讀莊子，喟然而嘆曰，昔吾有見於中，口未能言，今見莊子，得吾心矣。⑰

又說：

後讀釋氏書，深悟實相，參之孔老，博辯無礙，浩然不見其涯也，在黃州時，他自號東坡居士，時必焚香默坐，深自省察，則物我相忘，身心皆空，求罪垢所從生而不可得，一念清淨，染污自落，表裏翛然，無所附麗，私竊樂之。⑱

在這裏可以看到蘇東坡喜愛佛道的情形，再而他在黃州時對佛教信奉得極爲虔誠，且付諸實踐，故而其在藝術作品也多受其影響，但是有一點我們不能不注意的則是蘇東坡的意識觀念中仍是主張博洽與融會的，這點在文學的立場上是如此，而在其書法的見解上也是一樣的。

當我們在研讀蘇東坡的文章或書藝理論時，可以很清楚的察覺到其觀念與莊子的思想特別接近，尤其是有關道的見解，比如莊子在其書中就有云：「技進乎道」⑲的看法，而蘇東坡在藝術的見解上也頗受這一思想之影響，他說：

有道有藝，有道而藝，則物雖形於心，不形於手。⑳

又說：

道可致不可求，何謂致，孫武曰，善戰者致人，不致於人，孔子曰，百工居肆，以成其事，君子學以致其道，莫之求而自至，斯以爲致也歟。㉑

又說：

少游近日草書，便有東晉風味，作詩增奇麗，乃知此人不可使閑，遂兼百技矣，技進而道不進則不可，少游乃技道兩進矣。㉒

從以上所引的文字中大致便可以瞭解蘇東坡把書法看成是一種「技」，也是一種「道」，同時這種「道」是可致不可求的，雖然如此，但是他也強調「技」雖然日進，如果「道」不隨之進步，那是不可以的。當然這可以說是從道的形而上學理念出發的。這兩者「技」與「道」應是平行發展提升，如果是單方面的話，那是不合蘇東坡的書藝之哲學理念的！

由於蘇東坡在書藝中融入了禪道的觀念，而使到其書法境界顯得超脫與自然，毫無造作的感覺，這種藝術造詣並不是一蹴可既的，它是經過長期在心中沈澱，了悟與昇化後才會達到這個境地的，我們在前面也曾提及東坡的書藝精神就是崇尚自然、虛靜、脫去舊有的束縛，而在這裏的佛道觀，或許也可說是和其性格理念相一致的！

再而若我們以道家的藝術觀來看，其主要的是在「虛靜」「自然」，這種自然樸實的藝術觀應可以說是達致自然全美的重要條件。倘若能把這至高的「道」的思想運用於藝術創作中，那毫無疑問的就可充分發揮藝術概括能力的最佳心理狀況，一個人在進行藝術創作時若能「虛靜」，則心中將大清明，能大清明，就能直觀到獨立無待的至道，道家的這種體道的「虛靜」修養和境界，被後世文人借用爲認識事物的內在精神，而蘇東坡對道家莊子的思想有深入的瞭解，所以在其書藝的創作上無不也寓含和抒發了這種精神！

四、書法的美學意蘊

蘇東坡是以他的生命寫作，從心靈深處表達出了那種超然物外的眞情文字，而至於書法藝術內涵方面也是這樣子，崇尚寓意書風，天眞爛漫，恣態橫出，有一種充滿才情的藝術風格！

如果我們仔細考察，在中國的書法史中，蘇東坡是一位除了書法創作外，並且自己也建立了書法理論，而關於書法理論方面，他在〈書黃子思詩集後〉說：

予嘗論書，以謂鍾、王之跡，蕭散簡遠，妙在筆畫之外，至唐顏、柳，始集古今筆法盡發之，極書之變，天下翕然以爲宗師，而鍾、王之法益微。㉓

東坡的書法精神大致來說是融會多家書法的特長，然後再變通發揮其新意，所以說是極書之變，不執泥於一端。雖然力主融通出新意，但是他也有繼承傳統的一面，其友人黃庭堅在《山谷集》中就曾多次提到東坡與前人的淵源，說：

東坡道人少日學蘭亭，故其書姿媚似徐季海，至酒酣放浪，意忘工拙，字特瘦勁似柳誠懸，中歲喜學顏魯公、楊風子書，其合處不減李北海。㉔

又說：

東坡少時規摹徐會稽，筆圓而姿媚有餘，中年喜臨寫顏尚書，眞行造次爲之，便欲窮本，晚乃喜愛李北海，其豪勁多似之。㉕

由以上所引的兩段文字內容看來，我們可以瞭解到蘇東坡早年是學徐浩，中年後又學顏魯公、楊風子及柳誠懸等人，故而其書法的造型上很多地方和以上各家的特點頗有相近之處！

其實如果仔細的從蘇東坡的書法風格上去比較探析的話，的確是在書法的造型上有些地方是受到各家的影響的。但是我們若從他自己的書論文字上去考察的話，他又曾提到「我書意造本無法」㉖、或「把筆無定法，要使虛而寬」㉗，或「書不在筆牢，浩然聽筆之所之」㉘等的意見及論說，由此就可以看出蘇東坡在書法藝術的遵行軌跡上是有所推抗的意識存在的，然而我在這裏提出「推抗」二字，主要是指他有推陳出新的意思，一種藝術如果要讓它從原來的點上朝向更高的境地發展的話，首先必須要有才慧相侔者來加以綜合或推進，這樣藝術的生命將更具特色或時代性，其實蘇東坡的看法藝術應該是富有這樣的一種精神存在的，從其儒家的學養背景，進而博涉各方特點，最後融會升華，建立了自己獨特的書法美學風格，並在宋代的書法藝壇上開拓出新的風氣與面貌。

至於蘇東坡的書藝作品，就整體考察看來，他是特別重神輕形的，然而這也應是他的書法藝術的另一特色，他重視興會靈感，即興揮毫，倒如他也常在喝醉後寫作書法的情形，在〈題醉草〉中就說：

吾醉後能作大草，醒後自以為不及。㉙

又，黃山谷在〈蘇李畫枯木道士賦〉中也說：

(東坡)滑稽於秋兔之毫，尤以酒而能神。㉚

蘇東坡的書藝術重神，而「神」所指的是什麼呢？或許我們可以這樣說，「神」是指作品中所體現個人的神彩風貌，也就是所展現的主體風格之內涵特徵。他借酒醉後所得到的飄然，曠然天眞而創作，那種飄逸的精神尤為東坡所賞，故而他又說：

雪齋清境，發於夢想，此間有荒山大江，修竹枯木。

每飲村酒，醉後成杖放腳，不知遠丘，亦曠然天眞。㉛

所以他所想往的是一種曠然天眞，高逸不拘的心理狀態，當然這也是他想追求的無意或非理性的創作態度，所以我們在前面就曾經論析蘇東坡書法風格是屬於自由豪邁，蕭散簡遠，頗富農厚的禪道精神。除外，他還認爲書法是抒懷寫意的，所以主張書藝爲曲折地反映客觀事物，或以客觀事物作根據的看法提出了相反的意見，他說：

余學草書凡十年，終未得古人用筆相傳之法，後因見道上鬥蛇，遂得其妙，乃知(張)顚(懷)素之各有所悟，然後至於此身，留意於物，往往成趣，昔人有好草書，夜夢則見咬蛇糾結，數年，或晝日見之，草書則工矣，而所見亦可患，與可之所見，豈眞蛇耶？抑書之精也，予平生好與可劇談大噱，此語恨不令與可聞之，令其捧腹絕倒也。㉜

在這裏的引文蘇東坡所強調的是在學書的過程中很重視領悟，若能了悟則能達致妙境，再而書法藝術，它卻不同與其他藝術，它的感性形式本身並不能視爲是一種純粹的外在形式，而其在內涵上是凝聚與寄寓書法家個人自己的思想與情趣。

由於蘇東坡的書藝內涵頗富禪道之韻味，那種曠然天眞了悟妙道的藝術高境，這樣的一種追求，當然應該是東坡個人的書法美學思想，在書法的立場上而言，他往往放棄了形質之完美，而追求精神之美，所以他曾說：

貌妍容有矉，璧美何妨橢，……吾聞古書法，守駿莫如跛。㉝

其實談到美，這是每個人心目中所企盼的東西，但是在這裏所提及的是一種自然之美而非經雕琢後之人工美，在蘇東坡的認爲書法須求自然，無所矯飾，渾然天成，能夠這樣的話，則任何東西往往在缺憾或不完美處散發出無限的自身魅力！

論析到這裏，我們或許又要談到蘇東坡在用筆及書法的結構上的問題，歷來談書法的都認爲是一個首要的問題，唐朝人非常講究筆法，孫過庭在《書譜》中就曾提到「執筆三手」，之後談執筆者漸多，由此可以看出書法的執筆是相當重要的，但是蘇東坡在這方面則有其看法，猶如其在書法的美學見解上一樣，自有個人的主張，所以對它的扁平有「石壓蛤蟆」之譏，而它的肥厚則又有「墨豬」之嫌，雖然如此，但是由於這些被譏嫌的地方也正成了他書法的風格特色之處！

蘇東坡是一位學問十分博廣的書法家，故而其在書法的見解上都有自己獨到的看法，關於這些我們或許參考他的兒子蘇過在《斜川集》中的一段記載：

吾先君子豈以書自名哉，特以其至大至剛之氣，發於胸中而應之於手，故不見其有刻畫妖媚之工，而端章甫若有不可犯之色，知此然後可以知其書。㉞

這段文字是蘇過隨著父親到晚年，經貶謫長久在一起的文字記錄，其中說到其父的書法藝術中的至大至剛之氣，發自心中而後再表達於書法上，當然這可說是一種經轉化或昇華表達出來的藝術，而這樣的藝術在蘇東坡的感情表抒上雖然是靜態的，但卻蘊含著高度的蕭散簡遠，清淨剛毅之氣。

我們從各方面比較論析考察看來，蘇東坡在書法藝術的表達上是有他自己獨特的見地的，比如他在論張旭的草書時也有他的看法，他說：

退之論草書，萬事未嘗屏，憂愁不平氣，一寓筆所騁㉟

在這裏提到「憂愁不平氣，一寓筆所騁」，此處所指的是韓愈對張旭的看法，他覺得書法(草書)可以把個人心中不論是愉快的或鬱悶的情緒都可借其宣泄出來，而蘇東坡假借韓愈的看法來論評草書，其實也等於是他自己的書藝觀念。總而言之，蘇東坡在書法藝術的理念上主要是追求自然、平淡與清靜，而他的這種平淡特色顯然是吸取了晉人的書法特徵，他曾說：

顛張醉素兩禿翁，追逐世好稱書工，何曾夢見王與鍾妄自粉飾欺盲聾……謝家夫人澹豐容，蕭然自然林下風。㊱

在蘇東坡看來有些書家的風格都是屬於粉飾雕琢方面的他們都不如鍾王等人的那樣蕭散簡遠的風格來得平順與自然，蘇氏早期學習過王羲之、鍾繇的書法，到後來又有所變遷，並且融會衆長，確立了自己的風格，雖然如此，但是在其書法的風格上仍多少蘊含著晉人的書法神韻。

五、融攝與轉化

一切藝術的創作都顯示著作者不同的性格，而書法藝術尤其特別突出，清人劉熙載在其論著《藝概、書概》中就這樣說：「書雖學於古人，實取諸性而自足者也。」又說：「筆性墨情，皆以其人之性情爲本，是則理性情者，書之首務也」，這些話雖簡要卻很有道理，我們試看歷代優秀的書法家，他們都有著深刻的師承源流的關係，經過一段時間的沈浸之後，再從各個不同的師承源流中轉化而創造出自己獨特的風格，比如像唐代的虞世南、褚遂良等，他們都曾臨寫過王羲之的〈蘭亭序〉，就現存的遺跡來看，雖然臨摹得相當逼眞，但是仍有多少不同與差異，這就說明了他們各自有其不同的藝術特質與個性，於是，最後他們經過融會與轉化之後而創出了自己不同的書法風格。

在前文也曾敘及蘇東坡的書法藝術也是從前人不同的書法特點中轉化而來，所以建立了尙意的書法觀點，當然這個「意」指的就是主重抒情的意思，也就是一種恬靜、閒遠的特點，我們知道宋人是先學唐法，然後加以擺脫，最後走出自己的風格。所以或許我們可以說宋代在書法方面是十分強調個人主義的抒情性的，至於蘇東坡他也是宋代書藝中相當有特色的一位，他從融攝到轉化，這點是值得我們注意和學習的地方，同時它更具有啓發性的教育意義。

其實書法教育它不僅是論釋藝術之美而已，然而它更重要的是富有修身養性，改變氣質，豐富個人涵養，甚至端正健全人格等方面的工用，比如在易經上就說：「蒙以養正」，再而項穆也說：「正書法所以正人心也」，還有清劉熙載在《藝概》的「書概」中也說：「書，如也，如其學，如其才，如其志，總之曰，如其人而已」的名言，由此可見書法教育與人格之端正培養上是有著密不可分的關係的，其次如果從書法教育的文化精神層面去考察的話，我們會發現古人對書法都有很透徹的評析與論說，其實這就是對人格精神的一種賞評，清劉熙載曾說：

賢哲之書溫醇，俊雄之書沉毅，奇士之書歷落，才子之書秀穎。㊲

又唐張懷瓘也說：

文則數言乃成其意，書則一字已見其心。㊳

所以我們從以上所引的文字看來，書法教育在人格的培養上是有多麼重要，且在書法教育的基本理念為人格教養的同時，它出現了純藝術的教育，並且這種純藝術的教育才使得書法從實用的寫字，逐漸脫離文字載體，而後成為一門獨立的藝術形式，可是，書法教育對於人文教育的啓示與人格教育的陶冶上，仍然是有著相當重要的必然性影響。

再而書法教育表面上看來似乎並不那麼教人感到它的重要性，可是從其歷史文化及精神寓意方面去思考的話，則是一項非常重大且嚴肅的問題，我們知道書法教育自古以來就已經存在，它告訴我們書法在精神與養生上有著不可忽視的地方，古代書家曾這樣說，如：

1.虞世南《筆髓論》「契妙」篇云：「欲書之時，當收視反聽，絕慮凝神，心正氣和，則契於妙，心神不正，書則欹斜，志氣不和，字則顛僕」。

2.張懷瓘《書斷》云：「嘗與人云鄙夫書翰無功者，特有水墨之積習，常清心率意，虛神思以取之」。

3.赫經《論書》云：「心正則氣定，氣定則腕活，腕活則筆端，筆端則墨注，墨注則神凝，神凝則象滋，無意而皆意，不法而皆法」。

4.康有為《廣藝舟雙楫》云：「吾謂書法亦猶佛法，始於戒律，精於定慧，證於心源，妙於了悟，至其極也，亦非口手可傳焉」。

由以上各點看來，書法在修習時其對個人於正心、靜思、沈靜或絕慮行爲上的反應之後，才進行書寫，當然在行爲上這可說是一種度高的集中注意力之訓練，而這種集中注意力的培養，在對一個人在做事上是有專一的意思存在的，我們知道書法中非常強調結構化，漫無邊際的散亂和信手塗鴉的荒率，在書法作品中是不被允許存在的，這無疑的也是從心理集中而達到思考專一的境地，其次，書法教育尤其是在今天社會急速走向工業化，一般人在心理與想法方面已與過去有著極大的變化，多趨功利而缺少心靈上的閒適與寧靜，故而引來諸多情緒或精神的鬱悶與浮躁，這些都可說是今日社會的文明病，尙若要在這種繁忙的工業社會中滌除這些毛病，或找回心靈的美化與閒適，滋潤與充養，我覺得在面向二十一世紀的社會發展，書法教育的推展應該是一項刻不容緩的工作！

結論

從前面對蘇軾書風的探討分析，我們可以瞭解到在宋代蘇氏的書法風格雖受前人的影響，但是最後由於他的「自出新意，不踐古人」的觀點下自己創出獨立的風格與特色，脫離唐法，追求自由表現，於是自然就形成了自己的風格，蘇東坡他自己就說：「我書意造本無法，點畫信手煩推求」，雖然如此，其實並非無法，而是唐代重法，然他卻主個人的表現而已。再而我們也發現蘇東坡的書藝特徵約有數點，如凝練端莊者多爲其早期之書作，到蕭散簡遠時已頗受佛道思想之影響，其次再到美學的意蘊時已是他晚期的書藝發展內涵與歷程，一種曠遠天眞，高逸不拘的境界了，同時在中、晚期他發表了不少書藝方面的論說，而這些論說內容也頗多與佛禪的高妙空靈，蕭散簡遠之意涵極爲契合，除外，我們也知道書法教育自古代以來就在中華文化中佔有相當重要的地位，書法表達了一種的變遷，中個人的一種藝術美的哲學，它包括了造型美、文學美、字義美以及更深的意境美，再而它有審美作用及教育作用，故而我們藉由蘇東坡的書法風格的創立及其禪境書風的提出，這給予了我們極大的啓發，而今天當我們面對工商社會快速發展下，人心多向功利，心理不安，情緒鬱悶等多重壓抑下，於此無不深覺或可從蘇東坡書風理念之啓示而轉移到目前書法教育之推展，如此對社會及學校教育在心理或精神層面之提昇與淨化上應該會有所助益吧！

【附　注】

① 蘇洵《嘉佑集》卷十四、《四庫全書》、台北。

② 《蘇軾文集》卷十六「蘇廷評行狀」、北京、中華書局版。

③ 《文忠集》卷三十四、「故霸州文安縣主薄蘇君墓誌銘」。

④ 見王國維著《宋代之金石學》。

⑤ 傅申著（民八五）《書史與書蹟》頁八十一、台北、國立歷史博物館出版。

⑥ 蘇軾〈石苞舒醉墨堂〉《蘇東坡全集》、台北、河洛圖書出版社。

⑦ 蘇軾〈次韻子由論書〉《蘇東坡全集》、台北、河洛圖書出版社。
⑧ 蘇軾《東坡集》、台北、河洛圖書出版社。
⑨ 〈書廣子思詩集后〉(經進東坡又集事略)卷六十。
⑩ 〈答謝民師書〉(經進東坡文集事略)卷四十六。
⑪ 見左因式《書式》上。
⑫ 同前注河。
⑬ 蘇軾《論書》。
⑭ 蘇軾《東坡題跋》。
⑮ 同前注泚。
⑯ 同前注泚。
⑰ 蘇轍「亡兄子瞻端明墓志諾」。
⑱ 蘇轍「黃州安國寺記」。
⑲ 《莊子》、「庖丁解牛」。
⑳ 「東坡題跋」卷四。
㉑ 蘇軾「日喻」《蘇東坡全集》、台北、河洛圖書出版社。
㉒ 蘇軾「跋秦少游書」。

㉓蘇軾「書黃子思詩集後」、《蘇東坡全集》、台北、河洛圖書出版社。
㉔黃庭堅著《山谷集》。
㉕同前注㉕。
㉖同前注㉕。
㉗蘇軾「記歐公論把筆」。
㉘蘇軾「書所作字後」。
㉙蘇軾「題醉草」。
㉚黃山谷、「蘇李畫枯木道士賦」。
㉛蘇軾「與上言人書」。
㉜蘇軾「跋文與可論草書後」。
㉝同前注㉛。
㉞蘇過、《斜川集》「書先公字後」。
㉟蘇軾「送參寥師」、《蘇東坡全集》、台北、河洛圖書出版社。
㊱蘇軾「題王逸少帖」。
㊲清劉熙載著《藝概》。
㊳唐張懷瓘《書斷》。

紅樓夢考鏡(22)鄉屯與鄉村

臺灣師範大學
國文學系教授　王關仕

《紅樓夢》第三十九回：

（劉姥姥二進榮國府，說）：「因爲庄家忙，」

「句（夠）我們庄家人過一年了。」

「那些庄家活也沒人作了。」

「賈母笑道：『鳳丫頭別會（旁改「合」）』他取笑兒。他是鄉屯里的人，老實，」

「劉姥姥吃了茶，便把些鄉村中所見所聞，說與賈母，」

「那劉姥姥雖是個村野人，」

「我們村庄上種地種菜，」

「都不是我們村庄上的人，」

「出來各村庄店道閑俇，」

「我們村庄上的人，」①

上引回中文字，各本只有「他是鄉屯里的人，老實，」②一句有異文，其他無異。

己卯本作「他是鄉屯里的人，老實，」③原同庚辰本，惟「屯」旁硃筆寫「邨」字，又於「里」旁硃筆加「衣」，顯然是後之閱者的添筆。

有正本作「他是鄉邨裡的人，老實，」④戚寧本同。

列藏本作「他是鄉屯里的人，老實，」⑤同庚辰本。

全抄本作「他是鄉里的人，老實，」⑥墨筆圈去「鄉」字，旁改「屯」字，又圈去「的」字。

據程甲本排印的東觀閣本作「他是屯裡人，老實，」⑦

程乙本作「他是屯裡人，老實，」⑧

王希廉評本作「他是邨裡人，老實，」⑨

從上引各本看，列藏本、有正本、庚辰本，己卯本都是原文，而列藏本的抄者，「屯」字仍念作「邨」。

全抄本是個關鍵的本子，原抄者可能抄漏或故意漏「屯」字，顯示他是東北一帶人的理解。程甲、乙本據之便成爲「他是屯裡人，老實，」字音也改爲徒渾切了。

王希廉的本子恢復了「屯」的「邨」音，因沒見到庚辰本等早期的抄本（指現見脂庚等本的底本），不知添上「鄉」、「的」二字。

筆者以爲，己卯本、庚辰本、有正本等的底本，是南方人的口語。列藏本抄者「屯」仍念「邨」，即「村」字。全抄本改者是東北人，自此本以後的系統，都不是原作者的口音。舉證如下：

一、此回回目作「村姥姥是信口開合」。

二、此中吃大螃蟹，北方無這麼兩三個一斤的螃蟹。

三、字書無作「鄉屯」（屯音豚）者。

四、此書的大觀園離劉姥姥的鄉村不遠，一老一小走四個小時即到。大觀園在南京（賈府即江南甄府，「假（賈）作眞（甄）時眞亦假，」）賈寶玉派茗煙去找茗玉廟，半日即回報是瘟神廟，都可證和東北地方無涉。所以「屯」要念作「村」。脂庚各本是原作的原文。

其他可作旁證的，如甲戌本第六回：

劉姥姥看不過，乃勸道：「姑夫你別嗔看我多嘴。偺們村庄人那一個不是老老誠誠的，」⑩

楊傳容〈勘紅札記〉「是村庄，不是時庄」一文：

一路直奔鐵檻寺，不一時，過一村庄。……同入庄門內，早有家人將眾庄漢攆盡。那時庄人家無多房舍，……

楊氏校云：「己庚同甲戌；蒙：那些庄家人房舍無多；戚：那庄的人無多房舍；夢：那庄農人家無多房舍；舒、楊：那庄村人家無多房舍；列：那庄人家無多房舍。」「可見他們都覺察到這個「時」字有問題，……我認爲它本來是個「村」字。」⑪爲校正甲戌本第十五回文字。此回前後文村庄的村皆作「村」、「邨」、「姑」，沒有一處作「屯」、「屯姑」的。可證「邨」字是誤改爲「屯」。可見庚辰本的「鄉屯里」，應是「鄉邨（村）裏」的誤抄。

【附註】

① 庚辰本，頁八二九至八四〇。
② 庚辰本，頁八三五。
③ 己卯本，頁三〇七上。
④ 有正本，第一四四六頁。
⑤ 列藏本，頁一六五二。
⑥ 全抄本，第三十九回第三頁乙面。
⑦ 東觀閣本，頁一〇一四。（以下至9廣文書局影本）
⑧ 程乙本，頁九三六。
⑨ 王希廉評本，頁一一一〇。
⑩ 甲戌本，卷六，頁三乙面。
⑪ 楊傳容〈勘紅札記〉，《紅樓夢學刊》一九九四年第三輯，頁二七七至二七八。

文人的世俗生活：以《聊齋誌異》來觀察

佛光大學校長　龔鵬程

一、文人階層與市井生活

蒲松齡《聊齋誌異》所載諸奇聞異事，若細為分類，大概可區別為兩種：一是屬於蒲松齡自己這個階層，也就是文人階層間的事跡，例如參與科舉體系的生徒士子、教書坐館的先生、縉紳文人之類。另一種，則是市井中一般百姓的遭遇。

這兩種，分量各半。但歷來讀《聊齋》者，注意較多的，乃是前者。這是因《聊齋》的寫作本來就可歸屬於文人筆記這個傳統。它的文筆、觀點、選材，均與這個傳統中其他的作品有交光互攝的關聯，易於讓人感受到它與文人間的關係。這樣的關聯性，從世界書局刊印的本子上附錄了各則與蒲松齡所記相類似的文人筆記資料就不難看到。蒲氏的誌異，除了跟唐人傳奇如許堯佐〈柳氏傳〉、薛調〈無雙傳〉、李成威〈龍女傳〉等有直接關聯外，與林雲銘〈林四娘記〉、《觚賸》等同時代文人之筆記也頗多牽涉；尤其與同屬山東、又曾有交情的王漁洋《池北偶談》雷同更甚。

同時，蒲氏所記謏聞異事，事實上也有極大篇幅是在談「文人運蹇」這個主題的。蒲松齡自己落拓不偶，對於科舉考試，味同雞肋，食之固已無味，棄之卻又感到可惜，故談起來不免又嗟又怨又羨又妒，既高自期許，又灰心看破，所講文人間的故事，甘苦誠非局外人所能道。這是其他仕途順利的文士所無法寫的題材，也是紀曉嵐王漁洋所沒有的感觸，是以寫來自具特色，即使在文人筆記小說這個傳統中亦別具風味，令人低迴嗟咨不已。全書最後以自己夢入仙界為花神草擬檄文作結，寓意殆如劉勰自謂夢仲尼而撰《文心雕龍》。不少人認為《聊齋》與《儒林外史》足資比觀，也是著眼於此。

再者，《聊齋》裡記述鬼狐事，有一個常見的敘述模式，且這個敘述模式只用在文士身上，那就是「某書生，方夜讀。有麗人來，扣戶自薦，遂相繾綣」。這個模式反覆使用，令人印象深刻，已成為《聊齋》的商標。而且，不僅與鬼狐繾綣者是文士，鬼狐本身，也是文人。故牠們輒與文人吟詩作詞、詩酒唱和，有時還會為文士批改文章，指斥利病。

如此這般，當然會使讀者感到《聊齋》是一部充滿文人氣息，所記亦多文人階層事跡的小說了。

可是，蒲松齡因久居民間，其處境實與王漁洋紀曉嵐這樣的文人頗不相同。那些人，科舉得雋，仕途通顯，往來無白丁、談笑有鴻儒。他們所屬的，是一種官、紳、士結合的階層。蒲松齡所屬，也是這個階層，但只是這個階層中最下一階的士。無位，故非官；無財，故亦非紳。靠文筆及坐館教書糊口，往來者，固然仍然多屬官紳人士，他與士以下各社會流品的接觸卻更多、更親切，因為市井生活正是他實際的生活空間。

在這個空間中，蒲松齡寫下了貨梨的、鬥鶉的、傭書的、賣筆的、耕耨的、販氈裘的、種花的、牧豬的、捕獵的、海上經商的、無賴游手的……等各色人等之奇特遭遇。這些遭遇，有不少，蒲松齡會記錄他獲知這些故事的來源，指明講述這些故事者與當事人，以及跟他這個記錄者的關係。

由這些記錄中，我們便不難發現蒲氏的生活史，知道他與此類市井人士來往的狀況。例如卷十〈馬介甫〉記楊萬石怕妻事，楊雖是諸生，但後來淪爲乞丐，其妻改嫁屠夫，嫁後反受屠夫虐待。這些經過，蒲松齡都記錄了，唯有屠夫死後，楊與其婦又相來往事，蒲說：「此事余不知究竟，後數行，乃畢公權撰成之」。可見楊氏夫婦與屠夫的糾葛，他是知道的。〈蕙芳〉記青州賣麵的馬二混遇仙事，結尾說：「今馬六十餘矣，其人但樸訥無他長」，可見馬氏這個人他也是見過的。卷十一〈布商〉記另一青州人爲布商，入廟遇劫事，結尾說：「趙孝廉豐原言之最悉」，表示這是一個雖非他親自聞見，卻在當地流傳甚廣的故事。此即古代小說專記「巷議街談」之遺意。要能如此，非走入民間，熟悉其生活、聽他們說故事不可。而也正因爲他對民間如此熟悉，所以《聊齋》中除了記奇聞異事之外，也記了不少民間的奇風異俗，如〈布商〉後面一則〈跳神〉就是說：「濟俗，民間有病者，閨中以神卜，倩老巫擊鐵環單面鼓，婆娑作態，名曰『跳神』」。

布商、屠夫、賣麵人，就是蒲松齡日常生活上與相往來的人等；夫婦相處、遇仙、遭盜，則是一般民氓日常生活中的經歷。對於商貿贏虧、屠夫與被屠物間的關係、夫妻相處與遇合之狀況，民間通常也會有一套對應的方法和用以解釋事況的觀念，那就是《聊齋》所經常談及的因果業報觀、命數觀、鬼狐作祟觀等。由於有這些觀念，民間有病者，閨中會請老巫來擊鼓跳神。但跳神爲什麼不在廳堂上，由男人來主持，而要在閨中？且，山東民俗，跳神是找女巫來跳；都城裡，乾脆就「良家少婦，時自爲之」。這難道不是因爲民間普遍相信婦女較易與神靈通感，她們較男性更接近神異領域界嗎？

蒲松齡雖然是個文人，寫的是文人筆記小說，但《聊齋誌異》呈現的其實就是這樣一個世界。這個世界，固然不是民間生活的眞相，但它代表了當時文人所理解或接觸到的「小傳統」。此一理解，受時空之限，並不全面。對理解當時的民間生活、觀念，及其與文人階層之互動關係，卻仍是非常有用的。

順著前文的舉例，底下我準備談的，有三個相互關聯的部分：一、布商、屠夫、賣麵人等《聊齋》中出現的社會諸色流品職事。二、這些人對女性的看法，基本上視爲「妖麗的異類」；由於女性是妖麗的異類，故所述以悍婦及鬼狐爲主。這是敘述題材與意識上的關聯。三、布商入廟遇劫、楊萬石家有悍婦、逢狐仙禳解，這些故事中，都顯示了僧人與道士等方外人士在民衆日常生活中扮演著重要的角色，在蒲松齡這樣的文人階層心目中，其形象似乎也很特殊。

以下分別言之。

二、文人棄文業商的境遇

(一)《聊齋》所記各種行業人

《聊齋》計十六卷，各卷所載異事之主角，除了士人官紳之外，流類甚雜，今略鉤稽其職事，列如下表：

鄉人貨梨於市（種梨）
破落故家子，做小生意、鬥鶉（王成）
楚某翁行賈（賈兒）　以上卷一
金陵顧生爲人書畫，受贄以自給（俠女）
魚台任某，販氈裘爲業（任秀）
豫人，樵（張誠）
一人作劇於市（蛙曲）
一人在長安市上賣鼠戲（鼠戲）
趙城隸（趙城虎）
術人（小人）　以上卷二
士而商（大男）
牧牛人子（姐妹易嫁）
農叟（水災）

邑人某，佻健無賴（戲縊）

高密人，貿販爲業（阿纖）

典商（五通）

花販（黃英）

兗人賈於閩（齊天大聖）　　以上卷三

學賈（白秋練）

還俗僧爲雜負販（金和尚）

居民趙某，市葯至金陵（金陵女子）　　以上卷四

泛海爲賈（夜叉國）

綠林之傑（老饕）

乞兒（大力將軍）

父子善蹴鞠（汪士秀）　　以上卷五

開琉璃廠（小二）

農子（毛狐）

業獵者（田七郎）

賈人子（羅刹海市）　　以上卷六

養鬥蟋蟀者（促織）

養鴿者（鴿異）

江西之布商（牛成章）　　以上卷七

商（二商）　　卷八

雜貨肆中女子（阿繡）

貨殖（細柳）

戍邊丁（羅祖）

弄偶戲者（木雕美人）

貿販（金永年）　　以上卷九

小負販（雲翠仙）

貨麯爲業（蕙芳）

業儒未成，去而爲吏（蕭七）

醫（役鬼）

賈客（夜明）　　以上卷十

布商（布商）

諸商（美人首）

武舉（庫將軍）

以上卷十一

居積爲業（紉針）

傭爲造齒錄者繕寫（房文淑）

賈人（張不量）

樵人赴市（負尸）

盜（盜戶）

以上卷十二

術人作劇（倫桃）

口技（口技）

游俠（丁前溪）

開旅站（尸變）

農（莊中怪）

業漁（王六郎）

以弄蛇爲業（蛇人）

主計僕（四十千）

邑之博徒（王大）

負鹽者（王十）

醫（二班）
富貴（募緣）
農業（蹇償債）
業牛醫（膩脂）
以上卷十三
養八哥者（鴝鵒）
賣油者（拆樓人）
作戲人（戲術二則）
車夫（車夫）
布客（布客）
農人（農人）
以上卷十四
醫（醫術）
農婦（農婦）
僮僕（郭安）
賈某，貿易蕪湖（義犬）
醫（丐仙）
採樵（斫蟒）

農（于江）

業酒人（王貨郎）

操業不雅，暮歲還鄉，大爲士類所□（餓鬼）

賣酒人（金陵乙）

賈者（折獄二則）

弋人（鴻）

獵獸者（象）

梁上君子（詩獻）

瘍醫（毛大福）

牛醫（劉全）

農民（韓方）

以上卷十五

以上卷十六

全書所記，除此之外，便是僧、道、秀才、官員、世族、閥閱、兵將、書生。若拿《閱微草堂筆記》來比較，記僧、道、秀才、書生、官員、世族、閥閱、兵將、書生者同，記農人、樵子、醫生也不罕見。可是紀曉嵐特別愛講「老儒」的故事，蒲松齡所喜歡談的商人事跡，則在紀氏書中絕少。正如蒲松齡喜歡說文士下第不偶、考試甄選不公之類事，在紀曉嵐書中亦絕少那樣。

上面列的，有幾類看起來好像不應視爲市井職業人。如金陵顧生爲人作書畫，受贄以自給；或傭爲造齒錄者繕寫等，都仍是士，其業與坐館授讀相似，爲什麼也併入上表呢？這是因坐館屬於聘任性質，名義上是西席，不失士居四民之首的位階；爲人作書取值或抄繕齒錄，職同雇傭，跟替大戶做主計，其實已無區別。而且，文人爲了謀生，去從事這種工作，也才更足以凸顯文人的處境。

(二)文人的處境及其與商人階層的互動

文人以能文，居四民之首，其才藝可令神鬼狐妓均生歆羨，固然是其榮耀之處，但若考試終究考不上，榮耀就會慢慢變成恥辱，然後再形成飢寒。這就是文人爲什麼把科考看得如此嚴重的緣故。蒲松齡說：

秀才入闈，有七似焉。初入時，白足提籃似丐。唱名時，官呵隸罵，似囚。其歸號舍也，孔孔伸頭，房房露腳，似秋末之冷蜂。其出闈場也，神情惝恍，天地異色，似出籠之病鳥。迨望報也，草木皆驚，夢想亦幻，時作一得志想，則頃刻而樓閣俱成；作一失意想，則瞬息而骸骨已朽。此際行坐難安，則似被縶之猱。忽然而飛騎傳入，報條無我，此時神情猝變，嗒然若死，則似餌毒之蠅，弄之亦不覺也。初失志，心灰意敗，大罵司衡無目，筆墨無靈，勢必舉案頭物而盡炬之；炬之不已，而碎踏之；踏之不已，而投之濁流。從此披髮入山，面向石壁，再有以「且夫」「嘗謂」之文進我者，定當操戈逐之。無何，日漸遠，氣漸平，技又漸癢，遂似破卵之鳩，只得銜木營巢，從新另抱矣。如此情況，當局者痛哭欲死，而自旁觀者視之，其可笑甚焉。

一旦考上，得意了，便從此拾青紫，飛黃騰達；若落榜、失意，那就慘了。家道倘若素封，尚可繼續攻讀，準備再考。若無貲產，便須覓個工作糊口。而文人能做什麼呢？無非前面談到的，境遇好些，可謀到個教童蒙的教席；境遇差的，就只好替人抄抄寫寫；再差些，則竟可能淪爲餓殍。黃仲則詩所謂：「九月衣裳未剪裁，全家都在秋風裡」，洵實錄也。捱不下去，絕望了，便將如上表所云，有「業儒未成，去而爲吏」或「士而商」者矣。

業儒未成，去而爲吏之外，更多的，其實是去經商。卷四〈白秋練〉云：「直隸有慕生，小字蟾宮，商人慕小寰之子。聰慧喜讀，年十六，翁以文業迂，使去而學賈」。卷六〈羅剎海市〉云：「馬駿，字龍媒，賈人子。……十四歲入郡庠，即知名。父衰老，罷賈而居，謂生曰：『數卷書，飢不可煮、寒不可衣，吾兒可仍繼父賈』，馬由是稍稍權子母，從人浮海」。卷七〈促織〉云：「邑有成名者，操童子業，久不售。……轉側床頭，唯思自盡」，遂去養促織，終於大富。卷八〈胡四娘〉云：「程孝思，劍南人，少甚慧，能文。…赤貧，無衣食業，求傭爲胡銀台司筆札」。卷九〈細柳〉云：「母令棄卷而農，……農工既畢，母出貲，便學負販」。卷十一〈紉針〉云：「王心齋，亦宦裔也，家衰落無衣食業，浼中保貸富室黃氏金，學作賈」。這些，講的都是棄文從商，但情況互不相同。一種是如上文所說，業儒不成而改行學賈。其次，爲無才華，不能文，遂去業賈者。還有，則是已貧窮了，更難學文。此外，另有商人家庭早已看出文事不足恃，早早就教小孩去學商的。學商之原因不一，然其棄文事而業商賈，均爲不得已之舉，亦皆因當時文人之處境不良所致。

清乾嘉時期，寫《浮生六記》的沈三白，就是在這樣的處境中，文戰不捷，出而游幕，爲某某官員司筆札；又遭裁員，乃轉而跟他姑丈去做生意，釀酒賣。不料又碰上台灣林爽文事變，海道阻隔，虧蝕了老本，弄得貧病交迫。故《聊齋》所描繪的，是當時文人普遍的困境，也是文人階層與商人階層逐漸在這個情境中發展出較緊密的關係的原因。

或曰：士農工商，業儒不成，爲何不業農業工而多業商？又或者，宋代以來便常有儒業未就，出而行醫者，不也很好嗎？何以要改行去學貿易？

從《聊齋》來看，蒲松齡並無「儒醫」之觀念，對醫生也未必有好感。因此，卷十四〈岳神〉說：「或言閻羅與東岳天子日遣使者男女十萬八千衆，分布天下，作巫醫，名勾魂使者」。把醫生形容成勾魂使者，謂醫生經常「出爲方劑，暮服之，中夜而卒」，顯然謔而且虐。卷十五〈醫術〉更舉兩位名醫故事，說一人根本不識字，道士善相者卻說他能成爲名醫，他懷疑道怎麼可能，道士笑曰：「迂哉！名醫何必多識字？」後終於糊里糊塗、誤打誤撞而成了名醫。另一人不會治病，把自已身上的汗垢搓下來給病人吃，也莫名其妙好了，遂爲名醫。這也都是挖苦醫者的話。可見在他那一輩文人社群中，醫生評價並不高，文人也很少從事於此。

至於農工商，農工的傳統位階雖高，實質上卻較清苦。文人轉業，本爲脫貧之故，自然以趨商爲主要選擇，否則便入山隱遁去了，何必再去計晴雨於隴畝、操技工於廛里呢？況且，農勞辛苦，工匠需要技術，也非文人所易爲；商人在這個時代，又已經是最接近文人的階層，文人業儒不成而從商者才會如此普遍。

清史研究者，很早便注意到社會階層與社會流動的問題，如一九六二年何炳棣《明清社會史論》（哥倫比亞大學出版社）即指出：官民之界限並非不可踰越，四民之間，分際亦不如字面清楚，頗有交集與流動。一九八四年來新夏〈清代前期的商人和社會風尚〉（《中國文化》一輯）也指出：商人中還可以再分成若干類型：壟斷性商人、大商人、一般舖戶商人、小商販。而除了小商販外，其他商人之地位均較從前提高了。且表現出官僚、士子與商人相互結合的現象，社會上對商人的看法也反映了商人地位變化這個現象。

這些研究，用來解釋《聊齋》中爲何有那麼多商人、蒲松齡爲何那麼了解商賈之事、爲何對業商之態度毫無批評……等，都非常有用。但《聊齋》所描述的狀況，並不只是印證了從前的研究而已。因爲，像何炳棣研究「士」的流動，是把士分成入仕與未入仕者（舉人進士貢士則爲入仕候選者，生員則爲尚未入仕者），然後討論他們向上與向下流動的現象。其中向下流動的部分，只談到幾個家族逐漸式微的過程，並未使用到《聊齋》提供的資料，也未討論文人朝商人流動的事例。文人朝商人流動，既是職業間的橫向轉移，也是社會地位的縱向流動。可是，何先生只談到軍籍、鹽漕、商家、匠人家庭晉身士林、出了進士。反過來看，如《聊齋》所述，大量文人棄儒業而從商者，他便未及論列了。

而在清朝前期商人活動的研究方面，史學界成果雖豐，但較集中於徽州、山西兩大商業集團，以及江南市鎮經濟之研究。山東區域商人之研究甚少。《聊齋》所述商務，雖不限於山東，但山東佔主要部分，而且具有山東區域經濟之特色，例如它談海上貿易的地方就特別多，談婦女持家，也具有經營管理意識。論者未於此取資，均不免遺憾。

余英時〈中國近世宗教倫理與商人精神〉一文，曾舉了許多事例來說明十六世紀至乾嘉期之間有棄儒就賈之現象，且可由此了解士商關係之變化。《聊齋》的情況，恰好符合他的分析。例如他引沈垚〈費席山先生七十雙壽序〉中「非父兄先營事業於前，子弟即無由讀書以致身通顯。是故古者四民分，後世四民不分。古者士之子恆爲士，後世商之子方能士」等語，說當時儒者有「治生」的觀念（見該文第三節，收入一九八七，聯經公司，中國思想傳統的現代詮釋）。《聊齋》卷九〈劉夫人〉載劉夫人告廉生曰：「讀書之計，先於謀生」，即與之若會符節。劉夫人交兌八百餘兩給廉生，讓他去荆襄做生意，再往淮上，進身爲鹽商。廉生「嗜讀，操籌不忘書卷，所與游皆文士」。這不就是先商而後爲士嗎？余先生另引一些文獻，證明明清之際頗有「其俗不儒則賈」之風，尤足以說明《聊齋》所記確爲一時通例。

但余先生談這些問題，是從儒商關係上立論的，強調儒家倫理與商人倫理在這個時期有相融合的現象。可是，實際上當時所謂之「士」，除了儒學內涵及儒士之外，還有衆多與儒未必相關的文章之士。這類文章之士，固然認同商人倫理（例如卷九〈金永年〉條云金氏「本應絕嗣，念汝貿販平準，賜予一子」），但文章之士所遵循的倫理，有時並不同於儒士之倫理，也未必適用於商人。例如儒者要修辭立其誠；做生意，誠信也很重要；可是寫文章，卻以把文章寫好爲最要的品格。文章寫得狗屁不通，《聊齋》備致譏誚，詆爲「金盆銀碗裝狗屎」。反之，義理縱或有疵漏，若文章好，仍堪稱許：「題目雖差，文字卻佳，怎肯放在他人下？」（卷十四，臙脂）此等倫理狀況以及文人與商人的關係，均非余先生該文所能囿，故依然有很大的討論空間。

三、在市井間的方外人士

(一)方外人的神聖性

在蒲松齡筆下，商賈多於農工，乃其一大特點，已如上述。可是活動在這些商賈與文士之間，還另有一大批方外之士。這些方外人士，雖具有「方外」的身分，可是卻經常出現在市井中，跟士農工商各色人等相往來，成爲《聊齋誌異》中非常顯目的一群人。

這些僧道，相對於一般世俗人，多代表「異人」。異人每有奇術，非常人所能及，亦非常人所能測度。如卷一〈畫壁〉云一生入寺院，院中壁上畫甚精妙，生見其中畫女子甚美，意動，遂幻入畫中；後來再由畫回到現實世界，恍然若有所悟，寺僧才點化他。〈種梨〉說鄉人賣梨，吝嗇，又捨不得送一顆給道士，遂爲道士所戲弄。〈勞山道士〉說一生入勞山求道，但不耐勞苦，僅學得穿牆術，但撞得額頭腫起，像個雞蛋。〈長清僧〉說一僧死後靈魂不昧，雖轉生奢華之家仍不退道心。〈成仙〉說醫生灰心世情，入勞山成仙事。〈畫皮〉載一生遇鬼物，蒙麗女之皮，幻化爲倩姝。後遇道士，替他禳解。這僅是卷一所記，便有這麼多僧道，其他各卷，情況可以類推。

界。因此人進入寺院，或上勞山，均可以開悟，可以登仙。僧人道士，代表著一種超越世俗的人與力量，所以他們或可歷經輪迴仍不退道心，或可指點人們看破世相，或能幫助迷溺中的人獲得解脫。《聊齋》各卷，所載僧道故事，均可見此基本模型，此亦方外人士在小說中的基本角色功能。《聊齋》在這方面，其實與我國的敘述文學大傳統是合拍的，在許多其他小說中也都可以看到這類故事，以及這類僧道人物的角色功能。

而僧道在此中，最主要的角色功能，顯然也就是藉由他們來顯示一個非現實、非日常性生活的世

㈡方外人的妖異性

《聊齋》比較特別的地方不在這兒，而在於它所描述的僧道方外人世既顯神聖性超越性，又顯現了它妖異、世俗的一面。

所謂妖異，是說僧道方外人士可能並不具有神仙或開悟者的心靈超越性質，而僅僅是具有異術；甚或他本身就不是禳解妖溺的清正力量，而是邪妄的。

卷三〈番僧〉載西域來的兩位番僧，人問：「西域多異人，羅漢得無有奇術否？」於是一僧表演通臂術，一僧手掌上小塔放光。卷六〈賭符〉云：「韓道士，居邑中之天齋廟，多幻術，共名之仙」。卷十四〈寒月芙蕖〉云濟南道人冬夏均只著一單袷衣、赤腳行市上、夜臥街頭，「初來，輒對人做幻劇，人爭貽之」。後來官府「執以為妖」，準備刑罰，他即遁走。同卷〈單道士〉，也是「工作劇，公子愛其術，以為座上客」。同卷另有一位僧人，能替人醫異疾，把體內的酒蟲引出來，裝到甕裡去，

見〈酒蟲〉條。卷十五〈癲道人〉則說該道士歌哭不常，能煮石爲飯，後因赤足破衲在路上行走，擋了邑中貴人的路，貴人使僕隸逐罵他，而施展了法術作弄了這些人。〈醫術〉又載一道士「善風鑑」。

這些例子，所紀錄的僧道均以術法顯。有些顯露術法者，可感覺他既有些異術，必有不凡的修養，但大部分只是有術用術罷了。像西域兩番僧，我們就只曉得他們有那種異能奇術。〈醫術〉中之道士也只是善於看臉相。其他〈賭符〉〈寒夜芙蕖〉〈單道士〉等，道士也均以善幻術、表演戲法見稱。此類藝技，其實與走江湖變戲法者差不多。而戲法幻術，本身是不能認爲它就具有神聖性的。例如〈酒蟲〉那個故事中，僧人能引出酒蟲，這種技術，不但蒲松齡不以爲即能顯示該僧爲高僧，更懷疑他根本就是個騙子，說：「或言蟲是劉之福，非劉之病，僧愚之以成其術，然歟否歟？」在〈寒夜芙蕖〉中，官府也把善作幻劇的道人「執以爲妖」。可見幻戲術法只是術法，其術不具神聖性，反而常被認爲它具有妖異性。

〈寒夜芙蕖〉中的道士，被挾嫌報復，執爲妖人，固然屬於誣指。但另有一部份，則蒲松齡卻是明確說它是妖異或不正經的。

如卷十五〈長治女〉載一女美慧，被行乞道士瞧見，他就打聽出這位女孩的生辰八字，再施術，惑住女孩，且將她殺了，把魂魄安在木人上，派去替他偵查事情。後來事情敗露，道士才被捉了。同卷〈耳中人〉則說某生練導引之術，勤練數月，若有所得，後來耳中有聲音，他還以爲大丹將成，誰知乃是一小人。後來大病一場，得了顛疾。後面這個故事，頗有挖苦導引煉丹術之意味；前面那個故事就直指邪妄道人用術法去害人了。此外，卷六尙記「天佛寺來一僧，專事摴蒱，賭甚豪」。其所挾術，非幻術，而是賭技。利用賭來賺錢，害人傾家蕩產，此亦邪人也。

《聊齋》所記宗教邪人，如上述者均爲個案；整個宗教都被它視爲邪妄者，只有白蓮教。卷五〈白蓮教〉記：「白蓮教某者，山西人，忘其姓名，大約徐鴻儒之徒，左道惑衆，慕其術者多師之」。又，卷六〈小二〉說：「滕邑趙旺，夫妻奉佛，不茹葷血。……未幾，趙惑於白蓮教，徐鴻儒既反，一家俱陷爲賊。小二知書善解，凡紙兵豆馬之術，一見輒精。小女子師事徐者三人，唯二稱最，因得盡傳其術」。卷十一〈邢子儀〉又記：「滕有楊某，從白蓮教黨，得左道之術。徐鴻儒誅後，楊幸漏逃，遽挾術以遨。……至泗上某紳家，幻法爲戲，婦女出窺。楊睨其女美，既歸，謀攝取女」，他又能做木鳥，讓人飛騰。

這些記載，凡白蓮教均稱「左道」，定義爲邪教。但這可能是因白蓮教已遭政府正式誅剿，故不得不如此稱，實際上白蓮教中也有好人，如小二就是。他記小二美慧，與楊某之妖妄，恰好成一對比。

白蓮教淵源甚早，或上推於南宋茅子元建立白蓮懺堂，成立白蓮宗始。元明期間，白蓮教亦有長足的發展。但蒲松齡所記，則是清初以山東爲主的白蓮教。考《明史》卷二五七〈趙彥傳〉云：「萬曆四十二年，薊州人王森，得妖狐異香，倡白蓮教，自稱聞香教主。……（王森）復爲有司所攝，越五年，斃於獄。其子好賢，與鉅鹿徐鴻儒等踵其教，其徒愈衆。會謀洩，鴻儒遂先期發兵，蹂躪山東者二十年，徒衆不下二百萬」。蒲氏所記即此事，與古白蓮教未必有關。

另據《大清會典》記，康熙十二年「無爲、白蓮、焚香、混元、龍元、洪陽、圓通、大乘等邪教，或聚衆念經，執旗鳴鑼，聚衆拈香者，通行八旗直省，嚴行禁飭，違者照例鞭責枷號」。此即蒲松齡同時代事。而事實上在此前後，山東地區的「邪教」活動也一直非常活絡。如創立羅教的羅祖羅夢鴻，就是山東即墨人。其教義後來影響到明末清初許多民間宗教教派。順治三年，林起詔奏請查禁各教門，謂：「近日風俗大壞，異端蔚起，有白蓮、大成、混元、無爲等教，種種名色，以燒香禮懺，煽惑人心」，而這些教大部分在山東都有活動。如紅陽教所傳十八枝，六輩、八輩、九輩都在山東德州（見嘉慶二十二年十二月二十一日直隸總督方受疇奏摺）。依年輩推算，其年世亦與蒲松齡爲同一時期。康熙初年，河南人劉佐臣又到山東創立了八卦教。到乾隆三十九年，清水教王倫在山東舉事，甚至還連克陽穀、壽張、堂邑諸縣，圍攻臨清。

凡此，均可見山東宗教氣氛之盛，蒲松齡所記「邪教」雖僅涉及白蓮，但他活在這樣一種氣氛中則是不難體會的。在他之後，俞蛟寫《夢庵雜著》，還專門用一卷來記清水教王倫之事蹟，用兩卷來記異人奇術，稱爲「齊東妄語」。其書深柳讀書堂本籍將之與《聊齋》合刻，名《新增聊齋誌異夢庵雜著》。該書以「齊東妄語」來稱呼這些怪事異跡，豈不也顯示了齊東野語，雜於妖妄，確實是乾隆道光年間人對山東一種觀感嗎？後人將俞著與《聊齋》合刊，蓋亦以兩者均有齊東妄言之故。《聊齋》中記許多僧道方外士，也因爲在這個氣氛中，所以不免會談到他們一些邪妄的事例與術法性質。

(三)方外人的世俗性

蒲松齡所記僧道，除了可能具妖異性之外，還有一部份則是它的世俗化。

世俗化，是說僧道等方外人士本來就屬於方外，故應不染塵俗才是。講經、說法、修煉、悟道等才是他們的本分。然而不然，他們不乏介入世俗生活，或以世俗情欲之滿足爲其職事者。在這方面，他們表現得像世俗人，甚且比世俗人還要世俗。

卷四〈金和尚〉後面，有蒲松齡以異史氏名義發表的一段議論曰：

> 抑聞之：五蘊皆空，六塵不染，是爲和尚。口中說法，座上參禪，視爲和樣。鞋香楚地、笠重員夫，是爲和撞。鼓鉦鍠聒，笙管敖曹，是爲和唱。狗苟鑽緣，蠅營逕賭，是爲和障。全者也，尚耶？撞耶？唱耶？抑地獄之障耶？

金和尚，就是一個僧人世俗化的代表。平生不奉一經、不持一咒、不管佛事，以雜負販起家，數年累暴富，弟子千數、甲第數十棟、田地千百畝，其中富貴豪奢，莫可名狀。又畜狡童數輩，皆慧黠能媚人，會唱艷曲。他又廣爲結交社會賢達，互通聲氣。且買小孩做兒子，送教讀書考試登第。卒時喪禮之豪奢，亦世所罕見。如此僧家，非世俗化而爲何？

僧家之世俗化，不僅有如金和尚之富貴者，也有肆於色者。如卷十五〈藥僧〉說一遊方僧人賣春藥，自誇：「弱者可強，微者可鉅，立刻而效，不肆經宿」。一書生買了他的藥，又貪心多吃了幾顆，不料陽具暴長，增大不已。僧人發現後，急忙給他解藥，但已來不及了，陽物大得幾乎像腿一樣，「縮頸蹣跚而歸，父母皆不能識，從此爲廢物，日臥街上」。卷十四另有一位女尼，也對男女之事頗有研究，能行媚術，讓男戀女、女戀男。其法以春宮畫爲之，剪下畫中人，以針三枚、艾一撮，裹而咒之，縫入枕頭中。這與賣春藥的僧人一樣，雖非自己肆於色、縱於慾，但出家人清靜爲本，何庸預人性事？售販壯陽藥、教人合媚法，皆爲媚俗之舉。

此類故事，有趣之處，還在於它不是講道士賣壯陽藥或教人房中術。因爲道教中本有此相關術法與藥物，若由道士來擔任這些故事的主角就不稀奇，也就無所謂世俗化之問題。正因爲這些人是和尚尼姑，所以才値得重視。

小說中刻畫出家衆涉淫穢事，乃明代末期的新風氣，《僧尼孽海》《歡喜冤家》等書，影響深遠。前者是專門從僧尼肆淫這方面去批判佛教的，後者則在第十一回發議論道：「自古不禿不毒、不毒不禿。爲其頭禿，一發淫毒。可笑四民，偏不近俗，叫禿爲師，遇俗反目，吾不知其意云何！」其言與《僧尼孽海．西天僧西番僧》相似，均從「聖/俗」角度來批評。認爲一般人偏偏要把自己貶視爲俗人，而把僧尼視爲師，神聖化，而崇敬之。可是實際上僧尼非但不超凡脫俗，他們更猥俗，更淫毒。

清代艷情小說《諧佳麗》《換夫妻》《巧緣艷史》《艷婚野史》《百花野史》《風流和尚》《兩肉緣》《芍藥榻》都抄襲或拼湊自《歡喜冤家》。足證這種僧尼形象和對僧尼的看法，在明末清初已形成一套逐漸定型的傳統。徐志平〈從《三言》看明代的僧尼〉（一九八八，嘉義農專學報，十七期）、陳益源〈《歡喜冤家》裡的和尚形象及其影響〉（一九九六，遼寧古籍出版社，從《嬌紅記到紅樓夢》）等文，對此均有所探討。這種形象以及小說中的描寫，並非人們有意謗佛，實乃當時佛教不爭氣，確有不少此類事蹟，遂予人以口實。蒲松齡的記異，也從許多角度透露了這個社會現象，並呼應了他同時代一些小說中對僧尼形象的描繪。

在道教方面，蒲松齡也有類似的刻畫，如卷三〈陳雲棲〉載夷陵呂祖庵中有四位女道士，皆美貌，而實際上是做著類似妓女的勾當，以美色餌人。如此行徑，與僧尼肆淫可謂一丘之貉。

這些僧道妖異和世俗化的現象，都顯示在方外士活動於市井中時。佛道教在明初雖經立法禁止僧俗相混，但中葉以後，世俗化傾向越來越盛，僧道與市井生活關係越來越密切。方外僧道之超越塵俗的形象與性質，逐漸為其世俗性甚至妖異性所取代或侵蝕。《聊齋》雖然在描述中仍常以方外士來顯其超越追求，但他本人畢竟不信人間之外尚有淨土（卷十〈席方平〉後自發議論云：「人人言淨土，而不知生死隔世，意念都迷，且不知其所以來，又焉知其所以去？而況死而又死，生而復生者乎？」），因此，其書喜歡紀錄僧道等在市井間的活動，也是很自然的。

(四)妖異的方外之士

在這些方外之士中，我們可以看到不少僧道具有妖異性，可是倒過來說，妖異的方外士，確可能並非僧道白蓮教各色人等。他們是「方外士」，但不是「方外人士」，例如「狐仙」就是其中一類。

狐狸，既名之為仙，自然是承認了牠的神聖性，其居所，往往在深山洞府或異境秘窟，亦具有超越塵世的意味。他們雖是狐，可是往往能以其異能，為人紓困濟危，故又具有神聖性。如前文提到的〈馬介甫〉，馬氏就是一位狐仙，他極力協助怕老婆的楊萬石，行為不失為俠義。卷十四〈狐懲淫〉

更說狐會懲罰家畜春藥者。其他記狐能助人懲惡者甚多，不贅一一舉例。

但我要說的是：狐仙無論如何仙如何俠，他畢竟是狐。蒲松齡寫這麼多的狐仙故事，正是用狐仙這個形象來講妖異性與神聖性合一的道理，仙而妖、妖而仙，狐仙一身兼之。

四、世俗生活裡的悍婦

《聊齋》本以記鬼狐見稱，狐仙中則多女狐。狐仙若代表了神聖性與妖異性結合的意蘊，則其女性觀也就可想而知了。

在蒲松齡筆下，女性多美艷。但女性的美，他用什麼形容詞來描述呢？卷二〈巧娘說〉：「女一回首，妖麗無比」；卷三〈林四娘〉：「夫人窺見其容，疑人世無此妖麗，非鬼必狐」。巧娘林四娘固然都是鬼，但以妖麗形容女人，卻顯示了他對女性的一種看法。

卷四又載洛人常大用遊牡丹園，逢一女郎，「官妝艷絕。眩迷之中，忽轉一想：『此必仙人，世上豈有此女乎？』」遂跑去長跽於女郎前說：「娘子必是神仙」。這女郎實非眞仙，而是花妖。然而常大用看見這麼美的女人，第一個念頭就是忖想她應該不是人。這種想法與「夫人窺其容」而疑林四娘非鬼即狐，正相彷彿。他們都把美看成非人間所能有的一種價值，非妖即神。

美麗的女仙、美麗的鬼狐、木魅、山精、花妖、怪物，遂在蒲松齡書中承擔了審美對象這個角色，令人對之生美感、起愛欲、滋情戀。

《聊齋》所述故事雖多，但主角基本上是男人，縱使主角是女子，敘述者也是男人的觀點與聲音。故事中那些仙鬼狐怪，以男人之審美對象出現，並不奇怪。《聊齋》在這方面，跟唐傳奇以降之文人小說傳統，也是合轍的。文人小說，不論是傳奇、筆記，或長篇如《紅樓夢》《鏡花緣》，女性總是以男性之理想對象的形式出現，其美非俗世所能有，飄飄乎若仙、冰清玉潔、不染纖塵。《聊齋》裡，女人的超俗離塵，既是神、也是妖。它比一般文人小說更強調妖的這一方面，才使得它在文人小說傳統中特別以擅狀鬼狐之情狀著稱。

可是，即或如此，《聊齋》的女性觀跟一般文人亦無太大不同。眞正足以顯示其特點者，恐怕不在美麗脫俗的神鬼妖狐，而在悍婦。

悍婦，是人間生活的常態。在理想世界中，女人是男人心目中美麗脫俗的女神；可是，在實際現實生活裡，女人並不是脫俗離塵、不染俗務的。一本小說，如果只寄想於理想世界，則其所寫的女人就會像大觀園中女子，水靈水秀，令鬚眉濁物愛煞，也自慚形穢煞。可是大觀園裡的女孩不能老，尤其是不能嫁，因爲一旦嫁人，便「入世」了。嫁人後的女子，不再只是男人的審美對象、愛欲對象。她她與男人要一塊兒經營世俗現實生活。故她再也不能生存在一個離俗絕塵的世俗世界之外的空間。她的空間，換成了家。在這個空間裡，她仍是神。因爲她主宰之、支配之，所謂「主中饋」、「秉家政」。擔任這個空間的王者，男人事實上乃是她的臣子，因爲她管理這個家、這個男人，以及家中的兒女僕隸等。以致男人仰此天威，當然要驚懼莫名。這就是世俗生活中婦女由超塵絕俗逐漸變成悍婦的邏輯。

蒲松齡與其他文人筆記小說不盡相同之處，正在於他對市井生活是有體會有參與的，對女人在家中主政的狀況，他也不憚其煩，屢有描繪：

……女腆然出，竟登北堂，王使婢為設席南向，王先拜，女亦答拜，下而長幼卑賤，以次伏叩，女莊容坐受，惟妾至則挽之。自夫人臥病，婢惰奴偷，家久替，眾參已，肅肅列待，女曰：「我感夫人誠意，羈留人間，又以大事相委，汝輩宜各洗心，為主效力，從前愆尤，悉不較計，不然，莫謂室無人也。」共視座上，眞如懸觀音圖像，時被微風吹動，聞者悚惕，閧然並諾。女乃排撥喪務，一切井井，由是大小無敢懈者。女終日經紀內外，王將有作，亦稟白而行。……以此百廢俱舉，數年中田地連阡，食廩萬石矣（卷十一・小梅）。

女為人靈巧，善居積，經紀過男子。嘗開琉璃廠，每進工人而指點之。……以故值昂得速售。居數年，財益稱雄，兒女督課婢僕嚴，食指數百，無冗口。暇輒與丁烹茗著棋，或閱書史為樂。錢穀出入，以及婢僕，凡五日一課。女自持籌，丁為之點籍，唱名數焉。勤者賞罰有差，惰者鞭撻罰膝立。是日給假不夜作，夫妻設肴酒，呼諸婢度俚曲為笑。女明察若神，人無敢欺，而賞輒浮於勞，故事易辦。村中二百餘家，凡貧者俱量給資，本鄉以此無游惰。（卷六・小二）

……居久，見家政廢弛，爲孫曰：「妾此來，本欲置他事於不問，今見如此用度，恐子孫有餓莩者矣，無已，在腆一經紀之。」乃集婢媼，按日擇其績織。家人以其自投也，慢之，無人時竊相誚訕，而婦若不聞知。既而課工惰者鞭撻不貸，眾始懼之。又垂簾課主計僕，綜理微密。孫乃大喜，使兒及妾，皆朝見之。（卷十二．呂無病）

女持家逾於男子。擇醇篤者，授以資本，而均其息。每諸商會計於簷下，女垂簾聽之，盤中物下一珠，輒指其訛，內外無敢欺。數年，夥商盈百，家數十巨萬矣。（卷八．柳生）

婦尤驕倨，常庸奴其夫。自享饈饌，生至，則脫粟瓢飲，折稊爲匕，置其前，王悉隱忍之。年十九，往應童子科，被黜。自郡中歸，婦適不在室，釜中烹羊胛熟，就啖之。婦入不語，移釜去。生大慚，抵箸地上曰：「所遭如此，不如死」。婦恚，問死期，即授索爲自經之具。（卷十二．錦瑟）

第一則講「女主」升座，全家長幼卑賤依序叩伏，由其全權管理的情況。家中男主人也在叩伏之列，也受其管理，故他若準備幹什麼事也得「稟白而行」。第二則一樣講女主人主持家政。「女自持籌，丁爲之點籍」，說明了男主人只是女主的助手。第三、四則亦女主垂簾親政，「課主計僕」之實錄。這些記載，表明家中的政治地位與權力關係，乃是女主男從的，所以主婦在家中往往極爲跋扈，如第五則說：「婦尤驕倨，常傭奴其夫」，就是發生在這種情況下的。

這種生活實況，形成的夫妻關係，絕不再是書生美麗浪漫之想像，或儒家道德理想主義式的倫理模式。本來儒家對政治的想法，即源於對家政之理解，故云：君子齊家，「是亦爲政，奚其爲爲政？」但春秋戰國時期的儒者怎麼會料到後世眞正主持家政者其實乃是女人呢？在主婦的管理統治下，「一切井井，由是大小無敢懈者」「惰者鞭撻罰膝立」。這些不敢懈怠、否則就會被鞭撻的人，也即包括著她的丈夫在內。

男人處此，幸而尙能獲得老婆歡心，日子當然可以過得好些；不幸遇上暴君，苛政猛於虎，便每天得活得提心吊膽了。蒲松齡所描述的悍婦現象，即本於這個現實。

現實上，固然婦不盡悍，但治於人者恒畏其長上，老婆不是莊嚴如觀音（如上舉第一則），就是老醜恐怖如夜叉，焉得不懼？

卷五〈夜叉國〉記交州人徐某，泛海爲賈，被大風吹至一島，島上均是夜叉。二牙森戟，目閃雙燈，爪劈生鹿而食。本來也要吃他，因他能生火燒食奉養夜叉而罷。後遂與一母夜叉交配，生二子。若干年後，徐某偶得機緣返中土，又將母子三人接來。家人見其醜怪形狀「無不戰慄」。其子後從軍，母夜叉隨之征戰，「每臨巨敵，輒環甲執銳，爲之接應，見者莫不辟易」，封爲夫人。這個離奇的故事講完後，蒲松齡用異史氏名義說一句非常耐人尋味的話：

夜叉夫人，今所罕聞。然細思之而不罕也。家家床頭，有個夜叉在。

此眞妙批也。家家有個夜叉在。可知其記悍婦事，非志怪搜奇，乃是藉一些具體事例來說這個他認爲的普遍現象。

其所舉之例甚多。如卷四〈珊瑚〉說某人母「悍謬不仁」，把媳婦虐待幾死，又休出。有二子，小兒子娶了個老婆更凶，「驕悍戾沓，尤倍於母。母或怒以色，則臧姑怒以聲。二成又懦，不敢爲左右袒，於是母威頓減，反望色笑而承迎之，猶不能得臧姑歡。臧姑役母若婢。生不敢言，唯身代母操作，滌器汜掃之事皆與焉。母子恆於無人處相對飲泣」。後來兩兄弟分居，「兄弟隔院居，臧姑時有凌虐，一家盡掩其耳。臧姑無所用虐，虐夫及婢」。

卷五〈續黃粱〉說某人夢轉世爲一女子，爲人姬妾，「而冢室悍甚，日以鞭箠從事，輒以赤鐵烙胸乳」。同卷〈辛十四娘〉云「公子妻阮氏最悍妒，婢妾不敢施脂澤。日前，婢入齋中，爲阮氏掩執，以杖擊首，腦裂立斃」。卷七〈江城〉記兩女「姊妹相逢無他語，唯各以閫威自鳴得意」。兩人的先生偶與朋友聊天，女即以巴豆投湯水中，結果大家上吐下瀉，「從此同人相戒，莫敢飲於其家」。又一次，一先生「與婢語，女疑與私，以酒罈囊婢首而撻之。已而縛生及婢以繡剪剪腹間肉，互補之。……女每以白足踏餅，拋塵土中，叱生摭食之」。

卷十八〈馬介甫〉說楊萬石「妻尹氏奇悍，少忤之，輒以鞭撻從事。楊父年六十餘而鰥，尹以齒奴隸數」。其家人告訴狐仙馬介甫說：「家門不吉，蹇遭悍嫂，尊長細弱，橫被摧殘」。楊有妾，妊五月，尹氏知之，「褫衣慘掠。已乃喚萬石跪受巾幗，操鞭逐出」，馬介甫替楊萬石解去巾幗，馬居然驚恐到「聳身定息，如恐脫落。馬強脫之，而坐立不寧，猶懼以私刑加罪」。其餘種種酷毒，難以殫述。卷十二〈崔猛〉載崔氏「比鄰有悍婦，日虐其姑。姑餓瀕死，子竊啖之。婦知，詬厲萬端，聲聞四院」。卷十四〈妾擊賊〉又記一女爲某富室妾，「而冢室凌折之，鞭撻橫施，妾奉事之惟謹」。凡此等等，都是婦悍汙辱人傷害人的例子。動輒詬罵、鞭撻、凌虐、甚至殺人，家中長幼老小均遭荼毒。此家中之女暴君、胭脂虎也。

蒲松齡對於這類悍婦，只能寄望於神仙異人來救死紓困，拯民於水火。如〈馬介甫〉說狐仙來搭救；卷十三〈王大〉說有鬼見某著名悍婦落單，把她捉進山谷裡，掬土塞其口，以長石條揷入其陰戶中以懲罰之；卷十五〈邵臨淄〉說一女悍虐，其夫不堪，後鳴於官，由官府代其申冤，杖責其妻。這些，無論是神仙、是鬼、是好官來拯救，其實都是沒辦法中的辦法。蒲松齡對此，非常感嘆，所以他說：「邑有賢宰，里無悍婦矣。誌之，以補循吏傳之所不及」。古來本有句俗語說：「清官難斷家務事」，現在他卻不能不寄望於清官循吏，冀其能稍紓民困，其情蓋亦甚爲可哀。在〈馬介甫〉故事後面，蒲松齡寫了一篇長跋，具體表達了這種哀感，他說：

（懼內者），天下之通病也，然不意天壤之間，乃有楊郎，寧非變異！余嘗作《妙音經》之續言，謹附錄以博一噱。竊以天道化生萬物，重賴坤成；男兒志在四方，尤須內助。同甘獨苦，勞爾十月呻吟；就溼推乾，苦矣三年嚬笑。此顧宗祧而動念，君子所以有伉儷之求；瞻井臼而懷思，古人所以有魚水之愛也。始而不遜之聲，或大施而小報；繼則如賓之敬，竟有往而無來。

祇緣兒女深情，遂使英雄短氣。床上夜叉坐，任金剛亦須低眉；釜底毒煙生，即鐵漢無能強項。秋砧之杵可掬，不擣月夜之衣；麻姑之爪能搔，輕試蓮花之面。小受大走，直將代孟母投梭；婦唱夫隨，翻欲起周婆制禮。婆娑跳擲，停觀滿道行人；嘲哳鳴嘶，撲落一群嬌鳥。惡乎哉！呼天籲地，忽爾披髮向銀床；醜矣夫！轉目搖頭，猥欲投繯延玉頸。當是時也，地下已多碎膽，天外更有驚魂。北宮黝未必不逃，孟施舍焉能無懼？將軍氣同雷電，一入中庭，頓歸無何有之鄉；大人面若冰霜，比到寢門，遂有不可問之處。豈果脂粉之氣，不勢而威？胡乃骯髒之身，不寒而慄？猶可解者，魔女翹鬟來月下，何妨俯伏皈依；最冤枉者，鳩盤蓬首到人間，也要香花供養。聞怒獅之吼，則雙孔撩天；聽牝雞之鳴，則五體投地。登徒子淫而忘醜，迴波詞憐而成嘲。設爲汾陽之壻，立致尊榮，媚卿卿良有故；若贅外黃之家，不免奴役，拜僕僕將何求？彼窮鬼自覺無顏，任其斫樹摧花，止求包荒於怨婦；如錢神可云有勢，乃亦攖鱗犯制，不能借助於方兄。豈縛游子之心，惟茲鳥道；抑消霸王之氣，恃此鴻溝，然死同穴，生同衾，何嘗教吟白首？而朝行雲，暮行雨，輒欲獨占武山。恨煞池水清，空按紅牙玉板；憐爾妾命薄，獨支永夜寒更。蟬殼鷺灘，喜驪龍之方睡；犢車麈尾，恨駑馬之不奔。榻上共臥之人，撻去方知爲舅；床前久繫之客，牽來已化爲羊。需之殷者僅俄頃，毒之流者無盡藏。買笑纏頭，而成自作之孽，太甲必曰難違；俯首帖耳，而受無妄之刑，李陽亦謂不可。酸風凜冽，吹殘綺閣之春；醋海汪洋，淹斷藍橋之月。又或盛會忽逢，良朋即坐。斗酒藏而不設，且由房出逐客之書；故人踈而不來，遂自我廣絕交之論。甚而雁影分飛，涕空沾於荊樹；鸞膠再覓，變遂起於蘆花。故飲酒陽城，一堂中惟有兄弟；吹竽商子，七旬餘並無室家。古人爲此有隱痛矣。嗚呼！百年鴛偶，竟成附骨之疽；五兩鹿皮，或買剝床之痛。髯如戟者如是，膽似斗者何人？固不敢於馬棧下，斷絕禍胎；又誰能向蠶室中，斬除孽本？娘子軍肆其暴，苦療妒之無方；胭脂虎噉盡生靈，幸渡迷之有楫。天香夜墜，全澄湯鑊之波；花雨晨飛，盡滅劍輪之火。極樂之境，彩翼雙棲；長舌之端，青蓮並蒂。拔苦惱於優婆之國，立道場於愛河之濱。咦！願此幾章貝葉文，灑爲一滴楊枝水！

這是一篇妙文。妙在它長歌以當哭，無可奈何而安之若命，是所謂「哭不得，只好笑也」。處在胭脂虎噉盡生靈的時代，英雄氣短，金剛低眉，驚河東之獅吼，故婦唱而夫隨，謹遵妻教。

老婆對待先生，也常用做生意的態度來經營，如同卷同則後面附錄兩個故事，便可以看出現實世界中女人持家、經紀家政時，是如何把老公也納入其經營項目中去的：

△章邱李孝廉。……夫人閉置一室，投書滿案，以長繩縶榻足，引其端自櫺內出，貫以巨鈴，繫諸廚下。凡有需，則躡繩，繩動鈴響則應之。夫人躬設典肆，垂簾納物而估其值，左持籌，右握管，老僕供奔走而已。由此居積致富。每恥不及諸姒貴，錮閉三年，而孝廉捷，乃喜曰：「三卵兩成，吾以汝爲毈矣，今亦爾耶？」

△耿進士崧生，亦章邱人。夫人每以績火佐讀，績者不輟，讀者不敢息也。或朋舊相詣，輒竊

聽之。論文，則瀹茗作黍；若恣詼謔，則惡聲逐客矣。每試得平等，不敢入室門。超等，始笑逆之。設帳得金，悉納獻絲毫不敢隱匿。故東主餽遺，恆面較錙銖。人或非笑之，而不知銷算良難也。

卵未孵成鳥叫做𡿺。這位夫人不但居積致富，顯然也經營其夫以致貴。第二則這位情況也一樣。此即市井生活之實相，一般文人詩文中固無此類，文人筆記中要看到這類實況也並不多，故《聊齋》所記，彌足珍貴。其價値豈僅在談狐說鬼耶？

五、三重宰制下的世俗生活

在描述市井生活及妻子肆虐方面，與《聊齋》關係最爲密切的文獻，是另一部小說《醒世姻緣傳》。

《醒世姻緣傳》跟《聊齋》不同之處，在於一是長篇章回話小說，凡一百回；一是短篇筆記小說。其次，《聊齋》談玄說怪、志狐敘鬼，內容較廣；《醒世姻緣傳》則專講夫妻相處之事。

據刊刻《醒世姻緣傳》的東嶺學道人說，原書本名《惡姻緣》，因刊印者認爲其旨足以醒世，故易爲今名。但書有〈引起〉，只稱爲〈姻緣傳引起〉，似乎本書並不只針對世間不好的姻緣說這番故事，而是普遍性地說姻緣大抵都是惡苦的。故其序詩云：

婦去夫無家，夫去婦無主。本是赤繩牽，睢至逑相守聚。異體合形骸，兩心連肺腑。夜則鴛鴦眠，晝效鸞鳳舞。有等薄倖夫，情乖連理樹。終朝起暴風，逐雞愛野鶩。婦鬱處中閨，生嫌逢彼怒。或作〈白頭吟〉，或買〈長門賦〉。又有不賢妻，單慕陳門柳。司晨發吼聲，行動掣夫肘。惡語侵祖宗，詬訐凌姑舅。夫如瘻附身，留則言恐醜。名雖伉儷緣，實是冤家到。前生懷宿仇，撮合成顯報。同床睡大蟲，共枕棲強盜。……漫道姻緣皆夙契，內多伉儷是仇讎。

這個意思，文中也說得明白：「人只知道夫妻是前生註定，月下老將赤繩把男女的腳暗中牽住。……依了這等說起來，人間夫妻都該搭配均勻，情諧意美纔是，如何十個人中倒有八九個不甚相宜？或是巧拙不同，或是媸妍不一；或做丈夫的憎嫌妻子，或是妻子凌虐丈夫；或是丈夫棄妻包妓，或是妻子背婿淫人，種種乖離，各難枚舉」。夫妻道苦，依其所見，乃是十中有九的。所以此雖非定理，卻是普遍的現象，也是實際的夫妻生活實況。

談姻緣的小說，只敘男女如何好逑、如何相愛以至結合、如何有情人終成眷屬、如何姻緣天定、千折百轉終歸聚首，僅只講到上半截。也就是「理應如此」「都該」「本是」的部分。結爲夫妻之後，到底如何？乃是「公主與王子從此過著幸福快樂的日子」之類小說所不問的。這類小說，其實均屬於理想型的。故男必才、女必貌、愛必堅、情必貞、緣也必定匪淺。才子佳人之章回小說、文人筆記所載情愛傳奇，概爲此等。但從現實型的小說作家觀點看，此即忽略了：「漫道姻緣皆夙契，內多伉儷是仇讎」，是不通人情世故之談。《醒世姻緣傳》第五回有葛受之評語，謂其書描寫人情世故，讀之，「只覺湯若士〈牡丹亭記〉便同嚼蠟」。表現的，就是這樣的觀點。《醒世姻緣傳》要講的，也即是此一觀點，說說姻緣中「種種乖離」之實況。

這本小說，題名西周生撰，歷來均以爲西周生可能就是蒲松齡，見於乾隆時期楊復吉的《夢闌瑣筆》。清末凫道人《舊學庵筆記》則云：「小說中有《醒世姻緣》者，可爲快書第一」，「惜不知作者爲誰。署名西周生，或是陝人耶？其語氣則似山左人。或謂是蒲留仙先生則非，以文氣太不相類也」。所謂文氣太不相類，是因兩書文體不同，一爲典雅的筆記小說，一爲夾雜市井俚俗的章回體。但一人爲何不能同時從事兩種文體寫作呢？胡適之先生的考證，便支持西周生即蒲松齡說，見胡適〈醒世姻緣傳考證〉，首載《醒世姻緣傳》卷首，亞東圖書館，一九三三年，上海，後收入《胡適論學近著》，商務印書館，一九三七年，上海。其後孫楷第〈一封考證醒世姻緣的信〉，也主張小說所寫地域「確爲章丘」，「所敘人事，實是章丘淄川事」「謂小說爲蒲留仙作，乃極近情理極可能之事」（收入《滄洲後集》，中華書局）。支持沿用其說者，包括趙狂茗〈醒世姻緣考〉，載世界書局《足本醒世姻緣傳》卷首；劉大杰《中國文學發展史》；徐北文〈醒世姻緣傳簡論〉，載齊魯書社，一九八〇年出版《醒世姻緣傳卷首》；朱燕靜《醒世姻緣傳研究》，撰者自印，一九七八年，台北；李永祥〈蒲松齡與醒世姻緣傳〉，《中華文史論叢》一九八四年第一輯，上海。

而反對的，則有劉階平《蒲留仙遺著考略及誌異遺稿》，台北正中書局出版；路大荒〈聊齋全集中的《醒世姻緣》與《鼓詞集》的作者問題〉，收入齊魯書社出版《蒲松齡年譜》；金性堯〈醒世姻緣傳作者非蒲松齡說〉，載上海《中華文史論叢》一九八〇年第四輯；曹正義〈近代文獻與方言研究〉，《文史哲》一九八四年第三期；劉鈞杰〈從語言特徵看蒲松齡跟醒世姻緣傳的關係〉，《語文研究》一九八八年第四期；徐復嶺《醒世姻緣傳作者和語言考論》，齊魯書社，一九九三年八月，濟南；袁世碩〈醒世姻緣傳考證〉、鄒世良〈醒世姻緣傳的歷史地位與寫作年代上下限的推考〉，收入二〇〇〇，三民書局版《醒世姻緣傳》。王素存〈醒世姻緣作者西周生考〉，台北《大陸雜誌》第十七卷第三期；田璞〈醒世姻緣傳作考新探〉，《河南大學學報》一九八五年第六期；張清吉《醒世姻緣傳新考》，中州古籍出版社等。其書之作者也有丁耀亢、李粹然、賈應寵、章丘文士等各種推斷。可見爭論仍在持續中，一時亦尚未能有定論。

然而，這部小說之所以歷來認爲即是蒲松齡所撰，除了它使用山東方言、所載多山東事跡、寫作時間又與蒲松齡極爲接近等形式條件外，最主要的，還是它所描寫的正是一種與《聊齋》若合符契的文人市井生活。

書中描寫書生晁大舍，因父親晁秀才得美缺，養成揮霍情性，買妾射獵無所不爲，氣死了老婆計氏，又射死了狐仙。遂致這兩人轉世成爲他的妻妾來報仇。晁大舍轉生成爲不才書生狄希陳，狐轉爲素姐，計氏轉爲寄姐，對狄希陳施展種種酷毒手段，整得他死去活來，幾乎家破人亡。

這因果循環的敘述模套，當然只是一種對夫妻本應和愛而卻勢同水火，勝似冤家苦毒的解釋，是「無可奈何而安之若命」。蒲松齡對夫妻關係亦作如是觀。

爲了解除夙世之冤孽，西周生教人勿殺生、誠心懺悔，這也是與蒲松齡反對殺生相同的。也就是說，它與《聊齋》有內在的一致性。

這種一致性，又表現在對兩位主人公身分及遭際的描述上。晁大舍及狄希陳都是讀書人，但頂著個文士之名，實乏文采，彙緣仕宦，其生涯，蓋足以為一般文士之寫照。他們在社會上如何生活與生存，看其他小說不易明白，要看《醒世姻緣傳》這樣的作品，才能瞭然。

特別是書中主線故事之外，作者會跳出來，夾敘夾議，討論文人生活的處況。例如第三十三回至四十回，藉著敘述狄希陳少小讀書就學時之頑省嬉遊，「唾手遊庠」，寫文士謀生之拙，以至漸無廉恥起來，繼而強調：古人雖說「君子固窮」，但窮是難捱的，因此，「倒還是後來的人說的平易，道是『學必先於治生』」。

學必先於治生，是明末新思潮，前文已有述及。可是《醒世姻緣》不只是從理論上談這個問題，它還要接下來問：「但這窮秀才有甚麼治生的方法？」

它提了幾種營生之法，一是開書舖，二是拾大糞，三是作棺材，四是結交官府（起頭且先與他作賀序、作祭文、作四文啓，漸漸與他賀節令、慶生辰，成了熟識。或遇觀風、或遇歲考、或遇類考，都可以仗他的力量考在前邊，瞞了鄉人的耳目，浪得虛名。或遇考童生，或遇有公事，乘機囑托，可以僥倖厚利，且可以誇耀閭里、震壓鄉民）。但這此辦法都有其困難度。像要結交官府，就得先同府吏衙役混得相熟，「打選一派市井的言談、熬鍊一副誕皮頑鈍的嘴臉」。凡此等等，都顯得「這等經營又不是秀才的長策」。無可奈何，「千回萬轉，總然只是一個教書，這便是秀才治生之本」。

教書當然也不是好營生，也有種種難處，故而「小人窮斯濫矣」竟成為書生秀才們普遍的情況。也就是說，秀才讀書人，在此已完全沒有道德理想、價值追求、文采才華等任何神聖性意涵，它只是世俗之業、治生之事。其生活亦與世俗市井無絲毫之不同。一般論《醒世姻緣傳》者，大多會強調它與《金瓶梅》的相似性及血緣關係。兩書在描述世俗社會生活方面確實非常近似，但《金瓶梅》講的主要是商人奢淫之故事，《醒世姻緣》談的卻是文士。然而，文士之生活，居然同於商人，適可以見其世俗化嚴重的程度。

晁家的治生之業是結交官府，晁思孝以歲貢身分受到人情照顧，考選了江南大縣的肥缺。期滿後又通過戲子行賄太監，買得知州之官，並收得私贓十數萬。狄家情況也差不多。這些家庭，男人只有兩種類型，一是有本事治生，經營各類社會關係，撈到錢或做上官的；二是浮浪子，仗著家中的錢與勢而胡天胡地的。因為其中並無道義可以世守，亦無詩禮足以傳家。

而這些家庭中的女人，由於男人或出外營生交結，或出外浮浪去了，家中大小用度、人事派任，遂當然落在她的身上。故家中「主母」的權威大於一切。例如狄家：

狄希陳是個不知世務的頑童，這當家理紀、隨人待客、做莊農、把家事都靠定了這狄婆子是個泰山，狄員外倒做了個上八洞的純陽仙子。這狄婆子睡在床上動彈不得，就如塌了天的一般（五六回）。

狄家老的不管事，小的不知事，家政全賴狄老婆子主持。待她被媳婦氣癱了半邊身體後，家裡就一團亂。

而媳婦為何氣她呢？原來，中國社會裡的婆媳問題中，有一個絕大的關鍵所在，那就是權力。主母是主政者，媳婦則是接班人。可是掌權者對於將來即將取她而代之的這個接班人是愛恨交加的。一方面她要教導她，使她懂得將來如何持家；一方面她又懼惱她時時準備接位。媳婦對婆婆，則既不服其管教，又思量著如何接手掌起權來。這種緊張關係，只要看看宮廷鬥爭中父子相殘的景況，便不難索解。唐肅宗即位於靈武，唐明皇便成了宮中伴著寂寞秋燈的老人。武則天即位，兒子們也殺的殺，貶的貶。家政國政，在此實為同一原理。故素姐罵她老公給婆婆聽道：「拿著你就當個兒？拿著我就當個媳婦？為什麼倒把家事不交給你？」（五六回）這不是擺明了來是要奪權的嗎？難怪「狄員外和狄婆子，一個氣得說不出話來，一個氣得抬不起頭來」。

待素姐將婆婆氣死，順利掌權之後，才漸漸感到持家原來並不容易：

一個女人當家，況且又不曉得當家事務，該進十個，不得五個到家；該出五個，出了十個不夠。入的既是有限，莫說別處的漏卮種種皆是，只這侯、張兩個師傅，各家都有十來口人，都要喫飽飯，穿煖衣，用錢買菜，還要飲杯酒兒，打斤肉喫。這宗錢糧，都是派在薛素姐名下催征。當時狄員外在日，凡事都是自己上前，田中都是自家照管，分外也還有營運。以一家之所入，供一家之所用，所以就覺有餘。如今素姐管家，所入的不足往年之數，要供備許多人家的喫用。常言「大海不禁漏卮」，一個中等之產，怎能供她的揮灑？所以甚是掣襟露肘。娘家的兄弟都是守家法的人，不肯依她出頭露面，遊蕩無依。雖然有個布鋪，還不足自己的攪纏，那有供素姐的浪費？於是甚有支持不住之意（九四回）。

素姐信奉侯、張兩位道婆，所以在家中供養著兩人及其徒衆，家貲益發不得寬饒；何況她又不會理家，自然漸感不支。這時狄老員外已死，狄希陳又遠赴四川任官。她便捨了家尋丈夫去了。

不料，狄希陳之所以要離家謀官，正是爲了逃避閫威，途中且與童寄姐結了婚，意欲來個「兩頭大」。而且躲在外頭，瞞住了素姐。素姐不知情況，冒冒失失闖進去，仍以爲可以像往常一樣發發她主母的威風。誰知此刻狄希陳宅中已另有「主母」了。結果被新主母及其底下人圍起來痛毆了一頓，只好低聲下氣，不再撒潑，讓寄姐對她說：

> 家仍是我當，不許妳亂插槓子。事還是我管，不許妳亂管閑事。媳婦子、丫頭都我教誨，不許輕打輕罵的。

這就確定了家裡的權力位階。對這位主母，胭脂虎素姐只能陪笑臉，「寄姐凡有生活，爭奪著要與寄姐去做。寄姐手上偶然生了瘡，死塞著要爭與寄姐梳頭。寄姐或是頭疼發熱，一日腳不停留地進房看望，……寄姐的連盆馬桶，爭著要與她端」（九五回）。

看官要知：主母的權威如此，連素姐都要曲意奉承，陪小心、伺顏色到這個地步，丈夫又何敢不然？蓋其勢足以劫之、其威足以懼之、其號令足以使喚之，可以讓底下人爭著去獻殷勤、套近乎。情況跟專制王權底下的政治生態是一模一樣的。

九十一回〈狄經司受制嬖妾，吳推府考察屬官〉載吳推官詢考僚屬，竟然全都怕老婆，而感嘆說：「世上但是男子，沒有不懼內的人，風土不一、言語不同，唯有這懼內的道理到處無異」。男人為何懼內呢？若說因果報應，難不成人人均欠了老婆的前生債？那當然不可能，而是這種家中權力結構使之如此，故人人若是。

《醒世姻緣傳》開語即曾以專制王權下臣子的處境來形容男子與主母的關係，謂：「你做那勤勤懇懇的逢干，她做那暴虐狼愎的桀紂，你做那順條順絡的良民，她做那至貪至酷的歪吏」。對家庭中夫妻關係之實況，做了清楚的喻示。

然而，暴政雖猛於虎，母老虎實又更虐於暴君。就是專制帝王也不能跟老婆比。所以〈姻緣傳引起〉云：

> 人世間和好的莫過於夫妻，又人事仇恨的也莫過於夫妻。君臣之中，萬一有桀紂的皇帝，我不出去做官，他也難為我不著。……冤家相聚，無論哪稠人中報復得不暢快，即是那君臣父子、兄弟朋友之際，也還報復得他不太快人。唯有那夫妻之中，就如脖項上癭袋一樣，去了愈要傷命，留著大是苦人。日間無處可逃，夜間更是難受。官府之法莫加、父母之威不濟、兄弟不能相幫、鄉里徒操月旦。……豈不勝如那閻王的刀山、劍樹、碓搗、磨挨、十八重阿鼻地獄？

晁大舍射死仙狐，又讓妻子生氣上吊，二姝含恨，便轉生成為他的妻妾。期間曾託夢給晁大舍他娘，晁老夫人問：為何被射殺了，反而要給他做妻妾呢？鬼魂答道：「做了他的妻妾，纔好下手報仇，叫他沒處逃，沒處躲，言語不得，哭笑不得，經不得官，動不得府，白日黑夜風流活受，這仇纔報的茁實！」這句話，便是前面〈引起〉的注腳，這才叫做「無所逃於天地」。

晁大舍轉世爲狄希陳，果然受兩妻酷虐悍撻、荼毒萬般、無所不至。這種對悍婦的描寫，無疑與《聊齋》極爲肖似，狄希陳尤似楊萬石。

雖然素姐與寄姐之悍惡，或許可視爲特例，但無論《聊齋》或《醒世姻緣傳》，都是把「懼內」視爲普遍現象的。天下之爲妻者，未必均如素姐寄姐般悍惡、未必均挾了冤來報仇，但「世上但是男子，沒有不懼內的」。亦如君王亦有仁政愛民者、亦有溫善者，然臣民仰其天威，依然有所畏懼。

家庭中，做妻子的誠然也不乏怨懟。但那是統治者的煩惱。米穀不登、計用不足、夫不服管、子不服教、僮僕不勤、鄰里戚族多囉唆之類。斯乃君王感嘆刁民、盜寇、劣吏、頑梗、庸臣、懦將、以及四鄰未能賓服一類的抱怨，而不是「懼」。天下只有懼內一辭，只有怨婦一辭，就因爲婦只是怨，怨夫不乖、怨子不好、怨事太勞、怨命不夠好等等，而先生才是懼。懼其威，故伏其教；懼其怒，故承其歡，哄著讓她高興。對妻子的關懷憐愛、奉承體貼，遂也是懼的一部份。

何況，臣民對君王，不會有內在自發的愛，夫對妻卻不然。因對之有愛，故又不能捨去，不能像對其他人那樣，要求平恕待我。以致因愛妻而受制於妻，終於形成愛懼共生的情況。

一般市井小民固然也如此愛懼交迸，但虐妻者亦不乏人，這又是爲什麼呢？此殆如政治上亦有盜寇起事、困民揭竿，甚或強臣劫迫君王之事，本不足爲奇。可是書生文士此種揭竿而起、鋌而走險的勇氣一向較少；又受聖賢言論之制約，不喜歡也不擅長訴諸武力；受了專制壓迫，更慣於逆來順受。他們在面對君上時的順從態度，跟他們在家庭中面對老婆時「俯首貼耳，而受無妄之刑」（聊齋・卷十），是完全符應的。書生文士，在我國社會上，向來不是暴動或起事的主要階層，至多只是個別地在有人揭竿或落草時去依附之，從旁出謀畫策而已。這種現象的原因，正可以從其家庭生活中去理解。

因此，總體地看，《醒世姻緣傳》在輕視醫生、批評邪教、提倡放生、描寫市井生活、主張「學必先於治生」、講說世俗生活中的文人生涯、刻繪悍婦嘴臉……等等方面，都與《聊齋》非常符契。兩書縱非均爲蒲松齡作，也可視爲同一組作品。它們寫成於同一時期，反映了同一階層的社會及家庭生活狀況。透過《醒世姻緣傳》，更能讓我們理解《聊齋》所描述的文士處境。

在蒲松齡所身處的十七世紀末期，歐洲社會形成了一種迥異於中世紀的風貌，其上層社會的家庭結構，據勞倫斯・史東（Lawrence Stone）《英國十六至十八世紀的家庭、性與婚姻》的描述，有核心家庭重要性增強、夫妻情感關係、父權均增強之勢。原因有三，一是親族關係、扈從關係在社會上不再成爲組織原則，所以家越來越是夫妻家庭的核心的事；二是國家權力接收了從前一些由家庭、親屬及扈從所執行的社經功能；三是新教將基督教道德帶入紳士階級及都市中產階級家庭中，既神聖化了婚姻，也使家庭成爲教區的一部份。而這一點，配合著第二點，又使核心家庭比較不受親族（尤其是妻方的親屬）的干涉，宗教、法律、政治變遷則促進了戶長權力的現象。

此種現象，一方面強調婚姻中情感的因素，一方面卻又強化了父權。故史東寫道：「妻子對丈夫的順從，在上層即上層中產階級裡，是確然無疑的事。但在工匠、店老闆、小農、非技術勞工中則沒那麼明顯」「國家和法律將妻子對戶長的順從，認爲家庭對其首領的臣服，是與臣民對君主的臣服類似，且前者是後者的直接肇因」（詳見該書第四、五章）。

十六至十八世紀，也是我國國家權力增強的時段，但國家對家庭結構的影響並不明顯，因爲即便在中古世族社會，親屬、扈從都已不是組織原則，也無法干預家庭核心，亦即夫妻之關係。可是早期夫妻結合，並不太強調情愛之地位，明末清初一大批才子佳人遇合小說，才對此極力刻畫。故可說因情愛而結合的婚姻關係，是十七世紀末期文人階層所提倡的新倫理觀新理想，這點與英國到有些類似。

但強調婚姻中的感情因素，所形成的家庭內部關係，卻與英國截然異趣。文人階層從聖賢經傳及理念層次上獲得的是父權式的家庭觀念，可是，若套用史東的話來說，則是「丈夫對妻子的順從，在上層及文人階層中，是確然無疑的事」。也就是說，在文人的世俗生活領域，他除了受王權之宰制、經濟市場之宰制外，同時也受到妻子的宰制。

蒲松齡所描述的不第秀才，奔波於科舉體制中，事實上屬於第一類。甘心帖耳於鑽帝王之彀。而且在這個體制中，毫無掙脫的辦法，悲其境遇而莫能逃亦莫能離卻。他所敘述的文人業賈現象，則凸顯了文人受到經濟市場之宰制，不能不去治生。至於那些悍婦對丈夫慘無人道的管束虐待，或丈夫叩服於女主座前之現象，就是文人受妻子宰制的寫照了。

文人的市井生活或世俗生活，就是深陷在這三重宰制中的。

六、文人的世俗生活之研究

文人生活的研究，以往甚少，而且頗爲偏狹。因爲視域大抵集中在文人的文壇交遊、文藝活動、詩詞歌賦、琴棋書畫，以及詩酒酬唱、煙霞寄傲的部分。這是文人的文學生活，乃其本業，猶如商人從事其貿易、農人操其農事一般。當然是值得注意的。其次，就是文人的日常生活。明清時期，文人的日常生活早已藝術化。就像我在〈生活的藝術化〉一文中所描述的，對於生命的每個階段、生活的每個領域、季節時令每一段時間的安排，都有所經營，兼顧養生及人文情趣。例如賞花、品茗、焚香、議蘭、集古、飲酒、奕棋等等，形成一種優雅閑適的美感生活。對這種文人之美感生活狀態，以及它逐漸浸潤到社會各個階層去的狀況，邇來研究者也開始漸漸有所論析。

但文人的生活，除了藝術化的這一面和其文學職業生活之外，尚有其世俗面。也就是他們與社會上其他各流品、各人等、農工商傭一樣的衣食日用生活起居。

這種文人的世俗生活狀態，爲向來討論文人生活者所忽略。大家忘記了文人也是人，也有其世俗生活的一面。而且正因爲文人所從事的文學職業及其所追求之藝術活品味，須要在世俗生活領域中取得支持，否則根本不能進行，故文人的世俗生活其實比起其他行業人更爲重要。可惜論者對此，殊乏關注。

以前文所舉乾嘉文人沈三白的〈浮生六記〉爲例。評述者清一色只注意到沈三白與芸娘的愛情、兩夫婦的美好藝術生活，間則批評中國大家庭中的婆媳關係而已。實情豈僅是如此？

事實上，三白夫婦的閨房之樂，其實是一種文化品味所烘托所培養出來的樂趣，其中充滿了對美的追求與對韻趣的欣賞。故在其閨房之樂中，我們看到的不只是兩人膩在一塊兒卿卿我我你儂我儂，而是看到類似〈醉翁亭記〉所謂「樂乎山水之間」的遊賞之樂，看到園林生活之樂、詩文賞析之樂、友朋讌聚之樂、飲食料理之樂等等。他們夫妻蒔花養草、飲酒食蒜、刻印章、禱神祠、和詩、行令，一舉一動，皆充分顯示了文明潤澤的美感。正是這樣優雅而有情趣的文化生活，陶鑄滋養了夫妻的感情，使它能相悅以守、莫逆於心。我們看書的人，之所以艷羡其夫婦，也即是因為我們都對那樣文明韻趣之生活倍感嚮往。

但是，這樣的生活，本身乃是充滿危機的。沈三白是清朝乾嘉時期生活在蘇州的文人。蘇州的文化氣氛，養成了他的文化品味，也提供他遂行此種生活的條件。例如他們可以住在景觀秀絕的滄浪亭，家中可以經常召伶演戲，他們精於花藝，能製作盆栽，又擅長疊石，對於居室佈置，如怎樣製作屏風、怎樣焚香，均有若干講究。這種生活，雖未必定須饒於貲業者方能備辦、未必即屬於資產階級之生活品味，但必須是對生活本身費力經營、用心打理。故沈三白自稱：「貧士起居服食，以及器皿房舍，宜省儉而雅潔。」身雖貧士，在文化生活上卻要求精緻而富裕。此其為理想。然生活若過度貧困，衣食尚需張羅，則豈能再論其雅潔與否？生活的重擔，有時是會壓彎了人的脊樑，使人只能蜷曲苟活於時代的角落中，對器皿房舍服食，無暇講究的。

不幸沈三白正是個拙於生計的文人，所學只是如何替人辦文書當幕僚。其游幕生涯，頗不順利；而且浪跡四方，俯仰由人。故夫妻相處，離居時多。有時無故遭到裁員，心緒及經濟也大受影響。後來一度想從商做生意，跟他姑丈去釀酒。不料又碰上林爽文事變，海盜阻隔，虧蝕老本。種種不如意，弄得貧病交迫，依親友接濟，勉強支持。到芸娘死時，沈三白要「盡室中所有，變賣一空」，且得友人濟助，方能將之成殮。其生活境況之慘，可以想見了。

因此，所謂〈坎坷記愁〉，並不單指芸娘與三白在「舊式大家庭禮教下遭到摧折」或婆媳不和的問題。他們的坎坷，是因其文化生活本身即是有條件的。漂泊動盪、奔走衣食，會使這種閒情逸趣根本無法滋長。

由此看來，三白夫妻的坎坷，是同時來自幾個方面。一是人事上的困絀艱辛，貧弱無依。這種貧困，自然影響到他們在家庭中的處境，例如財務債務的糾紛。加上芸娘代司筆札所引起的筆墨口舌糾紛，以及處事方式，不得姑舅歡心，釀成了家庭中的坎坷。在個人情感方面，又受憨園背信、阿雙捲逃的刺激，無法承擔。

個人情感上深受打擊，家庭中糾紛不斷，外向世界又使他們處處碰壁。以致妻死、父喪、子夭、弟逼、女遣，人生的痛苦，集中到這一卷小書裏。若說〈閨房記趣〉極夫婦之樂，那麼，〈坎坷記愁〉就是盡生人之悲、窮人倫之變的痛苦悲號了。以三白與芸娘的死別爲主線，勾勒出這一幅茫茫大悲的景象：「當是時，孤燈一盞，舉目無親，兩手空拳，寸心欲碎，綿綿此恨，曷其有極！」

《浮生六記》正是在這裏顯示了它的經典意義：極夫婦之樂，盡生人之悲。其悲，本於文人世俗生活之拙困，而其樂，遂愈形可悲也。

《聊齋誌異》敘文士之悲，同樣具有經典意義。蒲松齡場屋科考不順利，落拓江湖載酒行，以談狐說鬼寓其悲慨，其自序云：「集腋成裘，妄續幽冥之錄；浮白載筆，僅成孤憤之書。寄託如此，亦足悲矣」，洵為實錄。

蒲松齡的父親蒲國鼎，就是個落拓文人，「操童子業，苦不售。家貧甚，遂去而學賈」。因此他非常期待蒲松齡能考上科名，不幸蒲松齡屢考不上，「五十餘，猶不忘進取」。結果是屢敗屢戰，終致家貧如洗。幸而有賢妻劉氏經營持家，才免於餓死。

劉氏在蒲家，本來也與家中幾位女人相處不來。蒲松齡說她：「入門最溫謹，樸訥寡言，不及諸宛若慧黠，亦不似他者與姑4243也。姑董謂其有赤子之心，頗加憐愛，到處逢人稱道之。冢婦益恚，率娣姒若為黨，疑姑有偏私，頻偵察之；而姑素坦白，即庶子亦撫愛如一，無瑕可蹈也。然時以虛舟之觸為姑罪，呶呶者竟長舌無已時」。由於實在處不來，所以就兄弟們分了家。分家以後，「紡績勞，垂老苦臂痛，猶績不輟。衣屢浣，或小有補綴。非燕賓則庖無肉。松齡遠出，得甘旨不以自嘗，緘藏待之，每至痛敗。兄弟皆赤貧，假貸為常」（劉氏行實，聊齋文集，卷八）。

蒲松齡有一女四男，「大男食餼，三男四男皆掇芹。長孫立德，亦幷童科」。但都非蒲氏的功勞，因為他外遊到七十歲才停止，孩子都賴劉氏教誨養大。

這樣的生平，使得《聊齋》中對文士不第有深刻的體認，文士之窮、以及文人轉而業賈，他是有親身體驗的，且與沈三白頗有相同之處。可是他比沈三白幸運，老婆非但能如芸娘般理解他支持他，而且比芸娘能幹。芸娘對沈三白，只能提供愛以及藝術化的生活。然而，對世俗生活，芸娘是呆扭沒有能力處理的。劉氏在這方面，遠比芸娘強。她處在大家庭中，能以溫謹獲得婆婆的喜愛。雖因此導致娣姒失和，且析家產時分得極少極差，但分家之後，一肩挑起家計重任。治生持家之能，非芸娘所能及。

在未分家前，蒲家固然還有蒲老先生及夫人在，然而家中之「主母」卻非蒲老夫人，而是「冢婦」。冢婦率娣姒若爲黨，不但「偵查」蒲老夫人之言行、與劉氏的關係，更「時以虛舟之觸爲姑罪」。這種情況，適足以說明當時家庭內部權力狀況之眞相。「冢婦」之稱，猶如「冢宰」，正是眞正秉持家政國政者。

分家以後，劉氏自己擔任家中之冢宰，「食貧衣儉，甕中頗有餘蓄」。蒲松齡之所以能不淪落如沈三白，全靠了她。我們唯有從蒲松齡沈三白這樣的生活經歷中，才能了解文人的世俗生活，也才能明白《聊齋》中所記的一些事。

看他這樣的經歷，也有助於說明《聊齋》中有關女性描寫的問題。

據蒲松齡兒子蒲箬所寫的〈清故顯考歲進士候選儒學訓導柳泉公行述〉言蒲松齡所撰之書、所編之曲，「直將男之雅者俗者，女之悍者妒者，盡舉而匈於一編之中」。可見蒲箬也認爲他父親所寫的女子以悍妒爲主。《聊齋》中的女人，在談戀愛階段，都是可憐可愛、不悍不妒的，悍與妒都表現在婚後家庭生活中。可能是蒲松齡所著的《醒世姻緣傳》，更是針對這點極力刻繪。

居家是人類主要的日常生活。在這種生活中，中國向來被指摘是個父權社會，父權的主要行使領域也就是家庭。可是，爲什麼父權制的社會竟然出現這麼多悍婦呢？爲什麼懼內現象如此普遍呢？過去的研究者對此亦乏究心。不是反覆說女人如何受虐受壓迫，就是仍把婦悍歸罪於男人，說因爲男人花心，所以婦妒；由於長期受壓抑而形成心理不健全故婦悍。這些解釋，都是因不明白中國父權制之實況使然。

目前一般人（包括女性主義人士）慣常用「父權制」來描述歷史上男性對女性的壓迫。但這是這個辭意在現代的借用，原先政治學社會學或法學中，父權制主要並不指這個意思。

父權制，要遲到一八六一年才由 Henry Maine《古代法》中提出，後來漸漸普及。研究者用這個術語及概念去分析古代社會，大體認爲希臘、羅馬、以色列等處均具有父權制的特徵。

那麼，父權制之內涵爲何呢？一、這是指一種父系宗族的權威關係。二、這種父系宗族系譜必須與財富及土地聯結，因爲父親的權威之一，就是分配財產。貧無立錐之地者，事實上即無法建立這種宗族，只能依附爲貴族之「客」。三、家族中的家戶長同時又是與神聯結的，因爲要由他代表宗族主祭祀。他也因與神聯結而具有「克里斯瑪」奇魅的領袖地位及權威能力。四、父親對財產、土地、奴隸，均有其處分權力；也可指定繼承順序；可收養子女、離棄妻子；命令家族成員。家族成員則須順從他。五、在法律上，只有他能擁有市民權；家族成員若有不法行爲，也只有他可以處罰，甚至有權殺掉兒女或奴隸。

這種體制，在中國有沒有呢？早期的研究認爲是有的，不但有，而且跟羅馬一樣，非常典型。但近期的研究則覺得中國情況特殊，宜另做分析。

怎麼說呢？一、羅馬法允許被認養者納入父系團體中，給予被收養人跟血親相同的權利，中國則否。二、中國沒有「家父長」（Patria Polestars）這個概念，勉強說，只有「孝」與它類似。但孝意指順從於家族或社會中的角色；家父長一詞，卻意味權力關係。羅馬法強調父親對兒子的所有權。三、西方歷史的發展，是國家權力逐漸取代宗族、地主權力，故父權制逐漸脫離世襲制而削弱而改變。中國很難如此類比。例如希臘早期，父親有權殺其子女，後來就不可以。古羅馬時也可以，後來國家法律便不允許如此了。中國則只有明清時期才有此可能。四、但國家力量的介入，又規範了父親許多權力。父親在家庭中喪失了世襲制權威，以及隨意處分其財產、婚姻、繼承關係的權力。比西方社會中的父親更不具有父權制的支配地位。

而更重要的是，「父親」這個角色，在中國常是由母親扮演的。也就是父系而母權。母親實際上主持家計、管教子女、分配財產、指揮傭僕、命令家族成員。因此中國的父權制之實況，並不能依它字面意思去理解。我們看《醒世姻緣傳》或同樣寫於康熙乾隆間的《紅樓夢》，就都可以發現那些家庭中發號司令的權威支配者，都不是老爺而是奶奶，如賈母、王熙鳳、探春等。

陳翠英《世情小說之價值觀探論：以婚姻為定位的考察》把這些在家中掌權的女人稱為「婦女形象的男性化」，認為它代表了傳統男尊女卑社會的鬆動跡象。也就是說，男尊女卑、父權制並不能完全宰制女性，女性可藉由男性化來顛覆傳統體制（一九九六，台大文史叢刊）。

這個講法只說對了一半，真相是：男尊女卑的理論在實際生活中有非常多樣的轉變（即實踐）方式，而實踐的結果，恰好常與理論所說不同。猶如理論上都說「民為邦本」，人民是國家的主體或根本，民為貴君為輕；但實際政治實踐卻是君貴民賤，君凌駕於民之上。

為什麼男尊女卑之實際運作能反過來呢？政治上，民貴君輕，而終至君貴民輕，原因在於君代表了人民、代表了政權。人民被他所代表了之後，人民實際上就不存在了，只剩下代表而已（並如人民選出民意代表之後，政治上就只由代表去玩，人民沒份。代表也從此不再代表人民，只遂行他自己的意志）。而且相反地，人民還必須供養這個代表、維護這位代表，因為這個代表已代表了他及整個政權。家庭中，情況類似：本來男尊女卑，父親在家中是家長，有其權威地位，但因父親經常出游（游學、游幕）如蒲松齡那樣，家長這個位置遂由母親取代了，形成了父系而母權的局面。文人又不善治生，家計需賴妻子經營，經濟權因此也歸了主母。

阿瑟・科爾曼《父親：神話與角色的轉變》一書曾分析父親與小孩的關係，在其第二章〈貫穿生命周期的天父意象〉中說早期父子關係趨於理想化，成年時期變得疏遠和情感矛盾，最後才形成和解（一九九八，劉文成譯，東方出版社）。這樣的父子關係，事實上不發生在中國傳統家庭中，因為父親只以理想型存在於兒子心中。兒子成長後並不需要掙脫父親之籠罩，並不必拋棄兒童時期的父親意象，才能成就自我。在他成長期間，父親基本上都是不在場的，養之教之者，乃是母親而非父親。反之，媳婦與婆婆的關係才比較接近西方意義的父子關係。媳婦是「父親自己對兒子的恐懼的繼承人」，故「父親必須處理好自己壓服或毀掉孩子的強烈慾望，必須接受兒子將要取代他的必然性」；媳婦則彷彿有弒父情結的伊底帕斯。兩者在家中形成難以避免的緊張關係。

對於父權制在社會生活中的這些實際狀況，蒲松齡及其同時代的小說，提供了我們許多視角，足以澄清歷來之誤解。過去對此缺乏論究，實在是頗爲可惜的事。

姜貴的「經典」小說《旋風》

臺灣師範大學
國文系教授　張素貞

一、《旋風》如何成為經典？

(一)列入「臺灣文學經典」

所謂經典，是指可以做為永久的典範。姜貴（一九〇八～一九八〇）的《旋風》之所以成為經典，原因有二：長久以來，《旋風》可以說是備受學者重視。雖然出版幾經波折①，一九五七年以《今檮杌傳》為書名，自印五百本面世，就得到胡適、蔣夢麟等名人的讚揚，經吳魯芹的推薦，兩年後回復《旋風》的原名由明華書局出版，初版竟然售出七千六百本，成為當時文壇盛事②。論者交相讚譽，第二年姜貴把評論集成《懷袖書》，由臺南春雨樓出版。而眞正奠定《旋風》文學地位的是夏志清撰寫的《中國現代小說史》，在國民政府播遷來臺以後的作家中，夏志清只談論了姜貴的《旋風》和《重陽》。受夏志清這本風行海內外學術論著的影響，即使後來《旋風》絕了版，很多重要的學者們還是重視這本書，也因為它確有相當的文學價值，論評大抵是肯定的成分居多。一九九九年世紀末，聯合報舉辦「臺灣文學經典」票選活動，《旋風》又被選為三十本文學經典之一，評論界重量級的評論家王德威撰寫〈蒼苔黃葉地，日暮多旋風——論姜貴《旋風》〉，做了深度剖析討論，於是《旋風》再度受矚目。文藝界有好書應當廣爲流傳的呼聲，半年後九歌出版社不惜巨資印刷出版，《旋風》也許眞的能再造成一股閱讀經典的風潮。

在「臺灣文學經典」中，《旋風》是五〇年代唯一入選的小說作品。嚴格說來，《旋風》其實在當代作品中，就文采、人物的刻畫而言，比起潘人木的《蓮漪表妹》、王藍的《藍與黑》、陳紀瀅的《荻村傳》、司馬桑敦的《野馬傳》，未見得更爲出色③。從實質內涵來說，趙滋蕃的《半下流社會》、潘壘的《紅河三部曲》、陳紀瀅的《華夏八年》也未見得比它遜色。但是從小說創作的諸多藝術技巧來說，表現感時憂國的憾恨，遠承晚清譴責小說的餘緒，採行嘲謔諷刺、誇張揭露的手法，《旋風》確實是極爲傑出的作品。

二、作者經驗的投影

《旋風》可以說是作者經驗的投影，也適度反映了二〇到四〇年代的背景。姜貴本名王林渡，一名王意堅，山東省諸城縣北相州鎮人。少年時期爲了逃避馬克斯主義學說的洗腦，藉故離開濟南，轉學至青島，並在此時加入了國民黨。一九二七年，他歷盡了寧漢分裂、南昌暴動，對共產黨的形成、滋長及其本質有深刻的了解。這些都是他撰寫《旋風》的憑藉④。姜貴說：「由於三十年來所親見親聞的若干事實，我想我應當知道共產黨是什麼。」⑤他的家族有許多堂號（如帶星堂就跟《旋風》中的一樣），五伯父是革命烈士，二哥迷舊詩，到杭州當和尚，還俗後任小學校長，娶小老婆。二伯父家前妻的女兒自殺而死。父親開藥鋪又行醫。六伯父王翔千（《旋風》中的主角就叫方祥千，發音都一樣）弄個「馬克斯學說研究會」，強令姜貴參加，八叔家的弟弟小學沒畢業就被遣送去俄國訓練。這些種種情節，讀者可以在《旋風》中重新見到。他認識一位說書的姑娘，乳名金子，《旋風》中的一位藝人不就叫做金彩飛？⑥《旋風》中的一些時代風雲人物，像韓青天、張中昌、張嘉、方通三、李吉銘孫女，都可以對合歷史中的韓復榘、張宗昌、臧克家、王統照、江青。書中敘述到的繡花鞋、姨太太、鴉片，都有其特殊的時代背景。像嫡庶名分、主僕尊卑的嚴格貫徹，方八姑住主房，生母謝姨奶奶反而住後院，也都不是千禧年的青少年所能想像。

《旋風》從繡花鞋還寫到戀物癖，姨太太被大婦殘酷虐待，又顯現心理殘缺的報復心理。帶星堂的老太爺喜歡尼姑，有許多田地的五蓮和尚要求佃戶的婦女到寺裏服役，姜貴這些情節寫出舊社會的頹敗現象，也充分暴露人性的惡質，多少又涉及一些色情描繪，姜貴的文墨顯然比一般五〇年代的作家大膽，包羅萬象，這可以追溯他幼年在遠房叔祖的畫室見過妖精打架圖，也讀過《金瓶梅》、《肉蒲團》一類的禁書有關；另一位遠房大叔善意地向他開放自己的小說珍藏，則又引導他邁向更寬廣的境界⑦。難得的是，姜貴的筆下各色人等，即使荒誕詭譎，他卻又能從心理複雜層面去深入剖陳。

三、傑出的反共小說

近年來學者們從比較客觀的角度重新審視五〇年代的臺灣文學，王德威認為可以看做是傷痕見證文學⑧，而從《旋風》呈現的寫作樣貌來說，它其實還是相當傑出的反共小說。

姜貴曾經說：「想到今天落魄，都是共產黨害的。——寫了一部《旋風》。」⑨他從青島讀膠澳中學時加入國民黨，就做了一輩子的國民黨員。他的三位伯父死在共產黨手裏，母親和嗣母都被共產黨逼得住進「退福堂」⑩，飢餓而死。他可以說是親受共產黨的迫害，始終隨著國民政府在與共產黨對抗。

《旋風》的寫作，以具體的事件描繪暴露共產黨的惡質與非常手段，並且不斷提出質疑。康小八的海東縱隊利用日軍的服裝器械做道具，扮演一場「海東大會戰」，拍了照片，發布新聞，製造共軍殲滅日軍的假戰績（頁五三〇），其實共軍徹頭徹尾是假抗戰而暗地擴充實力。詩人張嘉對女學生趙蓮說，八路軍「誰也不幫，他是幫著自己打人家。」（頁四八七）共產黨治下人人不安，有了聽壁隊，私下都不敢隨便說話（頁五〇三）；聞香隊讓人不敢吃稍好的東西，方祥千一家連紅薯乾也不能每天吃到（頁五三四）；祥千的女兒其蕙從延安回來說：

> 共產黨對敵人殘酷，對自己的同志更殘酷。（頁五三二）

從俄國受訓回來的侄兒方天茂向國民政府自首，並且對方祥千直言不諱：

> 你老人家幹共產黨，是離開現實的。（頁四一八）

對共產黨滿懷憧憬、在地方上傾盡全力拓展共產黨勢力的方祥千，最後和侄兒方培蘭一起被算計，逼入死角，《旋風》在末尾更藉他的話說：

照他們這種做法，整個共產黨的將來，也一定要像一陣旋風。他們雖然蓬勃一時，然而終必轉瞬即逝，消滅得無蹤無影，變成歷史的陳跡。（頁五六九）

預言共產黨的敗亡，是五〇年代反共小說的陳套，即令《旋風》這樣的經典作品也不能免俗，卻正足以見出當代的思潮及作者的反共意圖。

《旋風》證實共產黨強調的土地問題與階級鬥爭意識也未必存在。秀才娘子雖然虐死前妻所生之女，卻厚待看守祖塋的僕人張金，以致共產黨要求貧農鬥爭地主，張金不忍出手，反遭責打。共產黨得勢之後，省委代表來了，方祥千、方培蘭感受到被否定、被排擠的刺心，兩人找了機會交換知心話，祥千這樣批判省委代表：

他的做事，一不憑理，二不依法，三不講情，四不論面。但憑興之所至，以意為之。這完全是詩人的氣質。（頁五二〇）

運用人物對話來具體呈現情節，這段話表面上不失幽默，好像還有些讚美，其實細細思量，就領導人物而言，這樣是糟透了的。作者對共產黨的針砭之意非常明顯。

此外，如方天芷被推薦接替方祥千的學校祕書工作以後，他的住所成為共產黨人隨時聚首、開會的處所，並且經常有陌生人來過夜，天芷抗議，尹盡美告訴他：「我們要不是想利用這個地點，方祥千為什麼要舉薦你來當文案？」（頁七九）大大傷了他的自尊。尹盡美訛用他的簽名，並且說：「你知道我們共產黨，如果我們認定你應當給我們做朋友的時候，你不能推辭，你推辭也推辭不掉，非做朋友不可。一旦我們認為你不配和我們做朋友了，那就算你給我們磕頭，當孫子，也不行。」（頁八一）運用人物對話，呈現共產黨強橫利用人的手段，絲毫不讓人有商量的餘地，何等霸道！字裏行間，諷諭兼具批判的意味。

四、寫作的特色

(一)傳統小說的影響

《旋風》描寫大姓家族的衰微與沒落⑪，有《紅樓夢》的格局；描摹土匪、幫會、道教、軍閥、貪官、污吏、土豪、劣紳、地痞、流氓、娼館、毒販，很像《水滸傳》⑫；暴露知識分子的種種醜態，也有《儒林外史》諷刺的筆意；而毫不避忌情欲書寫，又有《金瓶梅》的味道。姜貴自己說：「二十歲前不是個好學生，十年光陰，可說祇讀了三部書，《紅樓》、《水滸》、《儒林》是也。」⑬前文提及他對《金瓶梅》、《肉蒲團》也並不陌生，這些古典小說在在影響了《旋風》的寫作。

《旋風》的寫作更明顯受晚清譴責小說的影響。晚清李伯元的《官場現形記》、吳趼人的《二十年目睹之怪現狀》、劉鶚的《老殘遊記》、曾樸的《孽海花》等譴責小說，超越了《儒林外史》的諷刺手法，揭露社會的病態，嚴厲加以痛批。魯迅說這類小說「揭發伏藏，顯其弊惡。」⑭姜貴在《旋風》的序言中說他的寫作是：「紀惡以為戒」，但「固無意宣揚穢德。」他不僅揭露共產黨的惡質，也暴露大家族的衰敗以及社會的病態，走的純粹是晚清譴責小說的路數。正因爲他把各層面的黑暗面都揭示出來，所以即使這本小說確實是非常傑出的反共小說，由於同時也披露了國民黨的缺失、舊社會的腐敗，於是在當代不被當道接納，以致姜貴得自己印行。在《旋風》中著力描繪的人物幾乎沒有什麼完美的好人，作者展示的世界陰暗、社會腐敗、道德沈淪、人性斲喪，譴責小說的筆法非常明顯。

㈡不避情欲書寫

五〇年代曾有所謂文化清潔運動，反赤（反共產）、反黑（反暴力）、反黃（反色情），姜貴的小說卻自出機杼，他鋪寫暴力場面，也不避情欲書寫。如書中提及史愼之被梟首；英雄單刀方二樓被邢二虎陷害，邢二虎「從從人的背袋裏摸出兩把明晃晃的小刀，連柄也不過半尺長。……在他每一個腿肚上，向下扎進一把去。這才動身。那小刀扎在腿肚裏，走一步，搖一搖，痛徹心腑。」（頁一〇九）而像方培蘭爲父報仇，挖了邢二虎的心祭奠；牧童許大海爲了洩憤，生吃了邢二虎的心；董銀明的獄友十九號一時貪念拎走一件被遺忘的行李，裏頭竟然是一顆人頭。這些暴力描寫，客觀、冷冽，令人驚心動魄。更特別的是，《旋風》「紀惡以爲戒」，筆鋒所至，不避情色貪欲，王德威說：

《旋風》對反共小說的另一大突破，在於將政治情欲化，情欲政治化的看法。當絕大部分的作家將國共鬥爭提升到「唯心的」道德及意識形態的抉擇層面時，姜貴卻幽幽提醒我們，欲望，尤其是人之大欲，未嘗不是政治行爲的隱晦動機。⑮

姜貴從情欲著眼，不盡如後代某些作家的在細節上做露骨的鋪描渲染，但情節交代，仍讓人怵目驚心。前文提及：帶星堂的老太爺喜歡尼姑，五蓮和尚要求佃戶的婦女到寺裏服役；居易堂的老夫人寵愛家奴，讓進寶陪自己吃飯，（而西門老姨太和方冉武娘子卻得侍候，）一大半的資產都用來籠絡家奴。進寶死了，又寵愛進喜。養德堂的謝姨奶奶依賴管家把脈，共產黨領導人史慎之把辛苦籌措的經費都用來捧藝人金彩飛。而圍繞著娼妓龐月梅、龐錦蓮身邊的鎮上保衛隊隊長張柳河、隊附陶祥雲與副團總方冉武之間，是多角關係兼亂倫、情色兼金錢的複雜關係。

而在情節安排上，共產黨讓娼妓龐錦蓮當革命婦女委員會委員長，逼良爲娼，命令方冉武娘子嫁給工人，並列名娼籍；又由方家大戶的姑娘、少奶奶群中挑選組織了婦女工作隊，去滿足旋風縱隊隊員的色慾的需求。

㈢諷謔、冷冽、客觀、樸實的筆法

《旋風》的寫作，採取諷謔、冷冽、客觀、樸實的筆法。一些令人緊張刺激的場面，常是直接描述，言語動作之外，不太做細緻的心理描繪。也許在人物刻畫上略嫌不夠深刻，但就鋪展波瀾起伏、出人意表的情節來說，這樣的樸素文筆，卻反而能達到冷冽的諷謔效果。居易堂老太太因嫉恨而報復性地苛虐西門姨太太，西門姨太太「每天被罰跪在煙榻前」挨罵，她「把一個秤錘用麻繩吊在床門前，她時而用腳一勾，秤錘往外一悠，就正打在西門氏的腦袋上。她不能閃避。」因爲還有竹竿。老太太還用頭上的金簪子，西門姨太太「每天在跟前端茶送飯，她不定什麼時候，不定什麼地方，就是一簪子扎過來，臉上也好，身上也好，馬上就是一個半寸深的小窟窿，血跟著流出來。在冬天，她有時也用燒紅了的銅火筷燙她。」（頁一四七）這段文墨，直捷了當，全寫動作，壓縮得人喘不過氣，正是客觀筆法。方冉武新納了曹小娟，答應太太打發掉娼門出身的白玉簪，白要求賠償金三萬塊錢，由許大海護送她進縣城。許大海空著隻手跟著騾車走，白玉簪不忍心，讓他跨在車沿上坐，一路與趕車的三人說說笑笑。接著這樣描寫：

約摸走到一半路上，許大海忽然翻身過來，將一條活套扣的繩子，很熟練地套到了白玉簪的頸子上。出於意外，白玉簪猝不及防，許大海用力一拉，祇一會兒，白玉簪的生命就結束了。許大海用被子把她的屍體蓋得嚴嚴的，拉下車門簾兒來，也壓得嚴嚴的。他和那趕車的對視一笑，兩個人一邊一個，跨在車沿上，轉個方向，車子就不進城了。（頁一九一）

文筆簡潔至極，人物動作一個接一個，事出突然，讀者驚心。事實是許大海謀財害命，簡直是強盜的行徑，早有預謀，得意非凡，是共產黨的手段之一。

其他像董銀明的父親誘殺好色的共產黨領導人史慎之，邢二虎設陷捕捉方二樓，也都是明快、冷冽的筆法。

五、《旋風》的主題

《旋風》的時代背景是五四前後直到太平洋戰爭之前，約為二十年；故事大部發生在山東方鎮，大約在T城（濟南）與C島（青島）之間的鄉鎮。主題在於探討共產主義如何興起，檢討引誘人們參加共產黨的因素⑯，共產黨何以會得勢⑰。以知識分子方祥千熱中共產主義改革爲主線，同時鋪論方鎭大家族衰亡的命運，暴露出政治的黑暗與混亂。

方祥千相信共產主義是値得試驗的好主張，鼓勵子侄研習共產主義，派侄兒去俄國接受訓練，女兒去延安學習。結合侄兒方培蘭，以江湖義氣爲資本，採取綠林政策，勾結軍閥轄管的官兵和日本駐屯軍，發展成土共集團。方培蘭做旋風縱隊司令，方祥千當縱隊政委。國民黨清黨後，他們隱藏起來；抗戰時，乘機復起，組織非法政府，勾結日軍，驅逐國軍。共產黨的「省政府」在山區成立，派了省委代表來，祥千叔侄的權力被剝奪。後來祥千被兒子清算，培蘭被徒弟背叛，一起被鬥爭，押往一個地窖，面對死亡。

胡適肯定《旋風》具有接近史詩的氣勢，可惜書中沒有豪邁悲壯人物和見識，因此缺少磅礴的詩意⑱。書中唯一光明磊落的豪邁悲壯人物，是方二樓，他是地方上的江湖領袖，可惜有個不肖弟弟光斗在外破壞名聲，還被邢二虎算計，血淋淋小刀扎在腿肚上，押往縣裏，然後誣陷殺害。兒子方培蘭後來也擁有綠林勢力，雖然講義氣，但是非不明，善惡不分。追捕邢二虎，爲父報仇，寫得緊湊精彩，但重用惡性重大的許大海，最後被出賣；跟著方祥千爲共產黨擴充勢力，最後以悲劇收場。

方祥千其實是個有理想、肯犧牲的改革派，只不過天眞地把理想寄托在共產主義上，似乎是失算了；而他處事往往不擇手段，失去知識子的理性與良知，就使他行事卑下，不被同情。他所接觸的大家族社會暴露了傳統制度中的種種問題，如：大家族婢妾制度，構成婚姻不幸，變態報復心理使得居易堂方老太太毒虐西門姨姨太，同時縱寵年輕漂亮的男僕；宗法觀念嚴明的嫡庶之分，使養德堂的方八姑苛待自己的生母謝姨奶奶；森嚴的家規與冷峻的繼母繼女關係，使秀才娘子虐死前妻所生的女兒。這些問題的存在加強方祥千追逐共產主義的勇氣，無奈，這並不是共產主義變革得了的，姜貴在《旋風》裏明確地揭示了這個道理。

方鎭大家族的子弟，由於方祥千的政治狂熱，多少被牽扯入政治風暴圈中。天艾是烈士遺孤，被安排去C島國民黨辦的學校臥底，他就投了國民黨；共產黨得勢之後他後悔脫黨，田元初看在幼少時期的交情，指點他走娼妓龐月梅、錦蓮的門路，結果拜龐月梅爲母，顯赫一時，這是起伏最大的一位。天芷被推薦接受中學祕書之職；居所成爲共產黨祕密集會之所；他逃避，不惜出家；秀才娘子爲寶貝兒子在祥千面前哭鬧，終究異母哥哥勸回之後，有機會當校長，又暗戀女學生張繡裙。祥千爲籠絡張督軍治下的營長康子健，做主把天芷妹妹其菱「下」嫁，天芷的交換條件，是得讓他娶張繡裙爲妾。此中方祥千爲自我的政治憧憬，不惜留存舊社會蓄妾的陋習，而且不顧張繡裙的意願。於是，姜貴安排事件的爆發點：書中共產黨代表性的惡質人物許大海早已與張繡裙戀愛，如今所愛者被橫奪，惡人豈能吞忍，最後許大海背叛祥千和培蘭，一者兩人已被架空，再者這個痼結非發作不可，姜貴情節安排令人驚心動魄，卻是自有條理可尋，而且許、張的戀情也自有它感人之處。曲折而又複雜的人性折射，在小說的寫作上算是優點。從這個角度來說，方八姑代表國民黨的堅貞派，但她的迂腐、絕情、冷漠，顯現出來的個性僵化刻板，並不可愛。程時這國民黨員搖擺投機，張嘉這號人物則是好色其裏，外表則牽扯政治，逢迎拍馬，幾度擺盪。姜貴對國民黨系的人物，並未稍加美化，由此見出混亂時期的狀況，今日看來，未始不是某種程度的寫實，也有相當的藝術效果，在五〇年代《旋風》的出版卻因此遭遇困局。

書中與大家族的衰敗相對應的是龐月梅、龐錦蓮母女開娼館，越做越盛。居易堂不肖子弟方冉武的田產全部轉到她們手中，由於龐錦蓮只想要田產，並不願意嫁為婢妾（做妾遠不如做娼妓自由，而且她眞心所愛是陶祥雲），她們假手陶祥雲殺掉方冉武。龐月梅吸鴉片，她們販毒，與政治人物關係密切，而且是跟著新興勢力揚長得意，舉凡地方團隊的張柳河、陶祥雲，日本軍方的山本次郎，共產黨的省委代表及田元初都跟她們有關係，而且是到迷戀、受她們左右的地步。龐錦蓮愛陶祥雲，陶祥雲卻畸戀龐月梅，被中意月梅的張柳河殺了，龐錦蓮又為陶祥雲殺了張柳河。這公案被糊塗的韓青天糊塗斷了：所有原告、被告全部槍斃，方祥千與培蘭卻私下釋放母女二人，以待後用。龐錦蓮後來還做了革命婦女委員會委員長，倒過來逼著方冉武娘子下嫁工人陶補雲，列名娼籍。方冉武娘子最後屈服於龐氏母女的淫威，侍候她們，跟著她們操起皮肉生涯。一個高貴的賢德美婦，被逼迫陷入最卑屈、毫無人性尊嚴的苟且生活，冷冽之筆，令人不寒而慄。這個角色的遭遇最能顯現共產社會控御手段之可怕。

五、《旋風》的人物：

《旋風》中的人物衆多，前文論述中，已經稍微談論到一些人物的事跡，這裏我們選擇一些重要而突出的人物來分析：

㈠天真的理想派：方祥千、方培蘭

主角方祥千熱衷於政治改革，祕密從事政治活動，確信共產是最理想的政治主張。他略知俄國有十月革命，但並不了解實際情況。一些理念都來自《資本論入門》，他把共產比附爲大同理想。他以播種者、奠基者自居，主持「馬克斯主義研究會」，成員中，除了尹盡美不顧病體，赴俄學習，鞠躬盡瘁，其他人，如符合共產黨要求的工人出身的汪大泉、二泉兄弟都向國民政府自首。他派往俄國的金童玉女，天茂回國就向政府投誠，其蕙成爲托派，到南方去的天艾成了國民革命軍人。天茂直率點出他的作法不合實際。

方祥千爲了達成政治改革的目的，把方家子弟都牽扯進來，爲了所謂黨的發展，不擇手段，不覺間殘餘的一點儒生氣質也消磨殆盡，他變成十足的陰謀家。安排姪女其菱嫁給小軍官康子健，爲的是收攏督軍手下的那個小營隊；爲了黨的利益，他也吸收方培蘭的地方勢力。培蘭表現得更爲盲從，一味只是追隨六叔，再無是非。以團隊名義搜刮來的資財，他個人並不多取，全交給許大海管理，變成一筆爛帳。後來，許大海與田元初取代叔侄倆的職位，方祥千被兒子清算，培蘭被徒弟鬥爭，末路途窮，眞是不堪回首。

㈡共產黨本質人物：許大海、史愼之、省委代表、康小八、陶祥雲、田元初

《旋風》的人物多數是負面的，共產黨本質人物又是負面的負面。

許大海這個人物，作者由童年的行爲描繪來呈現他的驃悍凶狠：他拔邢二虎的柳樹被抽屁股，懷恨在心，協助方培蘭誘殺邢二虎；方培蘭挖邢二虎的心祭奠亡父，他居然把心生吃了。方培蘭領他回家，收爲徒弟，扶養長大。他借保護之名，殺白玉簪，吞沒金錢；他保管營團的錢財，常是自由心證。後來他成爲鬥爭高手，揑造罪名，隨心所欲，置人於死；又刨掘墳墓，掠奪殉葬的珠寶，終究賣師求榮，方培蘭算是栽在他的手裏。

史愼之用盡手段榨取小組成員的奉獻，卻心安理得地把基金揮霍在女戲子身上。因爲訛詐董銀明父親的錢財，反被算計，被軍法處以持槍行劫銀號的罪名砍了頭。省委代表一到方鎭，就迷上小狐狸龐月梅，很多決策難免受龐氏母女的影響。他辦事全憑興緻，曾下令殺盡方鎭的醫生，燒毀中藥，不料自己生病，龐月梅推薦方祥千的弟弟珍千，這憑一本《傷寒論》治病的蒙古大夫竟僥倖醫好大人物。這兩層諷刺之外，龐月梅一再說明方珍千的墮胎藥有效，省委代表大加獎勵，由此可見共產黨統治之下，省委代表辦事如何地荒唐，男女關係如何地混亂。省委代表要支隊長康子健克制小資產階級的弱點，認爲他不該爲丈母娘求情，最後還因此槍斃了康子健和方其菱夫妻。

康小八前文已提及，不再贅述。他的刻畫只是情節梗概，人物描摹平面鋪寫；陶祥雲則從在居易堂觸摸方冉武娘子的繡花鞋寫起，寫出人物內在的貪念，運用了戀物癖來加強鮮明的形象。他周旋在龐氏母女之間，享盡風流，爲龐氏母女，也不惜殺人，即使是舊東家，即使是龐錦蓮理虧，他可以贊同，拿了人家的巨款，卻又賴婚，賴婚也罷，乾脆把人殺了。他曾經和弟弟補雲投入綠林，又接受招安，做了地方團隊的隊附。他有龐錦蓮的專寵，卻又暗戀龐月梅，眉來眼去，使熱愛龐月梅的隊長張柳河大爲不滿，張殺了陶，錦蓮又殺了張。陶父鳳魁約了張媽媽及居易堂的家僕進喜出面向韓青天告狀，指控龐家母女殺害三家三條人命。結果極爲諷刺的，韓青天下令原告被告全部槍斃。龐氏母女被方祥千叔侄私下釋放，藏匿起來，以待後用。

㈢糊塗敗家子：方珍千、方冉武

方珍千是方祥千的胞弟，天茂的父親。他是中學教員，也是有名的國醫。姜貴用諷謔之筆寫他的醫道：「常常開出奇奇怪怪的方子，治好奇奇怪怪的病；也常開出奇奇怪怪的方子，治壞不奇不怪的病。」（頁九五）養德堂的謝姨奶奶並沒什麼大病，只不過依賴藥物過慣日子，曾鴻不在，請來方珍千，他就把人給醫死了。他憑一本《傷寒論》就想治病，跟祥千憑一本《資本論入門》就想治國，同樣是幼稚可笑的，良醫、良相哪是這個樣子？姜貴諷刺的立意很明顯⑲。他相信命運，大都順從祥千辦事，不論是非對錯，反正命中該這麼著。

方冉武在小說中，雖然做了鎮上保衛團的副團總，但未曾寫他在保衛鄉土有些什麼作爲；他既無理家的才幹，只一勁把偌大產業都變賣殆盡，絲毫不知愛惜，爲了急用，可以折價，他根本不知自己還有多少田產可以揮霍。他好色，見異思遷，不斷置妾。他有了曹小娟，願意打發白玉簪走，還得履行合同，花三萬塊錢送走由娼門娶來的小老婆。他「凡事不去多想它，混混過日子。」（頁一八八）結果是再花更多的金錢買龐錦蓮，連帶丟了性命。

其他像方金閣、方通三，在地方上是有名望的鄉紳，但金閣抽鴉片，黑吃黑；通三迂腐、投機，事實也並不「成材」。

㈣沈溺的媒介：1、娼婦：龐月梅、龐錦蓮、孟四姐、白玉簪

2、藝人：金彩飛

3、女學生：張繡裙、趙蓮

《旋風》中的娼門與世家對照書寫，娼門興盛正和世家沒落對應。她們周旋於富紳豪門與政治新貴之間，只圖自家賺錢，不顧道德風俗，不管世事國事。

龐月梅與龐錦蓮母女開娼館，賣白粉，她們自有一套處世歪理，不僅富家主僕和軍中大小官卒，許多政治人物都與她們關係密切，已見於前文，當然可想而知的，在娼門出入的還包含各色各樣、身分高高低低的人物。孟四姐在方鎮是下等的暗門子，龐氏母女則是有錢有勢的「名花」，根本不能比。但她跟國民黨的縣長程時手下的鄭祕書關係非比尋常，曾爲方珍千的誤診官司一案盡過力；後來情勢逆轉，程時做了日本軍的縣知事，日本人不把他看在眼裏，現在她來爲程時走門路了，想接洽投誠旋風縱隊，方培蘭指點她走龐氏母女的門路，先找陶補雲。她和他是老相好，陶補雲再把話託老婆——成了第三朵名花的方冉武娘子，就蒙「召見」送禮，事情也就成了。孟四姐爲了鄭祕書，順便請身爲革命婦女委員會委員長的龐錦蓮批准她跟劉斗子離婚；龐錦蓮准了，卻說：「一個女人家，自己的身

體，自由自在倒不好，要個漢子管著幹什麼？」（頁五二八）建議她幫自己的九妹做生意（也是暗娼吧？）才是。有些話很像當今女性主義者講究個人對身體的自主，而實際上「誨淫」的意義恐怕大一些。

白玉簪詳見前文。

藝人金彩飛的形象清新，不卑不亢，頗有分寸，寫來恰如其分。或許作者少年時期浪漫的戀情使得這個說書姑娘轉化的人物有個性、有內涵。史慎之對她不惜花大錢，而金錢卻是好不容易籌募得來的「公款」。已詳於前。

女學生張繡裙，先被方天芷看上，套住了做小妾，其實她與許大海彼此有情意。地主們被掃地出門之後，家中常被「卸底」──從牆壁裏、地磚下、頂篷上找到值錢的東西。張繡裙倡議掘墓，她從方天芷閒話中知道墓葬有金元寶、銀錁子、古玉，許大海付諸實行，引起一陣掘墓運動。後來他們雙雙告發方培蘭、方天芷。趙蓮則最初被已婚的國文老師──詩人張嘉誘逗談戀愛，後來去了延安；張嘉又與方祥千的女兒其蔓來往，延安文藝界剛好批判張嘉的詩是沒落地主的悲鳴，兩人就去了重慶。照其蕙的說法，年輕漂亮的趙蓮倒也不怕在延安沒有出路。

(五)擺盪的角色：1、頗有見地者：方天茂、方其蕙

2、方天艾、方天苡、方天芷、張嘉、程時

時局變化很大，書中不免出現一些觀望、揣測、擺盪的人物。被方祥千帶進政治漩渦中的方家年輕的一輩，像方天茂、方其蕙等都頗有見地，也有相當勇氣，固執己見，不為權勢所屈，顯見一點風

骨。方天茂幼年被送往俄國學習，回國後卻毅然投向國民黨，並且直率指出方祥千不切實際。應該是被期待的最純粹的革命者，居然如此，這當然有諷刺意味在。方祥千的女兒其蕙也被送去俄國，卻成了不合時宜的托派，先在江西「紅區」被捕，後來與托派丈夫離婚，方祥千仍主張她去陝北歷練，讓她帶了弟弟天苡、妹妹其蔓去延安。再回方鎮時，她拒絕做龐錦蓮的副手，不屑與娼婦共事。她告訴父親共產黨是殘酷的，不要寄望乾女兒藍平（影射江青）可能幫什麼忙。其蔓則與張嘉戀愛，轉赴重慶去了。

方天芷已詳於前。

張嘉本身是最典型的觀望、揣測、擺盪的人物。他隨著時局動盪，黨派順逆而隨時調整言行。方八姑一家是國民黨忠貞派，國民黨得勢時，他向八姑求婚，絕無情愛，八姑也不是什麼溫柔體貼的妻子；受趙蓮魅惑後，感覺共產黨勢力起來了，他乾脆帶了趙蓮去延安；跟其蔓戀愛，加上詩被批判，他又一大轉彎，再去大後方投國民黨。程時由國民黨，先投降日本軍閥，又投共產黨。

方天艾多次轉折，大起大落駭人聽聞，前文已敘及。方天苡由延安回方鎮，起初還有心為鄉親服務，後來被迫放棄對地主的同情，並且照上層指示，鬥爭父親。

㈥道德的淪喪：居易堂老太太虐待侍妾、縱寵家奴，秀才娘子逼死前妻所出之女，方八姑鄙視生母。方冉武娘子最後被迫操起皮肉生涯。這些都見於前文，不再重複。

1、性解放者：羅如珠

羅如珠原是大家閨秀，父親是國民黨黨員，死於黨內派系傾軋。她立意報復，在政治上一百八十度轉變，連帶道德觀也整體調換，她成爲急進的共產黨員，也成爲玩弄男人的噴火女郎。她曾經堅守貞操，抗拒張嘉，遭到武漢共產黨的批評；當抗戰初期，她回到方鎮，卻已是四度離婚，不僅自己性愛開放，還提議組織婦女慰勞隊，使方家大戶許多少奶奶、大姑娘被肆虐。道德倫常的崩離，一方面是儒學的大反動，一方面是共產黨安撫黨員的手段。而羅如珠這個形象轉折相當大，姜貴並未能在心理描摹上多作工夫，是有些可惜的。

2、封建大家族財產掠奪者：莊頭馮二爺、曾鴻、男寵家奴進寶、進喜。

居易堂的方冉武變賣田產，除了龐氏母女直接受惠以外，經手的管家馮二爺或多或少抽些回扣，獲得好處；單是最後聘小叫姑龐錦蓮，馮二爺的酬勞就是二十畝田。養德堂的曾鴻懂一點醫學，謝姨奶奶幾乎是病態心理依賴他開藥方過日子；後來他上鎮去看女兒，被兒童團團員盤查，即使有路條，是醫生，仍被看做大地主，又因省委代表討厭醫生這種「資產階級封建地主的幫閒走狗」，再加上有人指認他是養德堂的莊頭，「養德堂一家上上下下全是國民黨」，他和女兒一家全被關進自省堂。

方冉武夫妻曾經核算過居易堂的開銷，在兩大項目，一是方冉武用在嫖妓買妾上，一是老太太花費在籠絡男寵家奴進寶身上。夫妻倆設計處理了進寶，不料老太太另外寵愛進喜，變本加厲，進喜的邪惡還比進寶嚴重。西門姨奶奶被他騷擾而自殺，對少奶奶——方冉武娘子他也不規矩，韓媽說他是個禍根。

3、苟且度日的大家少奶奶：方冉武娘子

龐錦蓮用計殺害方冉武，後來做了革命婦女委員會委員長，倒過來逼著方冉武娘子下嫁工人陶補雲，他代替哥哥祥雲了遂年輕時迷戀少奶奶的舊夢，陶祥雲曾爲觸摸方冉武娘子的繡花鞋，惹來方冉武的責打。她被列名娼籍，而且無從選擇，得無條件接受任何嫖客（如：錦蓮都嫌骯髒的孟四姐的丈夫劉斗子）。這樣的諷謔，多少還有對方冉武娘子此一角色的痛惜。她像春秋時代的婦女一樣沒有自己的名字，原是賢德美婦，爲了讓丈夫打發走白玉簪，不惜另爲丈夫置妾，試圖藉此籠絡丈夫，固然不曾有過自覺，不曾爲村姑曹小娟設想，不過以她的教育背景來看，大約以爲這樣就是賢德了。令人奇怪的是，她後來讓韓媽把孩子帶回娘家，自己任憑龐氏母女折騰，卑屈侍候她們，成了娼門第三朵花，其實只是苟且度日，毫無人性尊嚴可言，此中姜貴絲毫未做心理分析，冷冽之筆，令人不寒而慄。

4、為籠絡妻舅，訛人無償嫁女為妾的小隊長：康子健

康子健其人在《旋風》中頗見性情，可是一直都被人利用。方祥千爲收他的小隊人馬，破除門第觀念，把姪女其菱嫁給他；他爲交換條件，訛詐、恐嚇曹老頭勉強同意無償把女兒小娟給方冉武做妾。然而他也眞心實意做了好丈夫、好女婿，時局變了，丈母娘被送往退福堂，他天眞地要求保護，結果被指稱爲國特、反動，與其菱一起被槍斃。

(七)純良的靈魂：西門姨奶奶、曹老頭、小娟、韓媽、方二樓、方八姑這些人物，是少有的純良的靈魂，方八姑有些迂腐，不過擇善固執，仍有可貴之處；西門姨奶奶、方二樓篇幅不多，但形象鮮明，

前已敘及。韓媽在居易堂破敗之後，還出主意靠自己找出生路，做針線、結網子過生活。誠誠懇懇，永不離棄，她最後還承擔責任，把方冉武的兩個小兒子帶回娘子的娘家。這是傳統忠僕的形象，寫來非常動人。小梧莊的曹老頭相當有尊嚴，康子健起初看上曹小娟，曹老頭不肯隨便把女兒許給流徙不定的軍官；方冉武娘子全憑私心把小娟接來家中小住，算計了讓她做妾，目的在籠絡丈夫，表面上看似乎進入富貴家庭，可以享受榮華，事實上很快方冉武還是花錢買龐錦蓮，並且丟了性命。曹老頭是被脅迫才無奈地同意讓女兒做方冉武的小妾。在共產黨治下，居易堂破敗，老太太、少奶奶、韓媽跟她絕糧幾乎餓死，幸好曹媽媽找來，老太太恩准她回鄉下去，純良的小娟，臨別依依，把一雙方冉武留下牙印子的繡花鞋留了下來。

(八)拘執的悲劇：董銀明

董銀明的形象平凡而很有眞實感。他曾要求方祥千對所謂共產主義多做說明，顯然他並非完全迷糊。初期的活動經費大致全靠他從家中想辦法，他騙取母親的珠寶，卻害老媽子因受猜疑而自殺；這些錢又徒然提供了共幹史愼之聲色追逐的揮霍。董銀明一心爲窮人，認爲父親的金錢不過得自爲官時對百姓的搜刮。他那精明的父親對他一再疏導，他都不肯自首；他索取手槍防身，卻意外走火殺了父親。這個事件被媒體渲染爲翁媳畸戀，導致兒子妒殺父親，大逆倫常。董銀明鋃鐺入獄，自恨不是由於政治抱負，而是背負冤罪。母親的多疑與不自信，是初傳緋聞的始作俑者，她傾家蕩產，打點訴訟，兒子仍被判十五年徒刑，自己則餓死在破廟，所幸兒子在獄中已經由被剝削者逐漸熬成了龍頭。除了共產黨的發展之外，姜貴在此也指斥了吏治的黑暗，可以說跟韓青天糊塗斷案草菅人命互為註腳。而方二樓被誣陷，董銀明的獄友十九號因為不明包裹而背上謀財害命的罪名，也都突顯了吏治黑暗。

董銀明頗固執於自己的原則。工人出身的汪氏兄弟自首之前曾約董銀明，勸說不成，便唱機會主義，主張分押求勝，互相掩護，董銀明不為所動。他度過流亡的顛沛生活，面對父親的誘導，仍有解說：

我並不一定非幹共產黨不可，共產黨的許多作法，都和我的理想不合。但現在正是共產黨失勢倒楣的時候，在這個時候叫我脫離共產黨，有失做人之道，我是萬萬不肯的。（頁三七六）

持有這樣的定見，明明知道可能誤入歧途，為了拘泥為人之道，寧願繼續錯誤下去。乍看頗令人敬佩，細想不免意氣，欠缺圓融的智慧。

(九)江湖人物：幫會中的董銀明之父、史慎之與囚牢中董銀明的獄友

《旋風》中的方二樓、方培蘭父子因為武館及團隊的關係，沾染一些江湖氣。陶祥雲、補雲兄弟曾投入綠林，又接受招安。除此之外，董銀明之父初次接見史慎之，即使在手槍脅迫之下，還從容地擺出幫會的手勢，彼此應對，認了同參。後來在史慎之取款的時侯，董銀明的父親讓軍政執法處處長以「持槍行劫銀號」的罪名拘捕了史慎之，史慎之還辯解說：「我和老董是同參弟兄，我是來向他告幫，借幾個錢用的，並不是行劫。」（頁七一）

董銀明的獄友十九號冤枉被判無期徒刑，憑著體育健將的身手，在囚牢打出一片天下，對同牢的

因犯頤指氣使，而獄卒也買他的帳，呼風喚雨，無所不得，簡直是土皇帝一般。他自己說是亡命之徒，「打起架來，捨生忘死，唯恐這條命送不掉。」（頁四〇九）他一身江湖氣，自己說是命運的安排，姜貴藉這位獄中龍頭之口告訴我們：「監獄只能製造問題，而不能解決問題。政治上了軌道，一定政簡刑清。什麼時候監獄塞滿了，甚至塞不下了，天下也一定是亂了。」（頁四一〇）姜貴沒有明講的是，像董銀明和十九號這樣被冤枉的人還不知有多少，叫他們怎能平心靜氣地待在監牢裏呢？

七、民俗文化與人情

《旋風》的出色，還在於能透過情節、人物自然呈現了當代的民俗文化與複雜的人情事理。居易堂準備過年的細節描寫，如何從臘八開始，做大小饅頭、各樣包子、年糕，裝滿四五十大甕；整鍋燒出來的豬和雞，用大瓦盆倒扣在背陽的陰地裏。如何辭灶、拜灶王爺、請灶馬；寫對聯如何研墨：「把上好的徽墨，砸碎，連同碎細瓷片，一同倒在粗瓷瓶裏，加上水，塞住瓶口，抓在手裏儘量地搖，至溶化為純細的墨汁為止。寫的時候，倒在碗裏，隔水燉熱，才揮灑自如。」（頁一六五）在姜貴的筆下，大戶人家年景如在目前。而祭祖的程序，祭品包括豬頭全雞全魚（二十斤重的湖魚）、每個三斤重的饅頭三堆十五個；如何辭歲，如何發紙馬，這些描繪很自然地反映了當代山東諸城相州的民俗文化。

姜貴為讀者揭示諸多變局亂象，其中又有不少複雜的因緣。姜貴似乎也不完全否定舊社會的人倫人情。在烈士遺孤方天艾拜認龐月梅爲母之前，先寫他探訪鄉野老婆婆，詢問母親被鬥爭清算而餓死的狀況，詢問母親屍骨埋葬何處？描寫方天苡鬥爭父親方祥千之前，也先寫他身爲反動地主委員長，一心要公平制定一些條例、章則，意思是舊地主有罪無罪、反動不反動是有分別的，嚴重不嚴重也是有區分的。姜貴的弦外之音是，兩人都是良知未泯，而終究被殘酷的現實逼迫走上厚顏、絕情的道路。方冉武娘子的下場，亦當做如是觀。

姜貴以小人物——如小梧莊的曹老頭、秀才娘子家看管祖塋的張金、方天艾探訪的分得一塊地皮的王家老婆婆——對地主的感恩與同情，反襯共產黨人強調的鬥爭意識與階級仇恨未必存在。泥水匠陶鳳魁帶領陶祥雲、補雲兄弟，到很多方家大戶，穿門入室，修葺屋宇；後來兄弟二人投入綠林，大戶人家無不驚惶，但他們始終不曾侵犯一些昔日的客戶，後來也重賄方金閣，做了地方保衛隊的隊附，陶鳳魁因此得到許多大戶格外的尊重。這之間，留存了傳統舊道德的淳美，是《旋風》灰暗中的亮色。

其次，方冉武、張柳河、陶祥雲三條命案，不論是非曲直、有罪無罪、原告與被告，韓青天一律槍斃，固然是一大諷刺，政治黑暗不言自明；而眞正比較可能有嫌疑的被告龐氏母女獨獨逃過死劫，則又具荒謬情節的嘲謔意義。

姜貴運用多面多角的描摹，曲折婉轉地呈顯複雜環境中人物的複雜心理。

陶祥雲偷偷觸摸方冉武娘子的繡花鞋，後來又捨龐錦蓮而畸戀比他年紀大了許多的龐月梅，可以從戀物癖、戀母情結上去細加品味。居易堂老太太寵愛年輕的家奴（必然是伶俐漂亮的）、苛虐曾經受寵的西門姨太太，養德堂的謝姨奶奶倚賴懂醫理的管家把脈，都可以從人類的補償心理去理解。此外，被秀才娘子虐死的前妻之女方二姐，高陽認爲可以從性苦悶來看⑳；其實繼母猜忌自私、刻毒小氣、傳統大家庭制度重男輕女，使得方二姐能幹反而被利用、遲遲不肯讓她出嫁。她心情不好，沒有歡容，就要被繼母漫罵一些不堪入耳的涉及淑女尊嚴的穢語，於是造成方二姐忍受不了而上吊自殺。這悲劇嚴格說，倒也未必是秀才娘子如何不可饒恕之惡，方二姐如何性苦悶，而是對喪母的女孩，大家庭沒能提供更好的希望和出路。這些種種微妙因素，在方祥千看來，便是非藉共產黨改革不可的可惡舊社會的弊病了。

八、結　論

姜貴在出版《旋風》之前，曾出版過長篇《迷惘》、中篇《突圍》。一九五一年開始撰寫《旋風》，一九五七年自印出版時，因坊間有同名的小說，而改名爲《今檮杌傳》，還嘗試配上章回體小說的對仗回目，這些手法多少受了些傳統小說的影響，一九五九年重新出版，才消去回目。檮杌，從神話來看，《山海經·神異經》說：「西方荒中有獸焉，其狀如虎而大，毛長二尺，人面虎足，豬口牙，尾長一丈八尺，攪亂荒中，名檮杌。」這是駭人的怪獸。以歷史記載來說，多少保留一些神話色彩的《史記·五帝本紀》說：「顓頊氏有不才子，不可教訓，不知話言，天下謂之檮杌。」這是不受教、不成材的惡人。姜貴把小說取名「檮杌」，大約意思指亂局中的人物是怪獸，是惡人，便有晚清譴責小說的立意了。

《旋風》雖被列選爲「經典」，普遍受到學者重視，我們不一定非把它尊奉爲完美的經典不可，但它無疑仍是五〇年代的相當傑出小說，並不宜單以書寫惡人的惡質來理解，而應當從小說創作的多種藝術成就去觀察。本論文由《旋風》之所以成爲經典說起，對照作者的生平經驗，顯現它配合五〇年代大環境的反共意識，探究主題與寫作的特色，把書中的人物略作分類討論，最後從小說中再整理出所反映的民俗文化與人情事理。在論述的過程中，偶然也連帶再把寫作的技巧略作分析。希望藉此把姜貴的「經典」小說《旋風》做一番整體的檢視。

【附　註】

① 姜貴的《懷袖書》題記說：「《旋風》於四十一年一月間寫成，六年之間遭受書店、雜誌、日報及其他方面的退稿，先後不下數十次。像生下了一個不長進的孩子，爲我招來許多無謂的煩惱。」見《旋風》頁五九五附錄。

② 見齊邦媛〈《旋風》中的繡花鞋〉，《中國時報・人間副刊》，一九九九・十二・五

③ 王德威〈蒼苔黃葉地，日暮多旋風——論姜貴《旋風》〉，見《臺灣文學經典研討會論文集》，聯經出版社，一九九九。

④ 應鳳凰編作者生平，見《旋風》頁五八八，九歌出版社，一九九九。

⑤ 《今檮杌傳》自序，見《旋風》頁十，九歌出版社，一九九九。

⑥ 參〈姜貴自傳〉，見應鳳凰編《姜貴的小說續編》頁二〇三-二三〇附錄一，九歌出版社，一九八七。
⑦ 仝⑥。
⑧ 王德威《如何現代，怎樣文學》頁一五六〈一種逝去的文學——反共小說新論〉：「反共小說是一種意識形態文學，也同時是一種傷痕見證文學。」一九九八・十
⑨ 見〈護國寺的燕子〉，《書評書目》四十九期頁八，一九七六・五。
⑩ 《旋風》頁五一一提及地主們不分男女老幼，集中住進「退福堂」，其實就是飢餓堂，飢餓而死。
⑪ 見姜貴《旋風》序。仝⑤，頁十一。
⑫ 蔣夢麟認爲可以算一部《新水滸傳》。見《旋風》頁五八〇，蔣氏致姜貴函。
⑬ 高陽〈《旋風》・姜貴・我〉，《懷袖書》頁一三七，春雨樓，一九五九。
⑭ 見《中國小說史略》頁二九八，第二十八章「清末之譴責小說」。明倫出版社，一九六九・五。
⑮ 仝③。
⑯ 參閱陳森譯 Timothy A・Ross〈論姜貴小說的主題〉，《書評書目》第十四期，一九七四・六。
⑰ 參閱高陽〈旋風的研究〉，《文學雜誌》第六卷第六期頁一八，一九五九・八・二〇
⑱ 仝②。
⑲ 仝⑰頁三九。高陽認爲：良醫良相是「非常巧妙的隱喩。」
⑳ 仝⑰頁三一。

「圖騰詮釋」在古史神話上的運用

淡江大學中文系教授 傅錫壬

前言

解釋神話的的方法很多，往往因學域的不同，就創立一種新的說法，我曾將本土學者比較常用的一些神話理論加以整理，約略有㈠想像說㈡解釋說㈢信仰說㈣自然現象說㈤史談說㈥寓意說㈦語言訛誤說㈧潛意識說㈨圖騰說㈩外來文化說⑪幽浮說等十餘種①。而本文則專注於以「圖騰（totem）」與神話的關係爲基礎，對夏、商、周三代古史中的若干神話成分加以解析，發現它實際上只是一種圖騰崇拜的記載而已。

一、神話思維

人類的一切活動，包括藝術、文學、哲學等創作性的行爲，概括的說，都是思維的活動。而思維實際上也隨著時代或社會的演變而在不斷的變易。趙仲牧②把思維分成幾種類型。他以爲我們處理日常生活的種種事與物時，是運用「混合思維」，在計量時是運用「運算思維」，在思辨時是運用「分析思維」，在體悟時是運用「直覺思維」，在審美時是運用「藝術思維」，而最原始的思維模式，或原始初民的思維，則可稱之爲「神話思維」。若反向思考，我們也可以說：「神話是一種原始思維」。那麼「原始思維」與其他的思維究竟有何不同？趙氏更依據人類學家與心理學家的研究分析，列出幾個重點：

㈠闡釋性職能與表現性職能合一
㈡主體與客體不分
㈢心（情意）與物（形象）不分
㈣虛（想像）與實（物）不分
㈤心向物投射，物在心中幻化
㈥因社會不同而改變

說得更簡明一點，前五項是在強調「原始思維」中，物與我是混淆而不易劃分的；「表現性職能」是人類具象存在的行爲，而「闡釋性職能」則是根據經驗與推理法則而得的未然行爲。主體是我，而客體是物。至於情意與想像都是主體的思維活動，而形象與實物又是客體的存在。二者之所以會混淆，正是「心向物投射，物在心中幻化」的結果。而第六項則是說明這種主客體的混淆，不是一成不變的，它會因社會的結構不同而改變。明乎此，就比較容易去體會，我們的祖先何以會產生神話。

二、圖騰（ToTem）崇拜

在神話思維中，「圖騰崇拜」正是在原始思維下所產生的概念。學術界以爲「圖騰」一辭最早記錄於十八世紀末之文獻。英國商人J.朗格（Joun Lang）③介紹了印第安人的圖騰信仰。爲了記述印第安人相信人與動物存在血緣關係的信仰而首先使用了這一詞彙。Totem爲阿爾袞琴（Algonkin）部族方言，又可稱Ot-otem或Ot-otam意即「他的親族」。」

岑家梧④承襲其說，以爲它是從北美奧日貝（Ojibways）人的土語轉化而來，意謂：「彼之血族」、「種族」、「家庭」之意。

中國最早介紹和研究圖騰文化的學者爲嚴復，他在一九〇三年翻譯英國學者甄克斯的〈社會通詮〉一書時，首先把Totem一詞譯成圖騰，遂成中國學術界的通用譯名。嚴復在按語中指出：「圖騰是群體的標誌，旨在於區分群體。」我國早期的歷史學家，如傅斯年、徐旭生、孫作雲都贊成此說。而徐亮之在〈中國史前史話〉一書中運用得最爲透闢。他以爲這種圖騰信仰原起於人類的心理因素。即如安得烈・蘭氏所謂之「魔術的迷信」。他說：「初民相信人是由某些自然存在的動物中來的。所以遭遇極度驚懼時，人可以變成野獸，也可以變成植物來趨避危險。」而徐旭生有〈我國古代部族三集團考〉，孫作雲有〈中國古代鳥氏族諸酋長考〉、〈后羿傳說叢考……夏時蛇鳥豬鼈四部族之鬥爭〉以及傅斯年的〈夷夏東西說〉等都是運用圖騰以解析上古史的重要著作。

何星亮在翻譯蘇聯學者A.E海通〈圖騰崇拜〉一書時則說：「圖騰崇拜是初生氏族的宗教，它表現在相信氏族起源於一個神幻的祖先半人半獸、半人半植物或無生物，或具有化身能力的人、動物或植物。氏族以圖騰動物、植物或無生物命名，相信圖騰能夠化身爲氏族成員或者相反。氏族成員以各種形式表示對圖騰的崇敬，對圖騰動物和植物等實行部分或完全的禁忌。

他繼而在《中國圖騰文化》一書中將圖騰文化的發展分成三個階段：

㈠圖騰是作爲親戚的某種物象

㈡圖騰是作爲祖先的某種物象

㈢圖騰是作爲保護神的某種物象

圖騰解說即如上述，但由於研究學域的不同，對圖騰研究的著重點也往往各異，諸如人類學家或民族學家，他們著重在研究「圖騰主義」，以探討「社會組織」與「原始宗教」。而社會學家則比較偏重「圖騰制度」中「氏族組織」或「氏族婚姻」、「社會結構」、「圖騰轉變」、「圖騰綜合」等的研究。宗教學家、神話學家則又比較重視「圖騰崇拜」，其中包括圖騰儀式（入社儀式、繁殖儀式、祭祖儀式）、圖騰犧牲、圖騰勝地、圖騰轉化等。

三、圖騰詮釋

㈠鯀禹治水 何聽何從

鯀與禹的治水是夏代歷史上的大事。正史之記載最早見於《尚書 堯典》：

「帝曰：咨四岳，湯湯洪水方割，蕩蕩懷山襄陵，浩浩滔天，下民其咨，有能俾乂？僉曰：於！鯀哉。帝曰：吁！咈哉。方命圮族。岳曰：异哉。誠可，乃已。帝曰：往欽哉。九載積用弗成。」顯然鯀的治水是得力於四岳的保薦，結果花了九年工夫也未見成效。所以《尚書 舜典》說：「流共工于幽州，放驩兜于崇山，竄三苗于三危，殛鯀于羽山四罪而天下咸服。」更把鯀目為四凶之一，殛殺在羽山，才又改用禹來治水。《尚書 益稷》上說：「予乘四載，隨山刋木」，禹用了四年的時間，採開鑿河道的方法而成功。⑤基本上這些敘述都是歷史。但也有一些載籍卻把他們增飾上神話的色彩。如：

1. 左傳昭公七年：「昔堯殛鯀于羽山，其神化為黃熊以入於羽淵，實為夏郊，三代祀之。」

2. 郭璞引開筮：「鯀死三歲不腐，剖之以吳刀，化為黃龍也。」

3. 王嘉拾遺記：「堯命夏鯀治水，九載無績。鯀自沉於羽淵，化為玄魚。」

4. 史記正義引帝王世紀：「父鯀，妻脩己，見流星貫昴，夢接意感。又呑神珠薏苡，坼胸而生禹，名文命，字密。身長尺二寸。本西夷人也。」（亦見《繹史卷十一引》）

5. 揚雄蜀王本紀：「禹本汶山郡，廣柔縣人。生於石紐，其地名痢兒畔。禹母呑珠孕禹，坼腹而生於塗山」（亦見太平御覽卷八十二引）

6. 吳氏春秋越王無余外傳：「鯀娶於有莘氏之女，名曰女嬉，年壯未孳，嬉於砥山得薏苡而呑之，意若為人所感，因而妊孕，剖脅而生高密，家於西羌，地名石紐，石紐在蜀四川也。」

7.繹史卷十引遁甲開山圖：「古有大禹，女媧十九代孫，壽三百六十歲，入九嶷山飛去。後三千六百歲，堯理天下，洪水既甚，人民墊溺，大禹念之，乃化生於石紐山泉。女狄暮（暮）汲水，得石子如珠，愛而吞之，有娠，十四月生子，及長，能知泉源，代父鯀理洪水。堯知其功，如古大禹知水源，乃賜號禹。」

8.天問：「鴟龜曳銜，鯀何聽焉？」。「伯禹腹鯀，夫何以變化？纂就前緒，遂成考功。何續初繼業，厥謀不同？……應龍何畫？河海何歷？鯀何所營？禹何所成？」

在這些材料裡具有神話成份的是(1)鯀身不死，能化爲「黃熊」、「黃龍」、「玄魚」等。(2)禹的母親脩已生禹是基於異象：或見「流星貫昴，夢接意感」、或是「吞神珠薏苡，坼胸而生禹」。(3)鯀、禹的治水成敗各有不同：一是「鴟龜曳銜」，一是「應龍何畫」。

這些現象如果用「圖騰詮釋」的理論，是可以解釋的。案《史記夏本紀》：「禹之父曰鯀，鯀之父曰帝顓頊。」而夏族的顓頊，如《史記五帝本紀》所云：「帝顓頊高陽者，黃帝之孫而昌意之子也。」則又是黃帝的後裔。黃帝號爲「有熊氏」，基本上他的圖騰應是「熊」，自然夏族的本位圖騰也應該是「熊」，所以當鯀在生命遇到外來刺激或生命遭受威脅之際，化爲「黃熊」，正是圖騰崇拜上可以理解的。《史記五帝本記》中說：「黃帝正妃（螺祖）生二子，其後皆有天下。其一曰玄囂，是爲青陽，青陽降居江水。其二曰昌意，降居若水。」〈索隱〉：「江水、若水皆在蜀。」所以當黃帝氏族傳續到玄囂與昌意時，勢力已經擴張到西南夷一帶。而西南夷一帶，本屬苗夷族的棲息之地，他的本位圖騰屬於「蛇」，而昌意更娶蛇圖騰氏族之女昌僕為妻⑥，這種現象在人類學上稱「外婚制」（exogamy）。可以推知黃帝一支，在蜀地定居之後，本位圖騰「熊」在婚制與兼併的融合下，已與「蛇」圖騰氏族整合而產生新的圖騰「龍」。所以〈大荒東經〉中敘黃帝與蚩尤、夸父大戰時，有「應龍」輔助。大概傳到顓頊之後裔鯀、禹之時，就已經以「龍」圖騰自居了。《國語鄭語》云：「夏之衰也，褒人之神化為二龍，以同（即交合）於王庭。」〈夏本紀〉云：「夏后氏德衰，諸侯叛之，天降龍二，有雌雄。」正是國家阽危時的圖騰顯聖。再就禹字的字形推測，秦公毁作[illegible]，疑即象二龍糾結之狀，《楚辭天問》中有「焉有虯龍，負熊以遊？」恐怕也是熊圖騰轉移為龍圖騰時留下的一些遺跡，所以鯀又能化身為「黃龍」。至於前文言鯀之妻為「修己」，從字義上看也就是「長蛇」。揚雄《蜀王紀》說：「禹本汶山郡廣柔縣人也，生於石紐。」石紐即在蜀。又禹姓「姒」，「姒」字從女從以，「以」即「已」字，也意謂禹為蛇圖騰之女子所生。一說：禹娶塗山女（〈天問〉：「焉得彼塗山女，而通之於台桑。」）《華陽國志》也說：「禹娶塗山，今江州塗山是也。」案江州即是巴縣，塗山在巴縣東。巴字也作蛇形，《說文》：「巴、蟲也。或曰食象它，象形。」《山海經海內南經》有「巴蛇食象，三歲而出其骨。」〈天問〉有「一蛇吞象，厥大何如？」也在在說明禹之時已具蛇圖騰之崇拜。

至於鯀、禹治水時的異象，如〈天問〉所言，「鴟龜曳銜，鯀何聽焉？」若也以圖騰信仰推測，則「鴟」「龜」皆為圖騰氏族，而蛇圖騰氏族之鯀竟聽取異族建議的治水之策，無怪乎會失敗。相反的，其子禹在治水時則是「應龍何畫？」作爲啓示，應龍若也以圖騰視之，則禹的成功正是得力於同族的幫助，所以屈原在〈天問〉有「伯禹腹鯀，夫何以變化？纂就前緒，遂成考功。何續初繼業，厥謀不同？……應龍何畫？河海何歷？鯀何所營？禹何所成？」的詰問，就顯得很合理了。

最後，鯀化爲「玄魚」的神話，於《山海經大荒北經》云：「有魚偏枯，名曰魚婦。顓頊死即復蘇，風道北來，天乃大水泉，蛇乃化爲魚，名曰魚婦。」則鯀的祖先顓頊已有「蛇」「魚」圖騰轉化的現象。而《莊子盜蹠》也有「禹偏枯」之說，則鯀化爲「玄魚」也與圖騰相關，加之，古史中的人名，如鯀之爲「玄」「魚」二字的組合，或許也就是圖騰氏族的遺跡。

(二)、羿焉彃日、常娥奔月

《左傳》襄公四年，晉魏絳引〈夏訓〉云：「昔有夏之方衰也，后羿自鉏（今河南境內）遷窮石，因夏民以代夏政。恃其射也，不修民事而淫於原獸，棄武伯、伯困、雄髡、龍圉而用寒浞。寒浞、伯明氏之讒子弟也，伯明后寒棄之，夷羿收之，信而使之以爲己相。浞行媚於內而施賂於外，愚弄其民，而虞羿於田，樹之詐慝，以取其國家，外內咸服。羿猶不悛，將歸自田，家眾殺而烹之，以食其子，其子不忍食諸，死於窮門。靡奔有鬲氏。浞因羿室生澆及豷，恃其讒慝詐僞而不德於民，使澆用師滅斟灌及斟尋氏。處澆於過，處豷於戈，靡自有鬲氏收二國之燼，以滅浞而立少康。少康滅澆於過，后杼滅豷於戈，有窮由是遂亡，失人故也。」這段記事，歷史學者謂之「少康中興」，其中所敘之羿，是一個恃其善射而不修民事的歷史人物。但羿究有幾人，載籍所言十分複雜：有帝嚳時羿：《說文》：

「羿、帝嚳射官。」有堯時羿，《淮南子本經》：「堯乃使羿誅鑿齒於疇華之野。」有舜時羿，《山海經海內經》：「帝俊（舜或嚳？）賜羿彤弓素矰，以扶下國。」有夏時羿，〈天問〉：「帝降夷羿，革孽夏民。胡射夫河伯而妻彼雒嬪？馮珧利決，封豨是射。」〈離騷〉：「羿淫游以佚田兮，又好射夫封狐。」《淮南子覽冥》：「羿請不死之藥於西王母，姮娥竊以奔月……。」其中夏時之羿則歷史與神話參半。若以圖騰以爲詮釋似可復原歷史的面目。案四位羿或同一氏族的分化，即如洪興祖《楚辭補注》引賈逵說：「羿之先祖，爲先王射官。帝嚳時有羿，堯時也有羿，羿是善射者之號。」而夏時有窮羿是興於東夷的鳥圖騰氏族，所以「羿」字從羽。《左傳》所謂：「因夏民以代夏政」、〈天問〉所謂：「帝降夷羿，革孽夏民。」正是代表東方鳥圖騰氏族的一次侵略龍、蛇氏族（夏）的勝利。當夷羿壯大之前，氏族間一定有過一次劇烈的內戰，所以〈天問〉有「羿焉彈日？烏焉解羽？」王逸注：「羿仰射十日，中其九日，日中九烏皆死，墮其羽翼。」《淮南子本經》有：「（羿）上射十日，下殺猰貐。」的記載。因爲鳥圖騰的氏族往往又是日圖騰，所以《淮南子精神》云：「日中有踆烏。」高誘注：「踆猶蹲也，謂三足烏。」日中有烏也見於楚帛。若然，則羿仰射十日的神話無非是氏族之間的征戰，「日」原是氏族的名稱，後人誤釋爲太陽。而且羿之善射，不僅射日，又堯時羿有所謂「禽封豨於桑林」並以嫦娥爲妻，夏時羿有所謂「又好射夫封狐」或「封豨是射」以及「射夫河伯而妻彼雒嬪」或純狐（左傳）等的傳說，其中「又好射夫封狐」之狐字，聞一多以爲係「豬」字以協韻⑦。雒嬪、純狐、嫦娥就文字的形、音、義看，應不是同一人之分化。雒嬪當是鼊（龜）圖騰氏族的女子，就《左傳》所言，寒浞佔有了羿之妻室後，與雒嬪生下澆，澆字爲五耗切，王逸注作奡⑧，與鼈字音同，而與純狐生下另一個兒子叫豷，豷是一歲的豬，當也是圖騰。至於嫦娥，《淮南子覽冥》有「羿請不死之藥於西王母，姮娥竊以奔月……」的神話。雖然嫦娥與月的關係從古有常儀之官的訛誤演變而來⑨。如果從圖騰角度觀察，嫦娥或也是月圖騰之氏族，爲鳥圖騰之羿所佔有，「奔月」之說，只是嫦娥趁其不備，竊不死之藥，逃歸本圖騰之氏族而已。

㈢天命玄鳥，降而生商

殷契的誕生事蹟，最早見於《詩經》的〈玄鳥〉與〈長發〉兩篇，〈玄鳥〉云：「天命玄鳥，降而生商，宅殷土芒芒。」又〈長發〉云：「有娀方將，帝立子生商。」由於文字較少，但已有神話的色彩。及至《楚辭天問》有「簡狄在台，嚳何宜？玄鳥致貽，女何喜？」的詰問，又〈離騷〉云：「望瑤台之偃蹇兮，見有娀之佚女……鳳凰既受詒兮，恐高辛之先我。」又〈九章思美人〉云：「高辛之靈盛兮，遭玄鳥而致詒。」除了衍生出玄鳥與鳳凰之不同外，也並無異說。《史記殷本紀》：「殷契母曰簡狄，有娀氏之女，爲帝嚳次妃。三人行浴，見玄鳥墮其卵，簡狄取吞之，因孕生契。」而漢王充《論衡》亦採此說法云：「契母簡狄浴于川，遇玄鳥墜其卵而吞之，遂生契焉。」迨及《拾遺記》云：「商之始也，由有神。簡狄游於桑野，見桑鳥遺卵於地，有五色文……簡狄拾之，貯以玉筐，覆以朱紱。夜夢神母謂之曰：『原懷此卵，即生聖子，以繼金德。』狄乃懷卵，一年而有娠，經十四月而生契。」又沈約注《竹書紀年》云：「初高辛氏之世妃簡狄，以春分玄鳥至之日，從帝祀郊禖，與其妹浴於玄丘之水。有玄鳥銜卵而墮之，五色甚好，二人竟取，覆以二筐，簡狄先得而吞之，遂孕。剖胸而生契。長爲堯司徒，成功於民，受封於商。」神話雖更爲濃厚，或增飾了一些材料，大體上還是出於同一系列的傳遞。

在這些載籍中有一共同故事：契是母親簡狄吞下玄鳥卵而生。神話學者謂之感生神話。如果從「圖騰詮釋」的角度觀之。契的父親是嚳，據《史記五帝本紀》索隱引皇甫謐說：「帝嚳名夋。」《初學記》引《帝王世紀》也說：「帝嚳生而神異，自言其名曰夋。」在《山海經》中較具神話性的則分見如下：

「大荒之中，有山名曰合虛，日月所出；有中容之國。帝俊生中容，中容人食獸木實，使四鳥；豹、虎、熊、羆。」（大荒東經）

「有司幽之國，帝俊生晏龍，晏龍生司幽，司幽生思士，不妻，思女，不夫。食黍，食壽。是使四鳥。」（大荒東經）

「有白民之國。帝俊生帝鴻，帝鴻生白民，白民銷姓。黍食。使四鳥；豹、虎、熊、羆。」（大荒東經）

《山海經》中的資料夋都作俊，其共同特性是「使四鳥」「黍食」。夋這個字甲骨文作[illegible]，對它的解釋有二，一以爲象猴子，一以爲象鳥。徐旭生就以爲是鳥，而懷疑帝俊屬鳥圖騰信仰⑩。又《大荒東經》云：「有五彩之鳥，相鄉棄沙。惟帝俊下友，帝下兩壇，彩鳥是司。」帝俊以五彩鳥爲友，也是有趣的聯想。所謂五彩鳥，在〈大荒西經〉〉中說：「有五彩鳥三名，一曰皇鳥，一曰鸞鳥，一曰鳳鳥。」的記載，實則俗稱「鳳凰」。《楚辭》中稱「鳳凰」與此是一致的。至於鳥圖騰的崇拜，往往可以追溯到少昊氏，《左傳昭公十七年》：「秋，郯子來朝，公與之宴。昭子問焉曰：『少昊氏鳥名官，何故也？』郯子曰：『吾祖也，我知之。昔者黃帝以雲紀，故爲雲師而雲名。炎帝氏以火紀，故爲火師而火名。共工氏以水紀，故爲水師而水名。太皞氏以龍紀，故爲龍師而龍名。我高祖少皞摯之立也，鳳鳥適至，故紀於鳥，爲鳥師而鳥名。鳳鳥氏曆正也，玄鳥氏司分者也，伯照氏司智者也，青鳥氏司啓者也，丹鳥氏司閉者也，祝鳩氏司徒也，雎鳩氏司空也，爽鳩氏司寇也，鶻鳩氏司事也，五鳩，鳩民者也，五鴙爲五工正，利器用，正度量，夷民者也，九扈爲九農正，扈民無淫者也。……』」這段文字也是中國古籍中，最早被解釋爲圖騰詮釋的資料。

(四)后稷遭棄、牛羊避之

周族始祖后稷的事蹟最早見於《詩經大雅、生民》：「厥初生民，時維姜嫄。生民如何？克禋克祀，以弗無子……誕置之隘巷，牛羊腓字之。誕置之平林，會伐平林。誕置之寒冰，鳥覆翼之。鳥乃去矣，后稷呱矣。」其中「牛羊會避開他」，「鳥會覆翼他」，已經具有神話色彩。及至《楚辭 天問》云：「稷維元子，帝何竺之？投之於冰上，鳥何燠之？」或就是本此現象以發問。而記載最詳細的則爲《史記周本紀》：「周后稷名棄，其母有邰氏，曰姜原。姜原爲帝嚳元妃。姜原出野，見巨人跡，心忻然悅，欲踐之，踐之而身動，如孕者，居期而生子，以爲不祥。棄之隘巷，馬牛過者，皆避不踐，徙置之林中，適會山林多人，遷之而棄渠中、冰上，飛鳥以其翼覆薦之。姜原以為神，遂收養長之，初欲棄之，因名曰棄……」。如果以「圖騰詮釋」的角度觀察，這些神話現象是可以解釋的。案后稷之母為有郃氏，后稷也封於郃。《史記索隱》以郃為犛牛。《莊子逍遙游》：「今夫犛牛，其大若垂天之雲。」司馬注即以犛為旄牛。而姜原之姜字，亦從羊，又與羌為一字，《說文》：「羌、西戎，羊種也。」羌族本三苗之後裔，而羌族中就有參狼羌、白馬羌、犛牛羌三大支⑪。如此則后稷之母系應為羌族，是為牛羊等獸圖騰信仰的氏族。而周族之始祖后稷和商族之始祖契都是帝嚳之子，前已言及，帝嚳是東方鳥圖騰的氏族，明乎此，則「牛羊避之」、「鳥覆翼之」的神異現象，無非就是母系氏族與父系氏族皆對后稷的庇護而不忍捨棄的一種暗示而已，只是後人以字面的意義來解讀歷史的緣故。

㈤孟津之會、蒼鳥群飛

在圖騰社會中，殷、周應是兄弟之邦，但在歷史的敘事上，周是伐殷而取得政權的。在殷周的許多征戰中，武王會諸侯於孟津以伐紂是一件大事。在《楚辭天問》中有一段詰問：「會朝爭盟，何踐吾期？蒼鳥群飛，孰使萃之？列擊紂躬，叔旦不嘉。何親揆發，定周之命以咨嗟？」其中「蒼鳥群飛」似在助武王伐紂，是十分神異的。若稽之《史記周本記》：「武王即位……九年，武王上祭于畢，東觀兵，至於孟津……武王渡河，中流，白魚躍入王舟中，武王俯取以祭。既渡，有火自上復下，至於王屋，流為烏，其色赤，其聲魄云。是時，諸侯不期而會孟津者八百諸侯，諸侯皆曰：紂可伐矣。」

其中又增添了「有火自上復下，至於王屋，流爲烏，其色赤，其聲魄云」的神話材料。又王嘉《拾遺記》云：「周武王東伐紂，夜濟河，時雲明如晝，八百之族皆齊而歌。有大蜂狀如丹烏，飛集王舟，因以烏畫其旗。翌日而梟紂，名其船曰蜂舟」。文中已用「八百之族」比「諸侯」，更明顯指出同族的關係，而以「以烏畫其旗」，正又是圖騰崇拜的轉移意義。前文已言之，周應爲鳥圖騰之氏族，當然其同姓諸侯也應同爲鳥圖騰，所以「蒼鳥群飛」也應是指八百諸侯之群聚孟津而言。而「烏」字在《尚書泰誓》篇則作「鵰」，不管何者，也都可能是鳥圖騰的顯聖作用。而且鳥圖騰的氏族往往又崇拜日圖騰，一如《春秋元命苞》云：「火流爲烏。烏、孝烏，何知孝烏？陽精，陽天之意。烏在日中，從天以昭孝。」傳說伏羲作「昜」，昜字從日從勿，勿即有羽毛的意義，而羿字或翌字也都爲羽與廾的合體字，廾也有日的意義，所以都是日與鳥圖騰的代表同一氏族。

㈥妲己亡殷、圖騰復仇

殷紂亡國的原因甚多，據《史記殷本紀》所載：「（紂）好酒淫樂，嬖於婦人，愛妲己，妲己之言是從。於是使師涓作新淫聲、北里之舞、靡靡之樂。厚賦稅，以實鹿臺之錢，而盈鉅橋之粟，益收狗馬奇物，充仞宮室，益廣沙丘苑台，多取野獸飛鳥置其中。慢於鬼神，大聚樂戲於沙丘，以酒爲池，懸肉爲林，使男女裸相逐其間，爲長夜之飲。百姓怨望，而諸侯有叛者。於是紂乃重辟刑，有炮烙之法。以西伯昌、九侯、鄂侯爲三公。九侯有好女入之紂，九侯女不喜淫，紂怒殺之，而醢九侯，鄂侯爭之強，辨之疾，井脯鄂侯，而伯昌聞之竊嘆，崇侯虎知之以告紂，紂囚西伯羑里。西伯之臣閎夭之徒求美女、奇物、善馬以獻紂，紂乃赦西伯……。而用費中為政，費中善諛好利，殷人弗親。紂又用惡來，惡來善毀讒，諸侯以此益疏：……王子比干諫弗聽，商容賢者，百姓愛之，紂廢之。……微子數諫不聽，乃與太師少師謀遂去。比干曰：『人臣者不的不以死爭。』迺強諫紂，紂怒曰：『吾聞聖人之心有七竅。』剖比干觀其心，箕子懼，乃佯狂為奴，紂又囚之、殷之太師少師乃持其祭器奔周，周武王於是率諸侯伐紂，紂亦發兵距之牧野。甲子日，紂兵敗，紂走入登鹿台，衣其寶玉衣，赴火而死。周武王遂斬紂頭，懸之白旗，殺妲己，釋箕子之囚，封比干之墓，表商容之閭。」從這段記載看，商紂之所以荒淫亡國，罪在妲己。而妲己為一弱女子之身，何以要亡紂？據《史記殷本紀》集解引皇甫謐云：「妲己為有蘇氏美女。」《國語鄭語》引史蘇云：「殷辛伐有蘇氏，有蘇氏以妲己女焉，於是乎與膠鬲比而亡殷。」就文義觀之，妲己似為有蘇氏刻意之安排，與膠鬲合作以女色亂殷紂之朝政。若再比類《國語晉語》云：「昔夏桀伐有施，有施人以妹喜女焉，妹喜有寵，於是乎與伊尹比而亡夏。」則二者如出一轍。案妲己為己姓，己字即象蛇之形。而「有蘇」在〈周本紀〉中作「有莘」。〈世本〉云：「莘國姒姓，夏禹之後，即散宜生等求有莘美女獻紂者。」而「姒」字亦從「以」，「以」與「已」實為一字，前文已言之，夏族也為蛇圖騰氏族，合以上諸義，則夏為殷所滅，而妲己之刻意以女色淫亂殷紂朝政，若稽之「圖騰詮釋」，則是復仇以報國的紀事而已。

(七)周幽之亡、圖騰警示

周幽的亡國，據《史記周本紀》云：「幽王二年，西周山川皆震，伯陽甫曰：『周將亡矣。』三年，幽王嬖愛褒姒……周太史伯陽讀史記曰：『周亡矣。』昔自夏后氏之衰也，有二神龍，止於夏帝庭而言曰：『余褒之二君。』夏帝卜：殺之與去之與止之，莫吉。卜請漦而藏之，乃吉。於是布幣而策告之，龍亡而漦在，櫝而去之。夏亡傳此器殷，殷亡又傳此器周，比三代莫敢發之。至厲王之末，發而觀之，漦流於庭，不可除。厲王使婦人裸而譟之，漦化爲玄黿，以入王後宮，後宮之童妾，既齔而遭之，及繫笄而孕，無夫而生子，懼而棄之。宣王之時，童女謠曰：『※弧箕服，實亡周國。』於是宣王聞之，有夫婦賣是器者，宣王使執而戮之。逃於道而見鄉者後宮童妾所棄夭子，出於路者聞其夜啼，哀而收之。夫婦遂亡奔於褒。褒人有罪，請入童妾所棄女子者於王，以贖罪，棄女子出於褒，是爲褒姒。當幽王三年，王之後宮，見而愛之，生子伯服，竟廢申后及太子，以褒姒爲后，伯服爲太子。太史伯陽曰：『禍成矣，無可奈何。』褒姒不好笑，幽王欲其笑，萬方故不笑，幽王爲烽燧大鼓，有寇至則舉烽火，諸侯悉至，至而無寇，褒姒乃大笑。幽王說之，爲數舉烽火。其後不信，諸侯益亦不至，幽王以虢石父爲卿用事，國人皆怨。石父爲人佞巧、善諛、好利。王用之，又廢申后去太子也。申侯怒，與繒，西夷、犬戎攻幽王，幽王舉烽火徵兵，兵莫至，遂殺幽王驪山下，虜褒姒，盡取周賂而去。」⑫。就這段記載看，周幽的亡國罪在褒姒，而褒姒的出身有一段神話：原來她的祖先在夏朝時曾以「龍」的圖騰形象顯現，而留下的漦（唾液），竟在木櫝中留存了數代，直到厲王時打開木櫝，漦流到庭上，除之不去。厲王讓婦人裸露身體想驅邪，沒想到它竟流到後宮，使剛換牙的童妾懷孕，生下的就是褒姒。如果從「圖騰詮釋」的角度看，夏后氏原爲蛇圖騰，當其統治中原時，已有龍圖騰的象徵，而褒姒爲「姒」姓，「姒」字之偏旁作「以」，與「已」字通，正作蛇形，而「姒」姓正爲夏族之國⑬，所以夏代將要衰亡時，褒君以龍圖騰顯聖作爲預警。龍亡而漦在，表示龍圖騰的氏族雖滅，卻已經播下復仇的種子。在經過三代的沉潛後，借童妾之身，終以褒姒之美色惑亂周幽的朝政，以至亡國。就史實觀之，夏滅於殷，殷與周皆爲鳥圖騰之兄弟氏族，褒姒使周朝亡國，在圖騰意義上，正是復仇的象徵。屈原似乎最早洞察此意，他在〈天問〉云：「妖夫曳衒，何號於市？周幽誰誅？焉得夫褒姒？天命反側，何罰何佑？」與《史記周本紀》比較，「妖夫曳衒，何號於市」即指周宣王之時，有夫婦賣「檿弧箕服」之器者，因爲他們所賣之器正應驗了「實亡周國」的謠諺，所以被目爲「妖夫」。而他們逃於道中又遇童妾所遺之子，即「褒姒」，所以屈原會問「焉得夫褒姒」。這種因果循環，令屈原有很深的感觸，所以他又會有「天命反側，何罰何佑？」的慨嘆。

結　論——圖騰迷思

「圖騰詮釋」在古史神話的解析上不是萬靈丹，其中有一些現象或問題仍有思考的餘地：

㈠圖騰崇拜與自然崇拜孰先。

㈡雙圖騰崇拜存在的可能性。

在神話的起源探討上，許多學者都相信，某些神話是緣起於初民對自然崇拜的結果。像魯迅《中國小說史略》、茅盾《中國神話研究ABC》、劉大杰《中國文學發展史》以及袁珂《中國神話傳說》

等都有近似的說法。尤其對日、月、雲、雨、雷、電、山、川、虹或生命樹……之類的神話，如果不用自然崇拜的觀念加以解釋，好像是有一些困難。而自然崇拜形成的心理因素與萬物有靈論也是相通的。所以西方學者多從此觀點思考問題。在神話的源起上，安德烈·蘭（Addrew Lang）就說：「初民相信天地萬物與人類相同，都具有生命、思想與情緒的，所以萬物皆具神靈。」⑭又泰勒（Edward Burnett Tylor）說：「萬物有靈論是宗教哲學的基礎。」（原始文化）只是我們並不知道圖騰信仰是不是從萬物有靈論的基礎上發展而成。何星亮持肯定的態度，他在《圖騰文化與人類文化的起源》中就認爲「圖騰文化在舊石器時代前，萬物有靈時期已經產生，到原始社會末期走向衰落，所以不能用固定的眼光去看圖騰的含義，而應該用動態的角度去界定。」也就是說，圖騰崇拜是在不同的時代中皆有產生的可能，它既是具有傳承，也是因時制宜的思維需要。這種思維與聯想，不但暫時擱置了圖騰崇拜與自然崇拜孰先孰後的問題，似也可以用來省視「雙圖騰」的問題。在圖騰詮釋的推論過程中，例如：我們前文說后羿是東方鳥圖騰氏族，但鳥圖騰氏族又往往崇拜日（太陽），所以我們對「羿焉彈日？鳥焉解羽？」的解說是運用雙圖騰加以詮釋。這種現象或可在長沙馬王堆漢墓一號墓出土的「非衣」帛畫上看出一些端倪：畫的右上方是一個圓形的太陽，其中就是一隻烏。又如《初學記》引《淮南子覽冥篇》，於「羿請不死之藥於西王母，姮娥竊以奔月」之下尙有「托身於月，是爲蟾蜍，而爲月精」十二字。而帛畫之左上方也正作一月亮之形，其中也畫一蟾蜍。則姮娥氏族既爲月圖騰又兼具蟾蜍圖騰之崇拜。

【附註】

①見拙著《中國神話學》第一章第一節（近期出版）

②潛明茲《中國神話學》頁三五引趙仲牧《審美範疇與思維模式》一文。

③見〈印第安旅行記〉（Voyages and Travels of an Indian Interpreter and Trader）一書

④見〈圖騰藝術史〉一書。

⑤也見《史記夏本紀》。

⑥《史記五帝本紀》：「蜀山氏女曰昌僕，生高陽。」

⑦見聞一多《楚辭校補》。

⑧見〈離騷章句〉「澆身被服強圉兮」王逸注。

⑨見崔述考信錄云：「常儀之占月，猶羲和之占日也。儀之音古皆讀爲娥。故詩云：『菁菁者莪，在彼中阿。既見君子，樂且有儀。』……後世傳訛，遂以儀爲娥，而誤以爲婦人。又誤以占爲占居之意，遂謂羿妻常娥竊不死之藥奔於月中。」

⑩見《中國古史的傳說時代》頁七

⑪見王孝廉《中國的神話世界》第一章。

⑫類似之記載也見《國語鄭語》。

⑬ 見《國語晉語》。

⑭ 見劉大杰《中國文學發展史》引。

【參考書目】

中國神話學　潛明茲　寧夏人民出版社　一九九三

中國神話傳說　袁珂　里仁書局　一九八七・九

中國上古史論文選集　杜正勝編　華世出版社　一九七九・一一

中國古史的傳說時代　徐旭生　信仲出版社

中國史前史話　徐亮之　華正書局　一九七四・七

山海經校注　袁珂　里仁書局

楚辭補注　宋 洪興祖　藝文印書館

詩經釋義　屈萬里　華崗出版社

尚書釋義　屈萬里　華崗出版社

詩經與周代社會研究　孫作雲　（未刊出版者）

左傳　晉 杜預注 唐 孔穎達疏　藝文印書館

國語　韋昭注　藝文印書館

史記會注考證　漢司馬遷撰　日瀧川龜太郎會注考證宏業書局
圖騰藝術史　岑家梧　駱駝出社　一九八七・七
中國圖騰文化　何星亮　中國社會科學　一九九二・一一
楚辭天問中的夏族神話解析　傅錫壬　中外文學十五卷三期　一九八六
楚辭天問中的殷族神話解析　傅錫壬　淡江學報二十七期　一九八八
楚辭天問中的周族神話解析　傅錫壬　成大第一屆先秦學術國際研討會　一九九二
繹史　清馬驌　藝文印書館
太平御覽　宋李昉等編　台灣商務印書館
淮南子注　高誘注　藝文印書館

洪邁的莊子學

輔英技術學院
人文教育中心副教授兼主任　簡光明

提要

洪邁為南宋莊學的大家，涉獵的範圍還包括稗官虞初，旁及釋老，考閱典故，漁獵經史，著述相當豐富。其中《容齋隨筆》辯證精博，考據精確，被視為南宋説部之首，故其評論莊學議題：如㈠闡釋《莊子》義理㈡考察《莊》文源流㈢評東坡論莊子㈣引洪興祖註《莊》文字㈤論莊列優劣，均受到明清莊學史家之重視。而其所編《莊子法語》一書，提供南宋考生新穎字句，若能熟讀而活用，亦有益於理解莊子的義理。

關鍵詞　莊子　洪邁　蘇東坡　列子

一、洪邁的傳略

洪邁（西元一一二三～一二〇二年），字景盧，初字伯興，號容齋，又號野處。鄱陽人。紹興十五年中詞科，累遷左司員外郎。紹興三十二年四月出使金國，書用敵國禮，金國令人於表中改「陪臣」

二字，朝見的禮儀必欲用舊禮，洪邁執意不肯，便鎖使館，從早到晚連水都未供應，三日才得見，多方受辱後被遣還。孝宗乾道六年，除知贛州，郡兵素驕，稍不如欲就跋扈無度，洪邁以法裁之；十一年徙婺州，整頓軍紀，孝宗告訴輔臣說：「不謂書生能臨事達權。」特遷敷文閣待制。後以端明殿學士至仕，嘉泰二年卒，年八十。諡文敏①。

洪邁自幼讀書，每日數千言，往往過目成誦而不忘，博極載籍，涉獵的範圍還包括稗官虞初，釋老傍行。後以博洽受知於孝宗，謂其文備衆體。其考閱典故，漁獵經史，極鬼神事物之變。著述相當豐富，計有經部二種，史部二十二種，子部十三種，集部八種②，其中以《史記法語》、《經子法語》、《容齋五筆》、《夷堅志》、《野處類稿》、《萬首唐人絕句》較為著名。

二、莊學史論題的探索

《容齋隨筆》是洪邁最著名的作品，內容相當駁雜，自經史諸子百家以及醫卜星算之屬，只要意有所得，就隨筆札記，故稱「隨筆」。共有五筆，其中一筆首尾花了十八年，二筆十三年，三筆五年，四筆不到一年，五筆則書尚未完成而人已歿矣。《四庫全書總目》以「辯證考據，頗為精確」，「然其大致，自為精博，南宋說部當以此為首焉」稱之③。以此之故，書中所論有關莊子的資料，不論是徵引或評議，都值得我們注意。以下就其所論，略為分疏：

(一)闡釋《莊子》義理

《莊子》書中，〈天下篇〉中的惠施學說素稱難解，洪邁選擇數則略為之解，〈尺棰取半〉云：

《莊子》載惠施之語曰：「一尺之棰，日取其半，萬世不竭。」雖為寓言，然此理固具。蓋但取其半，正碎為微塵，餘半猶存，雖至於無窮可也。特所謂「卵有毛，雞三足，犬可以為羊，馬有卵，火不熱，龜長於蛇，飛鳥之影未嘗動」，如是之類，非詞說所能了也。（《容齋隨筆》卷九，頁一）

惠施的學說向來不為學者所重視，《莊子》註家亦往往輕易帶過。洪邁將惠施的學說分成兩部分：一是可以解釋的，如「一尺之棰，日取其半，萬世不竭」，就算取到微塵般的細碎，剩下的一半仍然存在而不會消失。所謂「此理固具」即認為理論上當為如此，至於實際上是否可以做到則是操作的技術問題。就算當時的科技無法從微塵再取其半，仍不妨礙其道理的存在。另一部分是難以解釋，或者根本就無法解釋的，如「卵有毛」等，既然這類的講法「非詞說所能了」，註家其實也就不必勉強為之解，否則不知以為知，反而更不能相應。洪邁將可以解釋的部分講出道理來，對於難以解釋的部分則說明其非詞說可以表達清楚，態度公正，頗具說服力。

除了就本文發揮外，洪邁有時亦徵引諸家的講法做為印證，〈月不勝火〉云：

《莊子》〈外物篇〉「利害相摩，生火甚多，眾人焚和，月固不勝火，於是乎有焚和而道盡。」《注》云：「大而闇則多累，小而明則知分。」東坡所引乃曰：「郭象以大為闇而不若小而明。陋哉斯言也，為更之曰：月固不勝燭，言明於大者必晦於小，月能燭天地而不能燭毫釐，此其所以不勝火也。然卒之，火勝月耶？月勝火耶？」予記朱元成《萍州可談》載：「王荊公在修撰經義局因舉燭，言：佛書有日月燈、光明佛燈，光豈足佩日月乎？呂惠卿曰：日煜乎晝，月煜乎夜，燈煜乎日月所不及，其用無差別也。公大以爲然，蓋發言中理，出人意表」云。予妄意《莊子》之旨，謂人心如月，湛然虛靜，而爲利害所薄，生火熾然以其焚和，則月固不能勝之矣。非論其明闇也。（見《容齋續筆》卷七，頁九）

「有焚和而道盡」句〈外物篇〉原文作「有僨然而道盡」。在詮釋義理上，先徵引權威註家郭象的意見，次以東坡的評論駁斥之；再引王安石與呂惠卿的觀點，而蘇東坡「月能燭天地而不能燭毫釐」與呂惠卿所謂「燈煜乎日月所不及，其用無差別也」意思是一樣的。王安石既對呂惠卿之說大以爲然，而朱元成又以「發言中理，出人意表」譽之，則蘇東坡與呂惠卿的意見似皆可取。然而，洪邁在文末卻認爲莊子的意思不在論明闇而是論人心，自立新意而一舉推倒衆說，更爲「出人意表」，以〈外物〉原意略爲考核，亦能「發而中理」，《莊子》原句之上有「有甚憂兩陷而無所逃，螴而不得成，心若懸於天地之間，慰暋沉屯」，確就人心而發。洪邁的說明文意層層遞進，理路明暢而條理清晰，實較諸說益爲可取④。

(二)考察《莊》文源流

《莊子》文句常爲後世文學家所喜歡援引，洪邁〈韓柳爲文之旨〉就提到韓愈文章因能取資於古籍，所以「閎其中而肆其外」，《莊子》便是其中的一種；而柳宗元文章肆其端的根本在莊老⑤，可見莊子文字爲後世文學的重要根源之一。洪邁認爲莊子的文意也有本源，如〈無用之用〉所云：

莊子云：「人皆知有用之用，而莫知無用之用。」又云：「知無用而始可與言用矣。夫地非不廣且大也，人之所用容足耳，然則廁足而墊之致黃泉」，所謂「無用之用也亦明矣」。本義起於《老子》「三十輻共一轂，當其無、有車之用」一章。（《容齋續筆》卷十二，頁四）

從《老子》第十一章所謂「故有之以爲利，無之以爲用」，可以看出，老子發現宇宙萬物所表現的用有兩種：一爲「利」，即存在於實物之上，價值淺而易見卻有限，爲實有的用；二爲「用」，集存在於虛空之中，價值深而難識卻無窮，爲虛無的用⑥。以所引的〈外物篇〉而言，惠施所代表的是「利」的層次，用莊子的術語說就是「有用之用」；莊子所代表的是「用」，也就是「無用之用」。這在〈逍遙遊〉末二段惠施與莊子的對話亦可以得到印證。《莊子》的文句與《老子》不同，所謂「本義起於《老子》」指的是義理上的繼承。至於論《莊子》〈漁父篇〉「祿祿而受變於俗」出於《老子》第三十九章「不欲祿祿如玉，落落如石」⑦，則爲文句根源的說明。

《莊子》中有不少當時風俗的記載，宋以前的註家重視義理，往往忽略這些風俗，洪邁則徵引豐富的材料加以說明，〈相六畜〉云：

《莊子》載徐無鬼見魏武侯，告之以相狗馬。《荀子》倫堅白異同云：「曾不如好相雞之可以爲名也。」《史記》褚先生於〈日者傳〉後云：「黃直，丈夫也；陳君夫，婦人也。以相馬立名天下，留長孺以相彘立名，滎陽褚先生以相牛立名。」皆有高世絕人之風，今時相馬者間有之，相牛者殆絕，所謂雞狗彘者不復聞之矣。劉向《七略》：「《相六畜》三十八卷。」謂骨法之度，今無存一。（《容齋續集》卷四，頁十～十一）

〈徐無鬼〉中，徐無鬼以相狗馬說魏武侯，武侯大悅。一般的註家都將之視爲寓言來處理，而未予解釋。所謂「相六畜」應指六種替動物看相的技術，從先秦到漢代似乎頗爲流行，不但可以用之遊說國君，並能成名於天下。到宋代，相馬之術稍有流傳，其他的相術則已失傳。洪邁這一條記載可算是莊子所謂「相狗馬」的發展概述，也可看出莊子的寓言其實往往有現實的依據。

㈢評東坡論莊子

宋代的莊學註解名家輩出，成書既多，創意亦豐，然而蘇軾只要一篇〈莊子祠堂記〉便可以莊學史上立足，南宋的註家談到莊子與孔子的關係，往往會引用蘇軾的觀點；而一論及《莊子》書中僞作的篇章，則需面對蘇軾考辨的成果，贊成的人很多，不同意蘇軾的觀點的如褚伯秀，仍然必須針對其論點加以說明。明代以後，在考辨上亦多參考蘇軾的成果。

洪邁當然不會輕易放過這麼重要的文獻，〈東坡論莊子〉云：

東坡先生作〈莊子祠堂記〉辨其不詆訾孔子，「嘗疑〈盜跖〉、〈漁父〉則若眞詆孔子者，至於〈讓王〉、〈說劍〉皆淺陋而不入於道，反復觀之，得其寓言之意。終曰：陽子居西遊於秦，遇老子，老子曰：而睢睢而盱盱，而誰與居？大白若辱，盛德若不足，陽子居蹙然變容，其往也，舍者將迎，其家公執席，妻執巾櫛，舍者避席，煬者避灶；其返也，舍者與之爭席矣。去其〈讓王〉、〈說劍〉、〈漁父〉、〈盜跖〉四篇，以合於〈列禦寇〉之篇曰：『列禦寇之齊，中道而返，曰：吾驚焉！吾食於十漿而五漿先饋。』然後悟而笑曰：『是故一章也。』莊子之言未終，而昧者勦之以入其言爾。」東坡之識見至矣盡矣，故其〈祭徐君猷文〉云：「爭席滿前無復十漿而五餽」，用爲一事。今之莊周書〈寓言〉第二十七，繼之以〈讓王〉、〈說劍〉、〈漁父〉、〈盜跖〉乃至於〈列禦寇〉爲第三十二篇，讀之者可以渙然冰釋也。予按：列子書第二篇內首載禦寇餽漿事數百言，即綴以楊朱爭席一節，正與東坡之旨異世同符，而坡公記不及此，豈非作文時偶忘之乎！陸德明《釋文》：「郭子玄云：『一曲之才，妄竄奇說，若〈閼奕〉、〈意脩〉之首，〈危言〉、〈遊鳧〉、〈子胥〉之篇，凡諸巧雜，十分有三。』《漢．藝文志》『《莊子》五十二篇』，即司馬彪、孟氏所注是也。言多詭誕，或似《山海經》，或類《占夢書》，故注者以意去取。其內篇諸家並同。」予參以此說，坡公所謂昧者其然乎？〈閼奕〉、〈遊鳧〉諸篇，今無復存矣。（《容齋續筆》卷十二，頁八～九）

〈莊子祠堂記〉一文只要的論點有三：一是從〈天下篇〉去證成莊子尊孔子，至於若干篇章對孔子的批判是「陽擠而陰助之」，二是認爲〈盜跖〉、〈漁父〉、〈讓王〉、〈說劍〉四篇，內容眞詆孔子者或者淺陋而不入於道，因而將之判爲僞作，三是去掉四篇僞作後可以發現，〈寓言〉的末段「陽子居西遊於秦遇老子」與〈列禦寇〉的首段「列禦寇之齊中道而返」就可以接起來，根本就是同一章，僞作部分是「昧者勦之以入其言」。洪邁對蘇軾的觀念推崇備至，惟論述的重心放在第三點，對於前兩個論點只輕易帶過。

洪邁的論述條理明晰：一、就蘇軾的文章來看，〈祭徐君猷文〉中「爭席滿前無復十漿而五餽」的句子，就是將〈寓言〉「其返也，舍者與之爭席矣」與〈列禦寇〉「吾食於十漿而五漿先饋」二段用爲一事，可見這是蘇軾重要的觀念。二、從讀者的角度看，現在《莊子》的本子，〈寓言〉之後有四篇文章，然後才是〈列禦寇〉，讀者往往讀不通，若能採取蘇軾的觀點，讀第二十七〈寓言〉後，跳過第二十八篇到第三十一篇的四篇僞作，再接上第三十二篇〈列禦寇〉，讀的時候就可以渙然冰釋了。三、從《列子》一書來看，由於《莊子》與《列子》的文章重複頗多，可以互相參照，〈黃帝第二〉中記載列禦寇餽漿的事，就是接上楊朱爭席一節。這和蘇軾東坡的說法剛好異世同符，而東坡文章中卻未提到《列子》，大概是寫文章的時候偶爾忘了吧！這三條說明分別從三個角度去補充與闡釋蘇軾的論點，使之更具說服力⑧。

洪邁對東坡之識見用「至矣盡矣」來表示推崇之意。雖然推崇，文末又提出不同的意見，顯示其實事求是而不偏阿的態度。洪邁認爲蘇軾「莊子之言未終，而昧者勦之以入其言」的說法未必可取，理由是：一、陸德明《莊子釋文》引用郭子玄的話，認爲「一曲之才，妄竄奇說」，因此「凡諸巧雜，十分有三。」二、《漢書》〈藝文志〉說《莊子》有五十二篇，內容多爲詭誕，因此注家往往以意去取。如果參照這兩條漢代與魏晉人的權威資料，可見《莊子》在漢代其實已經相當駁雜，如果原貌就是如此，就不宜認定是「昧者勦之以入其言」了。只可惜五十二篇中像〈閼奕〉、〈遊鳧〉諸篇，已經被註家捨棄了，今無復存矣。假設這些文章今天仍在就可以與四篇被蘇軾定爲僞作的篇章做比較，當能確定自己所言不差。換句話說，洪邁認爲蘇軾將〈寓言〉接上〈列禦寇〉的做法可取，至於以〈讓王〉、〈說劍〉、〈漁父〉、〈盜蹠〉四篇是昧者勦之以入其言的說法，則以爲不然。不論贊成與反對，都能提出重要而可靠的資料，並做合理的推斷，宜乎《四庫全書總目》有「辯證考據，頗爲精確」之譽。

㈣引洪興祖註《莊》文字

註解《莊子》在宋代頗爲盛行，朱熹曾說解註《莊子》的人甚多，但都是臆說，他自認對《莊子》有深刻的了解，可以拈出本義，只是不欲得⑨。雖然朱子沒有註《莊》，文中已顯示當時《莊子》的流行。這些著作有的全部保留下來，有的殘存部分，有的僅存目錄，有的早已失傳，連註家與書名都沒有。洪興祖的《老莊本旨》便是僅存目錄的書，由於原書已亡佚，後人對於《莊子本旨》的內容實在無法得知，惟有洪邁的筆記中仍有一條記載，其重要性不言可喩。〈靈臺有持〉云：

《莊子》〈庚桑楚〉「靈臺有持而不知其所持而不可持者也。」郭象云：「有持者謂不動於物耳，其實非持，若知其所持而持之，持則失也。」陳碧虛云：「眞宰存焉，隨其成心而師之。」予謂是皆置論於言意之表，玄之又玄，復采《莊子》之語以爲說，而於本旨殆不然也。嘗記洪善慶云：「此一章謂持心有道，苟爲不知其所以持之，則不復可持矣。」蓋前二人解釋者爲兩「而」字所惑，故從而爲之辭。(《容齋續集》卷七，頁九～十)

陳碧虛的註解原文是「有持則眞性存，不知其所持無主也。而不可持者隨其成心而師之。」洪邁徵引文字往往刪削節錄以求精要，這是普遍的現象。郭象是莊學權威，陳碧虛的莊學著作極爲豐富，在洪邁看來，二人的註解對於「靈臺有持」一句皆未明曉，尙有所惑，註文未能契合莊子本義。洪興祖（字善慶）的註解則較爲妥切，故洪邁徵引做爲依據，可見評價不低。

雖然徵引的文句僅三句，略能了解洪興祖解《莊》的立場，明代羅勉道《莊子循本》在釋解〈庚桑楚〉「靈臺有持而不知其所持而不可持者也」句時，即依據洪邁所引說明洪興祖的立場：

洪容齋《隨筆》載洪慶善解，乃吾儒家說耳。⑩

羅勉道的註文至少顯示三點意義：其一是羅勉道似乎未見洪興祖的註文，因此才引用洪邁《隨筆》，那麼《莊子本旨》可能在明代已經亡佚；其二是洪邁並未說洪興祖的註文是站在儒加的立場發言，羅勉道據「持心有道」而判斷是儒家的觀點。其三是洪興祖整體的註解立場雖不明確，但至少有部分是「以儒解莊」則可確定。

洪興祖好古博學，自少至老未嘗一日去書，著作卻大多亡佚，朱熹在《論語》與《楚辭》的觀點有不少是採用洪興祖的註疏⑪。《莊子本旨》是以義理爲主的註解，可惜宋代褚伯秀《南華眞經義海纂微》雖號稱集宋代莊子註之大成，卻未及曾徵引，自明代以後似已無人再見此書，像羅勉道的徵引也只能轉錄，而明代焦竑《莊子翼》徵引的書目雖多，亦均未提及洪興祖的註，洪邁〈靈臺有持〉一文至少讓後世的莊學史研究者知道：《宋史》提到洪興祖有《老莊本旨》實確有其書，其中《莊子本旨》的觀點亦有可取，而其立場主要應爲儒家。

㈤論莊列優劣

中國古代的文人往往喜歡將同時代（或時代相近）的文學家作一比較，從而了解二者在風格上的差異，進而比較其優劣，例如評李白與杜甫，王維與孟浩然，元稹與白居易的優劣在文學史是常見的現象。文學家如此，思想家也不例外，莊子與列子時代同爲先秦（一爲戰國，一爲春秋），同屬道家的重要人物，《莊子》與《列子》書中的寓言更有不少重複的敘述，因此，宋代註家往往以《列子》與《莊子》互校。唐代柳宗元在〈辨列子〉中說：《列子》「要之莊周爲放依其辭」，又說：「其文辭類莊子」，而尤質厚」，以爲《列子》文字優於《莊子》，開啓宋代莊列優劣的辯論。

洪邁對於此一論題也提出看法，〈列子書簡〉云：

《列子》書簡勁宏多，出《莊子》之右。其言「惠盎見宋康王，王曰：『寡人之所說者，勇有力也，客將何以教寡人？』盎曰：『臣有道於此，使人雖勇，刺之不入也；雖有力，擊之不中也。』王曰：「善，此寡人所欲聞也。」盎曰：「夫刺之不入，擊之不中，此猶辱也，臣有道於此，使人雖有勇，弗敢刺也；雖有力，弗敢擊也。夫弗敢，非無其志也。臣有道於此，使人本無其志也。夫無其志也，未有愛利之心也，臣有道於此，使天下丈夫女子莫不驩然，皆欲愛利之，此其賢於勇有力也，四累之上也。』」觀此一段，宛轉四反，非數百言曲而暢之不能了，而潔淨粹白如此，後人筆力渠復可到耶？（《容齋續筆》卷十二頁九）

所謂「簡勁宏多」，「簡勁」乃就其文辭而言，「宏多」則就其內容而說。柳宗元評論優劣的理由並未詳細說明，洪邁舉〈黃帝第二〉中惠盎說遊宋康王的內容以爲證明。所謂「四累」是指惠盎改變他人意志的四個階段：一是「刺之不入，擊之不中」，二是「弗敢刺，弗敢擊」，三是「使人本無其志」，四是「使天下丈夫女子莫不驩然皆欲愛利之」，其中層次分明，也就是所謂文字的「宛轉四反」。一般人大抵要費數百語句才能說清楚，列子竟然用不到一百個字就「曲而暢之」，可謂「潔淨粹白」。「潔淨粹白」就是簡勁，「四累」的內涵就是宏多。

這裡沒有舉《莊子》相關文字做比較，難以看出優劣，但所舉例子能適切地印證「簡勁宏多」的評語，洪邁所論確較柳宗元更具有說服力。其實，就算舉《莊子》與《列子》都提到的寓言，要評較優劣，恐怕也不容易。〈淵有九名〉就是一個明顯的例子：

> 《莊子》載壺子見季咸事云：鯢旋之潘爲淵，止水之潘爲淵，流水之潘爲淵，淵有九名，此處三焉。其詳見於《列子．黃帝篇》盡載其目曰：鯢旋之潘爲淵，止水之潘爲淵，流水之潘爲淵，濫水之潘爲淵，沃水之潘爲淵，沇水之潘爲淵，雍水之潘爲淵，汧水之潘爲淵，肥水之潘爲淵，是爲九淵。按：《爾雅》云：濫水正出則檻泉也，沃泉下出，沇泉冗出，瀸者反入，汧者出不流。又，水決之澤爲汧，肥者出同而歸異，皆禹所名也。《爾雅》之書非周公所作，蓋是訓釋三百詩篇所用字，不知列子之時已有此書否，細碎蟲魚之文，列子決不肯留意，得非偶然相同邪？（《容齋續筆》卷十二頁七）

如果說「《列子》書簡勁宏多，出《莊子》之右」，那麼應該是《列子》記三淵而《莊子》載九淵才是，實際上卻是〈應帝王〉說淵有九名，只列三處；〈黃帝〉反而將九淵全列出。這一問題若不提出合理的說明，則以《列子》「簡勁宏多」則難免令人可疑。這一條記載雖是「隨筆」，洪邁的立場並不因這一例子而前後矛盾，仍舊力主《列子》的簡勁宏多。《爾雅》對於淵的意義有解釋，他的解答便從此入手。關於《爾雅》的作者，張揖〈廣雅表〉說：「昔周公踐阼，理政六年，制禮以導天下，著《爾雅》一篇，以釋其義。」《西京雜記》也提到郭偉「以為《爾雅》周公所制」但歐陽修《詩本義》說則不同意這樣的說法：「《爾雅》非聖人之書，不能無失，考其文理，乃是秦漢間學詩者，纂集說詩博士解詁。」⑫洪邁採用歐陽修的說法，認為是訓釋三百詩篇所用字，《爾雅》非周公所制。既非周公所作，則不是引用前人的文字，在洪邁看來，列子必然不肯留意記載「細碎蟲魚之文」的《爾雅》，那麼，惟一合理的說明就是「偶然相同」了。

只是，「簡勁宏多」應該是歸納《列子》用字所得到的結果，否則，若先確定列子的文字「簡勁宏多」，再去肯定「細碎蟲魚之文，列子決不肯留意」，不免倒果為因。其實，即使這段文字《莊子》較為簡勁，亦未必能推翻整體風格的評論，而且莊子莊子的特色，列子有列子的特色，實可不必妄定優劣。然而，從這段記載，我們仍可以看到洪邁立場的一致以及為立場而辯的用心。

三、新編《莊子》讀本：《莊子法語》

㈠編纂的動機與性質

洪邁讀書既博，於諸書多有節本，「自經子至至前漢皆曰法語，自後漢至唐書皆曰精語。」⑬《莊子法語》並不是一本書，而是《經子法語》中的一部分，從《四庫全書總目》的提要對《經子法語》的說明，我們不難了解洪邁編《莊子法語》的用意：

邁兄弟並以詞科起家，此書蓋即摘經子新穎字句以備程試之用者，凡《易》一卷、《書》二卷、《詩》三卷、《周禮》二卷、《禮記》四卷、《儀禮》、《公羊傳》、《穀梁傳》、《孟子》、《荀子》、《列子》、《國語》、《太元經》各一卷、《莊子》四卷。體例略如類書，但不分門目，與經義絕不相涉。⑭

這段文字可以分成幾個部分說明：一、洪邁以詞科起家：紹宋高宗紹興十五年，洪邁二十三歲，赴臨安應詞科，歷三場，試六篇，中博學宏詞科，而宋代詞科每榜不得過五人，實際上往往只錄三人，洪邁能上榜，實非易事，可見洪邁確以詞科起家。二、備程試之用：《經子法語》既然是詞科考試的參考書，讀者的設定就是那些考生，摘經子新穎字句在於讓考生可以短時間內有新穎的辭彙可用，以免辭窮，「新穎」便成為選取字句的標準。三、《經子法語》的選書與卷數：從所選的書目來看，以儒家的經書為主，道家僅《莊子》與《列子》入選。宋代以前道家之書僅《老子》與《莊子》較受重視，從文辭的觀點而言，《莊子》勝於《老子》，洪邁認為「《列子》書簡勁宏多，出《莊子》之右」，因而亦並收錄。從卷數來看，《莊子》與《禮記》的卷數最多，可見《莊子》新穎字句較他書爲多，考生在應考之前熟讀這類字句，考試時可以隨手應用，日後便成爲文學創作的來源之一，透過這類考試用書的編纂使《莊子》對南宋文學的影響力更大。四、體例：一般的類書收錄的方式大多分門別類，《經子法語》則略如類書，但不分門目，如《莊子法語》便用三十三篇的順序摘錄，並未依字句的性質來分類。

《四庫全書總目》所謂「與經義無涉」可以從兩方面來理解：㈠編書的目的主要是提供新穎字句，對詞科的考生而言，只要能活用這些字句，懂不懂經典的義理並不重要。㈡洪邁在摘錄的時候，一部分只錄原典自句，另一部分字句下，附有音訓與名物的解釋，如《莊子法語》中對於所摘錄《莊子》字句下有小字注解，這些注解完全取自陸德明《經典釋文》，只是文字的音訓以及名物的說明，因此所謂「與經義無涉」應該是說洪邁的摘錄完全沒有解釋書中文字的義理。

洪邁爲什麼要以陸德明《經典釋文》爲藍本呢？蓋《莊子》雖屬子部，唐代陸德明《經典釋文》收錄《莊子》，已將之視爲經典，與儒家諸經並列，對於《莊子》的經典地位有所助益。更爲重要的是，郭象《莊子注》雖爲解《莊》的權威，但是義理深奧，有時甚至有注文比原典艱深的現象，且未標音訓，考生的目的既在獲取新穎字句，若選郭象的《莊子注》，考生必須去理解《莊子》的義理，更要通過郭象的詮釋，當然無法達成目的，對於一般考生而言並不是適合；陸德明《莊子釋文》只標音訓與名物，簡潔易懂，顯然對詞科的考生助益較大，因而洪邁以之爲藍本。

㈡《莊子法語》的內容

洪邁以陸德明《莊子釋文》爲藍本進行摘句的工作，對於陸德明的選句與註解採用甚多，茲以〈逍遙遊〉爲例，分別說明：

1 摘錄陸德明的選詞而不加註

這類的字詞以淺顯易懂爲主，其中可分爲二部分，一是完全抄自陸德明的選詞如北冥、海運、水擊、背負青天、惠蛄、瞽者無與乎文章之觀、無何有之鄉廣莫之野等，一是陸德明只選部分字詞，而洪邁則將全句引出，如「其翼若垂天之雲」，陸德明僅解釋「垂天之雲」，其他如「芥爲之舟」、「綽約若處子」⑮等，這是因爲二書性質不同的緣故。

2 摘錄陸德明的選詞並且加註

加註是爲了讀者閱讀的方便，文詞或全錄，或選錄。註文則以字義與名物解釋爲主，偶及音訓，當然註文仍取自陸德明。

標示音訓者，如「瓠落無所容」句中的「瓠」字，註：「瓠，戶郭反。」這是陸德明的標音。但如「置杯焉則膠」句中的「膠」字，註：「右孝反，一如字。」註文雖取自陸德明，而陸德明原註標爲「徐、李：古孝反，一如字」，「徐」指徐邈，「李」指李頤，可見陸德明仍前有所承，《莊子法語》是考試用書而非學術著作，因而並未將原註者標出，只標示音訓，方便閱讀而已。

摘錄字句又釋名物者，如「野馬」註云：「春月澤中遊氣。」這是陸德明取自司馬彪的註文，「坳堂」註云：「有坳垤形」是陸氏取自支遁的註文。摘錄字句又釋字義者如「未數數然」註云：「音朔，迫促意也。」音訓爲陸氏所標，字義則陸氏取自崔譔的註文。洪邁取擇以簡明易懂爲主，而亦全不標出處。

3 選錄新穎的註文列入正文

洪邁除了選取《莊子》的文句外，有時也將陸德明註解的文句列如正文，反而以《莊子》的文句來做註，如「言語宏大無隱當」原是陸德明引司馬彪的註文，洪邁將之與所錄《莊子》的字句並列，而句下註云：「大而無當注」，便明白標示文句取自註文。又如「其大如天一面雲」下便標註出於《釋文》。洪邁在《莊子法語》的第一條註文，說明其註文選自陸德明《經典釋文》，頗有開宗明義的意味。「糞上芝」則將註文列爲正文，再引其他註文當作註解，其他如「烈生芝」、「山以草木爲髮」也都是陸德明的註文。

4 陸德明未註而取郭象註文

陸德明對於《莊子》若干字句未註解，洪邁取郭象的註文作爲註解，如「御風而行冷然善也」句中「冷然」二字，註云：「輕妙之貌。」查陸德明未註，註文則取自郭象，這在〈逍遙遊〉中僅一見，在其他的篇章中亦罕見。從郭象的註文看來，也是字面的解釋，無關乎原文的重要義理。

5 自選《莊子》的精彩文句

《莊子法語》中眞正能顯示其精彩的是陸德明僅註一二字句或未註而洪邁自取的部分，這類的文句類似格言，而不僅字詞文句而已，如「天之蒼蒼，其正色邪？其遠而無所至極邪？」、「鷦鷯巢於深林，不過一枝；偃鼠飲河，不過滿腹。」、「庖人雖不治庖，尸祝不越樽俎而代之矣。」、「瞽者無以與乎文章之觀」、「豈唯形骸有聾盲哉？夫知亦有之也。」、「能不龜手，一也；或以封，或不免於泙澼絖」等，一組格言幾乎就是一則寓言的觀點總結，如能善用這類的文句，當可使文章更具說服力，因此頗適於運用在詞科考試的場合。

綜觀《莊子法語》，標示的方式差異並不大，前文以〈逍遙遊〉爲例的考察，基本上已能概括全部四卷的主要狀況，茲不贅引。

四、結語

洪邁並未以註《莊》名家，也不曾有系統的闡發《莊子》的義理，縱使如此，洪邁在莊學史上仍有其貢獻。《莊子法語》所選的文句雖以陸德明《經典釋文》爲藍本，不少文句都選自註文，洪邁自選部分仍最爲重要，尤其以備程試爲目的的實用觀點，使《莊子法語》成爲考場必備之書，考生在準備的過程中已熟悉莊子的文句，有時以《莊子》的文句入詩文，更可當作以後進一步閱讀《莊子》的準備工作，這對《莊子》的流傳相當有幫助。

《容齋隨筆》中提及莊子的文字，論述的多是莊學史的重要問題，如東坡對莊子的看法與莊列優劣之說，都能引用相關書籍的記載做爲論證的依據，持論亦平正，偶有闡釋義理或考察源流，辯證考據均能以精確見長，相當可取。而洪興祖的註文自明代以後便已亡佚，今人想要了解洪興祖註文已無緣再見，幸賴洪邁的記載而尙略能考查洪興祖註解的立場，雖然僅錄一條而彌足珍貴矣。

【附　註】

① 關於洪邁的生平，可參考《宋史》卷三百七十三有〈洪邁傳〉，至於較爲詳細的考察，可參王年雙《洪邁生平及其夷堅志研究》第一章第二節，政治大學中文所博士論文，民國七十七年六月。

② 見王年雙《洪邁生平及其夷堅志研究》第一章第五節。

③ 《四庫全書總目》卷一一八，子部「雜家類二」〈容齋隨筆〉條，頁一〇二〇。

④ 錢穆《莊子纂箋》引宣穎《南華眞經解》曰：「月，喻人之清明本性也。」亦從洪邁之說。以月比喻心性，以火比喻欲望，較合莊子原意。

⑤ 《容齋隨筆》卷七，頁一～二。

⑥ 見王淮師《老子探義》頁四七，台北：臺灣商務印書館，民國七十四年三月。

⑦ 《容齋三筆》卷十三〈祿祿七字〉，頁七。文中並指出今人用「祿祿」二字本出《老子》。註三：蘇軾的觀點既可以《列子》作爲印證，這麼現成的例子卻未見提起，洪邁不說蘇軾有意隱瞞其創見來自《列子》，也不說蘇軾讀書的疏略，「豈非作文時偶忘之乎！」一句頗堪玩味。

⑧ 《朱子語類》卷第一百二十五〈老氏・莊列附〉。

⑨ 羅勉道《莊子循本》卷二十二，頁七。羅勉道的時代或以爲宋代，或以爲在宋元之間，或以爲明代，其中以明

人之說最爲可靠，詳參簡光明〈羅勉道《莊子循本》綜論〉，《中國學術年刊》第十八期。

⑩ 關於洪興祖的生平與著述，可參李溫良《洪興祖〈楚辭補注〉研究》第三章，成功大學中文研究所碩士論文，民國八十三年六月。

⑪ 《四庫全書總目》卷六，史部「史鈔類存目」〈史記法語〉條，頁五七八。

⑫ 引自胡楚生師《訓詁學大綱》（台北：蘭台書局，民國七十四年九月。）頁二四三，書中亦以歐陽修之說「比較接近眞相，只是，說《爾雅》專爲解詩而作，便失之狹了。」

⑬ 《四庫全書總目》（上）卷一三二、子部、雜家類存目八、頁一一一六〈經子法語〉條。

⑭ 洪邁《容齋續筆》卷十二〈列子書簡〉，頁九。

⑮ 此處所據的版本爲烏程張鈞衡據景鈔宋本翻雕的《經子法語》，《莊子法語》在卷二十一至卷二十四，〈逍遙遊〉爲《莊子》的第一篇，在卷二十一，頁碼稍有錯誤，頁二應與頁三互調，本段引用時不再標示卷數與頁數，以免累贅。

王鳴盛《十七史商榷》中對歷史事件及人物之評論

臺南師範學院
語教系副教授　張惠貞

摘　要

王鳴盛為清代漢學吳派之代表人物，其《十七史商榷》與錢大昕《廿二史考異》、趙翼《廿二劄記》，並為乾嘉歷史考據學之重要著作。王鳴盛所撰《十七史商榷》，博採廣引疏通考證，既精且詳，備乾嘉史學一格。於校勘本文，補正譌脫，審事跡之虛實，辨記傳之異同，於輿地、職官、典章、名物，每致詳焉。嘗言不喜褒貶人物，議論史實，以為空言無益，然於《十七史商榷》中，每犯好議論史實得失、針貶人物，糾舉史家疏失。此舉如王鳴盛《十七史商榷》序文中言：「學問之道，求于虛不如求於實，議論褒貶皆虛文耳。作史者之所記錄，讀史者之所考核，總期能得其實焉而已。」因此，王鳴盛在探論歷史事件之分析，人物之論斷，無不反覆強調史以紀實。因此，探究史實原委，成為《十七史商榷》一書中，不可忽視的內容，亦是表達出王鳴盛徵實的史學精神。

關鍵字　王鳴盛　十七史商榷

前　言

《十七史商榷》一書是歷史考據學家王鳴盛史學之代表作，王鳴盛於此書，著重於文字校正、典制考證及地理考釋，也有一部分內容是關於歷史事件和人物的評論，以及從史評的角度評價各部正史優劣。因此《十七史商榷》有不少條目是專爲論史而寫的，通過考據對歷史人物評價，及史實的揭露，成爲考史與史論結合，表現出歷史學家的責任感和正義心。考其事跡之實，發明眞象，重視歷史的經驗事實，無不是一位史學家引以爲要的。

一、對歷史事件之評論

王鳴盛於《十七史商榷》序文中說：「學問之道，求于虛不如求於實，議論褒貶皆虛文耳。作史者之所記錄，讀史者之所考核，總期能得其實焉而已矣。」因此，王鳴盛從史料探究，無不反復強調史以紀實，故據事直書，詳明整贍。求實不只是治史的出發點，亦是治史終極目標。王鳴盛極力反對褒貶議論，但實際上，對於歷史事件，並不反對史論，而是反對沒有史實依據的空論。因此王鳴盛論史，不以議論求法戒，不以褒貶爲與奪，而是史可針砭，因此評論歷史事件，探究史實原委，是《十七史商榷》一書中，不可忽視的重要談論內容，亦是表達出王鳴盛徵實的史觀。如卷九〈盡殺諸呂〉條周勃、陳平、劉章既誅產、祿，悉捕諸呂，無少長男女皆殺之，并樊噲之妻呂嬃及其子伉皆殺之，除惡莫若盡，此之謂矣，惟其能斷，故能定亂，而唐敬暉、桓彥範、袁恕己、張柬之、崔元暐不誅諸武，僅斬二張，遂謂無事，謀疏若此，其及禍宜也。

此爲一篇史論性文字，王鳴盛並無考證盡殺諸呂有關史實，而是只論述周勃等平定諸呂之亂，及張柬之等恢復李唐社稷鬥爭中的功過是非，並分析其成敗迥異之由，終於得出「除惡莫若盡」的結論。

又卷二十四〈漢初人才已盛〉條，論漢初大亂初平人心甫定，文學未興，風氣猶樸，而人才已盛，故能傳世之遠，其來有自，如：

曹參攻城野戰，身被七十創。疑其專以摧堅陷陣爲能，及其以清淨爲治，遂致畫一之歌，申屠嘉材官蹶張，能折辱鄧通，得大臣體……

卷四十二〈孫氏陰謀〉條，論孫權善於運用陰謀周旋於蜀、魏之間。

孫權稱臣事魏已久，及黃武元年春，大破蜀，劉備奔走，勢愈強盛，則魏欲與盟而不受，九月，魏兵來征，又卑辭上書，求自改悔，乞寄命交州，乃隨又改年，臨江拒守，彼此互有殺傷，不分勝負，十二月，又通聘於蜀，乃既和於蜀，又不絕魏，且業已改元，而仍稱吳王，五年令曰，北虜縮竄，方外無事，乃益務農畝，稱帝之舉，直隱忍以至魏明帝太和三年而後發，反覆傾危，惟利是視，用柔勝剛，陰謀狡猾，陳壽評以句踐比權，誠非虛語。

王鳴盛考辨了孫權「既和於蜀，又不絕魏」的種種陰謀，然後便論道「反覆傾危，惟利是視，用柔勝剛，陰謀狡猾」的評論，陳壽評此事以句踐比孫權，誠非虛語。王鳴盛論司馬懿取魏，即曹操取漢，故智也。「目所習睹，還用之，甚便也，操辛苦而僅得者，子六年，孫十二年，一瞬耳，操有靈，悔不終爲漢處士，春夏讀書，秋冬射獵。」（卷四十〈懿取操智〉條）即孫權周旋於蜀、魏，司馬懿取魏，曹操取漢，皆是智謀所用。

王鳴盛論用人之方，諸葛亮誅馬謖，非誤於誅馬謖，而是誤於用馬謖不得其當，如卷四十一〈亮誅馬謖〉條

謖幼負才名，以荊州從事隨先主入蜀，才器過人，好論軍計，蓋其所長在智謀心戰之說，亮既用之，赦孟獲以服南方，終亮之世，南方不復敢反，此其明證也，祁山之役，令爲先鋒，統大眾在前，以運籌決策之才，而責以陷陣摧堅之事，是使蕭何爲將，而韓信乃轉粟敖倉以給軍也，宜其敗矣，此則亮之誤也。

馬謖之才，所長在智謀心戰，以南方事爲例可證。然而諸葛亮命祁山之役令爲先鋒，統大眾在前，此衝鋒陷陣即非馬謖所長，故王鳴盛以運籌決策之才及陷陣摧堅之事爲例，馬謖之才如同蕭何掌決策，豈是陷陣摧堅之人，故祁山之役敗，敗其諸葛亮誤用馬謖。

王鳴盛對於《晉書》雖系唐人重修，卻保留了一些曲筆記載，如卷四十四〈曲筆未刪〉條，王鳴盛論建興八年魏蜀交鋒，諸葛亮安得被魏俘斬萬計，此乃敘事不實所在，如文：

魏志明帝紀，太和四年，詔大司馬曹眞、大將軍司馬宣王伐蜀，九月，大雨，伊、洛、河、漢

水溢，詔眞等班師。蜀志後主紀，建興八年秋，魏使司馬懿由西城，張郃由子午，曹眞由斜谷，欲攻漢中，丞相亮待之於城固、赤阪。大雨道絕，眞等皆還，如是而已，安得有遁逃破敗之事。彼時亮正大舉北伐，雖馬謖小挫於街亭，而斬王雙，走郭淮，遂平武都、陰平二郡，安得被魏俘斬萬計邪，懿從不敢與亮交鋒，屢次相持，總以案兵不動爲長策，遺之巾幗，猶不知恥。假託辛毗杖節止戰，制中論之甚明，此紀特晉人夸詞，在當日爲國史固應爾爾，今晉書成於唐人，而猶仍其曲筆，不加刪改，何也。

陳壽《三國志》有許多地方替魏晉統治者飾美隱諱，而于司馬氏篡魏，更多袒護之筆。王鳴盛以陳壽記事失實原因在於「世愈近，言愈隱」（卷四十〈夏侯玄傳附許允五經〉條）況「在當日爲國史，固應爾爾，今晉書成於唐人，而猶仍其曲筆，不加刪改，何也？」提出了當代人寫當代史的曲筆原因所在，但對於後代人寫前代事，卻仍保留了許多曲筆迂護之詞。王鳴盛於卷四十〈夏侯玄傳附許允王經〉條，析論了《三國志》史書筆法：

魏氏之亡，始於曹爽之誅，而終於齊王之廢，及高貴鄉公之弒，爽之驕溢，其敗有由，然爽不死，司馬之篡不成若夏侯玄、李豐之獄，則師、昭相繼，逆節彰著諸公身沈族滅，皆魏室之忠臣也，故於玄傳末以許允、王經終之，以見其皆亡身殉國者，而皆貶其以過滿取禍，則廋詞以避咎耳，世愈近，言愈隱，作史之良法也。

王鳴盛以李豐、則師、昭相繼等人皆魏室之忠臣，然諸公身沈族滅，而於夏侯玄傳末附許允、王經，以見其皆亡身殉國，但陳壽不便直言褒揚魏室忠臣及曹爽驕溢敗之由，故以庾詞以避咎耳，此乃隱諱之筆法，若欲使史實披露，則須加明白陳壽用曲筆之由。因陳壽乃蜀人入晉，措詞之際，有難焉者，如卷四十一〈姜維志在復蜀〉條

措詞之際，有難焉者，評中於其死事，反置不論，而但譏其玩眾黷旅，以致隕斃，壽豈不知不伐賊王業亦亡，惟坐待亡，孰與伐之，特敵國之詞云爾，若以維之謀殺鍾會而復蜀爲非，則壽不肯爲此言，此其所以展轉詭說以避咎也。

王鳴盛以姜維之於蜀，猶張世傑、陸秀夫之於宋。姜維本志在復蜀，不成被殺，其赤心則千載如生。而陳壽由蜀入晉，亦未能言姜維欲謀殺鍾會，而復蜀爲非，則陳壽不肯爲此明言，故措詞之間有所隱晦。

王鳴盛論三國蜀、吳之戰，用火攻前有赤壁之戰，後有陸遜用火攻敗劉備事，如卷四十二〈陸遜用火攻〉條

陸遜傳，黃武元年，劉備率大眾來伐。從巫峽、建平連圍至夷陵界，遜乃令人各持一把茅，以火攻之，通率諸軍同時俱攻，破其四十餘營，備大敗走，愚謂遜仍用周瑜火攻之策，此地多山林險阻，待其傍巖依樹結營既密，然後用之，連營愈多，燒毀愈易，遜久有成算，而其上書於權及所以告諸將者，略不宣洩，機事密故能成功也，但此法只可用之赤壁、巫峽耳，平原非所宜，至後世銃炮起，而後火器又爲之一變，且并用之以破城矣。

王鳴盛敘黃武元年陸遜用火攻以敗劉備陣營一事，劉備統軍佈署之地，多山林險阻，且結營旣密，陸遜以火攻之，連營愈多，燒毀愈易，以致吳軍同時俱攻，破其蜀軍四十餘營，劉備遂大敗走。論肥水之役，東晉賴此一戰偏安江南，但事過三年，方追封謝安、謝石、謝玄、謝琰等人，而未能及時論功行賞，在於王氏專政忌能，如卷四十五〈謝功賞遲〉條

> 太元十年十月丁亥，論淮肥之功。追封謝安廬陵郡公，封謝石南康公，謝玄康樂公，謝琰望蔡公，愚謂大破苻堅於肥水，乃太元八年事，更三年之久，直至十年十月始加封賞，何其遲也，江左偏安，賴此一戰，功莫大焉，而賞若是其遲者，王氏專政忌能故也。

王鳴盛又論晉少貞臣，於卷四十九〈晉少貞臣〉條所論，以王導一門爲司馬氏世臣，而桓玄篡位，則王導之孫謐爲太保，奉璽册詣玄，封武昌縣開國公，四維絕矣，何以立國。蕭子顯爲其父蕭嶷的生平行事，嘉言懿行，及朝廷之儀禮，名流之褒獎，無一不纖細敘入，故《南齊書．蕭嶷傳》鋪張至七千八百餘字。王鳴盛在《十七史商榷》卷六十二〈豫章王嶷傳與齊書微異〉條，揭露蕭子顯在《南齊書》中爲其祖蕭道成作本紀，又爲其父蕭嶷立傳之私心。

> 南齊書出蕭子顯，豫章文獻王嶷即其父也。自作史而爲父立傳，千古只此一人，故傳中極盡推崇，論至以周公比之，贊則云，堂堂烈考，德邁前蹤云云，嶷固無甚惡。

王鳴盛論「自作史而爲父立傳，千古只此一人」，雖考蕭嶷固無甚惡，然其蕭子顯爲父作長傳，其心叵測，王鳴盛倡導據事直書之立場揭發蕭子顯爲父立傳，別有用心。

王鳴盛對於各史之評論，以李延壽貶斥之辭最多，但其寸長之善，王鳴盛亦是肯定的，如南朝宋文帝爲太子劭所弑，《十七史商榷》卷五十四〈文帝稱太祖〉條中論云：

元嘉三十年二月甲子，元凶劭搆逆，帝崩於合殿，軾景皇帝，廟號中宗，孝武帝踐祚，追改謚曰文帝，廟號太祖，案，合殿，宋書作含章殿，南史是也，觀通鑑亦作合殿，而小字注李延壽辨證之言於其下，可見，又宋書直書二月甲子上崩於含章殿，時年四十七，與善終者全無分別，雖於論中見之，而紀事失實，亦當以南史爲正。

宋文帝爲太子所弑，《宋書．文帝本紀》僅言「二月甲子，上崩于含章殿，時年四十七」絕無文字述及被弑，《南史．宋文帝本紀》卻直書「元嘉三十年二月甲子，元凶劭搆逆，帝崩于合殿。」兩書相校，《宋書》紀事失實，不如《南史》爲正。又卷六十三〈臨川王宏與梁書大異〉條，王鳴盛以《南史》與《梁書》比較，《南史》得其實。

臨川靜惠王宏、梁武帝之嫡弟也，南史於其傳醜言詆斥，不遺餘力，始則武帝使之侵魏，部分乖方，無故自卻，使百萬精兵，一朝奔潰，其平日則藏匿殺人之賊於府內，有司無如之何，又武帝遇之恩甚篤，而宏謀弑武帝，且奢侈無度，恣意聚斂，驅奪民間田宅，又與永興公主私通，公主、武帝之女，於宏爲嫡姪女，遂復與同謀弑逆，以齋日使二僮挾刀入幕下，事覺搜得刀，帝乃殺僮而祕其事，若梁書本傳，則於宏事全篇皆用褒詞，其北伐係因征投久，奉詔班師，且盛稱其孝行及居喪盡禮，又敘其政事之美，在揚州刺史二十餘年，寬和篤厚，生平竟一無玷缺，南史與齊、梁書多異，而此傳尤乖刺之甚者，此則恐南史爲得其實，姚思廉父子或與之有連爲隱諱，未可知也。

梁臨川王宏率兵北伐，挫置乖方，庸怯無能，奔潰喪師。平日且奢侈無度，恣意聚斂，驅奪民間田宅，又與永興公主私通，共謀弑武帝；而《梁書》本傳於臨川王事，全篇皆用褒詞，稱其北伐喪師，乃其「係因征役久，奉詔班師」，完全不敘臨川王自卻無方之事；又敘其「孝行及居喪禮盡」，其「政事之美」，在揚州刺史二十餘年任職中「寬和篤厚，生平竟一無玷缺。」但《南史》於其傳醜言詆斥不遺餘力，方得使史實轉晦暗爲明朗，欲見姚思廉父子編史隱諱爲非。

王鳴盛論沈約《宋書》每爲宋諱惡，但對沈約述海鹽公主與人私通事，又當得其實，如卷五十九〈海鹽公主〉條

倫之之孫倩，尚文帝第四女海鹽公主初始興王濬以潘妃之寵，故得出入後宮，遂與公主私通，及適倩，倩入宮而怒，肆詈搏擊，引絕帳帶，事上聞，有詔離婚，殺主所生蔣美人，此宋書倫之子伯符附倩傳文濬與公主，嫡兄妹也，事上聞，不殺濬及公主，反殺公主之生母美人，殊不可解，然沈約每爲宋諱惡，而於此直書之，常得實。

又《宋書．武帝紀》載，宋武帝劉裕取代了東晉的統治後，於永初元年封晉恭帝爲零陵王。第二年九月，零陵王突然死了，此時劉裕一連三日在朝堂上舉哀，喪禮亦極隆重。王鳴盛《十七史商榷》卷五十四〈零陵王殂〉條評云：

愚謂前代禪位之君，無遇弒者，劉裕首行大逆，既弒安帝，又立恭帝以應讖而於禪後又弒之，其惡大矣，作史者似宜直書，以正其惡。

零陵王晉恭帝之死，本是劉裕安排的，《宋書・褚叔度傳》載劉裕派人送青藥給晉恭帝，令其服毒自殺，但爲晉恭帝拒絕，遂爲劉裕所派之人給殺了。因此王鳴盛以爲「今云，宋志也，只避去一個弒字，而其爲弒固已顯然，望文可知。」又於卷六十四〈昌濟江中流殞之〉條中，敘論衡陽王死之實情，披露無遺。

巴陵王蕭沆等表請以昌爲湘州牧，封衡陽郡王，沆蓋齊和帝之子孫列於三恪，故假以爲名，其下云，丙子，濟江，於中流殞之，使以溺告，此文帝命侯安都殺之，事見安都傳，陳書乃云，中流船壞，以溺薨，於安都傳亦但云，請自迎昌，昌濟漢而薨，以功進爵云云，雖情事宛然，然唐人書陳事，何必作此蘊藉之筆，似有所不敢直書者乎，皆不如南史竟書殺之爲得實。

陳武帝之子衡陽王陳昌之死，《陳書・世祖紀》言「衡陽王昌薨」，《陳書・衡陽王昌傳》言衡陽王入境，渡江，「于中流船壞，以溺薨。」陳昌本是西魏俘虜留居長安，陳武帝死後，北周同意放回陳昌，此時陳朝皇帝爲陳文帝，乃陳武帝之姪，陳文帝一方面接納大臣們建議，封陳昌爲衡陽王，另一方面卻暗中派人乘陳昌由北周渡江南歸時，將其害死。因此《南史・陳本紀》言「衡陽王昌沈于江」，《南史・侯安都傳》中則直言，文帝命侯安都殺之，揭露了事實眞象，故王鳴盛言「唐人書陳事，何必作此蘊藉之筆，似有所不敢直書者乎，皆不如南史竟書殺之爲得實。」

黃巢在唐代興兵，《舊唐書》載其爲部下林言所殺，但《新唐書》認爲乃黃巢伏誅。以此二事，王鳴盛以《新唐書》所言伏誅，乃是歐陽修「好以筆端爲予奪，故多疵病」，無妨直當據實直書賊將林言斬黃巢以降爲是，故以比較法分析比較新、舊《唐書》，記載黃巢之異同，當以舊書所載存其眞。如卷七十五〈黃巢伏誅〉條

新紀中和四年七月壬午，黃巢伏誅，巢之當伏誅，固不待言。論其罪，且寸磔不足以蔽其辜矣。而論其事，則實未朋正顯戮，亦并非用兵以擊而於臨陳斬之，直當據實書賊將林言斬黃巢以降，傳首行在。又昭宗紀，乾寧三年五月乙未，董昌伏誅，董昌亦不可云伏誅。但當云錢鏐將顧全武獲董昌斬之，傳首京師，如此方爲得實。惟昭紀、龍紀元年二月戊辰，宋全忠俘泰宗權以獻，己丑，宗權伏誅，此則得之。觀宗權書法，愈見黃巢、董昌之非，專圖文省，而又好以筆端爲予奪，故多疵病。

王鳴盛又通過各帝紀的比較，發覺《新唐書》昭、哀二紀太簡，《舊唐書》所記甚詳，故《十七史商榷》卷七十六〈昭哀二紀獨詳〉條評論云：

凡所貴乎史者，但欲使善惡事跡炳著於天下後世而已，他奚恤焉，今觀此二紀，見亂賊一輩之姦宄狡逆，歷歷如繪，照膽然犀，情狀畢露，使千載下可以攷見，亦何必恨其太詳邪，世間浮華無實文字，災梨禍棗，充棟汗牛，何獨於紀載實事必吝此勞邪，至於詔令制敕備載，幾欲隻字無遺，遙想一時附和小人，欺天負地，掉弄筆墨，誣善醜正之詞，喪心滅良之語，賴史家詳

> 述之，又得聞人詮等搜獲於既亡之後而重刻之，其功大矣，新書於舊紀奮然塗抹，僅存無幾，若哀紀舊約一萬三千字，而新約只千字，自謂簡嚴，實則篡弒惡跡，皆不見矣，使新書存而舊書竟亡，讀史者能無遺憾乎。

新紀太簡，幸賴舊書據得實錄，所言甚詳，故對於昭哀二帝時之「姦兇狡逆」歷歷如繪，情狀畢露，千載下讀之，不失其詳實。或如新紀所載太簡，必然遺漏重要史實，使當時之篡弒惡跡，隱而不見。又卷九十二〈司空圖不懌而疾卒〉條

> 哀帝被弒，圖聞，不食而卒，年七十二。近時編唐詩作小傳者皆從之。舊書則云，唐祚亡之明年，聞輝王遇弒於濟陰，不懌而疾，數日卒。不食而卒，不懌而卒，二者相去絕遠，不知新書何據。成人之美，誠君子之心，然史貴紀實，不可飾僞也。

司空徒死因，《舊唐書》作「唐祚亡之明年，聞輝王遇弒於濟陰，不懌而疾，數日卒。」《新唐書》云「哀帝被弒，圖聞，不食而卒，年七十二。」蓋不懌而疾卒與不食而卒，二者相去絕遠，不知新書何據，然史貴紀實，不可飾僞。又卷七十三〈韓旻斬朱泚〉條，新紀書「朱泚伏誅，伏誅者，固以其有罪而書，要亦是明正其罪與衆棄之之義。」但朱泚實爲其軍士所殺，並非韓旻所斬，此事同安慶緒殺安祿山，史思明殺安慶緒，故舊書所紀爲實。王鳴盛評史家紀事，莫善於得實，舊紀所書爲實，此條勝於新紀。

二、對人物之評論

王鳴盛重視歷史人物的作用及在歷史舞台上的演出，得失與否，認爲事業的成敗，取決於人才的有無及用人的得失，如《十七史商榷》卷二〈項氏謬計四〉分析項羽失敗的原因：

> 項氏謬計凡四，方項梁起江東，渡江而西，并諸軍，連戰勝，及陳涉死，召諸別將會薛計，此時天下之望，已繫於項梁，若不立楚懷王孫心，即其後破死於章邯之手，而項羽收其餘燼，大可以制天下，范增首唱議立懷王，其後步步爲其掣肘，使沛公入關，羽得負約名，殺之江中，得弒主名，增計最拙，大誤項氏，謬一（酈生勸立大國後，張良惜前者籌其不可，在劉如此，在項何獨不然），章邯破滅項梁，羽之讎也，乃許之盟，與之和好，立之爲王，此事秦民已不服，又詐坑降卒二十萬，失秦民心，謬二，棄關中不都而東歸，乃三分關中，王章邯及其長史司馬欣、都尉董翳以距漢，豈知三人詐秦民降諸侯被坑，民怨之刺骨，安肯爲守，坐使漢還定三秦如反掌，謬三，漢之敗彭城，諸侯皆與楚背漢，范增勸急圍漢王滎陽，范增諸所爲項王計畫，惟此最得，乃又聽漢反間逐增，使軍心懈散，失漢王，謬四。

王鳴盛明確的指出項羽四項失謀，立懷王謬一，坑降卒二十萬，失秦民心謬二，關中不都而東歸謬三，使軍心懈散，失漢王謬四，故項王之失，不在粗疏無謀，乃在苛細多猜疑不任人。韓信、陳平皆棄以資漢，至於屢坑降卒，嗜殺失人心，更不待言。又論項羽之敗，不在其能力不足，而是取決於多種背景及因素，而成事者未必可褒，失敗者亦未必該貶。為此，王鳴盛評價項羽、劉邦時，則肯定了項羽亡秦的功績，若非項羽破秦兵於鉅鹿，虜王離、殺涉閒，使章邯震恐乞降，沛公安能入關，如卷二〈劉藉項噬項〉：

兩敵相爭，此興彼敗，恆有之事，從無藉彼之力以起事，後又步步資彼，乃反噬之，如劉之於項者，項起吳中，以精兵八千人渡江，并陳嬰數千人，黥布、蒲將軍亦以兵屬，凡六七萬人，又并秦嘉軍，其勢強盛，項梁聞陳王死，召諸別將會薛計事，沛公亦起沛往焉，此時沛公甚弱，未能成軍，項梁益沛公卒五千人，五大夫將十人，始得攻豐，拔之，此後凡所攻伐，史每以沛公、項羽並稱，兩人相倚如左右手，非項藉劉，乃劉依項，項氏之失策，在立楚懷王而聽命焉，羽欲西入關，懷王不許，而以命沛公，乃使羽北救趙，約先入關者王也，其後羽乃得負約名，此項之失策也，然當日若非，羽破秦兵於鉅鹿，虜王離，殺涉閒，使章邯震恐乞降，沛公安能入關乎，羽不救趙破秦兵，秦得舉趙，則關中聲勢轉壯，沛公入秦，何如此之易乎，沛公始終藉項之力以成事，而反噬項者也，故曰，吾能鬥智不鬥力，其自道如此，若使夫子評之，必曰譎而不正。

王鳴盛不以成敗論人，故對項羽發出徒嘆不明，鬥智不鬥力，而敗亡者若此。對於劉邦，先生則論：「漢始終惟利是視，頑鈍無恥」且若使「沛公居項羽之地，在鴻門必取人於杯酒之閒，在垓下必渡烏江而王江東矣。」（卷二〈漢惟利是視〉條）今沛公之成事，乃是借項羽之力，而反噬項羽者也。

論東晉謝安、謝玄、謝石相繼去世之說，如卷五十〈諸謝相繼卒〉條

孝武帝太元八年破苻堅，總統指授者謝安，而身在行陣則安之弟石、兄子玄及安之子琰也，晉不競矣，賴有些舉爲之一振，乃事平之後，安卒於十年八月，玄卒於十三年正月，石卒於十二月，而玄年僅四十六，尤爲可惜，自此晉無人矣，桓玄簒位，劉裕討玄，而晉亡矣。

王鳴盛對於謝安、謝玄、謝石相繼去世，尚覺婉惜，自此晉無人矣，桓玄簒位，劉裕討玄，而晉亡，皆因能人不再。

論陶侃乃東晉第一純臣，如卷五十〈陶侃被誣〉條

陶侃乃東晉第一純臣，才德兼備，而爲庾亮所惡，王導亦忌之，即溫嶠亦不能無嫌，曲加誣衊，有大功而掩其功，無過而增飾以成其過，奈天下自有公論，故作史者不得不言其善，而終以無識，多寓貶詞，且晉書愛博，貪收異說，往往一篇中自相矛盾，前云，侃懷止足之分，不與朝權，欲遜位歸國，後云，少夢生翼上天，及都督八州，潛有窺窬之志，不亦刺謬乎，竇應王編修懋竑有論力辨其誣，載白田草堂存稿第四卷，最精確，文多不錄（晉書誣侃，亦見王賢傳）。

陶侃雖爲純臣，才德兼備，然才高終被見嫉，不容於人，而爲庾亮所惡，王導亦忌，即溫嶠亦不能無嫌，而曲加誣衊。《晉書》亦無識而多寓貶詞，幸其王懋竑大力辨其誣，最爲精確。

論庾亮「庸鄙惡劣，貪忮猜忍，誠無寸善可取，而罪不勝誅矣」如卷五十〈庾亮傳得失參半〉條

庾亮之庸鄙惡劣，貪忮猜忍，誠無寸善可取，而罪不勝誅矣。傳文依阿平敘，不明斥其非，殊

欠直筆。又亮最忌陶侃，篇中略見而未暢，反多敘欲廢王導事，導本不足惜，況亮忘侃甚於導乎。

說王導《晉書》傳中六千餘字，殊多溢美，如卷五十〈王導傳多溢美〉條

王導傳一篇凡六千餘字，殊多溢美，要之看似煌煌一代名臣，其實乃並無一事，徒有門閥顯榮，子孫官秩而已，所謂翼戴中興稱江左夷吾者，吾不知其何在也，以懼婦爲蔡謨所嘲，乃斥之云，吿蕪遊洛中，何知有蔡克兒，導之所以驕人者，不過以門閥耳。

蘇峻之亂，庾亮所召，非導之由，然導身爲大臣，當任其危，而本傳始言入宮衛帝，衛帝者，欲避賊鋒也，終言賊入，導懼禍，攜二子出奔白石，則不衛帝矣，白石壘乃陶侃所築險固處，故奔此以圖免也，賊平後，乃入石頭城，令取故節，陶侃笑曰，蘇武節似不如是，導有慚色，郭默反，導言遵養時晦，侃曰，是乃遵養時賊也，皆見侃傳，導之庸鄙無恥甚矣。

王鳴盛言王導之所以驕人者「不過以門閥耳」，蘇峻之亂，王導身爲大臣，當任其危，然劉超傳中亦言蘇峻之亂，成帝被幽，劉超等繾綣朝夕，卒爲蘇峻所殺，而王導出奔。可見王導傳多溢美之辭，「看似煌煌一代名臣，其實乃並無一事，徒有門閥顯榮，子孫官秩而已」又王導臨危退縮，貪生畏死，其庸鄙無恥甚矣。

新紀於唐順宗本紀不見王叔文名，并憲宗本紀亦不見殺渝州司戶王叔文，至於舊紀亦不載叔文之

死，王鳴盛對王叔文之事，頗有個人見地，推翻舊有貶抑之詞。對於王叔文、王伾、劉禹錫、柳宗元等所進行的永貞革新，有所評價。如卷七十四〈順宗紀所書善政〉條

> 王叔文爲人輕躁，又昵，王伾、韋執誼，所親非其人，故敗，其用心則忠，後世惡之太甚，而不加詳察，舊書亦徇眾論，然順宗本紀所書一時善政甚多。

王鳴盛詳述了王叔文柄政時所行之善政：

> 貶京兆尹李實爲通州長史，甲子，諸道除正敕率稅外，諸色雜稅，並宜禁斷，除上供外，不得別有進奉。三月庚午，出宮女三百人於安國寺，又出掖庭教坊女樂六百人於九仙門，召見其親族歸之。五月己巳，以右金吾衛大將軍范希朝爲右神策統軍，充左右神策京西諸城鎮行營兵馬節度使。六月丙申，二十一年十月已前百姓所欠諸色課利租賦錢帛，共五十二萬六千八百四十一貫石匹束，並除免。七月丙子，贈故忠州別駕陸贄兵部尚書，謚曰宣，贈故道州刺史陽城爲左散騎常侍。

以上數事，黜聚斂之小人，褒忠賢於已往，改革積弊，加惠窮民。自天寶以至貞元，少有及此者，而以范希朝領神策行營，尤爲扼要。於此，特爲記之詳，記載善惡事蹟，欲使叔文之美，使後世讀書有識者，得以爲據，順宗一朝美政，亦能見行於世。王鳴盛亦論叔文其意「本欲內抑宦官，外制方鎮，攝天下之財賦兵力而盡歸之朝廷。」於此，則總計叔文之謬，不過在躁進，若求其眞實罪名，本無可罪。《舊唐書．王叔文傳》敘叔文謀奪內官兵柄，乃以故將范希朝流京西北諸鎮行營兵馬使，韓泰副

之。《新唐書・王叔文傳》云，叔文謀取神策兵制天下之命云云。新、舊唐書皆言王叔文欲謀奪內官兵柄，殊不知，「叔文行政，上利於國，下利於民，獨不利於弄權之閹宦，跋扈之強藩，觀實錄，叔文實以欲奪閹人兵柄，犯其深忌……。」

王鳴盛於卷八十九〈王叔文謀奪內官兵柄〉條，再一次稱贊王叔文等「矯革積弊」、「才絕等倫」、「舉賢爲國，可謂忠矣」諸語：

叔文所引用者皆賢，無論劉禹錫、柳宗元才絕等倫，即韓華亦有俊才，陳諫警敏一閱簿籍，終身不忘，淩準有史學，韓泰有籌畫，能決大事，程异居鄉稱孝，精吏治，厲已竭節，矯革積弊，沒無留貲，歷歷見新傳，豈小人乎，何又斥其傳匪人規權遂私乎，至於用范希朝，則新書於兵志已表其欲奪宦者權而不克，於希朝本傳更盛稱其治軍整毅，當世比之趙充國，且歷敘其安民禦虜保塞之功，與舊韓遊瓌傳所云大將范希朝善將兵名聞軍中者正合，然則叔文之用希朝，舉賢爲國，可謂忠矣，斥爲小人，直是自相矛盾，何以服叔文於地下。

永貞革新爲唐順宗時一次重要的政治改革，儘管改革失敗，王叔文被殺害，劉禹錫、柳宗元被貶，遭受歷史上的橫加指責，但王鳴盛皆給予了肯定。

王鳴盛論人物，有評議、有肯定、有惜才、或有所惡，如論三國時魯肅，肯定其人才不在周瑜之下，如卷四十二〈魯肅凡品〉條

趙咨謂孫權納魯肅於凡品。是其聰也，案，張昭毀肅，謂其年少粗疏，是不爲時論所歸，故云

凡品，其實肅人才豈出周瑜之下。

又論英雄舉事，貴爭先著，一落人後，便非俊物。王鳴盛此舉袁紹、曹操、周瑜、魯肅、孫權諸人，事成爲英雄，事敗便非俊物。如卷四十二〈瑜肅異而同〉條

> 英雄舉事，貴爭先著，一落人後，便非俊物，袁紹欲迎獻帝不果，遂爲曹操所先，及與紹相拒官渡，劉表坐守荊州，不能出一步以襲許救袁，而孫策陰欲襲許迎帝，未發，爲人所殺，若其事成，操敗矣，非爭先著者乎，周瑜方結劉拒曹，曹甫敗，旋欲制劉以取荊而并圖蜀，著著爭先，眞俊物也，魯肅與孫權合榻對飲，爲畫大計，與瑜同耳，至破曹之後，仍勸權以荊州借劉，此則與瑜異者，然肅之計，爲孫不爲劉，權雖謂此計爲一短，但荊州新附，其勢吳難獨占，兩雄相爭，徒爲敵利，然則肅計亦未爲短，故瑜病困薦肅自代，二人之計異而同者也，至肅傳載肅與關公單刀俱會之言，注又引吳書云云，兩人各爲其主，亦復旗鼓相當。

王鳴盛肯定人才的作用，但成敗之間，時勢爲致勝與否之關鍵，與人才高下無關，故如劉備、周瑜、魯肅、孫策、曹操等人皆然。又王鳴盛論秦始皇時之范睢，白起功勞雖大，但破趙長平詐坑其卒四十萬，自謂建不世之功，孰知范睢已伺其後，傾而殺之。白起在秦可謂勞臣，但遭忌下，亦難保一身富貴，如卷五〈范睢傾白起殺之〉條論云：

> 天道惡殺而好還，豈不可懼哉，若睢亦小人之尤也。夫起在秦則可謂勞臣矣，睢惡其偪己，必置之死地而後快，自古權臣欲竊人主之威柄，雖有良將在外，務掣其肘，使不得成功，甚且從而翦誅之，

其但爲一身富貴計，而不爲人主計，有如此者。王鳴盛評論張耳無德，小人唯利是視，身既善終，在黨人中亦爲下品罷了。如卷五〈張耳弒故主〉條

張耳與陳餘共立趙王歇，臣事之，耳初無德於餘，及耳與趙王歇保鉅鹿城，爲王離、章邯所困，責陳餘出死力以救之，陳餘救之不力，其後項羽來救，破秦於鉅鹿，圍得解，而耳遂紿奪陳餘兵，此耳負餘也，項羽立耳爲常山王，餘襲攻耳，耳亡走，乃遂忘羽救鉅鹿及立己爲王之大恩，而背楚歸漢，此又耳之負羽也，餘既定趙，迎歇復爲趙王，其後耳遂與韓信破趙，擊斬餘泜水上，亦已甚矣，乃并趙王歇追殺之，較羽之弒義帝，殆有甚焉，義帝奪羽兵柄，而歇則無怨於耳，特以憾餘并其故主殺之，尚得爲有人心者乎，耳眞小人惟利是視，身既善終，子孫封侯五世，乃絕不可解也。

王鳴盛敘張耳負陳餘，再負項羽，背楚歸漢之舉，皆是小人惟利是視。其能善終，子孫封侯，乃絕不可解。故如《漢書‧功臣表》顏師古注云「張耳及子敖並無大功，蓋以魯元之故，呂后曲升之也，此言甚確。」論平諸呂之亂，於灌嬰功勞最大，如卷五〈灌嬰於平諸呂爲有功〉條所論：

諸呂之平，灌嬰有力焉，方高后病甚，令呂祿爲上將軍，軍北軍，呂產居南軍，其計可謂密矣，卒使酈寄紿說呂祿歸將印以兵屬太尉而誅諸呂者，陳平、周勃之功也。平諸呂，陳平、周勃之功厥偉，但若無灌嬰之助，恐喋血京師，戕千萬之命甚矣。然嬰不以此時亟與齊合，引兵而歸，共誅諸呂，乃案兵無動者，蓋太尉入北軍，呂祿歸將印，

此其誅諸呂，如振槁葉耳，若嬰合齊兵而歸，遽以討呂氏爲名，則呂氏亂謀，發之必驟，將印必不肯解，而太尉不得入北軍矣，彼必將脅平、勃而拒嬰與齊之兵，幸而勝之，喋血京師，不戕千萬之命不止，此又嬰計之得也。

王鳴盛肯定灌嬰之功勞，在歷史潮流中的正面作用，但對於無功於朝廷社稷，徒是小人銳面者，如張耳之徒，亦大膽地抵露其面貌，故云顏師古所注之言，張耳並無大功，此言甚確。對漢之叔孫通，也有所貶，如卷二十四〈叔孫通聖人〉條言聖人，如歐陽子五代史述馮道事，有譏貶之意，並未眞誠贊美爲聖人。

叔孫通爲秦二世博士，亡去事項梁，梁敗，從懷王，王徙長沙，留事項羽，羽亡，降漢，面諛親貴，轅固所譏曲學阿世，通之謂矣，及薦諸生爲郎，賜之五百金，諸生遂稱爲聖人，歐陽子五代史述馮道事，云當時謂之聖人，正此意。

論漢之司馬相如，如蘇秦、朱買臣等小人得志，如卷六〈司馬相如〉條

戰國策敘蘇秦貧賤時困厄之狀，及佩趙國相印歸，而父母郊迎三十里，妻側目而視，側耳而聽，史記司馬相如，竊妻買酒舍酤酒，令妻當鑪，身著犢鼻褌，滌器市中，及拜中郎將，建節馳傳使蜀，太守郊迎，縣令負弩矢前驅，卓王孫喟然嘆，自以使女得尚長卿晚，漢書，朱買臣貧，爲妻所棄，後拜會稽太守，衣故衣，懷印綬步歸郡邸，守邸與上計掾吏驚駭，遂乘傳去，見故妻，載之後車，妻自經死，三者正是一副筆墨，史傳中寫小人得志情形亦多矣，而國策、史、

> 漢尤善描摹，窮秀才誦之，不覺眉飛色舞，作四書八股文者，每拈孟子舜發畎畝一章題，便將此段興會，闌入毫端，眞堪一噱，然如蘇秦及買臣，終得慘禍，稍有識者，猶知戒之，若相如之事，輕薄文人，自許風流，千載下猶豔羨不已，自知道者觀之，則深醜其行，而不屑挂齒牙閒也。

王鳴盛寫小人得志，然如蘇秦及朱買臣，終得慘禍，稍有識者，亦當戒之。若司馬相如之行事，王鳴盛比之爲「輕薄文人，自許風流，千載下猶豔羨不已。自知道者觀之，則深醜其行，而不屑挂齒牙閒。」王鳴盛引韋昭注相如事，言其無恥，韋昭本通經，此言甚有識。

王鳴盛痛惡無行之人，比如司馬相如，特藉韋昭語，評其無恥之輩。但對於賢良之人則稱舉之，如論「李固爲將作大匠，上疏稱侍中杜喬，學深行直，當世良臣。喬守光祿大夫，徇察兗州，亦表奏太山太守李固政爲天下第一。君子以同道爲朋，豈不然乎。」（卷三十七〈李杜相薦舉〉條）即是肯定李固、杜喬二人爲君子，爲當世良臣，當是極高稱譽！論蔡邕，並無論其文才，而只有惋息無子「臣年四十有六，孤特一身。案，邕無子孫，故云然，列女董祀妻傳，曹操素與邕善，痛其無嗣。（卷三十七〈邕無子〉條）王鳴盛論《三國志》中關羽、張飛二人並有國士之風：

> 夫關公之所以爲國士者，以其乃心漢室耳，若其與張遼策馬刺殺袁紹將顏良於萬眾之中，遂解白馬之圍，公之所以爲國士，豈專在此哉，且其報曹，正爲歸劉地也，若徒以報曹爲公義舉，未爲知公之心，此贊稍嫌不稱，即張桓侯之美，亦不宜但以釋嚴顏一節當之。

王鳴盛以關公之所以爲國士者，以其乃心漢室耳，非徒以報曹而已，又張桓侯之美，亦非只是釋嚴顏一事而已（卷四十一〈關張贊稍不稱〉條）。王鳴盛又論劉裕意在天下，「義熙八年九月，劉裕矯詔數劉毅之罪，帥師討毅，裕參軍王鎭惡陷江陵城，毅自殺，愚謂裕所同事者，無忌與毅皆雄傑，無忌敗死，所憚惟毅，除之則可得志於天下矣。」（卷四十五〈劉裕殺劉毅〉條）盡除雄傑，以消其阻礙力量，亦見劉裕之智謀及野心。又王鎭惡爲劉裕之腹心，而殺鎭惡者即裕，「裕得關中皆鎭惡功，將還，留子義眞與鎭惡及沈田子守之，而又私謂田子曰，鍾會不得遂其亂者，爲有衛瓘等也，卿等十餘人，何懼王鎭惡，未幾田子遂誘鎭惡殺之，裕之梟雄猜忍，亦難與共事哉。」（卷五十九〈王鎭惡〉條）論鄧攸好名而棄其子，不仁可知，如卷五十一〈鄧攸〉條

> 鄧攸逃難，棄其子而攜其弟之子，其子朝棄而暮及，攸乃繫之於樹而去，嘻，甚矣，攸意以爲不棄其子，無以顯其保全弟子之名，好名如此，不仁可知，其後敬媚權貴，王敦已反，而猶每月白敦兵數，納妾甚寵之，訊其家屬，方知是甥女，小人哉攸也，斯人也，而可以入良吏乎。

鄧攸逃難棄其子，王鳴盛以爲乃是保全弟子之名，好名而已，又敬媚權貴，納妾甚寵諸事皆是小人行徑，豈可入良吏諸語評之。論顏竣殺父妾，乃知母不知父，非人道矣，如卷六十一〈顏峻殺父妾〉條

> 顏延之有愛姬，非姬食不飽，寢不安，姬憑寵盪延之墜床致損，延之子竣殺之，延之痛惜甚至，常坐靈上哭曰，貴人殺汝，非我殺汝，愚謂妾罪小，竣竟殺之，非怒其損父，忌其寵於父耳，

竣之不孝，宜乎不得其死，嚴武殺父妾，以其奪母寵也，獨不爲父地乎，知母不知父，非人道矣。

嚴竣殺父妾，以其奪母寵故，王鳴盛論此事，則以顏峻爲非，論其不孝，乃知母而不知父。論唐順宗永貞革新，同王叔文黨者八人，韋執誼、韓泰、陳諫、柳宗元、劉禹錫、韓華、凌準、程异等八人縱逢恩赦，不在量移之限，諸人雖輕狂，而其中才士亦多。如卷七十四〈程异復用〉條

憲宗雖視其父所任用之人，居心殆不可問，諸人罪亦不過躁進，豈眞醜類比周黨邪害正者哉，攷异傳，异於元和初旋因鹽鐵使李巽薦其曉達錢穀，請棄瑕錄用，遂擢爲侍御史，亦足見帝之好貨矣，异之湔雪尚速，而柳竟死貶所，劉亦久乃牽復，又見才士之多命蹇也。

王鳴盛對此八人是惋惜的，王叔文已賜死，柳宗元亦死於貶所，而劉禹錫亦久乃牽復，此乃文人才士多命蹇也。論人之交誼，王鳴盛對山濤與嵇康交誼之篤，稱其君子「山濤掌選，舉嵇康自代，康與書絕交，詆斥難堪，而其後康被刑，謂其子紹曰，山巨源在，汝不孤矣，後濤舉紹爲秘書丞。」（卷四十八〈山濤與嵇紹〉條）王鳴盛贊譽山濤之情誼最爲難得，以嵇康之絕交書中之言辭詭激，而山濤始終能念及友誼，並眷顧友人之子，豈只友誼之篤，更是君子哉。王鳴盛亦對　愔、王羲之、高士許恂等人，論「並有邁世之風」（卷五十〈許恂〉條）

結語

王鳴盛評論歷史事件及人物，無非是在記其實揚善貶過，透過人物的活動，揭露歷史眞象及史實原委，以昭炯戒，明勸戒的作用，透過史實及評論，呈現出王鳴盛的思維形式及史論特色。所以，王鳴盛認爲治史當在於求眞，及對歷史講求據事直書的徵實精神，以使歷史眞相顯明。王鳴盛力求歷史的眞實性，致於對史實的評論勇氣，即是對治史眞理的追求，亦是視爲史家的重要責任，王鳴盛在《十七史商榷》序文中言及作史之目的在於「實事求是，庶幾起導後人」，及所稟承的「史以紀實」（卷二〈高祖記不書諱〉條），「作史實據事直書，詳明整瞻」（卷四十〈許鄴洛三都〉條），都是史學的優良傳統。史學既是門實事之學，既不空言義理，亦不虛構故事，史學的任務即是紀錄史跡，發明眞相，此治史法則，正是王鳴盛治史的本體論，顧而應用於品評歷史事件、人物分析及多項內容上。所以從具體的史實出發，亦是治史的終極目標。

【參考書目及論文】

王鳴盛《十七史商榷一百卷》　景印乾隆丁未洞涇草堂刻本　台北廣文書局　一九八〇年七月三版

陳垣〈書十七史商榷齊高帝增添皆非條後〉《陳垣史學論著選》　上海人民出版社　一九八一年

倉修良《中國史學名著評介》　台北里仁書局　一九九四年　四月台一版

杜維運《與西方正統史家論中國史學》　台北史學出版社　一九七四年三月

杜維運《中西古代史比較》　台北東大圖書公司　一九八八年八月

許凌雲《讀史入門》　北京出版社　一九八九年九月
林文錡〈略論《十七史商榷》中的論〉《嘉定文化研究》西安三秦出版社　一九九〇年五月
劉連凱〈王鳴盛對前代正史的評論〉《嘉定文化研究》　西安三秦出版社　一九九〇年五月

兩岸漢語音韻研究史的回顧

臺灣師範大學國文學系教授　姚榮松

一

海峽兩岸分隔半個世紀以來，由於具有共同的學術淵源，對於漢語語言文字的研究，基本的路數相同，有繼承傳統學術方法的一面，亦有吸收現代語言學理論與方法，開創新方向的一面，其中最能表現兩岸學術取向之殊途同歸，同步開展，互動互濟者，莫過於「漢語音韻學」一門。隨著兩岸近十年來聲韻學術交流之日益頻繁，使音韻學界之同行，漸行漸近，幾如雞犬之聲相聞，渾不知此疆彼界矣。時程進入公元二千年，爲了對這門中國語言學最古老的分科「漢語音韻學」做一個世紀末之回顧與前瞻，筆者找到歷來相關的回顧或述評文字，做了一番巡禮，對兩岸間發展路程的不盡相同，也有不能止於言者，隨筆記下，聊作交流之資談。

二

唐作藩、耿振生(一九九八)在〈二十世紀的漢語音韻學〉（劉堅編《二十世紀的中國語言學》北京大學出版社）指出：「張世祿的《中國音韻學史》（一九三八商務印書館）是現代最先出現的音韻學通史。」但並未提出第一篇回顧當代漢語音韻學的專論，據個人所見，當是齊佩瑢《中國近三十年之聲韻學》（中國學報一卷二-三期，一九四四）一文，齊文總結本世紀或民國以來前三十年之研究狀況，三十年後出現第二篇回顧六十年之聲韻學，則爲陳新雄教授所撰《六十年來之聲韻學》一文，該文原係台北正中書局印行、程發軔主編之《六十年來之國學》第一册(一九七二)「六十年來之語言文字學」之一篇，次年台北文史哲出版社有單行本。

「聲韻學」是民國以來大學國學必修科目，因此，張世祿《中國聲韻學概要》(一九二九)、姜亮夫《中國聲韻學》(一九三六)、劉賾《聲韻學表解》(一九三二)，林尹《中國聲韻學通論》(一九三七)都採「聲韻學」一名。此一課程大陸通稱《漢語音韻學》，台灣迄今則沿用舊名，不過在四十年代初期，已有很多命名「音韻學」的書，如趙元任、羅常培等譯高本漢原著的《中國音韻學研究》(一九三一)、馬宗霍的《音韻學通論》(一九三二)、王力的《中國音韻學》(一九三六初版，一九五六改名「漢語音韻學」)。之後董同龢《漢語音韻學》(一九五四原名「中國語音史」，凡十一章，增入「現代方音」與「中古音韻母的簡化」兩章及附錄「語音略說」改爲今名。)也在台灣出版，足見兩名並存，早有競爭，音韻學同時作爲 Phonology 之譯名，其名不能等同於 Chinese phonology，「聲韻學」本取漢語音節之原素，由聲與韻結合而成，(語音學所謂 Initial 和 Final)之通名，亦反切法之精義，故此狹義之「聲韻學」乃專指漢語音節結構之學，故不加「漢語」爲限制詞，其等同於「漢語音韻學」乃持之有故。而「音韻學」作爲「聲韻學」之異名，本爲中國傳統語言學的一個分支，和文字學、訓詁學等立而三，由於現代語言學中語音學(phonetics)與音韻學(phonology)的分工，單言「音韻學」不易區別共時與歷時，因此最好以「漢語音韻學」指傳統的聲韻學。大陸方面卻又把 phonology 譯成「音系學」（如上海辭書的《語言與語言學詞典》兼作音韻學、音位學，學苑出版社一九九九《語言文字詞典》亦用音系學，P.22）表面上避開了傳統音韻學與當代 phonology 的糾葛，但把兼含歷時語音學、音位學(phonemics)的音韻學(phonology)譯作「音系學」，至少沒有被台灣的語言學同行所接受。

三

首先將本世紀以來有關當代漢語音韻學研究之現況之介紹與述評的專篇，列目於下：

齊佩瑢(一九四四)《中國近三十年之聲韻學》中國學報一：二(九—二七頁)二：三(五七-七二頁)

黃淬伯(一九五九)《十年來漢語音韻學研究的進展》南京大學「五．二〇」校慶科學討論會報告（未見）

辻本春彥(一九五九)《漢語音韻的研究》在王立達編譯《漢語研究小史》第二章，商務印書館。

陳新雄(一九七二)《六十年來之聲韻學》在程發軔主編《六十年來之國學(二)》第四篇。又見文史哲出版社(一九七三)單行本。

何大安(一九八三)〈近五年來(一九七七—一九八二)台灣地區漢語音韻研究論著選介〉《漢學研究通

訊》二：一，五－十二頁　台北・漢學研究資料及服務中心

李新魁(一九八四)〈漢語音韻學研究概況及展望〉《音韻學研究》第一輯四－二二頁　北京・中華書局

楊耐思(一九八八)〈近八年(一九七八－八六)來音韻研究述略〉《中國語文天地》(京)一九八六・四・二七，二七－三〇頁又見《報刊資料選匯・語言文字學》一九八六・九，二五－二八

馮　蒸(一九八七)〈近十年中國漢語音韻研究述評(上)(下)──《新編漢語音韻史》節選〉《研究生學刊》(北京師範學院)一九八七・一－二，又見袁曉園主編《文字與文化》叢書(二)光明日報出版社。

姚榮松(一九八九)〈近五年來(一九八三－八八)台灣地區漢語音韻研究論著選介〉(上)(下)《漢學研究通訊》八・一，(一－五頁)，八・二(九〇－九七頁)　台北：漢學研究資料及服務中心

唐作藩、**楊耐思**(一九八九)〈四十年來的漢語音韻學〉《語文建設》一九八九・五

唐作藩(一九九三)〈四十年來音韻研究的回顧〉《中國語文研究四十年紀念論文集》劉堅、侯精一主編，北京語言學院出版社

李新魁(一九九三)〈四十年來的漢語音韻研究〉《中國語文研究四十年紀念論文集》三〇一－三〇七　北京語言學院出版社

邵榮芬(一九九三)〈欣欣向榮的漢語音韻學〉《中國語文研究四十年紀念論文集》二〇九－二九六　北京語言學院出版社

竺家寧(一九九三)〈台灣四十年來的音韻學研究〉《中國語文》一九九三・一(總二三二期):二三一三一
李葆嘉、馮蒸(一九九五)〈海外的中國古音研究〉《學術研究》(廣州)一九九五・一,一一三—一一七
王松木(一九九五-九六)〈台灣地區漢語音韻研究論著選介一九八九~一九九三〉(上、中、下)《漢學研究通訊》一四:三—四(一九九五),一五:一(一九九六)台北:漢學研究中心
何九盈(一九九五)《中國現代語言學史》第三章〈音韻學〉二三〇—四〇六頁廣東教育出版社
竺家寧(一九九六)〈臺灣聲韻學當前的研究狀況(上)(下)〉《音韻學研究通訊》一七:三六—三七,一八:三六—三七中國音韻學研究會 湖北武漢:華中理工大學
許嘉璐、朱小健(一九九六)〈漢語史研究的現狀與展望二・一音韻學〉許嘉璐等主編《中國語言學現狀與展望》三八-四七頁 外語教學與研究出版社
馮 蒸(一九九七)〈中國大陸近四十年(一九五〇—一九九〇)漢語音韻研究述評〉《漢語音韻學論文集》(馮著)四七六—五三一 首都師範大學出版社
唐作藩、耿振生(一九九八)〈二十世紀的漢語音韻學〉劉堅主編《二十世紀的中國語言學》一—五一頁 北京大學出版社
李葆嘉(一九九八)《當代中國音韻學》第四章〈當代漢語音韻學研究〉二二七-二五六廣東教育出版社
江俊龍(二〇〇〇)〈台灣地區漢語音韻研究論著選介(一九九四-一九九八)〉《漢學研究通訊》一九・

一：一四九－一六八台北：漢學研究中心

以上選列了具有評介與回顧性質的專篇或專章二三篇，不含音韻學史類通論性專書及斷代研究、專題研究或純粹的論文目錄。其中一九四九年以前只有一篇（齊佩瑢），包括國外研究概況者有二篇（辻本春彥，李葆嘉、馮蒸），台灣學者所撰七篇（陳新雄、何大安、姚榮松、竺家寧、王松木、江俊龍），大陸學者含合撰計有兩位各撰寫三篇：唐作藩與馮蒸。二十三篇之中，篇幅較長，可以作為專書讀的有三篇：陳新雄（一九七二）、馮蒸（一九九七）、唐作藩、耿振生（一九九八）。以下略作說明。

《六十年來之聲韻學》（陳新雄）一文起一九一一迄一九七〇年，整整一甲子，陳文按傳統聲韻學的三個分科：切韻學、古音學、等韻學，分三章敘述，最後介紹有關切韻學通論與聲韻學史之著作，言簡意賅。所以首先介紹切韻學，陳文指出：「切韻者音學之樞機，上足以推古音，下足以明今音。」「本書首言唐本韻書，而及於切韻系韻書之研究，傳統聲韻學家則自章太炎始，近世新學則自高本漢始，所有各家，盡行收入，於切韻之性質，聲韻母之系統，莫不敘及。」觀所列各家切韻聲母及韻母擬音，凡有高本漢、陸志韋、周祖謨、董同龢、李榮、王力、周法高等七家。於上古音之擬音亦錄七家，其不同者為李榮換成李方桂，周祖謨前加羅常培，取其《漢魏晉南北朝韻部演變研究》所考定周秦古音三十一部，僅列韻部名稱及搭配，並無擬音，為例不純。加上陳新雄則為八家。以篇幅而論，全書一二〇頁，等韻學僅佔十三頁，前詳後略，或受篇幅限制，似為美中不足。陳先生另有《等韻述要》一種，合之或可補此書之不足。此書可作音韻學通論，述中帶評，引文出處於本文中夾註，未注出版時地，檢索不易。較諸大陸同行諸作，此篇反映較多台灣音韻學之狀況，詳於董同龢、周法高、李方桂、陳新雄四家音系。前三人上古韻尾承高本漢，陳氏則綜合考古與審音，於古韻分部立基於黃侃陰陽入三分，取衆長得三二部，初擬古韻部十二類八個單元音，一個複元音（宵au）與王力陰聲韻部開尾說相承。

馮文(一九九七)與唐、耿文(一九九八)皆超過五十頁，前者詳評述半世紀（一九四五以後），後者評述一個世紀，皆較陳文詳於分類，引用目錄詳實，馮文直可兼作目錄，唐、耿則接近通史，注意學術環境之變遷及影響研究之因素，不似馮文專述大陸學者，唐、耿已將台灣聲韻學界的狀況放入其分期「四之(三)」節，「海外的音韻學研究狀況」及「五之(一)」節，第三目「與海外同行的學術交流日見頻繁」中介紹，也在「音韻學的鼎盛時期」分門介紹各期古音研究中隨時提及台灣相關學者的名字，然或限於篇幅，多未涉及論著內容，如論上古音研究，僅提及余迺永《上古音系研究》（按此文爲余氏在台灣師範大學一九八〇年博士論文的修正本，原題《兩周金文音系考》，指導教授爲周法高、胡自逢。）及李方桂的擬音系統，至少明顯忽略董同龢《上古音韻表稿》，陳新雄《古音學發微》（嘉新水泥文化基金會研究論文第一八七種一九七二年出版，現有文史哲出版社再版）及龍宇純、丁邦新對上古韻尾之辯論（中央研究院史語所集刊五〇本四分，一九七九）等代表性的專著。他如竺家寧之於上古複聲母之研究，應裕康之於清代韻圖研究，林平和之於明代韻圖研究，倘謂考古之功多於創新，在音韻學研究史上，亦當記一筆。台灣的聲韻學者，多無暇回顧學術發展歷程，博、碩士論文之傳播不易，兩岸之交流，仍有待進一步加強。唐、耿力作，對台灣音韻學界多所肯定，實已標幟新世紀兩岸同行攜手共創高峰的契機，前文之指瑕，應該是可以被接受的。

李新魁(一九八四)〈漢語音韻學研究概況及展望〉是一篇格局宏大，具有指標作用的典範之作，該文與一九八〇年十月二九日在大陸「中國音韻學研究會」成立大會暨首次討論會上發言，首先他打破了漢語音韻學的傳統分類，就當時的學術現況，在傳統的「古音學」、「今音學」、「等韻學」三個分支之外，增加了「四、北音學的研究」，「五、音韻學中的「史」和「論」的研究」。把「漢語音韻研究」區別爲五大領域，已走出傳統音韻學的框架。李文在「三、等韻學的研究」一節也只用一頁的篇幅，同樣失諸太簡，他並作結「等韻學的研究是目前音韻學中比較薄弱的部份，今後必須從下述幾個方面來加強研究。」(按共指出四點)，二十年前的期許，今天有關等韻學及各期韻圖研究的論文及專著也大幅成長，翻開《李新魁教授紀念文集》的「主要著述目錄」欄，李氏一九八〇年以後出版其《韻鏡校證》(一九八二)、《漢語等韻學》(一九八三)、《韻學古籍述要》(與麥耘合撰)(一九九三)三本等韻學上不可或缺的巨著以及包括〈韻鏡研究〉(一九八一)、〈等韻門法研究〉(一九八〇)、〈重紐研究〉(一九八四)、〈論內外轉〉(一九八六)、〈起數訣研究〉(一九九四)在內的重要等韻學論文，證明李先生是一位劍及履及的聲韻學家，値得吾人效法。李先生的著述目錄說明他是一位全方位的聲韻學者，從上古音到北音研究，都有自己的創穫和觀點，他撰文時提及語音史及音韻學史的相關著述時，曾提及自己的《漢語語音史》也將出版，並未提及王力的《漢語語音史》(一九八五第一版，中國社會科學出版社），而李氏的《漢語語音史》居然列在未出版著作書目中，我們期待此書及早整理出版。

台灣方面的回顧，陳文之後以竺家寧（一九九三）〈台灣四十年來的音韻學研究〉一文最具代表性，該文檢視一九四九—一九九二年之間四三年（最早論著從一九五二年起）台灣出版的音韻學論文，分前（一九四九—一九七二）後（一九九三—一九九二）兩期，前期選了八七篇，後期再分四個階段，每階段四年。共選了三九〇篇。由於第四階段實際只有三年（一九八九—一九九一）故只得六二篇。兩期四〇年合計論著四七七種（各階段皆含專書），平均每年論述十二種，論著量並不多，這是因前期二三年只有八七篇，每年平均不足四篇，由此可見竺氏所謂的「拓荒期」堪稱篳路藍縷了，為了說明五〇—六〇年代當時物力唯艱的音學草創期，筆者擬列舉一九六七年初上「聲韻學」時的基本書目：

1. 董同龢《中國語音史》（中華文化叢書）一九五四初版
2. 龍宇純《韻鏡校注》（藝文出版社）
3. 廣文編譯所《國音中古音對照表》（廣文書局）
4. 許世瑛校訂，劉德智注音《音注中原音韻》（廣文書局）
5. 陳彭年《廣韻》（張氏澤存堂本，藝文印書館）

這是許世瑛先生在台大、師大、輔仁、淡江等校講授「聲韻學」的教科用書，《中國語音史》初版於一九五四年，在此之前，董先生似以講義為教材，許世瑛先生初在台灣師大專任，自來即以董書爲主要講義，似乎不曾使用其他教材。

當時台灣出版的音韻學的參考書大抵有以下五類：

㈠廣文書局影印版渭南嚴氏《音韻學叢書》，一九六六年第一版，精裝合十册，計有韻補、韻補正、毛詩古音考、屈宋古音義、音學五書、古今韻考（李因篤）、古韻標準、四聲切韻表、音學辨微、聲韻考、聲韻表、詩音表（錢坫）、六書音韻表、古韻譜、音學十書、說文聲類、詩古音表二十二部集說、切韻考內外篇、詩聲類、切韻指掌圖等二十種。

㈡等韻類：韻鏡校注（龍宇純，一九五九年序，藝文印書館），切韻指掌圖（育民出版社一九七二），四聲等子，韻鏡合訂本（弘道文化一九七二），等韻名著五種（泰順書局一九七二），四聲韻譜（梁僧寶，廣文書局一九六七），等韻源流（趙蔭棠，文史哲出版社一九七四）。

㈢韻書及工具書類：音韻闡微（李光地等，台灣學生書局一九六六），韻略易通，韻略匯通合訂本（廣文書局一九六二），國音中古音對照表（廣文書局一九六六，此書即丁聲樹、李榮《古今字音對照手册》的改編本，漢語拼音改爲注音符號。），北平音系十三轍（天一出版社一九七三），廣韻聲系（沈兼士，台灣中華書局），廣韻通檢（白滌洲，天一出版社一九七五），互註校正宋本廣韻（余迺永，聯貫出版社一九七五），集韻（台灣中華書局四部備要本），曲韻五書（汪經昌校輯，廣文書局一九七二，含汪氏《中原音韻講疏》。

㈣其他影印或再版一九四九以前及五〇-六〇年代大陸出版品：如：中國聲韻學通論（林尹，一九三七年初版，世界書局台一版），文字學音篇（錢玄同，學生書局一九六四），十韻彙編（學生書局一九六三），古聲韻討論集（楊樹達，學生書局一九六五），上古音討論集（趙元任等著，學藝出版社一九七〇），聲韻學表解（劉賾，啓聖圖書公司一九七二再版，按此書初版有民國廿一年五月章炳麟題解），漢語音韻學導論（羅常培，里仁書局），黃侃論學雜著（學藝出版社，一九六九），中國音韻學史（張世祿，台灣商務一九六五），中國聲韻概要（張世祿，商務，一九六三台一版），廣韻研究（張世祿，台灣商務國學小叢書，一九六八台三版），語言學論叢（林語堂，一九三三年上海開明出版，一九六七年台北文學書店台一版），中華音韻學（未著撰人，泰順書局一九七〇，按即王力《中國音韻學》舊版，禁書盜版故改名），中國音韻學研究（高本漢著，趙元任、李方桂、羅常培譯，台灣商務印書館，一九七〇台三版，初版爲一九四〇年九月，書前有一九三九年八月傅斯年序於昆明。），比較語言學概要（劉復譯，泰順書局一九七一），音韻學通論（馬宗霖，泰順一九七二），古韻源流（黃永鎭，商務人人文庫），漢語音韻（王力，弘道文化一九七五），切韻音系（李榮，鼎文書局一九七三），瀛涯敦煌韻輯（姜亮夫，鼎文書局一九七二），中國聲韻學（姜亮夫，文史哲出版社一九七四）。

㈤**本地學者的論著或教科書：**（只列一九七五年以前）

中國語音史（董同龢一九五四），韻鏡校注（龍宇純一九五九），詩經韻讀（江舉謙一九六三），中國聲韻學大綱（謝雲飛一九七一），音學十論（謝雲飛，一九七一，霧峰出版社），中國語言學論文集（周法高，一九六八，聯經出版公司），蘄春黃氏古音說（謝一民，一九七一，台灣大通書局），古音學發微（陳新雄，一九七二，文史哲出版社），六十年來之聲韻學（陳新雄，一九七三，文史哲），等韻述要（陳新雄，一九七四，藝文印書館），董同龢先生語言學論文集（丁邦新編，一九七四，食貨出版社）。

以上所列書籍皆一九七五年以前在台灣流通的音韻學著述，可以看出一九六零年代中期到七零年代，書籍逐漸增多，正是聲韻學在台灣漸入發皇之階段，相較於大陸一九六五－一九七七年十三年的動盪與停頓（唐耿文指出這十三年正式刊物上的音韻論文僅有三篇）「聲韻學」卻是台灣各大學中文系的必修科目。竺文也指出一九七三－一九七七年五年之間，台灣音韻學的論文多達八八篇。然而一九七八年以後的大陸的「後期第三階段」，音韻學在這二十年間，即達鼎盛，如唐耿文(頁三二)所列一九七八－一九九六發表論文篇數竟達二〇六七篇，為前七七年的二．八倍。析其原因，除了大陸學術的開放與現代化等條件外，一九八〇年成立的中國音韻研究會二十年來扮演的推動音韻研究的角色，實為主要因素。

四

竺文對於台灣近二十年(一九七三－一九九二)的研究細分為四階段，每階段五年，作了比較詳細的回顧，其中一九七八－一九八二根據何大安文，一九八三－一九八八據拙文的分析，一九七三－一九七七的二四篇，一九八一－一九九一的六二篇則詳列篇目，以補一九七八－一九八八以外九年的選目。據竺文統計一九四九－一九九一的四二年（竺文誤作四三年，一九九二年並未列入統計）台灣音韻論文的總篇數共得四七七篇，其中可以從每五年一階段之總計篇數窺探音韻學在台灣的發展軌跡，爲了補足一九九二－一九九八年這一階段的現況，我們把王松木一九八九－一九九三，江俊龍一九九四－一九九八的選目放進下列的比較表（一九四九－一九九八五年十年間）：

分期	前期(23 年)	後期(26 年)				
	1949~72	1973~77	1978~82	1983~88	1989~93	1994~98
篇數	87	24	88	216	251	352
小計	87	931				
總計	1018					

五十年間台灣學者寫出一千篇以上的論述，在數量上固然不能與大陸一九七八－一九九六年十九年間的二〇六七篇相比，不過以聲韻學術人口來衡量，台灣學者的個人論文量仍是相當驚人。從何大安起頭的後四個階段（共二十年），我們都把現代漢語（含方言）的音韻併入計算，而大陸學者是把方言排除在外的，這是一個模糊地帶，事實上方言的共時音韻或歷時音韻都對音韻學具有不可分割的互動關係，大陸的學術分工比台灣細緻（台灣語言學學會已成立二年，但並沒有方言學會。）但方言調查素材往往未能進行音韻理論的分析或檢驗，就難作爲音韻學的論文，這點似乎有待兩岸的互動。

五

馮蒸(一九八七)〈近十年中國漢語音韻研究述評〉是檢視大陸改革開放後第一個十年(一九七七—一九八七)音韻學成果的力作,該文按主題及語音史斷代分成十個部門進行述評。作者說明這是與復旦大學楊劍橋合撰的《新編漢語音韻學史》的節選。馮(一九九七)的近四十年述評則將門類擴充爲十三個部門,後出轉精,這是目前看到最詳細的分類,台灣方面自何大安(一九八三)以來的五年爲一個階段的評述,已建立了二十一年(一九七七—一九九八)的著作選目。基本上承襲何文七個部門(*1.*音韻理論*2.*上古音*3.*中古音*4.*近代音*5.*方言*6.*比較研究*7.*工具書)姚文改*1.*爲「總論及總集」改*5.*爲「現代漢語」,王松木(一九九五)將「總論」分爲三個子目;江俊龍(二〇〇〇)將「現代漢語」區分爲⑴共同語⑵閩方言⑶客方言⑷其他。仍維持七大類的格局,兩岸在分類上的差異可以看出音韻學與相關學門的整合。爲了對照其間的異同,我們以馮文七十三類與江文七類(含子目)作一對照表:

馮文在音韻史斷代方面,分出「漢魏晉南北朝音研究」及近代音分早、晚兩期(即宋元與明清),比台灣的粗分四期(上古、中古、近代、現代)要合理,不過大陸地區把現代漢語(包括方言)的音韻研究排除在外,也是不合理的,一部音韻史乃論古今音韻之變遷,現代音韻自然不可或缺,否則不能成爲音韻學通史,近年台灣的「中華民國聲韻學學會」正致力於傳統音韻與現代音韻理論的整合,每年學術研討會中均不乏專攻當代音韻理論的學者討論現代漢語及方言的音韻問題,第十九屆(二〇

馮蒸十三類	江俊龍七大類
一、通論與工具書 二、音韻理論	1.總論 (1)通論及音韻史 (2)音韻理論與研究方法 (3)總集—個別文集或會議專輯 7.工具書
三、上古音研究 ㈠綜合研究　㈣聲調 ㈡聲母　㈤音節結構 ㈢韻母　㈥其他 四、漢魏晉南北朝音研究	2.上古音
五、中古音研究 ㈠綜論 ㈠《切韻》音系的研究 ㈡其他音韻資料的研究 甲.子史書和字書、音義書的音切研究 乙.關於中古時期詩詞和變文用韻的研究 丙.域外譯音和對音研究 丁.別字異文資料研究	3.中古音 6.比較研究
六、近代音早期（宋元）研究 七、近代音晚期（明清）研究	4.近代音
八、語音演變研究 ㈠通論性研究 ㈡歷史音變規律 A.從上古到中古 B.從中古到現代 C.從《中原音韻》到現代	1.(1)通論及音韻史 (2)音韻理論與研究方法 5.現代漢語
九、漢語言音韻學史 ㈠總論　㈣等韻學史 ㈡古音學史　㈤曲韻學史 ㈢今音學史　㈥現代音韻學史	1.(1)通論及音韻史
十、音韻學名詞術語的解釋	1.(1)通論
十一、構詞音變研究 ㈠諧聲字性質的研究 ㈡同源字中的古音通轉規律的研究 ㈢上古漢語某些語法範疇所呈現的語音變化的研究 ㈣“四聲別義”（或稱“讀破”）的研究 ㈤異讀字研究 ㈥古漢語詞綴的研究	2.上古音
十二、漢語音韻研究方法論	1.(2)音韻理論與研究方法
十三、音韻古籍整理與海外音韻論著翻譯	

〇一年）學術研討會的主題是「聲韻學研究之蛻變與傳承」，特別議題選定「介音」，將集中討論以下三方面的議題：

一、當代音韻學理論與實驗音韻學對介音的詮釋

二、中國傳統聲韻學中的介音研究

三、漢語方言學中的介音問題

我們認爲音韻學要提升理論層次，必須與現代漢語研究取得密切互動，所以不能排除現代漢語，至於馮文所專有的「語音演變研究」、「音韻學術語解釋」均可放入江文的總論之(2)音韻理論與研究方法，或可作爲子目。其「構詞音變研究」（一九八七年作「形態音位學」），詳擬六個子目，因事關上古漢語的性質及上古音或原始漢語的構擬，可以展現大陸學者關注的焦點與企圖心，相形之下台灣學者在這方面的研究比較弱，代表人是龔煌城，詞源研究可以歸到訓詁學的領域，台灣「中國訓詁學會」在一九九八年台灣師大舉辦「第二屆國際訓詁學術研討會」，曾以詞源學爲主題，郭錫良、李建國、任繼昉、王雲路等人都發表了相關文章，筆者也發表了〈漢語方言同源詞構擬法初探〉，何大安在「訓詁學與詞源學專題討論」座談會上提出〈論比較詞族學〉的報告，足見此一問題必須與結合音韻學、構詞學與詞源學，也是一個整合方向，台灣學者應吸收大陸學者之研究成果。此外，台灣的多了一項「比較研究」，這是一個寬泛的領域，包括漢藏語比較研究，中日語的交涉或少數民族語文與漢語的互動等等。由此，可見兩岸在研究領域的劃分上，是有許多不同的交集，可以商榷出更合理、

更一致性的類別。

六

音韻學的養成教育在大學本科（台灣爲中文系、國文系及語文教育系）及研究所，台灣的中（國）文系五十年來把「聲韻學」訂爲必修科目，早期爲三學分兩學期，近十幾年減爲二學分，中文研究所則開設有如下的音韻學專題：古音研究、等韻學、實驗語音學、近代音研究、中國音韻學專題討論、上古音專題研究、台灣閩南語音韻研究等課程（參見《聲韻學會通訊》一九九九：九五-九七頁。）

近五十年來台灣地區有關音韻學的博、碩士論文的總數沒有完整的統計，有以下的資料可以參考。竺家寧(一九九三)統計一九四九-一九九〇四十年來共有二五篇博士論文，第一篇博士論文是陳新雄《古音學發微》，台灣師大國文系研究所，指導教授林尹、高明、許世瑛。筆者把這二五篇博士論文的畢業學校作一統計：

㈠台灣師大：十篇。

㈡台灣大學：五篇。

㈢文化大學：七篇。

㈣政治大學：三篇。

再以論文主題五類得如下分佈：（*號表跨類之作者）

㈠古音學：五篇（陳新雄、余迺永、林慶勳、竺家寧、徐芳敏）。

㈡漢藏比較：二篇（辛勉、全廣鎭）。

㈢中古音：十二篇（邱棨鐊、林炯陽、＊辛勉、何大安、耿志堅、林英津、孔仲溫、姜忠姬、葉鍵得、許端容、李添富、李義活）。

㈣近代音：二篇（應裕康、崔玲愛）。

㈤比較研究：六篇（成元慶、金相根、蔡瑛純、＊徐芳敏、吳聖雄、林秋鉉）。

其中辛勉《古代藏語和中古漢語語音系統的比較研究》(一九七二)兩歸于「漢藏比較」「中古音」，徐芳敏(一九九〇)《閩南廈漳泉次方言白話層韻母系統與上古音韻部關係之研究》兩歸于「上古音」及「比較研究」，又許端容(一九八八)《可洪新集藏經音義隨函錄音系研究》歸中古音（可洪爲五代漢中比丘）。吳聖雄(一九九〇)《日本吳音言研究》暫入比較研究。

竺文選取論文宜有一定的標準，如林慶勳(一九七九)《段玉裁之生平及其學術成就》當因段氏爲古音學家而收入，則同爲古音學家述學的《黃季剛先生之生平及其學術》（柯叔齡博士論文，文化大學一九八二）卻失收。徐芳敏(一九九〇)博士論文處理閩南語白話層的韻母系統，固屬聲韻論文而性質相同的楊秀芳(一九八二)《閩南語文白系統的研究》（台大博士論文）卻未入選。收全廣鎭(一九九〇)《漢藏語同源詞研究》，卻未收拙著(一九八二)《上古漢語同源詞研究》，同源詞研究兼跨音韻、詞源，似不宜分軒輊。至於董忠司(一九七八)《顏師古所作音切之研究》、林平和(一九七五)《明代等韻學之研究》（均爲政治大學博士論文）漏收的成分居多。如果補上這四篇，四十年來的博士論文可增至三〇篇，台大、師大、文大各加一篇，政大增加兩篇，我們也發現一九九〇以前的博士論文集中在這四個大學，如果留意一下四校的師承淵源即可眞相大白，台大是董同龢及中央研究院的丁邦新、龍宇純、龔煌城、何大安的一脈，師大爲許世瑛、林尹、高明（曾開過等韻學））、陳新雄、李鍌所指導，政大有高明（主持中文研究所逾十年）、謝雲飛、應裕康等人傳授，文化大學長期藉重林尹、高明、潘重規三人，潘先生爲黃侃之女婿，有《中國聲韻學》，與陳紹棠合撰，（東大圖書，一九八〇）《瀛涯敦煌韻集新編》（香港新亞研究所，一九七一）等行世，返台後以敦煌學、紅學二門主持文化中文所，學術蜚聲國際。林、高皆爲黃季剛弟子，三君傳承章黃古音之學，由陳新雄集大成，並以發揚章黃之學爲自任，陳新雄字伯元，江西贛縣人，一九六九台灣師大國文研究所文學博士，講授聲韻學四十餘年，今年八月自台灣師大退休，已指導博士二八人，碩士論文六八篇，合計九六篇，平均每年指導二・四篇。此種專業紀錄當爲兩岸第一人。他創辦了中華民國聲韻學會、中國訓詁學會，並現任中國文字學會及經學研究會之理事長，其專長爲古音學及東坡詩詞研究。博士論文《古音學發微》厚達一三一八頁，《鍥不舍齋論學集》（一九八四，學生書局，八〇一頁）爲第一本論學集，一九九九年出版《古音研究》（五南圖書公司，七九七頁），是其一生古音學研究的最新定論，其上古音系之擬構爲三元音系統，並有不少修訂其博士論文的地方，値得向大陸同行推薦。有關陳先生之學術及年譜，可參考《紀念陳伯元教授榮譽退休學術研討會論文集》。

七

以上簡單分析對比的兩岸有關當代音韻學論述之回顧與評述的大概，有許多具體的分類統計並未完成，只能提供讀者初步的印象，此亦建立當代漢語音韻學史的初步，個人主張這一類評述應該組織專業的團隊來進行，即每一門類皆由專精之學者共同來選定篇目，彼此進行交互討論，並對論文進行嚴格篩選，每一分期均選出若干篇經典論文，並按難易度排列作為大學（高校）音韻學的基本參考書目，並提出進一步的研究書目，作為漢語音韻學史的的討論書單，這應是兩岸音韻學學會（或研究會）亟需合作的課題。

後記：本文曾於二〇〇〇年八月二〇日在徐州師範大學中國音韻學研究會第十一次學術討論會暨漢語音韻學第六次國際學術討論會上，作為大會專題演講稿，由重慶師大黎新第教授擔任特約討論，謹略加訂正，忝充　天成夫子八十嵩慶論文，以誌不忘裁成之恩。

說「ㄣ」隱

臺灣師範大學
國文學系教授 季旭昇

《說文》有「ㄣ」字，釋云：「ㄣ，匿也。（段注：匿者，亡也。）象迟曲隱蔽形。（段注：迟曲見辵部，隱見𨸏部。象逃亡者，自藏之狀也。）凡ㄣ之屬皆从ㄣ，讀若隱。（段注：於謹切，十三部）。」

現在可見的文字材料中未見單獨出現的「ㄣ」字，因此《說文》的解釋正確與否，無從證明。古文字中有一個偏旁「ㄴ」，見於「建」、「㔹」、「區」、「匿」、「匽」、「医」、「廷」等字，諸家或以爲象牆垣、象坎、象器、象蔽矢之器、或以爲表堆積之範圍、或以爲曲字。我在寫博士論文《甲骨文字根研究》的時候，透過偏旁分析法，認爲這個字形就是《說文》中的「ㄣ」字，但是證據並不十分充分。十餘年來，也沒有見到更好的說法。前年，《郭店楚墓竹簡》面世，其中有一個从「ㄴ」从「心」的「隱」字，可以證明「ㄴ」就是《說文》的「ㄣ」字，以下我把相關的資料及論述羅列出來。凡是甲骨文出現得夠完整的，我就不再往下列字形。

从「匚」諸字字形表

商·合36908「建」	西周·小臣盦鼎「建」	春秋·蔡侯鐘「建」
商·拾12.9「⿷匚來」	商·前8.6.1「⿷匚來」	商·續3.4「⿷匚來」
戰國·中山王鼎「⿷匚來」	戰國·古璽2315「⿷匚來」	商·甲584「區」
戰國·子禾子釜「區」	西周早·盂鼎「匿」	西周早·匽侯鼎「匽」
西周晚·克鼎「匽」	商·乙8859「⿷匚卩」	商·京津2158「⿷匚卩」
商·合458反「叵」	商·河9「医」	商·天96「医」
戰國·古璽「医」	商·乙45「⿷匚自」	商·合33223「⿰医殳」
商·《屯南》2260「⿰医殳」	商·合18835「⿰凸匚」	西周晚·毛公𢉖鼎「廷
西周晚·頌鼎「廷」	西周晚·弭弔簋「廷」	戰國·郭店7.7「⿰忄乚」

以上這些字，學者的分析非常紛歧，我們把可以見到的說法羅列於下：

建：裘錫圭以爲「建」字早期字形「象手持物樹立于『乚』內之形，所樹之物似是木柱一類東西。」（《古文字論集．釋建》，頁355）何琳儀以爲：「从廾，从丨，从乚（曲之初文），會人雙手持木立角落之義（羣點表示土粒），《廣雅．釋詁》四：『建，立也。』曲亦聲。」（《戰國古文字典》995頁）

⿺乚禾：葉玉森以爲字「从乚，象垣蔽藏禾于亩，以垣蔽之。」（《前編集釋》6卷57頁）。白玉崢以爲「其初義疑爲秋收堆禾於野，从乚者，或表其所堆積之範圍歟？」（《中國文字》52冊5984頁〈契文舉例校讀〉。）中山王器出土後，〈中山王譽鼎〉有「氏(是)㠯(以)寡人⿺乚禾(委)賃(任)之邦，而去之遊」句，學者已肯定此字爲委，徐中舒、伍仕謙云：「⿺乚禾，此魏之簡字，《汗簡》魏字作⿺乚禾，與此形同。中山出自魏，故將魏字簡化爲⿺乚禾，與侯馬盟書趙簡化爲肖同。」（〈中山三器釋文及宮堂圖說明〉，《中國史研究》1979年4期。）趙誠以爲「象置禾於器中之形，似即委即之委的古文，當爲會意字」（《甲骨文簡明辭典》71頁，1988。）何琳儀《戰國古文字典》以爲「从匚（曲），委省聲，疑委之異文」（1170頁）。

區：《說文．匸部》：「區：踦區，隱藏也。」（段注本641頁）林義光《文源》：「象踦區隱匿形。」朱芳圃《殷周文字釋叢》：「區當爲甌之初文。……品象其形，匚所以藏之。」（100頁）孫海波《甲骨文編》：「疑區字。」（682頁）；李孝定《甲骨文字集釋》：「契文从品在「下或在」上，亦有藏隱之意。」（3815頁）何琳儀：「甲骨文作[illegible]（《甲》584），从

品，从乚，會眾物藏於曲形器之義，乚亦聲。乚即㇄（曲）字之簡省。」（《戰國古文字典》349頁）

匿：《說文・匸部》：「匿：亡也。从匸，若聲。」（段注本641頁）吳大澂《古籀補》：「古匿字象隱蔽形，从匸若聲。一曰藏𠭖於匸中以蔽物也。」（74頁）高田忠周《古籀篇》：「《說文》『匿，亡也。从匸若聲。』……今見此篆明晳从匸不从乚。謂為从乚，故解亦曰亡也。字从匸，未可訓亡也。匸所以藏之器也。从匸若聲，亦應訓藏義也。」（篇21葉33）林義光《文源》：「『若』非聲。……象採桑藏匿中形。」

匽：《說文》：「匽，匿也。从匸，妟聲。」（段注本641頁）吳大澂《古籀補》：「……古匽字，从㠯，上有一覆之，象燕之匿於巢也。㠯，古燕子。」（74頁）

㔶：《甲骨文編》放在附錄4477號，以為不識字。《殷契粹編》432號有此字，郭沫若隸定作「㔶」而無說。于省吾《殷契駢枝・三》以為不可信，而釋為㠯：「象人跽於坎中，即㠯字。其作㠯、㠯者，坎在側與在下一也。」（27頁）旭昇案：于省吾《甲骨文字釋林》不收《駢三》本文，應該是放棄了這個說法。字明从乚，不从凵。如以偏旁分析法來看，此字應與「廷」類似。

医：《說文・匸部》：「医：臧弓弩矢器也。从匸矢，矢亦聲。春秋《國語》曰：『兵不解医。』」段注：「《齊語》文，今《國語》作翳，假借字。韋曰：『翳所以蔽兵也。』按古翳隱、翳薈字皆當於医義引申，不當借華蓋字也。翳行而医廢矣。」（段注本641頁）案：大徐本作「盛弓弩矢器也。」羅振玉《增訂殷虛書契考釋》釋甲文此字爲医：「医乃蔽矢之器，猶禦兵之盾然，乚象其形。韋注誼較明白，段君以爲隱藏兵器者，尚未當也。」（中45葉上）李孝定《甲骨文字集釋》：「《玉篇》：『医所以蔽矢也。』與韋注合。《說文》作『盛弓弩矢器』，與字形不合，蓋盛弓矢器則字形當作[甲骨字形]，乃後世函字。今但蔽其一側，當依《玉篇》說爲正確。羅氏云『医乃蔽矢之器，猶禦兵之盾然』亦非。按《國語・齊語》云：『甲不解櫜，兵不解翳（定按：此借字，依許書當作医）。弢無弓，服無矢，隱武事，行文道，帥諸侯而朝天子。』此美桓公偃武修文之辭，甲兵弓矢皆戎器，櫜医函服（即箙之借字）皆所以函藏甲兵弓矢者，倘如羅說，則『兵』當解爲士卒，不惟於辭例不合，且於上下文意亦相反矣。」（3817頁）旭昇案：此字似从大不从矢，則是否爲臧弓弩矢器，恐有待商榷。

⿺乚皀：姚孝遂：「⿺乚皀」亦當讀爲「次」，義爲「止舍」，可能爲「皀」之繁文。（《甲骨文字詁林》3003號）

⿰圣殳：于省吾：「甲骨文圣字作[甲骨字形]、[甲骨字形]……或[甲骨字形]……，又作⿰圣殳形，（《掇》四四六，文殘，只存「⿰圣殳田才」三字），乃圣的繁體字。……《說文》：『圣：汝穎之間謂致力於地曰圣，从又土，讀若兔窟。』……」（《甲骨文字詁林・釋圣》232-241頁）字又見《小屯南地甲骨》二二六〇片，字作「[甲骨字形]」，考古所以爲「當爲[甲骨字形]之異構」。（《小屯南地甲骨》994頁）

⿺乚臣：辭殘，僅存一字，《合》18835：「……[甲骨字形]……」，無文義可考。

廷：《說文》：「廷：朝中也。从廴壬聲。」吳大澂：「……古廷字，从人从土，乚其地也。」（《古籀補》9頁）林義光：「廷與庭古多通用，疑初皆作廷。乚象庭隅之形，壬聲。」（《文源》）高鴻縉：「（廷）階前曲地也。从乚土，㐱聲。乚、曲本字。土即地，故秦公簋蓋作[illegible]者為正。」（《頌器考釋》38頁）又：「廷者堂下至門不屋之所，中寬兩端後曲之地也。故初字（毛公鼎）从乚（曲）土會意，人聲。休盤作㐱聲，㐱聲與人聲同也。金文餘字皆由此變。小篆形訛，構造遂不可說。朝中者，朝下中地之謂。古者臣見君，君南面坐於堂上，堂亦稱朝。臣北面立於堂下廷中，故統稱其所曰朝廷。王靜安曰：『古文但有廷字，後世加广作庭，義則無異。』」（《字例》五篇603頁）何琳儀：「西周金文作[illegible]，从乚（曲之初文），㐱聲。曲或作匸，廷或作[illegible]（弭弔簋），可以互證。廷為庭之初文，門與宮室之間曲地為庭。」（《戰國古文字典》806頁）

以上各字諸家的考釋對「乚」形多半忽略不談，只有少數學者注意到這個偏旁，歸納之有以下數說：

一．葉玉森以為象「垣」。

二．白玉崢以為「从乚者，或表其所堆積之範圍歟」。

三．趙誠以為象「器」。

四．何琳儀以為「曲」字。

五．于省吾以爲「坎」。

六．羅振玉以爲象「蔽矢之器」。

以上六說何者爲是？已往並沒有非常堅強的證據。我在寫博士論文《甲骨文字根研究》時，從偏旁分析法斷「乚」爲「ㄣ」，即「隱」之初文，但也不敢完全肯定。

最近讀《郭店楚墓竹簡》，終於發現了解決此字的證據。《郭店楚墓竹簡．唐虞之道》7.7：「世亡（無）忄乚（隱）直（德），仁之兒（冕）也。」注解9：「忄乚：从『乚』聲，亦通作『隱』。」字作「[illegible]」，下从心，上从乚，依文義讀爲「隱」，可從。據此，古文字中的「乚」，應該依《說文》釋爲隱，義爲一個隱蔽的區域，無可疑也。引申爲隱匿。於六書屬指事。

另外，「乚」字往往又寫成「匸」，《說文》：「匸：衺徯有所夾藏也。从ㄣ，上有一覆之。」何琳儀《戰國古文字典》以爲「乚」即「曲」字，舉「乚」又作「匸」爲證據。案：「乚」和「區」二字的聲音有點距離，恐怕不容易逕以爲一字。何況甲骨、金文一般認爲「曲」的那個字，和「乚」的字形並不完全相同。第一個可能是：「乚」既然可以表示「迟曲隱蔽形」，那麼它本來就包含「迟曲」和「隱蔽」兩種意義。「迟曲」義後世作「曲」，「隱蔽」義後世作「乚」，「曲」「乚」二字爲一形一義之分化，但是聲音沒有什麼關係。這種情形在甲骨文中非常常見，如「女母」、「王士」、「入下」等，甲骨文都同形，義亦相近，但讀音相差得較遠。林澐以爲這種字可以稱之爲「轉注」（林澐先生訪台灣師大國文系演講之說，其後於一九九七年香港中文大學主辦之「第三屆國中國古文字學研討會」發表，又收在中國大百科全書出版社出版之《林澐學術文集》三五至四三頁）。

另一個可能是：「曲」和「匚」是完全不同的兩個字，但是因爲形義相近，所以可以互用。這和「广」、「厂」本來是不同的字，但是形義相近，所以在偏旁中往往可以互用，情形是完全一樣的。究竟那一種情況對，還需要更多的證據才能肯定。

說「笑」

臺灣師範大學國文系兼任講師 杜忠誥

今本《說文解字》在五上竹部之末，皆有「笑」字，其構形或從竹從夭，如徐鉉《說文解字》（《大徐本》）、徐鍇《說文解字繫傳》（《小徐本》）①、桂馥《說文解字義證》、王筠《說文解字句讀》等；或從竹從犬，如段玉裁《說文解字注》、朱駿聲《說文通訓定聲》等。其從「夭」或從「犬」雖殊，而其從「竹」則同。

清儒段玉裁說：「宋初《說文》本無『笑』，鉉增之，十九文之一也。」②今觀大曆十一年（776A.D.）成書的張參《五經文字》，竹部所收「笑」字，從「犬」作「笑」。其下注云：「喜也，從竹下犬」，未見引自《說文》之注文。時隔一甲子，成書於開成二年（837A.D.）的唐玄度《新加九經字樣》，在竹部下所收「笑」、「笑」兩形，其下自注形體來源，上字爲「《字統》」（楊承慶著），下字爲「經典相承」③。兩書之撰著，大抵「力尊說文」④，故凡徵引《說文》，字下必加註明。此字下獨未標註《說文》，可見不只宋初的《說文》本子無「笑」字，恐怕在唐代中、晚期的《說文》傳本中，早已無「笑」字了。段氏的說法，確是信而有徵。

《大徐本》將「笑」字置於竹部之後的「新附」內，徐鉉在注中說：「（說文）此字本闕，臣鉉等案：孫愐《唐韻》引《說文》『喜也，從竹從犬』，而不述其義，今俗皆從『犬』。又案：李陽冰刊定《說文》『從竹從夭』義，云『竹得風，其體夭屈，如人之笑』，未知其審。」⑤據此可知，《說文》原書不應無「笑」字，恐是後人輾轉傳抄以致訛奪。若然，則《說文》原本「笑」字篆文之構形，究竟是《唐韻》所引「從竹從犬」呢？或是李陽冰所說之「從竹從夭」？抑或兩者皆非？在「笑」字本形未能明白確定之前，此樁千古聚訟之公案，便永難了斷。

「笑」字未見於甲骨文及金文中。關於「笑」之字形，在戰國中期的郭店楚墓竹簡的「老子乙種」和「性自命出」兩種簡文中，都有發現。「郭店楚簡・性自命出」第二十二簡：「芺（笑），豊（禮）之澤也。」「笑」字「從艸從犬」，不從「竹」（表一～5）。又，第二十四簡：「䎽（聞）芺（笑）聖（聲），則羴（鮮）女（如）也斯憙（喜）；昏（聞）訶（歌）䚻（謠），則舀女（如）也斯奮。」⑥「笑聲」，與「歌謠」對舉爲文（表一～6）。同是郭店楚簡的「老子乙種」第九簡：「下士昏（聞）道，大芺（笑）之。弗大芺（笑），不足以爲道矣。」⑦兩「芺」字，均從艸從犬（表一～3），今本並皆從竹作「笑」或「笑」。郭店楚簡四個「笑」字形體，所從「艸」旁作「□」，與楚文字從「竹」之作「□」者迥別。所從之「犬」作「□」，爲典型的戰國楚文特色。如「望山一號楚簡」「犬」字作「□」。又，同爲「郭店楚簡・老子甲種」，「民多利器而邦滋昏」之「器」字，所從之「犬」作「□」。故此四個字例之釋爲「笑」，可以無疑。陳介祺《十鐘山房印舉》之三，「周、秦古印14」有「隗笑」一印（表一～7），「笑」字亦「從犬從艸」⑧，與郭店楚簡及西漢簡帛文字構形相同。長沙馬王堆「戰國縱橫家書」第二七一行「公仲倗謂韓王章」：「兵爲秦禽（擒），知（智）爲楚笑」，「笑」字亦「從艸從犬」，不從「竹」（表一～8）。同一章中有「燕使蔡鳥股符胠璧」之「符」字，從竹作「⺮」與「笑」字從艸作「艹」，竹葉向下與艸葉向上之筆勢迥異⑨。又「老子乙本」：「下士聞道，大笑之。弗笑[不][足]」以爲道。」後一個「笑」字，下半殘破；前一個「笑」字，則「從艸從犬」之構形甚爲清晰。與「老子乙本」同爲一卷的古佚書十六經・稱」，有「實穀不華，至言不飾，至樂不笑」之句⑩。孔子云：「樂然後笑」，古書往往「笑」、「樂」並舉。因係同一書手，「笑」字構形與「老子乙本」同。

此外，抄寫時間稍晚於馬王堆帛書，而同爲西漢早期的山東臨沂「銀雀山漢簡」，其中「孫子兵法」與「晏子」兩種簡文，亦有「笑」字之字例，「孫子兵法」第二〇七簡「婦人亂而笑」⑪，與「晏子」第五九〇簡「喟然而㦪（嘆），㦪終而笑」⑫，兩處之「笑」字，雖皆稍有剝損，其爲「從艸從犬」之構形，亦隱約可見，與「郭店竹簡」、「馬王堆帛書」無異。「孫子兵法簡」「笑」字（表一～11）的寫法，與《十鐘山房印舉》所收周、秦印字例的寫法近似。

以上所舉三批由戰國中期至西漢早期的十個字例，都是許氏《說文》成書前兩百年以上的地下出土第一手古文字資料，文字仍存古篆形體，尚未隸變。所見「笑」字，均「從艸從犬」構形，無一例外。又，在《說文》成書半個多世紀後的「熹平石經・易經殘石」中，也發現一個「笑」字。儘管當時漢字由篆書向隸書過渡的隸變過程早已完成，而《易經・萃卦》原文「一握爲笑」之「笑」，也還保存著自戰國時代以來一脈相傳之古形——「從犬從艸」⑬（表一～13）。惟《秦漢魏晉篆隸字形表》卷五「笑」字條下，卻將「石經萃卦」此字所從之「犬」旁，誤摹爲「大」。在原刻拓本「犬」旁橫畫右上方，清楚可見的一點，摹寫者因不明「笑」之古形原本從「犬」，或一時誤以爲石花而略去，則與後出之晉「皇帝三臨辟雍碑」之訛形全同（表一～15）⑭。綜上所舉字例與詞例，不僅可以證知「笑」字之本形當爲「從犬從艸」會意，亦可推知許氏《說文》原書未收「笑」字便罷，若收有「笑」字，其篆文也當一如年代晚約四分之三個世紀的「熹平石經」之作「從犬從艸」會意。

此外，不能不一提的是，《秦漢魏晉篆隸字形表》在「笑」字下，收錄了一個問題字，亦即馬王堆帛書「古地圖」的一個「笑」字（表二）⑮。就偏旁分析，此字實「從竹從夫」，應是以「夫」爲聲符的形聲字，隸定當作「笑」。此字未見於《說文》，金文「陳逆簠」有之，銘詞「鑄茲賠笑」之「笑」，或疑乃「匧」之異文，爲《說文》「簠」之古文⑯，似是。「笑」字亦見於「包山楚簡」、「信陽楚簡」等楚系文字中。其與「笑」字，形、義皆別，決非一字。這個「笑里」的「笑」字，在「古地圖」上係當地名用，應是借音字。漢語大字典字形組卻硬將它釋作「笑」，實在缺乏根據。然而，這麼一本權威的字書，一旦誤收入此字，以此書作爲字形基礎所編成的《漢語大字典》，也跟著錯到底⑰。其他新出字書，如《簡牘帛書字典》⑱、《異體字字典》⑲等，自然也照收不誤了。且如《漢語大字典》這套大部頭的字書，一次印刷就是四萬冊，這麼一來，普天之下凡是擁有這些書籍的人，特別是一些對於簡帛書法感興趣的學者，會誤以爲「笑」字也是可以寫作從竹從夫的。由於有這些權威字書做靠山，當他們書寫作品時，遇到「笑」字，或不免會「理直氣壯」地援引此一形體，作爲他們表現的媒材。即使有人對此生疑，經翻檢相關字書，發現赫然皆有所據，便也只好聞疑稱疑，跟著以訛傳訛去了。清儒段玉裁就曾說過：「凡言音言義之書，有訛字，尙可據理正之。此書（案指《隸續》）專載字形，其訛者，則終古承訛而已矣。」⑳於今方知，段氏的這段話其實也是慨乎言之，並非無的放矢。

段玉裁註《說文》以「笑」爲「從竹從犬」，或問：「從『犬』可得其說乎？」段答道：「從竹之義且不敢妄言，況從犬乎？」㉑段氏爲學精嚴矜愼，當時以文獻未足，不知爲不知，故寧可闕疑，亦自可敬。今既已確證「笑」之本形爲從犬從艸會意，然則，從犬從艸，又如何會得「笑」意呢？

經詢吾友養狗專家、棒球國手林華韋教授，略云：「狗遇草地則喜樂戲耍，歡快無比。」猶記年少時在鄉間所見景況，誠如其所言。此與孫愐《唐韻》所引《說文》，及慧琳《一切經音義》所引《字林》，皆以「喜也」訓「笑」㉒，似可得其會通。造字之初，乃以犬遇草地之喜笑以構字。其後，借物情以擬人情，才轉爲人類日用喜笑的專用字。

與「笑」字相對的「哭」字，原本也是因「犬」之嗥以造字。凡動物（包含人類）之哀號，未有如犬嗥之淒厲者，故從「犬」以構形。又，犬之嗥，其聲淒絕喧鬧，故從「吅」會意。其後，遂移以專指人情之哭。許愼釋之爲「從吅從獄省聲」，段玉裁在「哭」字下的注釋中，不僅對於許氏此說提出質疑，並且發表了他的宏論，他說：「按許書言省聲，多有可疑者。取一偏旁，不載全字，指爲某字之省，若家之爲豭省，哭之從獄省，皆不可信。獄固從㹜，非從犬，而取㹜之半。然則何不取㲄、獨、倏、狢之省乎？竊謂從犬之字，如狡、獪、狂、默、猝、猥、狢（諧案：原書誤植作「姍」）、狠、獷、狀、獳、狎、狃、犯、猜、猛、犺、狟、戾、獨、狩、臭、獘、獻、類、猶，卅字皆從犬，而移以言人。安見非哭本謂犬嘷，而移以言人也？凡造字之本意，有不可得者，如禿之從禾；用字之本義，亦有不可知者，如家之從豕，哭之從犬。愚以爲家入豕部從豕宀，哭入犬部從犬吅，皆會意而移以言人，庶可正省聲之勉強皮傅乎！哭部當廁犬部之後。」㉓這一段話，鞭辟入裡，擲地作金石聲。事實上，人雖號爲萬物之靈，但就生物學上講，也屬於動物門類。有許多其他各種動物特有的習性，人類亦皆有之。是以先民創制文字，在「近取諸身」以外，還要「遠取諸物」。豈止於狗，乃至於蟲、魚、草、木，皆所不棄。

年代與「熹平石經」大致相近的東漢「王政碑」「時言樂笑」，蓋取《論語》「君子時然後言，人不厭其言；樂然後笑，人不厭其笑」之意。碑文兩「笑」字均作「咲」，可知「咲」乃「笑」之異體。東晉王羲之「十七帖」中，「笑」書作「[illegible]」，殆從「咲」字演化而來。西涼建初元年的「十誦比丘戒本」寫經，「但念其義，莫咲其字」之「咲」，字形同於「王政碑」。至於「始平王元子正墓誌」，銘文中「始言笑而表奇」之「笑」字，「從竹從夭」，爲今日行用的楷書形體之首見者。該碑刻立於北魏孝莊帝建義元年（528A.D.），比李陽冰刊定《說文》的年代，還早約兩百多年。隋僧釋智永「眞草千字文」「工顰妍笑」之「笑」，楷（眞）書作「咲」，與「王政碑」的「笑」字同形；草書則與右軍「十七帖」同。初唐歐陽詢「由余帖」中「由余笑曰」之「笑」亦作「咲」。顏元孫《干祿字書》，則「咲」、「笑」並收，註云「上通下正」㉔。

然則，自後漢以來長期傳承行用之「咲」字，究竟因何而得以被視作與唐代正體之「笑」字相「通」的異體呢？此事在心中存疑已久。後檢《集韻》，於去聲三十五「笑」下，列有「咲」、「关」兩個重文，注云：「仙妙切，喜也。古作咲，或省。」㉕又閱司馬光等所編《類篇》，在五上竹部，見有從夭之「笑」字，下注云：「私妙切，說文『喜也』。文一。」又在二上口部看到「咲、关」二字，下注云：「仙妙切，喜也。或作关。文二。」㉖一時靈光忽現，似乎一切問題自此豁然通解。蓋「关」乃「笑」字本形「芺」之訛變（表一～十二），而「咲」則為「关」字增益「口」旁之後起形聲字。《類篇》「笑」與「咲」、「关」音切相似，義釋相同，三文實為一字，當移口部之二文於竹部的「笑」字下作為重文，一如《集韻》，方得其宜。「关」字上部之「艹」乃由「艸」旁演化而來，下部之「大」則由「犬」旁訛化而來，

至於其間演化訛變之由，可得如下之推索：

(a) → (b) → (c) → (d) → (e) → (f) → (g) → 咲(h)

由a形至d形，即由「馬王堆帛書」及「銀雀山竹簡」等早期字例到「熹平石經」的演化過程，實即此隸變之過程推索，至於「郭店楚簡」簡文，與西土秦系文字分屬於兩個不同的文字系統，遠在

秦始皇統一六國以後，便被廢棄不用，故楚簡在此只能作爲「笑」字本形「從艸從犬」之旁證，無有揷足之餘地。於此亦可窺知漢代文字承襲自西土秦系文字之一斑。

由d形之艸頭横畫寫連則成e形，e形之上面「艸」頭兩豎筆向上提縮，與横畫呈相接而非相交狀態，則成f形。漢字隸變後，「艹」頭往往變作「䒑」形。當「犬」旁横畫右端的一點略去，其中撇上端向上，與由艸旁演變而來的「䒑」形之横畫頂齊，則成g形，與「敦煌漢簡」「笑」（表一～十二）形近，而爲《類篇》口部「咲」下所收之重文㉗。由於「关」之形體，與「送」、「朕」之右旁同形，又與「矢」字形近。爲恐引生誤解，乃另增形符「口」於左旁，則爲h形。因人笑時口必張開，故從「口」，此則漢碑「咲」字形體之所由來。於此，亦可作爲「笑」字本形當爲「從艸從犬」會意的一個有力反證。

王筠既已確定「关」爲「笑」之本字，卻又誤析此字爲「八夭」，且解之曰：「八，象眉目悅皃。諺所謂眉開眼笑也。夭者，屈也。笑時肩背氐仰之狀也。」㉘可謂交臂失之。關於「关」、「矢」因形近互訛，《漢書》薛宣傳裡，有一個鮮活而有趣的例證：「及日至休吏，賊曹掾張扶獨不肯休，坐曹治事。宣出教曰：『蓋禮貴和，人道尚通。日至，使以令休，所繇爲久。曹雖有公職事，家亦望私恩意。掾宜從衆，歸對妻子，設酒肴，請鄰里，壹关相樂，斯亦可矣。』扶慚愧，官屬善之。」文中的「壹关（笑）相樂」，原是「一爲歡笑」之意，應劭竟看作「以壺矢相樂」，晉灼已言其非㉙。實則，戰國、秦、漢之際，不僅「关」、「矢」形近易混，而且「壹」、「壺」往往同形無別，故應劭之誤，亦非無由來。

然則，「笑」字本形「從艸從犬」，既是如此明確，何以「從艸」竟會訛成「從竹」？「從犬」又何以會訛為「從夭」呢？此是兩事，須分別疏通乃可。漢字在長期行用傳寫中，從篆書漸次演化而為隸書，由於實用書寫簡便快捷之要求，往往有因連筆而導致筆勢之改變，加上傳寫者倉促間對於文字筆勢的誤解，遂有由筆勢之小異，而導致偏旁形體出現較大訛變之情形。如篆書從「竹」之字，間開而書，或作「⺮」，或作「𥫗」。一旦為了趨疾赴速，則原本象下垂之竹葉，很可能因連筆書寫而展為左右之平勢（艹）。再加上書寫工具的提按作用，以及簡幅過於狹小（〇・五～一公分之間）之故，篆書從「竹」之字，到了漢隸時代往往訛為從「艹」（艸），如「等」之作「䓁」、「節」之作「莭」等，不勝枚舉。在後來具有正字指標作用的字書，如《說文解字》、《玉篇》、《萬象名義》、《類篇》等，便各依其編著者之所需與所知，將隸變後的隸書或改寫為篆文，或改寫為楷書，一一予以還原。就在這一波波漫長之還原過程中，篆文原本從竹，因隸化而訛為從「艸」諸字，固然獲得復歸「本尊」的機會。但亦有極少部份原本就從艸的字，由於本形已淹晦不明，也在這一波波的還原浪潮下，被不明不白地予以「還原」，劃歸與從竹諸字相同的族類，含屈忍辱，長期不得平反。「芺」字之訛為「笑」，殆與漢字發展史上的此一「還原」浪潮難脫瓜葛。

從「艸」訛為從「竹」，「笑」字並非孤例。類似的例子，如段注本《說文》釋為「次也」的「第」字，系屬竹部，今楷亦皆從「竹」。實則，《廣韻》「第」字下注云：「《說文》本作弟。」

《說文》五下釋「弟」：「韋束之次弟也。」次第字並不從「竹」，故許書有「弟」無「第」甚明。從「竹」之第，始見於《玉篇》㉚，段氏誤據《毛詩正義》羼入從「竹」之「第」篆於竹部之末，不免失考。西漢時代的金文如「文帝九年鏡」、「上林鑑」、「上林共府升」、「壽成室銅鼎」等，銘文中的「第」字無一不從「艸」，其作從「竹」者，乃從「艸」之誤。又如厚薄之「薄」，與主簿之「簿」，一從「艸」，一從「竹」，今世分爲兩字，也全出於誤會。《說文》書中，有「薄」無「簿」。兩漢時代的文字資料中，只有從「艸」的「薄」字，沒有從「竹」的「簿」字。不論是作「厚薄」之「薄」，或是「簿丞」之「簿」解，一律都只用從「艸」的「薄」字。足證從「竹」的「簿」字，其所從的「竹」旁，應是在三國、魏、晉以後，隨著由從「竹」旁訛來的從「艸」旁諸字之回改浪潮，被連帶強迫「還原」而成。又如今日行用的「對答」之「答」，原本作「荅」。在地下出土的西漢以前古文字資料中，「對答」之「答」原本只寫作「合」，後來才假借《說文》訓「小尗（豆）」之「荅」字爲之。直到六朝時代的《玉篇》，以及唐代的《敦煌文書》，也還是從「艸」作「荅」。其訛作從「竹」的「答」字，始見於宋版《廣韻》及北宋時代成書的《類篇》中。由此可知，如今行用的楷書「答」字，其由原本從「艸」的「荅」字，被無端改易爲從「竹」的「答」字，也應與「從『竹』訛爲從『艸』，從『艸』還原爲從『竹』」的漢字發展之歷史情結不無關係。

至於原本從「犬」的「⿱艹犬」字，何以會訛爲「從夭」，原因可有兩端：一是形近致誤。「犬」之篆文作「[glyph]」，隸變後作「犬」；「夭」之篆文，依商、周古文字，本當作「[glyph]」，或作「[glyph]」㉛，隸變後作「犬」，與「犬」形近易混，以致訛誤。兩形均未得其正。一是聲化之故。儘管「笑」字之構形已聚訟了幾百千年，但後世韻書對於此字之音切，或作「私妙切」（廣韻），或作「仙妙切」（《集韻》、《韻會》）；或作「蘇弔切」（《正韻》），音嘯，去聲，大抵不殊。魏、晉、六朝以後，「笑」字之構形既已蒙昧難明，「從竹從犬」又不曉所會何意。故自唐代李陽冰刊定《說文》，謂「竹得風，其體夭屈，如人之笑」，遂據楊承慶《字統》而改作「從竹從夭，夭亦聲」。二徐從之，蓋以其從「夭」與「笑」之音讀聲近，故易於爲後人所接受。聲化乃漢字發展過程中常見之現象，如「恥」本「從心耳聲」，後以形近之故，「心」旁訛爲從「止」，止、恥音近；「到」字原是「從人至」會意，因「人」旁在右，與「刀」旁形近，許氏竟訛作「從至刀聲」，刀、到音近。他如「疏」本從「㐬」，而訛爲從「束」，皆先經形變，所變成之訛形偏旁，或與本字聲近，致被誤作聲符看待，具有標音功能，故易被接受而行於世。「笑」字之訛爲從「夭」，實亦聲化現象之一端。

然則，《說文》一書豈眞無「笑」字？此事誠不能無疑。在先秦文獻中，「哭」與「笑」等表情性文字屢見不鮮。《說文》收錄有「哭」字，不應獨缺「笑」字。實則，許書艸部釋作「艸也」，「從艸夭聲」構形之「芺」字，當即《說文》原書中之「笑」字。原本或列在犬部，只因後來被誤認作草名，而移寫到「艸」部裡來。又由於此字所從之「犬」，已訛變爲從「夭」，被當作聲符。且其「從艸從夭」之構形，又與原書「喜笑」之義，似難索解。既被當作草名看待，致使後世學者誤以爲《說文》無「笑」字。

根據前面的爬梳析論，《說文》不僅有「笑」字，也當還有從「笑」構形的字。如《說文通訓定聲・小部弟七》，所收衍「夭」聲而從「芺」構形的有「䄏」㉜、「䳵」、「䬗」（今作飫）、「浂」（今作沃）、「媄」等五字，作爲聲旁的「芺」，其中或有從「笑」之本形「芺」旁訛來的情形存在，值得作進一步深入之探討。總而言之，許書並非無「笑」字，只因其形體「從艸」會意的特殊性，在漫長的隸變過程中，本形淹晦，都被認爲是形聲字的艸名，後人遂不知《說文》有「笑」字。千古懸案，一旦眞相大白。文字精靈有知，也當含「笑」稱慶。

說「笑」

1	2	3	4	5	6	7	8	9
說文篆文（大徐本）	說文篆文（段注本）	郭店老子乙種9	郭店老子乙10	郭店性自命出22	郭店性自命出24	十鐘山房印舉（周秦印）	縱橫家書二七一	老子乙前十六經
馬王堆老子乙178下	孫子兵法一八六	敦煌漢簡	熹平石經易·萃	王政碑	皇帝三臨辟雍碑	西涼十誦比丘戒	始平王元子正墓誌	李仲璇修孔廟碑
10	11	12	13	14	15	16	17	18
顧野王玉篇	智永真草千字文	歐陽詢史事帖	孔子廟堂碑	麻姑仙壇記大字本	麻姑仙壇記小字本	干祿字書	司馬光類篇	
19	20	21	22	23	24	25	26	

（表一）

	1	2	3	4	5	6	7	8
古地圖「笑」字	君夫人鼎	中山圓壺 嗇夫	古璽編0093 大夫合文	古璽彙編0109.	包山二〇〇 夫人	包山二〇三 夫人	古陶徵 1980:3.61	老子甲四

（表二）帛書「古地圖」「笑」字與戰國秦漢間「夫」字寫法形體比較

【附　註】

① 段玉裁於「笑」字下，說：「徐楚金缺此篆，鼎臣竟改《說文》笑作笑。」惟今本徐鍇《說文解字繫傳》竹部之末，卻有「笑」字。觀其字下注釋文字，與大徐本「新附」的「笑」字下注文一字不差，應是清人覆刻時，自大徐本所移以增入者。

② 見段著《說文解字注》，頁二〇一，「笑」字條下注。台北，黎明文化事業公司，一九七四年九月。

③ 見《字形匯典》第二七册，頁三九八，「笑」字條下所引。台北，聯貫出版社，一九九五年七月。

④ 唐玄度《新加九經字樣》序云：「今所詳覆，多依張參《五經文字》爲准。」而《五經文字》則基本以《說文》爲主，《說文》不備，則求之《字林》》。並見張參《五經文字》序文。段玉裁也說：「《五經文字》，力尊《說文》者也。」見《說文解字注》，頁二〇一，「笑」字下註釋。同註②。

⑤ 見徐注《說文解字》五上，頁九九。北京，中華書局，一九八五年六月。

⑥ 並見《郭店楚墓竹簡》，頁六二。北京，文物出版社，一九九八年五月。

⑦ 同前，頁一一八。

⑧ 見該書頁四六。北京，中國書店，一九八五年三月。

⑨ 見《馬王堆漢墓帛書》（參），頁二二。北京，文物出版社，一九八三年十月。

⑩ 見《馬王堆漢墓帛書》（壹），頁八二。北京，文物出版社，一九八〇年三月。

⑪ 見《銀雀山漢墓竹簡》，頁二一。北京，文物出版社，一九八五年九月。又，《秦漢魏晉篆隸字形表》「笑」字條下，此一簡文字例誤標爲「一八六」，當予訂正。

⑫ 註見《銀雀山漢墓竹簡》，頁五八。同前註。

⑬ 見《漢石經集存》圖版八八。台北，聯貫出版社，一九七六年六月。

⑭ 見該書頁三〇一。四川辭書出版社，一九八六年十月。

⑮ 見該書頁三九九。四川辭書出版社，一九八五年八月。

⑯ 見何琳儀《戰國古文字典・魚部》，頁五九〇。北京，中華書局，一九九八年九月。

⑰ 見該書頁二九五〇。湖北辭書出版社、四川辭書出版社共同出版，一九八六年二月。

⑱ 見該書頁六一四。陳建貢、徐敏編。上海書畫出版社，一九九一年十二月。

⑲ 李圃主編，上海，學林出版社，一九九七年一月。

⑳ 見段氏《隸續》序，《隸釋・隸續》合刊，頁二九一。北京，中華書局，一九八五年十一月。

㉑ 同註①。

㉒ 《字林》之訓，見《一切經音義》卷二十六，頁二一。上海，古藉出版社，一九八六年。

㉓ 見段著《說文解字注》二上，頁六三。同註⑲。

㉔ 今傳顏眞卿所書《干祿字書》，「笑」字「正」體作「笑」，似是從「大」（表一～二四）。而同爲顏氏所書「麻姑仙壇記」「大字本」、「中字本」與「小字本」，則均寫作從「犬」（表一～二二，二三）。當以從

「犬」爲正。

㉕ 見該書頁五七九。上海古籍出版社，一九八五年五月。

㉖ 「笑」字見該書頁一七一，「咲」、「关」字見該書頁五一。北京，中華書局，一九八四年十二月。

㉗ 見該書頁五一。北京中華書局，一九八四年二月。

㉘ 見《說文釋例》卷十六，頁三八五。北京，中華書局，一九八七年十二月。

㉙ 見《漢書》卷八十三「薛宣朱博傳五十三」顏師古注。

㉚ 見王筠《說文釋例》卷十六，頁三八六。北京，中華書局，一九八七年十二月。

㉛ 「夭」字，甲骨、金文作「[illegible]」，本象人屈曲兩臂跑步之形，爲「走」字之初文（走，以閩南語讀之，即爲今語之「跑」）。許氏釋爲「屈也」，恐有奪文。段注云「象首夭屈之形」，則與許氏釋「傾頭」之「夨」字何所區別？今各本《說文》皆以頭部之左傾者爲「夨」，右傾者爲「夭」，故「夭」之篆文均寫作「[illegible]」。與甲骨、金文等早期古文字形體不合，應是傳寫之訛。

㉜ 此字經傳皆作「妖」。字亦作「祅」、作「訞」。見朱駿聲《說文通訓定聲》小部弟七，頁三五〇，「䄏」字條下注。

《百喻經》中「已」字的用法

臺灣師範大學
國文系副教授　楊如雪

一、研究緣起

《百喻經》全名《百句譬喻經》，全書約一萬七千字，分爲上、下二卷，共有故事九十八則（上卷五十則，下卷四十八則），加卷首引文與卷末一篇偈語，共足百篇之數，因此得名。《百喻經》原爲梵文，本是古印度大乘法師僧伽斯那（或譯僧伽斯）從小乘《修多羅藏》十二部經書，摘錄其中的寓言故事編纂而成，希望用說故事的方式，以近取譬，對初學的佛教徒說法，以淺顯明確的文字說明佛教有關因果報應、八正道、布施、持戒等基本教義。漢文譯本由求那毗地在齊武帝永明十年（西元四九二年）譯成①。

因爲《百喻經》編纂的目的，是針對初學佛教的信徒說故事，所以其中較少談及高深的哲理；尤其漢文譯文，使用的語言接近口語，質樸簡潔，大多四言一句，詞語的音節主要爲偶數，在語句的結構形式上頗爲整齊，是一部簡明易讀、又能反應當時語言現象的漢文佛典，因此其內容分量雖然不多，但被視爲是研究中古初期漢語相當有價值的一分資料②。

上古漢語，動詞的時態（tense）主要透過在述語（動詞）前加副詞來表示③，例如表示過去時態或完成時態，常見的是副詞「已」加在述語（動詞）之前的例子④：

1. 道之不行，已知之矣。（《論語・微子》）

2. 今乘輿已駕矣，有司未知所之，敢請。（《孟子・梁惠王下》）

3. 居五日，桓侯體痛，使人索扁鵲，已逃秦矣。（《韓非子・喻老》）

副詞「已」分別出現在例1「知之」（述賓結構）、例2「駕」、例3「逃秦」（述語十處所介詞賓語，處所介詞賓語又稱處所補語或處所賓語）之前，表示這些行爲、動作已經發生，或已然完成、成爲事實。

這種情形，到了魏晉南北朝期間，有了新的表達方式，柳士鎭（一九八五：九六）即曾指出，在魏晉南北朝時期，利用虛化了表示「完結」義的動詞，置於謂語動詞或其賓語之後，充任補足語，表示動作的過去時態，而且在《百喻經》中表現了這種情形。

因此本文擬對《百喻經》中「已」字的用法，作全面的探討，並嘗試對出現在補足語位置，表示過去或完成的「已」，在兩漢、魏晉時期的使用情形，作一初步考查。

二、「已」的常見用法

楊樹達《詞詮》卷七羅列出「已」有動詞、指示代名詞、表態副詞、時間副詞、陪從連詞、語末助詞、嘆詞等，共九種用法，這裡擬就「已」常見的動詞、副詞、助詞、連詞等不同用法作一討論⑤。

動詞用法的「已」有「停止」之義，例如《詩．小雅．南山有臺》：「德音不已。」《傳》：「已，止也。」又《鄭風．風雨》：「風雨如晦，雞鳴不已。」的「已」也是「止」之意。「已」又有「完畢」、「完成」、「完結」之義，例如《廣雅．釋詁》四：「已，訖也」《易．損卦》：「已事遄往。」《疏》：「已，竟也。」「訖」、「竟」都具有「完畢」、「完成」或「完結」的意思。

副詞用法的「已」，使用情況較爲複雜，可以表示時間的過去，也可表示時間的旋嗣⑥，或表示程度。

表示過去的副詞「已」，加在述語或表語之前⑦，表示動作或情況已在過去一段時間內完成或出現，相當於現代口語的「已經」，例如前舉例1至例3，都是「已」出現在述語或述賓結構等之前，表示動作、行爲已在過去一段時間內出現或完成；又如《史記．秦本紀》：「二十四年，獻公卒，子孝公立，年已二十一歲矣。」《史記．老子列傳》：「其人與骨皆已朽矣。」「已」分別出現在數量結構、形容詞之前，表示情況或狀態已然存在。

表示旋嗣的「已」⑧，主要表示前一行爲、動作、情況等完成或出現後，在短暫的時間內接著發生後一動作或出現另一情況，約相當於口語的「不久」、「隨即」。例如《史記．項羽本紀》：「韓王成無軍功，項王不使之國，與俱至彭城，廢以爲侯，已又殺之。」

表示程度的副詞「已」，常見用於形容詞或副詞之前，表示性質、狀態到達相當的程度，大略相當於口語的「很」、「太」。例如《左傳・僖公二十八年》：「楚有三施，我有三怨，怨仇已多，將何以戰？」又如《論語・泰伯》：「子曰：『好勇疾貧，亂也。人而不仁，疾之已甚，亂也。』」「已」分別出現在形容詞表語「多」、副詞表語「甚」之前，表示情況已到達相當的程度⑨。

「已」作句末語氣助詞，其用法與「矣」相近，主要用於表示陳述語氣的句末，也可以用於表示祈使、疑問或感嘆的句末⑩。

「已」用在陳述語氣的句末，通常是報導活動、變化的情況，而且總是出現在一個大的語段之末⑪，還可以跟助詞「也」、「矣」等連用，約相當於口語的「了」或「了呀」。例如《孟子・梁惠王上》：「苟無恆心，放辟邪侈，無不為已。」《論語・學而》：「子曰：『君子食無求飽，居無求安，敏於事而慎於言，就有道而正焉，可謂好學也已。』」《左傳・昭公元年》：「夫以強取，不義而克，必以為道。道以淫虐，弗可久已矣。」《論語・子罕》：「說而不繹，從而不改，吾未如之何也已矣！」這幾個例子，或「已」獨用，或「已」與「也」、與「矣」與「也」和「矣」連用，作為一種陳述活動或狀況的語氣助詞⑫。

用於祈使語氣句末的「已」，例如《戰國策・楚策四》：「春申君曰：『先生置之，勿復言已！』」這是表示希望或委婉的禁止，約相當於口語的「了」或「啦」。用於疑問句末的「已」，例如《莊子・列禦寇》：「（列禦寇）曰：『吾驚焉。』（伯昏瞀人）曰：『惡乎驚？』曰：『吾嘗食於十漿，而五漿先饋。』伯昏瞀人曰：『若是，則汝何為驚已？』這種句子的疑問焦點，主要由句中的疑問代詞表現，「已」出現於句末，只是表示事物本身活動的持續或情況的進行。至於「已」用於感嘆句末，例如《莊子·養生主》：「吾生也有涯，而知也無涯。以有涯隨無涯，殆已！」這是對情況或事物的活動表示慨嘆，相當於口語的「啊」、「呀」。

連詞用法的「已」，與「以」的用法相同，用於「往」、「來」以及「上」、「下」、「東」、「西」等方位名詞等之前，表示時間、空間、數量的界限⑬，例如《史記·貨殖列傳》：「淮北、常山已南，河濟之間千樹荻。」《漢書·文帝紀》：「年八十已上，賜米人月一石，肉二十斤。」又〈嚴助傳〉：「自漢初定已來七十二年，吳、越人相攻攻擊者不可勝數。」

三、《百喻經》中的「已」

《百喻經》中，「已」共出現八十一次，有本文前一小節所談到的動詞、副詞、連詞與句末語氣助詞等用法⑭，另有一種出現在謂語之末⑮，用來表示行為、動作、狀況的發生或完成，擔任補足語的「已」，用例極多。以下分別舉例說明。

《百喻經》中的「已」，屬於動詞意義的用法有七例，例如：

4. 晝夜思念，情不能已。〈田夫思王女喻〉
5. 下火不止，扇之不已，云何得冷？〈煮黑石蜜漿喻〉
6. 牧羊之人聞此人語，便大啼泣，噓欷不已。〈牧羊人喻〉

7.法雨無障礙，緣事故不聞。不知死卒至，失此諸佛會。不得法珍寶，常處惡道窮。背棄放正法，彼觀緣事瓶。終常無竟已，是故失法利，永無解脫時。〈觀作瓶喻〉

這些「已」都是動詞「停止」或「完畢」、「完結」的意思，例4的「已」擔任句中的述語，例5、例6的「不已」擔任句中的補足語[16]例7的「已」和表示「完畢」、「終結」之義的「竟」組成並列式複合詞，擔任述語「無」的賓語。

《百喻經》中的「已」，相當於「已經」的副詞用法有二十二例：

8.汝婦已死。〈婦詐稱死喻〉

9.樹已枯死，都無生理。〈斫樹取果喻〉

10.汝婦今日已生一子。〈牧羊人喻〉

11.是故今者食一雉已盡，更不敢食。〈病人食雉肉喻〉

這種用法的「已」，可以直接放在述語或述賓結構的前面，擔任副語（或稱狀語），跟述語、述賓結構一起構成句子的謂語，如例8、例9、例10；也可以和一個動詞性單位組成副述結構，擔任句子的補足語，如例11。

另外副詞用法表旋嗣的「已」，《百喻經》只有一例，是「已而」連用：

12.時有一人來見之，已而問之言：「此篋、杖、屐有何奇異？汝等共諍，瞋忿乃爾？」〈毘舍闍鬼喻〉[17]

此句之「已而」，表示後一行爲、動作或事件，承續著前一行爲、動作或事件發生。

《百喻經》中的「已」，用作句末語氣助詞，只有一例：

13. 今我欲得修善，獄卒將去付閻羅王，雖欲修善，亦無所及已。〈貧人作鴛鴦鳴喻〉

本例的「已」，出現在陳述句末，是表示情況或狀態陳述的語氣助詞。

《百喻經》中的「已」，屬於連詞用法的有三例：

14. 若是汝之祖父已來所有衣者，應當解著；云何顚倒，用上爲下？〈山羌偷官庫喻〉

15. 我祖父已來，法常速食。我今效之，是故疾耳。〈效其祖先急速食喻〉

16. 而云我祖父已來作如是法，至死受行，終不捨離。〈效其祖先急速食喻〉

這三例的「已」都與「來」連用，表示時間的界限。

至於出現於謂語之末，用來表示行爲、動作、狀況的已發生或完成，相當於補足語功能的「已」，在《百喻經》中出現的次數最多，共有四十七例⑱。這種出現於謂語之末的「已」，有別於句末語氣助詞的「已」。句末語氣助詞的「已」，總是出現在一個語段的末尾，有表示該語段語意已經完結的意思；可是《百喻經》裡這種補足語用法的「已」卻總是出現在一個語段或一個複句前端的一分句句末，雖然在形式上有時可以用逗號點斷，但是語意卻不能就此終止。例如：

17. 昔有愚人至於他家，主人與食，嫌淡無味。主人聞已，更爲益鹽。既得鹽美，便自念言：「所以美者，緣有鹽故；少有尙爾，況得多也！」愚人無智，便空食鹽，食已口爽，返爲其患。〈愚人食

鹽喻〉

18.王見憐愍，賜一死駝。貧人得已，即便剝皮，嫌刀鈍故，求石欲磨。〈就樓磨刀喻〉

19.譬如一師，有二弟子，其師患腳，遣二弟子，人當一腳，隨時按摩。其二弟子常相憎嫉，一弟子行，其一弟子，捉其所當按摩之腳，以石打折。彼既來已，忿其如是，復據其人所按之腳，尋復打折。〈師患腳付二弟子喻〉

20.駝既死已，即剝其皮。〈估客駝死喻〉

21.昔有一人，為王所鞭，既被鞭已，以馬屎拊之，欲令速差。〈治鞭瘡喻〉

22.王見賊已，集諸臣等，共詳此事。〈山羌偷官庫喻〉

23.爾時小兒信其語故，即擲水中，龜得水已，即便走去。〈小兒得大龜喻〉

24.爾時愚人聞此語已，即自思念：「若不得留，當要葬者，須更殺一子，停擔兩頭，乃可勝致。」〈子死欲得停置家中喻〉

25.夫用其言，至他界已，未及食之，於夜闇中止宿林間。〈五百歡喜丸喻〉

26.時樹上人至天明已，見此群賊死在樹下，詐以刀箭斫射死屍，收其鞍馬并及財寶，驅向彼國。〈五百歡喜丸喻〉

27.譬如有人，因其飢故，食七枚煎餅。食六枚半已，便得飽滿。〈欲食半餅喻〉

以上這些例子，約可看到「已」在《百喻經》中擔任補足語的一斑：首先從形式上來看，「已」

表一：《百喻經》中「已」的用法分布

	動詞停止、完畢之意	副詞表過去	副詞表旋嗣	連詞	補足語表已發生或完成	句末助詞	總計
例句出現次數	7	22	1㉒	3	47	1	81
例句出現百分比	8.642	27.160	1.235	3.704	58.024	1.235	100

的出現位置在謂語之末：在「已」之前的成分，可以只是述語，如例17至例21，其中有的是及物動詞不帶賓語，如例17、例18，也可以是不及物動詞，如例19、例20⑲，還可以出現在被動句的述語之後，如例21；在「已」之前的成分，也可以是述賓結構，如例22至例24，或是「述語＋表示處所的介詞賓語」，如例25⑳，或是「述語＋表示時間的介詞賓語」，如例26㉑，甚至是「述語＋數量補足語」，如例27。而從意義上來看，句子如果只停留在「已」出現之處，語意都無法表現得十分完足，必須連貫到它後面的語句，才能表現完整的意思。至於從語調和語音的停頓上來看，語句在「已」之後往往無法有較大的語音停頓，無法有表示語意已經完足的完整語調，只能允許一個較小的語音停頓和表示語句尚未結束的語調。

今將《百喻經》中「已」的使情形，用簡單表列於表一。

由表一可以看出，用來表示動作、狀況發生或完成，出現於補足語位置的「已」，在《百喻經》中，佔了半數以上的比例，是其中「已」字用例的多數。

柳士鎮（一九八五：九六）認為《百喻經》裡擔任補足語的

「已」，是由表示「完結」義的動詞虛化而來。事實上這些「已」字，是動詞「完結」、「完畢」之義，意義並未虛化。試看前舉具有動詞「停止」、「完畢」、「完結」義的「已」字用例：

28. 下火不止，扇之不已。云何得冷？〈煮黑石蜜漿喻〉（原例5）

29. 牧羊之人聞此人語，便大啼泣，噓欷不已。〈牧羊人喻〉（原例6）

「不已」出現在述賓結構（例28）或述語（例29）之後，對於它前面的述賓結構或述語作補充說明，表示行爲、動作「不停止」、「不完結」。因此當「已」字出現在述語或述賓結構之後，即可表示「停止」或「完結」之義，並對它前面的述語或述賓結構作結果方面的補充說明，表示動作或狀態「完畢」、「完結」的意思，「已」字的動詞意義並未虛化。

謂語帶有補足語「已」和謂語帶有表示過去的副語「已」的句子，在意義上有些相似，但表現的語句形式卻不相同。以下用樹狀圖說明副語「已」和補足語「已」在結構形式的差異：

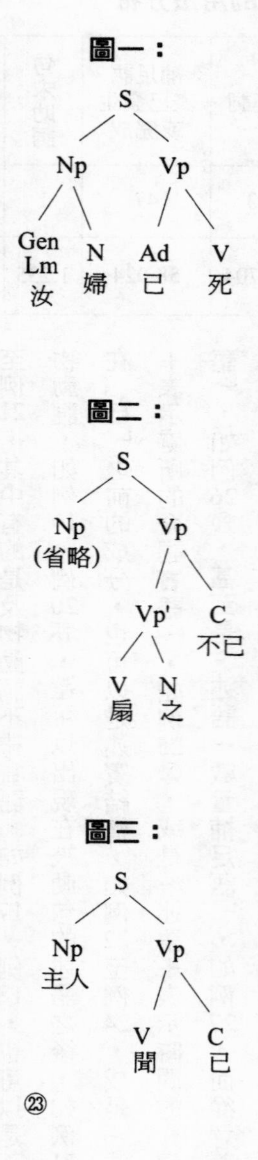

副語「已」是從時間上對動作進行或狀態發生作限制；而補足語「已」是在結果上對動作或狀態

作補充說明。

《百喻經》裡可以看出「已」作爲表示動作、狀態已發生或完成的補足語，相當普遍，但是這種用法始於何時，卻不得而知。因此以下擬對前四史中「已」字的使用情形，作一初步的考查。

四、擔任補足語的「已」的考查

前四史的成書時間，《史記》《漢書》成於兩漢，《三國志》成於晉，而《後漢書》則成於南朝的宋，在時間上正好可與漢文譯本成書於南齊的《百喻經》相銜接，因此對這四部書作一初步考查㉔，檢視其中具有補足語功能的「已」字的使用情形，以嘗試了解表補足語「已」，在《百喻經》以前的使用情形。

㈠《史記》中「已」字的使用情形

《史記》中「已」字計出現九一一次㉕，動詞用法，表示「停止」、「完畢」、「完結」之義有七二例；而由「停止」等動詞義的「已」與否定副詞「不」、能願動詞「得」連用的「不得已」，有十五次。副詞用法主要是時間副詞，表示「已經」的過去義的，計有五九四例，表示時間短暫，有旋嗣之義的「已」，單獨使用有二四例，「已而」連用有九六例；而表示到達相當程度的副詞「已」只有四例。助詞用法，作爲句末助詞的有一九例，「而已」連用，作爲表示限制的助詞有五二例。與「來」、「往」以及方位名詞等合用，表示時間、處所、數量界限，或連接副語和述語的連詞三四例。

相當於「此」的代詞用法一例。表示已發生或完成，在句子裡擔任補足語功能的「已」有四例。將這四個例子全部羅列於後：

1. 誓已，諸侯兵會者車四千乘，陳師牧野。〈周本紀〉

2. 魏公子卬以為然，會盟已，飲，而衛鞅伏甲士而襲虜魏公子卬，因攻其軍，盡破之以歸秦。〈商鞅列傳〉

3. 數召至前談語，人主未嘗不說也。時詔賜之食於前。飯已，盡懷其餘肉持去，衣盡污。〈滑稽列傳〉（〈東方朔傳〉）

4. 卜先以造灼鑽，鑽中已，又灼龜首，各三；又復灼所鑽中曰正身，灼首曰正足，各三。〈龜策列傳〉

上列這些例子，在整部《史記》中，「已」的用例裡佔極少的比例（請參見表二），補足語「已」前面的成分，例1至例3只是述語，例4「鑽中」是「鑽於中」，也就是「在中間鑽洞」的意思，或可視為廣義的述賓結構。這些例子也許只能視為動詞「已」擔任補足語的初期現象。

表二：《史記》中「已」的用法分布

	動詞停止完畢之意	不得已	副詞表過去	副詞表旋嗣(已)	副詞表程度	副詞表旋嗣(已而)	連詞	句末助詞(已)	句末助詞(而已)	補足語已發生或完成	代詞(此)	總計
例句出現次數	72	15	594	24	4	96	34	19	52	4	1	915
例句百分比	7.869	1,639	64.918	2.623	0.437	10,492	3.716	2.077	5.683	0.437	0.109	100

(二)《漢書》中「已」字的使用情形

《漢書》中「已」字計出現八五九次，動詞用法，表示「停止」、

「完畢」、「完結」之義有八六例；而由「停止」等動詞義的「已」與否定副詞「不」、能願動詞「得」連用的「不得已」，有三〇次。副詞用法主要是時間副詞，表示過去，計有五二四例，表示時間短暫，有旋嗣之義的「已」，單獨使用有二例，「已而」連用有三六例；表示到達相當程度的副詞「已」有六例。助詞用法，作爲句末助詞的有二五例；「而已」連用，作爲表示限制的助詞一一六例。與「來」、「往」以及方位名詞合用，表示時間、處所、數量界限的連詞二〇例。表示已發生或完成，在句子裡擔任補足語功能的「已」有七例。將這七個例子羅列於下：

5. 厥食三復三食，食已而風，地動。〈五行志〉下之下

6. 武益愈，單于使使曉武，會論虞常，欲因此時降武。劍斬虞常已，律曰：「漢使張勝謀殺單于近臣，當死，單于募降者赦罪。〈李廣蘇建傳〉附〈蘇武傳〉

7. 承相丙吉病，中二千石上謁問疾。遣家丞出謝，謝已皆去，萬年獨留，昏夜乃歸。〈公孫劉田王楊蔡陳鄭傳〉之〈陳萬年傳〉

8. 及尊視事，奉璽書至庭中，王未及出受詔，尊持璽書歸舍，食已乃還。〈趙尹韓張兩王傳〉之〈王尊傳〉

9. 都護吏至其國，坐之烏孫諸使下，王及貴人先飮食已，乃飮咯者護吏，故爲無所省以夸旁國。〈西域傳〉

10. 宮讀書已，曰：「果也，欲姊弟擅天下！……」〈外戚傳〉下

11.字妻焉懷子，繫獄，須產子已，殺之。〈王莽傳〉上

雖然這些例子在整部《漢書》中的「已」字所佔比例仍微乎其微（出現比例見表三），但是它們比起例1至例4來，顯然有一些發展，補足語「已」前面的成分，除了是述語（前五例），還有述賓結構（後兩例）。

㈢《後漢書》中「已」字的使用情形

《後漢書》中「已」字計出現八五九次，動詞用法，表示「停止」、「完畢」、「完結」之義有五三例；而由「停止」等動詞義的「已」與否定副詞「不」、能願動詞「得」連用的「不得已」，有五四次。副詞用法主要是時間副詞，表示過去，計有二九五例，表示時間短暫，有旋嗣之義的「已」，單獨使用有一例，「已而」連用有一例；而表示到達相當程度的副詞「已」有五例。助詞用法，作爲句末助詞的有八例；「而已」連用，作爲表示限制的助詞一七三例。與「來」、「往」以及方位名詞合用，表示時間、處所、數量界限的連詞95例。表示已發生或完成，在句子裡擔任補足語功能的「已」有一例，將這一個例子列於下：

表三：《漢書》中「已」的用法分布

	動詞停止完畢之意	不得已	副詞表過去	副詞表旋嗣(已)	副詞表程度	副詞表旋嗣(已而)	連詞	句末助詞(已)	句末助詞(而已)	補足語已發生或完成	總計
例句出現次數	86	30	524	9	6	36	20	25	116	7	859
例句百分比	10.012	3.492	61.001	1.048	0.699	4.191	2.328	2.910	13.504	0.815	100

12.尚書令奉玉牒檢，皇帝以寸二分璽親封之，訖，太常命人發壇上石，尚書令藏玉牒已，復石覆訖，尚書令以五寸印封石檢。〈祭祀〉上

雖然《後漢書》出現這個例子，不過並無多大意義，因爲《後漢書》與《百喻經》成書時間已相當接近，但是與《史記》《漢書》比較起來，《後漢書》裡例子數量不但未增加，反而減少，這實在是一個難以解釋的現象㉖。

表四：《後漢書》中「已」的用法分布

	動詞停止完畢之意	不得已	副詞表過去	副詞表旋嗣(已)	副詞表程度	副詞表旋嗣(己而)	連詞	句末助詞(已)	句末助詞(而已)	補足語已發生或完成	總計
例句出現次數	53	54	295	1	5	1	95	8	173	1	686
例句百分比	7.726	7.872	43.003	0.146	0.729	0.146	13.849	1.166	25.217	0.146	100

㈣《三國志》中「已」字的使用情形

《三國志》中「已」字計出現四五九次，動詞用法，表示「停止」、「完畢」、「完結」之義有三三例；而由「停止」等動詞義的「已」與否定副詞「不」、能願動詞「得」連用的「不得已」，有二四次。副詞用法主要是時間副詞，表示過去，計有五三四例，表示時間短暫，有旋嗣之義的「已」，單獨使用有二例，「已而」連用有三六例；而表示到達相當程度的副詞「已」有二例。助詞用法，作爲句末助詞的有二例；「而已」連用，作爲表示限制的助詞二例。與「來」、「往」以及方位名詞合用，表示時間、處所、數量界限的連詞六六例。有一個較爲特殊的例子，是通作「以」的介詞用法，作爲引介原因介詞賓語之

用。至於表示已發生或完成，在句子裡擔任補足語功能的「已」則沒有見到例子㉗。

五、結論

透過以上對於前四史中，「已」字擔任補足語用法的考查，固然可以看出這種用法在兩漢雖已萌芽，但難以發現其由萌芽到在《百喻經》中發展的一些軌跡。

不過從四史到《百喻經》，補足語用法的「已」的出現情形來看，可以看出兩個現象：

一、柳士鎮（一九八五：九六）認爲《百喻經》中，補足語的「已」字意義已經虛化，恐怕還言之過早，因爲在所見的用例裡，「已」字「完結」、「完畢」的意義仍十分明顯。

二、《百喻經》中，「已」字擔任補足語的數量突然增加，可以看到「量」的變化；至於「質」的方面，雖然可與「已」組成述補結構的動詞漸具多樣性，可是依然只是「V＋已」「V＋O＋已」的形式，始終未出現「V＋已＋O」的形式。可見《百喻經》裡補足語「已」的量

表五：《三國志》中「已」的用法分布

	動詞停止完畢之意	不得已	副詞表過去	副詞表旋嗣(已)	副詞表程度	副詞表旋嗣(己而)	連詞	介詞(以)	句末助詞(已)	句末助詞(而已)	補語已發生或完成足	總計
例句出現次數	33	24	249	2	2	2	66	1	4	76	0	459
例句百分比	7.190	5.229	54.248	0.436	0.436	0.436	14.379	0.217	0.871	16.558	0	100

變，並未影響到質變。因此，「已」始終未像後來的「卻」、「了」走向完全虛化之途，純粹只表示「完成」的語法意義，成爲助詞㉘。

至於就「已」字在四史中的用法來看，也可以發現下列幾個現象：

一、動詞用法，表示「停止」、「完畢」、「完結」之義的「已」字，在各書中皆佔相當穩定的比例。

二、由「停止」等動詞義的「已」與否定副詞「不」、能願動詞「得」連用的「不得已」，用例逐漸成長；在當時，可能只是一個相當固定的結構，「已」多少還具有動詞的意義。不過延用到現代，已成一個複合詞了。

三、副詞用法，表示過去的「已」，佔各書「已」字用法的大宗，這種用法延續到近代。

四、副詞用法，表示旋嗣的「已」，在《史記》中雖然有二四個用例，可是只佔「已」字用例的百分之二點六左右，但到《漢書》中用例已低於十例，《後漢書》《三國志》只見零星的一、二用例，可以看出其間這種用法逐漸消亡的軌跡㉙；另一表示旋嗣的「已而」，用例也呈現減少的現象。

五、副詞用法，表示到達相當程度的「已」，應該是先秦的殘留現象。《百喻經》中，「已」完全沒有這種用法，或可以印證這一事實。

六、句末助詞「已」已呈衰微的現象，在《三國志》裡居然佔不到百分之一的比例。不過「而已」在四部史書中卻有相對逐漸成長的明顯趨勢。

七、與「來」、「去」以及方位名詞合用，作爲表示時間、處所、數量界限的連詞「已」，《史記》《漢書》中用例較少，《後漢書》《三國志》用例卻有明顯的成長。

【附註】

① 根據梁《高僧傳》的記載，求那毗地即安進，中天竺人。在南朝齊高祖建元年間（西元四七九年至四八二年之間）來到中土，住在毗耶離寺，曾見過僧伽斯那的門人。

② 有關漢語發展的分期，主要以王力先生的分期爲依據。王力先生在《漢語史稿》中將漢語史分爲上古、中古、近代和現代四個時期，西元三世紀以前（五胡亂華以前）是上古期，西元四世紀至十二世紀（南宋前半）爲中古期，西元十三世紀到十九世紀（鴉片戰爭）爲近代，二十世紀（五四運動以後）爲現代。

③ 本文所使用的語法術語，主要依據戴師璉璋在〈語句分析的商榷〉裡的意見，該文刊載於《教學與研究》第七期（頁33~43），《國文天地》雜誌第一期亦有轉載。

④ 除了副詞「已」之外，副詞「既」、「竟」等，也有相同的功能，因爲不是本文所要討論的範圍，暫時不談。

⑤ 楊樹達《詞詮》中所列的「已」，有的用法較不常見，例如嘆詞用法；有些與本文第三小節要討論的內容較無關係，例如指示代名詞用法。因此這裡僅舉動詞、副詞、助詞、連詞四種爲代表。

⑥ 此用楊樹達《詞詮》之說法，表過去，即下文「加在述語或表語之前，表示動作或情況已在過去一段時間內完成或出現」的用法；「表旋嗣」即下文「前一行爲、動作、情況等完成或出現後，在短暫的時間內接著發生後

一動作或出現另一情況」的用法。

⑦ 出現在「已」後面的述語常由動詞擔任，表語則多由形容詞或數詞、數量結構等擔任，這種用法一直延續使用到現代。

⑧ 有時「已而」連用。

⑨ 這一類的「已」，楊樹達《詞詮》稱爲「表態副詞」，見該書頁463。

⑩ 楊樹達《詞詮》統稱爲「表決定」的語末助詞。此據段德森《實用古漢語虛詞》頁104~105，以下兩段對於「已」的助詞用法的說明，部分例句轉引自該書。

⑪ 這個條件很重要，因爲它是有別於本文所要討論的「已」的新用法之處。

⑫ 《論語・子罕》之例兼有感漢的語氣。

⑬ 楊樹達《詞詮》稱爲「陪從連詞」，見該書頁464。

⑭ 《百喻經》裡副詞的「已」，未出現表示程度的用法，這可能是：一、表示性質、狀態到達相當的程度的「已」，是一種較古、較文言的用法，與《百喻經》使用語言接近當時的口語的原則，有所違背；二、《百喻經》裡表示性質、狀態到達相當程度的副詞很多，所見到的有：最、極、太、深、甚、過等，這些副詞可能正好都反映了當時的語言現況。所以《百喻經》便淘汰了表示程度用法的副詞「已」。

⑮ 此指廣義的謂語。

⑯ 「不已」連用是副述結構，或稱狀心結構，在《百喻經》裡共五見，用法都相同。

⑰ 本例「時有一人來見之，已而問之言」《大正藏》之《百喻經》，並未點斷，僅作「時有一人來見之已而問之言」；此處斷句係依據北京社會科學院宗教研究所編譯之《白話佛教經典》㈣《百喻經》。不過本人以爲這樣的斷句，跟《百喻經》全書大體是四言一句、詞語的音節主要爲偶數的結構形式頗不相符，應斷成：「時有一人來見之已，而問之言」比較妥適。跟這個例子類似的句式，如：「傍人見已而語之言：『何不避去？乃往受打，致使頭破？』」（〈以梨打頭破喻〉）又：「傍人見已而語之言：『生死異道，當速莊嚴致於遠處而殯葬之。云何得留，自欲棄去？』」（〈子死欲得停置家中喻〉）又：「弟子見已而問之言：『何以悲嘆懊惱如是？』」（〈雇借瓦師喻〉）如果這樣，《百喻經》就未出現表旋嗣用法的「已」，而擔任補足語用法的「已」要增加一例。

⑱ 這不包括附註⑰所說的那一例，如加上該例，則有四十八例。

⑲ 例⑳的「死」，或歸爲表語。

⑳ 此例的「他界」也可視爲處所賓語或處所補語。

㉑ 此例的「天明」也可視爲時間賓語或時間補語。

㉒ 爲附註⑰「已而」連用之例。

㉓ 圖一至圖三分別是例8、例28、例17帶有「已」的句子的樹狀圖。「S」代表句子；「Np」代表名詞組，「Vp」代表動詞組，「Gen Lm」代表領位限制詞，「N」代表名詞，「Ad」代表副詞，「V」代表副詞，「C」代表補足語。

㉔依據鼎文書局楊家駱主編《中華學術類編》的版本與標點。

㉕此處初步扣除含有「已」的專有名詞，如人名「病已」；以及引用典籍的一些例子，例如〈孔子世家〉引《論語・微子》：「已而！已而！今之從政者殆而！」又引《論語・子罕》：「河不出圖，……吾已矣夫！」等之類的例子。以下其他三史處理方式相同。

㉖初步對成書時間也在南朝宋的《世說新語》作一檢視，發現其中未出現「已」擔任補足語，表示「完結」義的用法。

㉗不過在裴《注》中，發現葛洪《神仙傳》裡有一個，依據鼎文書句的斷句方式，或可視爲「已」擔任補足語的例子：「（李）意其不答而求紙筆，畫作兵馬器杖數十紙已，便一一以手裂壞之，又畫作一大人，掘地埋之，便逕去。」不過，其中的「已」也可緊連下句，那麼就是表示旋嗣的副詞了。

㉘「卻」、「了」虛化爲表示時態的助詞，請參見曹廣順〈《祖堂集》中的「底」（地）、「卻」（3）、著〉中國語文(1986,3:192~203)及楊伯峻、何樂士《古漢語語法及其發展》頁六五一~六五八。

㉙或許是因爲這種用法的「已」，在形式上與表過去的「已」不易區別有關，尤其當句末無語氣助詞時，往往需要靠前後文才能加以區別。

【主要參考書目】

司馬遷　史記　鼎文書局

班　固　漢書　鼎文書局

范　曄　後漢書　鼎文書局

陳　壽　三國志　鼎文書局

慧　皎撰　高僧傳　新文豐出版公司

求那毗地譯　百喻經　新文豐出版公司

北京社會科學研究院宗教研究所編譯　白話佛教經典㈣百喻經　博遠出版有限公司

楊樹達　詞詮　臺灣商務印書館

段德森　實用古漢語虛詞　山西教育出版社

曹廣順　《祖堂集》中的「底」（地）、「卻」（3）、著　中國語文(1986,3:192~203)

楊伯峻、何樂士　古漢語語法及其發展　北京語文出版社

王　力　漢語史稿　北京科學出版社

王　力　漢語語法史　山東教育出版社

柳士鎮　《百喻經》中若干語法問題的探索　中州學刊(1985,5:94~98)

柳士鎮　魏晉南北朝歷史語法　南京大學出版社

海峽兩岸譬喻的異稱與分類之比較

臺灣師範大學
國文系所教授　蔡宗陽

提　要

本文先闡述海峽兩岸譬喻異稱的流變，再比較海峽兩岸譬喻的異稱，其次比較海峽兩岸譬喻分類的異同，最後提出適當的名稱與分類。

關鍵詞　海峽兩岸　譬喻　比喻　詳喻　明喻　隱喻　略喻　借喻

一、前　言

八十九學年度筆者向國科會申請專題研究，題目係海峽兩岸修辭格的名稱與分類之比較研究，本文是此專題研究之一。譬喻的異喻甚多，而譬喻的分類，亦衆說紛紜。本文擬分兩岸譬喻異稱的流變與比較、比較兩岸譬喻分類的異同等兩項，逐項加以闡析，並提出適當的譬喻名稱與分類。

二、兩岸譬喻異稱的流變與比較

譬喻的異稱，有取譬、比、辟、譬、取喻、比喻、打比方。譬喻異稱的流變，最早是「取譬」，見於《論語・雍也》：

能近取譬，可謂仁之方也已。

《論語》採用「取譬」，黃永武《字句鍛鍊法》也採用「取譬」。①

其次是「比」，見於《詩・序》：「詩有六義焉：一曰風，二曰賦，三曰比，四曰興，五曰雅，六曰頌。」②《詩・序》採用「比」。劉勰《文心雕龍・比興》云：「比者，附也。」劉勰也採用「比」。唐朝孔穎達《毛詩正義》云：「比者，比方於物，諸言『如』者，皆比辭也。」③元朝王構《修辭鑑衡・卷一》云：「比興深者通物理。」《毛詩正義》、《修辭鑑衡》、七十五年十一月福建教育出版社印行的徐炳昌《篇章的修辭》皆採用「比」。

再其次是「辟」，見於《墨子・小取》：「辟（同『譬』）也者，舉也（同『他』）物以明之也。」《墨子》採用「辟」。

又其次是「譬」，見於《荀子・非相》云：「譬稱以明之。」《荀子》採用「譬」。

俟漢朝有「譬喻」一詞，見於王符《潛夫論・釋難》云：「夫譬喻也者，生於直告之不明，故假物之然否以彰之。」《潛夫論》採用「譬喻」。大陸學者有民國十五年六月上海商務印書館印行的王易《修辭學》、二十年八月上海開明書店印行的陳介白《修辭學講話》、二十一年四月上海開明書店印行的陳望道《修辭學發凡》、二十四年六月印行的宋文翰《國語文修辭法》、三十二年五月上海正中書局印行的鄭業建《修辭學》、四十二年三月棠棣出版社印行的譚正璧《修辭新例》，皆採用「譬喻」。臺灣學者有民國六十年三月臺灣中華書局印行的徐芹庭《修辭學發微》、六十四年一月三民書局印行的黃師慶萱《修辭學》、六十四年十月臺灣商務印書館印行的張嚴《修辭論說與方法》、七十年六月黎明文化事業公司印行的蔣金龍《演講修辭學》、七十年十月益智書局印行的董季棠《修辭析論》、七十三年六月高雄復文出版印行的吳正吉《活用修辭》、八十年二月國立空中大學印行的沈謙《修辭學》、八十九年四月國家出版社印的黃師麗貞《實用修辭學》，皆採用「譬喻」。

迨及宋朝有「取喻」，見於陳騤《文則・丙二》云：「取喻之法，大概有一。」《文則》採用「取喻」。

洎乎民國五十二年二月有「比喻」，見於天津人民出版社印行的《現代漢語修辭學・第五章現代漢語修辭方式分說(一)》云：

比喻式是根據類似的聯想和對事物關係的新認識，選取另外的事物來描繪本事物的內在特徵。

《現代漢語修辭》採用「比喻」。大陸學者有民六十八年八月湖南人民出版社印行的曹毓生《現代漢語修辭基礎知識》、六十九年六月浙江人民出版社印行的倪寶元《修辭》、七十年四月寧夏人民出版社印行的高葆泰《語法修辭六講》、七十一年七月湖北人民出版社印行的鄭遠漢《辭格辨異》、七十二年三月（北京）商務印書館印行的趙克勤《古漢語修辭簡編》、七十二年九月安徽教育出版社印行的濮侃《辭格比較》、七十二年十月書目文獻出版社印行的黃漢生《修辭漫議》、七十二年十月福建人民出版社印行的鄭頤壽《比較修辭》、七十二年十二月北京出版社印行的王希杰《漢語修辭學》、七十三年一月甘肅少兒童出版社印行的錢覺民、李延祐《修辭知識十八講》、七十三年四月湖南人民出版社印行的黃民裕《辭格匯編》、七十三年七月吉林人民出版社印行的程希嵐《修辭學新編》、七十三年九月吉林人民出版社印行的宋振華、吳士文、張國慶、王興林《現代漢語修辭學》、七十四年九月北京出版社印行的李裕德《新編實用修辭》、七十五年四月雲南教育出版社印行的駱小所《實用修辭》、七十五年五月吉林文史出版社印行的季紹德《古漢語修辭》、七十五八月商務書館香港分館印行的黎運漢、張維耿《現代漢語修辭學》、七十五年九月上海教育出版社印行的吳士文《修辭格論析》、七十五年十月湖南人民出版社印行的李維琦《修辭學》、七十六年六月北京大學出版社印行的姚殿芳、潘兆明《實用漢語修辭》、七十六年十月鷺江出版社印行的鄭頤壽、林承璋《新編修辭學》、七十七年五月貴州人民出版社印行的蔣希文《修辭淺說》、七十八年六月遼寧人民出版社印行的陸稼祥《辭格的運用》、七十八年七月中共中央黨校出版社印行的桂海、鮑慶林《語法修辭新編》、七十八年十二月河南教育出版社、香港文化教育出版社印行的張靜、鄭遠漢《修辭學教程》、七十九年十月河北教育出版社印行的武占坤《常用辭格通論》、八十年二月中國經濟出版社印的周靖《現代漢語語法修辭》、八十年二月百花洲文藝出版社印行的劉煥輝《修辭學綱要》、八十年六月中國青年出版社印行的成偉鈞、唐仲揚、向宏業《修辭通鑒》、八十年六月廈門大學出版社印行的鄭文貞《篇章修辭學》、八十年十月貴州民族出版社印行的賈銀忠《涼山彝語修辭學基礎》、八十一年二月（北京）中華書局印行的布裕民、陳漢森《寫作語法修辭手册》、八十一年六月陝西人民出版社印行的馬鳴春《稱謂修辭學》、八十一年十月華南理工大學出版社印行的胡性初《實用修辭》、八十二年六月中國世界語出版社印行的楊鴻儒《當代中國修辭學》、八十六年六月五南出版印行的古遠清、孫光萱《詩歌修辭學》、八十七年六月百花洲文藝出版社印行的傅惠鈞、張學賢、應守岩《古漢語比較修辭》、八十七年八月武漢出版社印行的周健民《廣告修辭》，皆採用「比喻」。

至於「比喻」又叫「打比方」，大陸方面有民國七十二年十二月北京出版社印行的王希杰《漢語修辭學・第十章聯繫》云：「比喻，又叫譬喻，俗稱打比方。」七十八年六月遼寧人民出版社印行的陸稼祥《辭格的運用・三分格論述》云：「比喻就是我們所說的打比方。」臺灣方面有民國八十年二月國立空中大學印行的沈謙《修辭學・第一章譬喻》云：「譬喻，又稱比喻，也就是俗謂的『打比方』，是一種最常見的修辭方法。」

譬喻異稱的流變，先有《論語・雍也》的「取譬」，再有《詩・序》的「比」、《墨子・小取》的「辟」、《荀子・非相》的「譬」、王符《潛夫論・釋難》的「譬喻」、陳騤《文則・丙二》的「取喻」、張弓《現代漢語修辭學》的「比喻」、王希杰《漢語修辭學》的「打比方」。譬喻的異稱甚多，雖然各異，但實同，現在大陸學者多半用「比喻」④，臺灣學者多半用「譬喻」⑤。

三、比較兩岸譬喻分類的異同

海峽兩岸修辭學專家學者對譬喻的分類，衆說紛紜，莫衷一是。茲經過分析、比較，將譬喻的分類，歸納爲下列數類，並加以闡析。

㈠不分類

僅論譬喻，並未分類者，在民國之前，有《詩・序》、《論語・雍也》、《墨子・小取》、《荀子・非相》、王符《潛夫論・釋難》、孔穎達《毛詩正義》、王構《修辭鑑衡》。民國以來，臺灣有黃永武《字句鍛鍊法》、大陸有倪寶元《修辭》、鄭遠漢《辭格辨異》、上海師範學院中文系漢語教研室編《修辭》、徐炳昌《篇章的修辭》、鄭文貞《篇章修辭學》、胡性初《實用修辭》、周健民《廣告修辭》。或僅言及譬喻的理論，或僅言及譬喻的意義，或舉例詮證譬喻的眞諦，或辨析比喻與非比喻、借喻與借代。

㈡二分法

將譬喻分爲兩種者，在民國之前，僅劉勰《文心雕龍・比興》分爲比義和比類兩種。民國以來，大陸有唐鉞《修辭格》將比分爲顯比格、隱比格兩種⑥。夏宇衆《修辭學大綱》將比喻分爲顯比、隱比兩種⑦。趙克勤《古漢語修辭簡論》、李裕德《新編實用修辭》將比喻分爲明喻、暗喻兩類⑧。明喻又叫顯比，暗喻又叫隱喻。因此，唐、夏、趙、李四氏分類相同，只是名異質同。此外，路燈照、成九田《古詩文修辭例話》從加深讀者對作品內容的理解力來看，可分爲「以質比實」、「以實比虛」兩種。曾師忠華《作文津梁》分爲基本的譬喻、變化的譬喻兩種。基本的譬喻又分爲明喻、隱喻、略喻、借喻四種。變化的譬喻又分爲形喻、交喻兩類⑨。古遠清、孫光萱《詩歌修辭學》把譬喻分爲近取譬、遠取譬兩種。

㈢三分法

將譬喻（又叫比喻）分爲明喻（又叫直喻）、隱喻（又叫暗喻）、借喻三種者最多，最早的是大陸陳望道《修辭學發凡》⑩，其次是大陸宋文翰《國語文修辭法》、譚正璧《修辭新例》、張弓《現代漢語修辭學》、華中師範學院中文系現代漢語教研組編《現代漢語修辭知識》⑪、曹毓生《現代漢語修辭基礎知識》、黃漢生《修辭漫談》、鄭頤壽《比較修辭》、王希杰《漢語修辭學》、錢覺民、李延祐《修辭知識十八講》、程希嵐《修辭學新編》、駱小所《實用修辭》、季紹德《古漢語修辭》、黎運漢、張維耿《現代漢語修辭學》、吳士文《修辭格論析》、李維琦《修辭學》、王德春主編《修辭學》、姚殿芳、潘兆明《實用漢語修辭學》、湖北省天門師範語文教研組編《語文基礎知識》、路燈照、成九田《古詩文修辭例話》、鄭頤壽、林承璋主編《新編修辭學》、蔣希文《修辭淺說》、葉子雄《語法修辭》、程祥徽、田小琳《現代漢語》、張靜、鄭遠漢《修辭學教程》、唐松波、黃建霖主編《漢語修辭格大辭典》、劉煥輝《修辭學綱要》⑫。布裕民、陳漢森《寫作語法修辭手册》、楊鴻儒《當代中國修辭學》、傅惠鈞、張學賢、應守岩《古漢語比較修辭學》。臺灣有徐芹庭《修辭學發微》、張嚴《修辭論說與方法》、蔣金龍《演講修辭學》、董季棠《修辭析論》⑬。以上各家將譬喻分爲三類，內容相同，名稱稍異，可以說是名異實同。大部分修辭學專家學者皆將明喻、隱喻、借喻三種，當作譬喻的基本類型，因此主張三分法者最多。

㈣四分法

將譬喻分爲四類者，大陸有高葆泰《語法修辭六講》、宋振華、吳士文、張國慶、王興林主編《現代漢語修辭學》、陸稼祥《辭格的運用》、武占坤主編《常用辭格通論》、賈銀忠《涼山彝語修辭學基礎》，將譬喻分爲明喻、暗喻、借喻、引喻四種⑭。曾師忠華《作文津梁》、董季棠《重校增訂修辭析論》，將譬喻分爲明喻、隱喻、略喻、借喻四種⑮。華中師範學院中文系現代漢語教研組編《現代漢語修辭知識》將譬喻的多樣化用法又分爲反面設喻、迂迴設喻、反復設喻、喻中有比四種。吳士文《修辭格論析》將隱喻又分爲平列式、修飾式、移接式、同位式四種。大陸黎運漢、張維耿《現代漢語修辭學》將譬喻的變化形式分爲平列式、偏正式、同位式、注釋式四種⑯。各家分法，以不同角度，產生不同類別，各有特點。

㈤五分法

將譬喻分爲五類者，臺灣有黃師慶萱《修辭學》、吳正吉《活用修辭》分爲明喻、隱喻、略喻、借喻、假喻五種⑰；大陸有周靖《現代漢語語法修辭》分爲明喻、暗喻、借喻、博喻、引喻五種⑱；沈謙《修辭學》分爲明喻、隱喻、略喻、借喻、博喻五種⑲；蔡宗陽〈論譬喻的分類〉分爲明喻、隱喻、略喻、借喻、合喻五種⑳。五分法雖各有不同，但明喻、隱喻（又叫暗喻）、借喻三種基本類型卻是相同。

㈥六分法

將譬喻分爲六種者，大陸有王希杰《漢語修辭學》認爲譬喻的變式有六種：倒喻、反喻、強喻、迂喻、曲喻、博喻；程希嵐《修辭學新編》依譬喻的用法，分爲復喻、進喻、強喻、弱喻、反喻、回喻六種㉑。吳桂海、鮑慶林《語法修辭新編》將譬喻分爲明喻、暗喻、借喻、引喻、諷喻、較喻六種㉒。劉煥輝《修辭學綱要》依譬喻的變式分爲倒喻、反喻、回喻、博喻、曲喻、引喻六種㉓。或以運用方法分，或以變化方式分，或以一般方式分，各有不同特點。而臺灣則無六分法。

㈦七分法

將譬喻分爲七種者，大陸有鄭業建《修辭學》分爲直喻、隱喻、引喻、博喻、借喻、交喻、反喻七種㉔；馬鳴春《稱謂修辭學》分爲明喻、暗喻、借喻、較喻、擴喻、倒喻、縮喻七種㉕。鄭、馬二氏相同者，有借喻、明喻（又叫直喻）、隱喻（又叫暗喻）三種基本類型，其他四種方式都是譬喻的變化方式。而臺灣則無七分法。

㈧八分法

將譬喻分爲八種者，大陸王德春主編《修辭學詞典》認爲譬喻的變化形式有八種：較喻、回喻、反喻、曲喻、引喻、博喻、倒喻、擴喻㉖。而臺灣則無八分法。

㈨九分法

將譬喻分為九種者，大陸有李維琦《修辭學》認為常見的譬喻有九類：第一、二、三類是明喻，第四、五、六、七類是暗喻，第八、九類是借喻㉗。表面上細分九類，其實也是在明喻、暗喻、借喻三種基本類型之中。濮侃《辭格比較》將譬喻分為明喻、暗喻、借喻、倒喻、引喻、反喻、曲喻、較喻、潛喻九種。而臺灣則無九分法。

㈩十分法

將譬喻分為十種者，除了陳騤《文則》之外。尚有大陸成偉鈞、唐仲揚、向宏業《修辭通鑒》依譬喻的變式分為博喻、引喻、曲喻、倒喻、對喻、回喻、互喻、反喻、逆喻、較喻十種㉘。而臺灣則無十分法。

⑪十一分法

將譬喻分為十一種者，大陸有陳介白《修辭學講話》分為明喻法、隱喻法、諷喻法、提喻法、換喻法、借喻法、引喻法、詳喻法、交喻法、形喻法、字喻法十一種㉙。而臺灣則無十一分法。

⑫十二分法

將譬喻分為十二種者，有大陸黃民裕《辭格匯編》分為明喻、暗喻、借喻、博喻、倒喻、反喻、縮喻、擴喻、較喻、回喻、互喻、曲喻等十二種㉚。而臺灣則無十二分法。

⑬二十一分法

將譬喻分爲二十一種者，大陸有唐松波、黃建霖主編《漢語修辭格大辭典》認爲譬喻的變化形式有二十一種：潛喻、博喻、約喻、縮喻、擴喻、屬喻、引喻、曲喻、聯喻、回喻、擇喻、反喻、逆喻、對喻、疑喻、物喻、事喻、互喻、合喻、頂喻、較喻。較喻又分爲三類：強喻、弱喻、等喻㉛。蔡宗陽〈論譬喻的分類〉將譬喻的內容分爲二十一小類：明喻分作說理式、反復式、相反式、聯想式、虛假式等五種，隱喻分作比較式、諧音式、否定式、選擇式、迂迴式、正反式等六種，略喻分作補充式、引證式、轉移式、引出式等四種，借喻分作因果式、正反式、反詰式等三種，合喻分作相關式、同類式、正反式等三種，共計二十一種㉜。

㈣二十四分法

將譬喻分爲二十四種者，大陸池太寧、陸稼祥主編《修辭方式例解詞典》分爲暗喻、博喻、補喻、倒喻、等喻、對喻、反喻、反客爲主的比喻、互喻、回喻、較喻、詰喻、借喻、類喻、明喻、強喻、曲喻、弱喻、同位喻、物喻、詳喻、虛喻、音喻、引喻等二十四種㉝。臺灣蔡宗陽〈論譬喻的分類〉將譬喻的形式分爲二十四小類：明喻分爲單一式、連續式、詳敘式等三種，隱喻分爲單一式、連續式、屬相式、疑擬式、同位式等五種，略喻分爲單一式、連續式、平列式、順敘式、倒敘式等五種，借喻分爲單一式和連續式兩種，合喻分爲互相式、頂針式、倒敘式、明隱式、雙明式、雙隱式、雙略式等七種㉞。

四、結語

通觀各家論譬喻的分類，或多或少，或從形式，或從內容分，或從基本類型分，或從變化方式分，或作法分，或從文體性質分，見仁見智，各有特色。筆者認爲理想的譬喻分類，必須會通各家分類的特點，並以不同角度來分。因此，就文體與作法來分，可分爲記敘性、論說性、抒情性三種㉟。就基本的類型來分，可分爲明喻、隱喻、略喻、借喻、合喻五種㊱。就形式分，以〈論譬喻的分類〉中的二十四類爲主，再加一小題「多明式的合喻」，成爲二十五類㊲。就內容分，以〈論譬喻的分類〉中二十一類爲主㊳。至於譬喻的名稱，大陸學者多半採用「比喻」，而臺灣學者多半採用「譬喻」。

【附註】

① 見黃永武《字句鍛鍊法》，頁八，（臺北）臺灣商務印書館印行，民國五十八年八月初版。

② 見十三經注疏本，《毛詩》，頁十五，（臺北）藝文印書館印行。《詩．序》作者，衆說紛紜。《四庫提要》云：

以爲〈大序〉子夏，〈小序〉子夏、毛公合作者，鄭玄《詩譜》也。以爲子夏所序《詩》即今《毛詩．序》者，王肅《家語》注也。以爲衛宏受學謝曼卿作《詩序》者，《後漢書．儒林傳》也。以爲子夏所創，毛公及衛宏又加潤益者，《隋書．經籍志》也。以爲子夏不序《詩》者，韓愈也。以爲子夏惟裁初句，以下出於毛公者，成伯璵也。以為詩人所自製者，王安石也。以〈小序〉為國史之舊文，以〈大序〉為孔子作者，程子明道也。以首句即為孔子所題者，王得臣也。以為《毛傳》初行，尚未有〈序〉，其後門人互相傳授，各記其師說者，曹粹中也。以村野妄人所作，昌言排斥而不顧者，則倡之鄭樵、王質，和之者朱熹也。

余師培林以為《詩・序》作者係衛宏，其理由四：

㈠《漢志》著錄《毛詩故訓傳》三十卷，而無一言及〈序〉。㈡兩漢文章未用〈序〉文，至魏始有引之者。㈢《傳》意與〈序〉意往往有出入，如〈秦風・無衣〉、〈豳風・狼跋〉等篇是。若〈序〉與《傳》皆出自毛公之手，則必無此現象。㈣范曄所記極為詳盡，且為正史，必信而可徵。至謂孔子、子夏所作，觀乎〈周頌・潛〉，〈序〉用〈月令〉：「季冬獻魚，春獻鮪」之文，則其說不攻自破矣。

見余師培林《詩經正詁》，頁二十四至二十五，（臺北）三民書局印行，民國八十二年十月初版。

作者假如是子夏，則「比」在《論語》的「取譬」之後，如果是衛宏，則「比」在《荀子》的「譬」之後。

③ 見十三經注疏本，《毛詩》，頁十五。

④ 用「比喻」一詞者，有夏宇衆《修辭學大綱》（見該書頁一〇至二四，北平師大講義，民國五十六年四月臺一版。華中師範學院中文系現代漢語教研組編《現代漢語修辭知識》（見該書頁一五至二九，湖北人民出版社印行，民國六十一年六月版。）高葆泰《語法修辭六講》（見該書頁二一七至二二七，寧夏人民出版社印行，民國七十年四月初版。）趙克勤《古漢語修辭簡論》（見該書頁一八至二三，北京商務印書館印行，民國七十二年三月初版。）黃漢生《修辭漫議》（見該書頁一〇至六七，書目文獻出版社印行，民國七十二年十月初版。）

鄭頤壽《比較修辭》（見該書頁二二三至二三四，福建人民出版社印行，民國七十二年十月初版。）王希杰《漢語修辭學》（見該書頁二八二至二九七，北京出版社印行，民國七十二年十二月初版。）錢覺民、李延祐《修辭知識十八講》（見該書頁七至一六，甘肅兒童少年出版社印行，民國七十三年一月初版。）上海師範學院中文系漢語教研室編《修辭》（見書頁八一至八六，上海教育出版社印行。）黃民裕《辭格匯編》（見該書頁五至一六，湖南人民出社印行，民國七十三年四月初版。）程希嵐《修辭學新編》（見該書頁一四九至一七九，吉林人民出版社印行，民國七十三年七月初版。）宋振華、吳士文、張國慶、王興林《現代漢語辭學》（見該書頁七八至八六，吉林人民出版社印行，民國七十三年九月初版。）季紹德《古漢語修辭》（見該書頁一至二三，吉林文史出版社印行，民國七十五年五月初版。）黎運漢、張維耿《現代漢語修辭學》（見該書頁一〇一至一一一，商務印書館香港分館印行，民國七十五年八月初版。）吳士文《修辭格論析》（見該書頁一二四至一二五，上海育出版社印行，民國七十五年九月初版。）李維琦《修辭學》（見該書頁二〇五至二一五，湖南人民出版社，民國七十五年十月初版。）王德春《修辭學詞典》（見該書頁七，浙江教育出版社印行，民國七十六年五月初版。）姚殿芳、潘兆明《實用漢語修辭》（見該書頁三七六至三九四，北京大學出版社印行，民國七十六年六月初版。）、鄭頤壽、林承璋主編《新編修辭學》（見該書頁一五五至一六三，鷺江出版社印行，民國七十六年十月初版。）路燈照、成九田《古詩文修辭例話》（見該書頁二二至三〇，臺灣商務印書館印行，民國七十六年十月初版。）蔣希文《修辭淺說》（見該書頁七二至八〇，貴州人民出版社印行，民國七十七年五月初版。）吳桂海、鮑慶林《語法修辭新編》（見該書頁二三五至二四二，中共中央黨校出版社印行，民國七十八年七月二版。）程祥徽、田小琳《現代漢語》（見該書頁三八二至三八六，香港三聯書店印行，民國七十八年十一月初版。）張靜、鄭遠漢《修辭學教程》（見該書頁二二八至二三〇，河南教育出版社，香港文化教育出版社印行，民國七十八年十二月初版。）唐松波、黃建霖主編《漢語修辭格大辭典》（見該書頁一至四九，中國國際廣播出版社印行，民國七十八年十二月初版。）浙江省修辭研究會編著《修辭方式例解詞典》（見該書頁八至二二，浙江教育出版社印行，民國七十九年九月初版。）武占坤《常用辭格通論》（見該書頁一至三七，河北教育出版社印行，民國七十九年十月初版。）周靖《現代漢語語法修辭》（見該書頁二九三至二九九，中國經濟出版社印行，民國八十年二月初版。）劉煥輝《修辭學綱要》（見該書頁二四七至二五七，百花洲文藝出版社印行，民國八十年二月初版。）戍偉鈞、唐仲揚、向宏業主編《修辭通鑒》（見該書頁三四九至三八八，中國青年出版社印行，民國八十年六月初版。）鄭文貞《篇章修辭學》（見該書頁三八〇至三八七，廈門大學出版社印行，民國八十年六月初版。）馬鳴春《稱謂修辭學》（見該書頁三七六至三九八，陝西人民出版社印行，民國八十一年六月初版。）胡性初《實用修辭》（見該書頁二六〇至二六二，華南理工大學出版社印行，民國八十一年十一月初版。）

⑤ 採用「譬喻」一詞者，有陳介白《修辭學講話》（見該書頁一〇九至一二八，信誼書局印行，民國六十七年七月初版；早期版本有民國二十年八月上海開明書店印行，四十八年十一月啓明書局印行。）陳望道《修辭學發凡》（見該書頁七二至八〇，上海教育出版社印行，民國六十八年九月新一版；其他版本有民國二十一年四月上海開明書店印行，二十一年一月上海大江書鋪印行上冊，八月印行下冊，六十五年七月上海人民出版社印行，

七十年一月香港大光出版社印行，七十八年一月文史哲出版社印行再版，另有民國五十五年六月臺灣學生書局印行三版，但改書名爲《修辭學釋例》。）鄭業建《修辭學》（見該書頁一五〇至一七三，上海正中書局印行，民國三十三年五月初版，三十五年三月滬一版。）譚正璧《修辭新例》（見該書頁九至十九，棠棣出版社印行，民國四十二年三月初版。）徐芹庭《修辭學發微》（見該書頁五六至七〇，臺灣中華書局印行，民國六十年三月初版、六十三年八月再版。）宋文翰《國文修辭學》（見該書頁一三至一六，新陸書局印行，民國六十年十一月初版。）黃師慶萱《修辭學》（該書頁二二七至二五〇，三民書局印行，民國六十四年一月初版。）張嚴《修辭論說與法》（見該書頁九六至一〇〇，臺灣商務印書館印行，民國六十四年十月初版。）蔣金龍《演講修辭學（見該書頁一〇三至一一〇，黎明化業公司印行，民國七十六年六月初版。）董季棠《修辭析論》（見該書頁三三至四九，益智書局印行，民國七十年十月初版；增訂版頁三五至五一，文史哲出社印行，民國八十一年六月初版。）吳正吉《活用修辭》（見該書頁一六五至二四七，復文圖書出版社印行，民國七十三年六月初版。）曾師忠華《作文津梁》（見該書頁一〇五至一〇七，學人文教出版社印行，民國七十四年八月初版。）沈謙《修辭學》（見書上册頁一至八九，國立空中大學印行，民國八十年二月初版。）蔡宗陽〈論譬喻的分類〉（見民國八十一年四月國立臺灣師範大學國文研究所印行《中學術年刊》第十三期，頁二六三至二八五。）

⑥ 見唐鉞《修辭格》，上海商務印書館印行，民國十八年十月初版，頁四至二〇

⑦ 夏宇衆《修辭學大綱》，見該書頁一〇至二四，北平師大講義，民國五十六年四月臺一版

⑧ 趙克勤《古漢語修辭簡論》，見該書頁一八至二三，北京商務印書館印行，民國七十二年三月初版。

⑨路燈照、成九田《古詩文修辭例話》，見該書頁二二至三〇，臺灣商務印書館印行，民國七十六年十月初版。

以及見曾師忠華《作文津梁》，見該書頁一〇五至一〇七，學人文教出版社印行，民國七十四年八月初版。

⑩見陳望道《修辭學發凡》，見該書頁七二至八〇，上海教育出版社印行，民國六十八年九月新一版；其他版本有民國二十一年四月上海開明書店印行，二十一年一月上海大江書鋪印行上册，八月印行下册，六十五年七月上海人民出版社印行，七十年一月香港大光出版社印行，七十八年一月文史哲出版社印行再版；另有民國五十五年六月臺灣學生書局印行三版，但改書名爲《修辭學釋例》。

⑪華中師範學院中文系現代漢語教研組編《現代漢語修辭知識》，見該書頁一五至二九，湖北人民出版社印行，民國六十一年六月版

⑫以上見同註④。《修辭通鑑》依其說明事理的方式、性質和作用，又可分爲描寫性比喻、議論性比喻、抒情性比喻三種。

⑬以上見同註⑤。董季棠《修辭析論》，原版分三類，增訂版分四類。

⑭以上見同註④。

⑮見同註⑤。

⑯以上見同註④。

⑰見同註⑤。

⑱見同註④。

⑲見同註⑤。
⑳見三民書局印行《文法與修辭》，下册，頁二。
㉑見同註④。
㉒見同註④。
㉓見同註④。
㉔見同註⑤。
㉕見同註④。
㉖見同註④。
㉗見同註④。
㉘見同註④。
㉙見同註⑤。
㉚見同註④。
㉛見同註④。
㉜見同註④，頁二八五。
㉝見同註④。
㉞見同註④。

㉟ 參閱成偉鈞、唐仲揚、向宏業《修辭通鑒》的分類。

㊱ 見同註⑤蔡文，頁二七六。拙作《文法與修辭》下册，將譬喩分爲詳喩、明喩、隱喩、略喩、借喩五種。（詳見民國九十年一月三民書局印行該書，頁十一。）

㊲ 見同註⑤、及同註④，拙作「論譬喩的分類」中的「雙明式的合喩」，是指兩小句「明喩」組成的「合喩」。這裏再加一小類，凡是三小句或三小句以上「明喩」組成的「合喩」，叫做「多明式的合喩」。

㊳ 見同註㊲。

蔡元培先生在近代中國教育史上的地位與貢獻

臺灣師範大學國文系退休教授　王更生

欣逢　天成師八秩嵩壽，當此岳降良辰，天保九如之時，特撰此文，用申賀忱，並恭頌吾師福壽綿長，永錫康寧。

一、前言

蔡元培先生被後人尊為近代中國教育史上，最具代表性的人物。有「承先啓後」，「繼往開來」的貢獻。翻開蔡先生的生平事蹟看，他卻是光緒年間親政恩科及第的進士，官拜翰林院編修，是一位不折不扣的清朝官吏。當　國父孫中山先生發動國民革命，團結反清組織，在日本東京成立同盟會時，他被同志們推為上海分會的會長。甲午之戰，清廷失敗，在政局動盪不安的時刻，他又毅然決然的遠赴國外，學習新知。民國成立，他奉命擔任教育總長，繼而接掌北大和中央研究院院長。

當那個新舊交替，國脈如縷的時代，雖然他以各種不同的角色，活躍於人生舞台之上，但究其實際，卻一直將自己的生命投注於教育文化事業，所以他絕非翻雲覆雨的政治家，更不是著作等身的學者名流，但他那光風霽月的人格，無所不容的操持，以及春風化雨的典範，卻永遠銘刻在每一位中華兒女的心版上。

講到蔡元培先生在中國近代教育史上的地位與貢獻，在此首先介紹他的生平行誼，然後從「承先啓後」，「繼往開來」的角度，說明他對教育的貢獻，和在教育史上的地位。

二、困勉的生平行誼

蔡元培，乳名阿培，字鶴卿，號孑民，浙江紹興府山陰縣（今浙江省紹興縣）人，清同治六年十二月十七日（一八六八年一月十一日）生，民國二十九年（一九四〇年）三月五日病逝香港，享年七十有四。他出生於商人世家，其先世於明末由諸暨遷來山陰。初以經營木材爲業，祖父嘉謨爲當舖經理，生有七子，元培之父光普居長，爲錢莊經理，次子爲綢緞店經理，三子好武術，遊學四方，不知所終，四子亦經營錢莊，五子、七子爲某錢莊副理，唯六子銘恩攻詩書爲制藝，鄉試中試，門下頗盛。元培自幼所以篤志好學，實深得叔父之誘導。

元培十一歲喪父，有一兄，十三歲，弟九歲，兩個姐姐，在二十歲左右先後病故，四弟及么妹亦早殤。其父爲人敦厚，有長者風。戚友貧者，有貸必應，對積欠者又不忍索討，故身後略無積蓄。母親周氏，賢慧多才能，精明而慈祥，每遇諸兒懈惰，輒以「自立」、「不依賴」相勉。故元培之對人寬厚，得之於父親的遺傳；至於平生不苟取，不妄言，則來之於母親的教誨。

元培六歲入私塾，讀《百家姓》、《千字文》、《神童詩》。十二歲，從叔父讀書，課餘之暇，翻閱《史記》、《漢書》、《困學紀聞》、《文史通義》、《說文通訓定聲》等書。叔父偶爾爲之講解，益增讀書進取之樂趣。十四歲受業於同縣而離家稍遠的王懋脩先生，每日早出晚歸，午間在塾中用餐，自帶下飯的菜餚，生活艱困，卻刻苦努力，不因家計貧寒而中輟不學。

十七歲（光緒九年，一八八三年）元培中秀才後，不再到王先生處受八股業，改治經學、史學、小學，爲四書文。其治經偏於故訓及大義，治史則偏於儒林、文苑及關係文化風俗之禮義。十八歲在家設館授徒教授國文。兩年後，即光緒十二年（一八八六年），被同鄉名藏書家徐樹蘭延聘爲「古越藏書樓」校書，從此不復授徒，並藉專心校勘之際，博覽群書，學問大進；而徐樹蘭「知識強國」、「博古通今」之識見，對元培日後「教育強國」及「新舊貫通」思想之形成，具有相當啓發。

二十三歲（光緒十五年，一八八九年）浙江鄉試中舉，次年，入京會試，於全國三百零七人中，元培名列二甲進士，旋又舉行朝考，獲授翰林院庶吉士，深得當時戶部尙書翁同龢的賞識，以爲「年少通經，文極古藻，雋材也。」二十八歲進京應散館考試，由二甲庶吉士升補翰林院編修，本可就此依循秀才、舉人、進士、而翰林院編修，躋身於達官顯宦的行列；就在他二十八歲的那一年，中日甲午之戰爆發，最後，居然以蕞爾小島，打敗了雄居東亞的中國。這種令人難以置信的結果，無異於宣告「師夷之技」的「洋務」徹底破產。國人如夢初醒，一時之間維新圖強之呼聲，高唱入雲。由此時起，先生的思想也發生顯著變化。除開始涉獵譯本西書外，並兼習日語，加速吸收新知。

三十二歲，「戊戌政變」後，先生棄職歸里，任紹興中西學堂監督，時元配夫人因產後失調過世，三十四歲又與江西黃仲玉結婚，其時先生雖治新學，然仍篤信孔子學說，並好以《公羊春秋》三世之義，解說達爾文的「進化論」。對於三綱五倫的舊說，多所闢斥。

三十五歲的七月，赴日遊歷，因吳稚暉與清廷駐日大使發生言語上的衝突，被驅逐出境；先生爲恐滋生意外，乃取消原訂遊歷計劃，同船返國。

三十八歲，（光緒三十年，一九〇四年秋），組「光復會」於上海，任會長，正式參加革命行列。當時會員中有後來爲革命犧牲的徐錫麟和秋瑾女士。翌年又由何海樵介紹加入同盟會。

四十一歲，（光緒三十三年，一九〇七年），五月初，隨駐德大使孫寶琦赴德留學，六月二日抵達柏林，先修習德語一年，次年入萊比錫大學研究文學、哲學、文化史、人類學，尤其注重實驗心理學及美學。此次留學爲時三年。辛亥武昌起義成功後，得陳其美電報，催其返國，先生乃取道西伯利亞，於十月十一日到達上海，結束了初次留學生活。

四十六歲，（民國元年，一九一二年）元旦， 國父在南京就任臨時大總統，元培被任命爲中華民國第一任教育總長。同年六月率代表團北上迎袁世凱赴南京就職，後因袁氏漠視國會議員的權力，憤而辭職，於九月間偕眷再入德國萊比錫大學從事研究工作。次年三月，宋教仁遇刺身亡，國內政局動盪，先生偕汪兆銘於六月二日返抵上海。七月爆發二次革命失敗，先生於九月五日又偕吳稚暉等赴法，住巴黎近郊。民國三年（一九一四年）七月歐戰爆發，先生移居法國西南部的都魯士，於學習法語外，從事編輯工作，四年（一九一五年）六月與李石曾等創辦留法勤工儉學會。迨袁世凱病卒，黎元洪繼任大總統，范源廉二度出任教育總長後，電請先生回國出任北京大學校長。先生接電後，於十月一日啓程，十一月八日抵上海，次年一月四日正式就校長職，此時先生已五十一歲。

先生六十一歲，即民國十六年（一九二七年）六月一日就任浙江臨時政治會議委員，四月八日任上海政治委員會委員，爲了不再重蹈以官僚支配教育的覆轍，使教育從官僚體制中加以解放，遂苦心孤詣的，於當年六月間，效仿法國，創設大學院制與大學區制，然而實施結果失敗。其原因在於國人缺乏法治觀念，行政上多本位主義，權力概由官僚機構分攬，凡事喜歡請示，以利卸責諉過；在上者又必得查察，在下者則久待請示，上下推拖，縱橫交錯，似此，如何能適應行政學術化，機關學校化？再者各大學校長既要處理校務，認眞辦學，又要了解大學區中幾百個教育機關與文化團體的人事或業務，其精神、體力、能力、智慧均難以負荷，在這倍多力分的情況下，大學院和大學區制便注定要走向失敗的命運。

就在同年的十一月，先生又被政府任命爲大學院長兼中央研究院院長。當時中央研究院隸屬於大學院，爲其下屬機構，民國十七年四月十日中央研究院改爲國立，不再隸屬大學院之下，先生仍任院長。至民國二十九年三月病逝香港爲止，在任長達十三年之久，其主持中央研究院一本當年北大校長作風，主張「學術自由」、「兼容並包」。由於先生的知人善任，充分發揮民主精神，致各研究所皆能獨立運作，發揮效能。當時並匯聚了中國第一流的學者：如丁文江、陳寅恪、趙元任、胡適、陳垣、李濟、周仁等。因此推動了全國學術研究的進步與發展，提升了學術研究風氣與品質，培養了大批從事科學研究的專門人才，創設了各門各類的研究所，爲中國的學術研究，建立了一塊歷史上嶄新的豐碑。

三、委身於教育事業

(一)初入教育界

三十三歲（光緒二十四年，一八九八年）的八月，「戊戌政變」失敗，元培默察康梁所以失敗的主因，在於未能培養革新人才，欲以少數人弋取政權，排斥頑舊，當然會發生功敗垂成的結果。於是決心獻身教育事業，以爲革新國運之基礎。乃於當年九月棄職返里，受故交徐樹蘭堂董的延聘，任紹興中西學堂監督。校中課程兼有舊學與西學，他接事後，增設日語，意在使學生能進一步向新學發展，這是他從事教育的開始，也是他融舊取新，追求新生活的發端。然而，當時校園內新舊兩派之爭激烈，舊派要求先生應端學術而正人心，以名教綱常爲己任，先生以爲這是對他極大侮辱，遂憤而辭職。後又到紹興附近嵊縣的剡山書院任院長，大力提倡科學，號召學生依照個人興趣所近，選擇研究方向。任職一年，因學校經費困難，改革不易而辭職。

(二)任教南洋公學

三十四歲（光緒二十六年，一九〇〇年），元培與童亦韓到臨安縣，爲紹興僑農設一小學，又在浙江省城議改某書院爲師範學校，以厚植教育之本，但未能成功。三十五歲，應上海澄衷學堂總理劉樹屏之邀，代理總理一個月，是年八月，轉任南洋公學特班總教席，並負責管理學生生活。他根據該班章程之規定，開設政治、法律、外交、財政、教育、經濟、哲學、文學、倫理以及自然科學等課程，學生可自選一、二門，每天必須寫讀書札記，每月做命題作文一篇繳交批改，晚召二、三名學生作個別談話，交流學習心得或時事之感想。該班所招收學生如黃炎培、李叔同、謝无量等，皆國學根柢深厚之青年，後來都有傑出成就。是年冬，蔣觀雲與烏目山僧發起創辦女校，羅迦陵女士捐助經費，遂有「愛國女學校」的成立，由蔣氏管理；及蔣氏赴日，由先生負責。三十六歲仍在南洋公學教書，並從馬良學拉丁文。同年三月，先生又和留寓上海之教育家葉瀚、蔣觀雲、鍾觀光等以「新編教科書」和「改良教育」爲名，籌組「中國教育會」。大會成立後，隱然成爲東南各省宣傳革命之團體，先生被推爲首任會長。該會在凝聚國民革命力量，傳播反清思想方面，起了很大作用。

㈢一波三折的教育工作

南洋公學自開辦以來，與紹興中西學堂相彷彿，內部亦存在著濃烈的新舊之爭，後因學校當局懲戒學生不公，全體學生憤而退學，自謀設立學校。先生爲之介紹於「中國教育會」，又借款六千銀元，成立「愛國學社」，先生自任總理。並延聘章炳麟、吳稚暉等任教；同時與《蘇報》訂約，每日由學社教師撰稿〈論說〉一篇，七人輪流，報館則每月補助學社一百圓爲酬，是《蘇報》成爲學社的機關報。是年，先生由張菊生介紹任商務印書館編譯所所長，籌編教科書，此時「教育會」與「愛國學社」又因主從問題、經費問題，新舊思想之歧見問題發生爭執。先生甚爲氣憤，遂赴青島學習德語，作留學德國之準備。三十歲（光緒三十一年，一九〇五年）二月，先生再度當選「中國教育會會長」，最後，辭去「愛國女學」校長職務。四十歲的春天，回故鄉紹興擔任學務公所總理。又因延聘教師與籌設師範班事，受人反對而辭職。同年秋，先生留京任譯學館教席，專講國文及西洋史，頗受學生歡迎。

㈣首任教育總長與北大校長

四十六歲（民國元年，一九一二年）元旦，國父孫中山先生在南京就任臨時大總統，元培被任命爲教育總長。因事屬草創，於一月十九日首先頒行〈普通教育暫行辦法〉及〈課程標準〉。二月八日發表〈對於新教育之意見〉，主張以「軍國民教育、實利教育、道德教育、世界觀教育及美育教育爲方針」。後因政府改組，袁世凱在北京就職，由唐紹儀組閣，先生仍蟬聯教育總長。北上重組教育部，爲徵集全國教育家意見，以謀教育事業之發展，特發起「臨時教育會」。民國五年六月，袁世凱病卒，黎元洪繼任大總統，范源廉出任教育總長，電請先生出任北大校長。時先生已五十一歲。到民國十五年（一九二六年）七月八日辭北大校長。十年之間，先生不但使北大面目一新，也使整個社會、文化、教育及政治各方面，均起了顯著的變化。使傳統的、落後的官僚養成所，一變而爲領導文化界的最高學府。

四、承先啓後的貢獻

中國自秦漢以來，逐漸演進而成的教育模式，因爲物質地變遷，人口地增加，工具地發明，戰爭地爆發，以及與外來文化地接觸，至清末發生空前未有的巨變。元培先生就在這樣國難時艱的環境中，受到甲午戰敗，割地賠款的刺激；以及八國聯軍進北京，火燒圓明園的慘劇；戊戌政變，六君子殉難，康梁遠避國外的悲情；孫中山先生奔走革命，國內烽火四起的眞象。使這位舊時代的讀書人，新時代的教育家，不得不立足於大時代的轉捩點，運用一己之所學，爲新中國的未來籌謀劃策。以爲革命之成功，必先培養革新之人才，欲培養革新人才，非獻身教育不爲功。於是決定放棄平步青雲的機會，立下救國救民的壯志，終身奉獻於教育事業。

先生由基層塾師到最高學府的校長，中央研究院院長。當近代的中國教育，在思想上、制度上、課程上、理念上，均處於一片青黃不接之時，先生獨能以他學貫中西的素養、高瞻遠矚的眼光、大度能容的胸襟、自由民主的思想，並且以「有所不爲」、「無所不容」的決心，爲中國未來的教育規劃了可資遵循的藍圖。說他是「承先」「繼往」的學者，爲「啓後」「開來」的教育家，是當之無愧的。現在便根據文獻資料，從教育思想、教育主張兩個層面，看先生的卓越貢獻。

(一)在教育思想方面

我國教育思想，向以儒家學說爲中心，隋唐以後，儒家學說雖受佛學的影響，但其基本體系，仍沿襲儒家之舊，並未稍變。主旨以「明道」、「徵聖」、「宗經」爲依歸。自清同光年間與西方文明接觸後，政治、教育、社會各方面，均起了劇烈變化。教育思想亦隨之俱變。綜觀清末民初百年之間的教育思想，大體言之，凡有三變：一、由原來「中學獨尊」的思想，變爲「中學爲體，西學爲用」的思想；二、由「中體西用」的思想，變爲「徹底西化」或「全盤西化」的思想；三、由「全盤西化」的思想，變爲「三民主義」的思想。先生剛好在「中體西用」的口號，高唱入雲之際，承　國父之命，榮任中華民國第一任教育總長。先生就職後，立即對今後教育的走向，發表了他的卓見。認爲：

教育界所提倡之軍國民主義及實利主義，固爲救時之必要，而不可不以公民道德教育爲中堅。故養成公民道德，不可不使有一種哲學上之世界觀與人生觀。而涵養此等觀念，不可不注重美育。

於是把原來清末學部「忠君、尊孔、尚公、尚武、尚實」五項教育宗旨略作修正。其中的前三項所謂「軍國民教育、實利主義、公民道德」與「尚武、尚實、尚公」相當，後二項所謂「世界觀、美育」卻完全是自出胸臆。蓋先生以哲學家的眼光，主張兼採周秦諸子、印度哲學、歐洲哲學，以打破中國三千多年來教育上墨守儒家思想的舊習，故採一無方體，無始終的「世界觀」爲教育的鵠的。而「美育」，因爲「美感」有普遍性，可以破人我的偏執，同時「美感」也有超越性，可以破生死利害的顧忌。所以教育家欲由人我偏執的「現象世界」，引以到超越性的「實體世界」，不可不用「美感」教育作轉化的媒介，故「美感教育」乃代表先生之哲學思想。

持此與 國父《三民主義》之立國精神相較，則「軍國民教育」者，民族主義之教育也；「公民道德教育」者，民權主義之教育也；「實利主義教育」者，民生主義之教育也；「美感教育」，「世界觀教育」者，即大同世界之教育也。大同世界爲最高理想之境界，亦爲純美的藝術世界，即《三民主義》之終極目的也。正因爲先生的教育思想是基於文化的傳統，客觀的事實，社會的需要，謀中國人民現世幸福爲鵠的。所以在民國十七年八月由大學院呈請中央政治會議，並於十八年一月第三次全國代表大會通過的〈三民主義教育宗旨〉，其內容是：

中華民國之教育，根據三民主義，以充實人民生活，扶植社會生存，發展國民生計，延續民族生命爲目的，務期民族獨立，民權普遍，民生發展，以促進世界大同。

這就是先生的教育思想和 國父以「三民主義教育」爲建國的最高指導原則相融合，且爲近代教育的發展，製訂了一個宏偉的藍圖。所以中華民國多年來在教育上的成就，均由此萌芽。所謂：「爲大於細，圖難於易。」先生在中國近代教育史上，其「承先」、「啓後」的貢獻，於此可爲一證。

(二)在教育主張方面

在教育主張方面，由於先生在擷取他人之長，補自己所短的同時候，根據現實需要，提出推陳出新的主張。尤其當他擔任北京大學校長以後，適袁世凱憂憤過世，於北方有張勳復辟，軍閥混戰，形成割據之局，南方因約法之爭，演成護法之戰，造成南北對峙之局。其間又有「聯省自治運動」，「曹錕賄選」等詭譎多變的政局，在此新舊勢力相搏，南北拉鋸角力之際，先生置身於亂象環生，兵凶戰危的北京，目睹非革命維新不足以救亡圖存，遂企圖採取教育文化的手段，達成振衰起弊的任務。其種種作爲，皆能突顯先生那種獨樹一幟的教育主張，茲舉其中犖犖大端，條析如下：

1除舊布新，振聾發聵的就職演說：

先生早已風聞北京大學的腐敗學風，學生多以就讀北大，爲登庸利祿的捷徑，毫無學術研究興趣。教授們更是敷衍塞責，一本泛黃的舊講義，翻來覆去，相沿不改者好幾年。認眞的不受學生歡迎，若政府高官來校兼課，學生又多趨之若鶩，倍受重視，以爲如此可以拉近師生關係，爲畢業後謀職的奧援。先生深知此種積弊，遂在到北大任職之初，發表「除舊布新」的演說。其內容重點，主張：

大學爲研究高深學問之所，決非做官發財的捷徑。

又說：

「預科畢業生（更生案：等於今天的「大學先修班」）多考法科（即法律系），唸文科（即國文學系）者甚少，讀理科者尤少，因爲熱心做官，對於教授則不問其學問之深淺，惟問其官階之大小，官階大者，特別歡迎，蓋爲將來畢業後有人提攜。」又說：「學生平時則放蕩冶遊，考試則熟讀講義，不談學問之有無，惟事分數之多寡；考試既畢，書籍束之高閣。」先生更進一步指斥此腐敗現象，謂：「此種腐敗行爲，足以誤己、誤人、誤國，今後必須革除。」他要求學生「必須抱定爲求學而來之正大宗旨，努力勤學，砥礪德行。不惟思所以成己，更必有以礪人。

先生特別規定，今後各學系教授們的講義，只列大綱，學生上課用心聽講，記教授口授的內容，並充分利用圖書館的參考書刊。此一「除舊弊，開新局」的主張，是希望北大學生，以研究學術爲天職，不當以大學爲升官發財之跳板。在那個異說紛紜，官僚腐敗的氛圍裡，先生的演說，不僅讓北大學生聽來振聾發聵，同時對整個學術界也有暮鼓晨鐘的作用。

2聘請好教員，造成新風氣：

清朝自同治元年新教育萌芽後，數十年來，只有單一的新式學校，而無整個的新式學制，雖然經甲午戰敗教訓，新式學校有迅猛發展，其組織規模日趨完善，但對學校教師之聘請，卻很少涉及。《禮記‧學記》說：「建國君民，教學爲先。」又說：「凡學之道，嚴師爲難，師嚴然後道尊，道尊然後民知教學。」足見教師在學校教育中的重要性。所以人們常說，「有怎樣的教師，就有怎樣的學生」，「有怎樣的教師，就有怎樣的學校。」先生博學多識，淹貫中西，其擔任北大校長伊始，即循「思想自由」、「兼容並包」的原則，提出「欲造成良好校風，必先聘請優良教師」的主張。尤其在文科方面，首先加強陣容。原有教師中如沈尹默、沈兼士、錢玄同、林紓已啓革新契機；自陳獨秀來任文學院長後，又相繼增聘胡適、劉復、周樹人、周作人、吳虞、劉半農、劉文典、馬幼漁、劉師培、黃侃等，其中有二十出頭的青年，有年高德韶的學者，有革新派的，有守舊派的，有教白話文的，有教文言文的，有留洋返國的，有自修成名的，儘管他們出身不同，思想各異，但只要「持之有故，言之成理。」不兼營他業，專心教學，均能各家並存，同受尊重。如有意興闌珊，不足爲學生表率者，雖外籍教師，亦在解聘之列。在「萬物並育而不相害，道並行而不相悖。」的校園裡，眞所謂「精誠所至，金石爲開。」整個北京大學的校風爲之完全改觀。

先生這種聘請人才，尊重專家，以造成新風氣的主張，一直到先生擔任中央研究院院長之時，還一本初衷，廣攬人才。如丁文江、李之光、高魯、竺可楨、李濟、傅斯年等，均各展懷抱，發揮所長，就當時三館九所的簡單設備，經費十分短絀的情況下，推動了各項而有計劃的學術研究。所以在北伐以後，對日抗戰以前的十年之間（一九二八年至一九三七年），蔚成民國以來學術研究的黃金時代。

3根據「學」與「術」別，確立大學組織標準：

先生主張「學」「術」雖然密切，而習之者卻旨趣不同。所以他在民國七年五月十五日發行的《新青年》四卷五號發表一篇著名文章，即〈答周春岳君「大學改制之商榷」〉。內容大要是：

文、理，「學」也。雖亦有間接之應用，而治此者以研究眞理爲標的，終身以之。所兼營者，不過教授著述之業，不出學理範圍。法、商、醫、工，「術」也，直接應用。治此者雖亦可有研究之興趣，而及一定程度，不可不服務於社會，轉以服務時之經驗，促其「術」之進步。與治「學」者之極深研幾，不相侔也。

先生便根據「學」「術」兩分之主張，將北京大學之工科，併入天津北洋大學，商科併入法科，於是原設有文、理、工、法、商五科，調整爲文、理、法三科。民國六年冬，文科增設中國史學，理科增設地質學，合原有各科，計有國文、英文、法文、德文、哲學、史學、數學、物理、化學、地質、法律、政治、經濟、商學，共文理法三院十四系。

這個由「學」「術」兩分的主張，而革新完成的大學學制系統，在當時及後來的大學法中，便規定大學之設立，必須具有文、理兩院之條文，正是先生「學」「術」不容混淆的具體實現。

4文明之消化，是中西文化交通融會的原則：

當時因國外留學歸來者，目睹世變日亟，國弱民貧，欲革故鼎新，非「全盤西化」不能竟其功。於是先生發表〈三十五年中國新文化〉，用食、衣、住、行等事，說明「生活的改良」。並強調：

在此三十五年中，業已次第發生，而尤以科學研究機關的確立爲要點。蓋歐化的優點即在事事以科學爲基礎。

文中有「歐化的優點」一說，時人以爲即「全盤西化」之意，於是先生在民國五年八月十五日《旅歐雜誌》創刊號發表〈文明之消化〉文中，主張中西文化交流的原則，是博採西方之所長，彌補一己之所短。吸收者切不可渾淪而吞之，致釀成消化不良之疾。他在該文中警告說：

既有吸收，即有消化，初不必別有期待。例如晉、唐之間，雖爲吸收印度文明時代，而其時《莊》、《易》之演講，建築圖畫之革新，固已顯其消化之能力。否則，其吸收作用，而不能如是之博大也。今之於歐洲文明何獨不然。使吾儕見彼此風俗之殊別，而不推見其共通之公理，震於新舊思想之衝突，而不能預爲根本之調和，則臭味差池；即使強飲強食，其亦得出而哇之耳。當吸收之始，即參以消化之作用，俾得減吸收時代之阻力，此一吾人不可不注意者也。

試觀近百年來，中西文化之論爭，僅從「學校制度」一項而言，每次學制之變革，均受外來思想的影響，忽而日本、忽而法國、忽而美國，蓋制度之重要，不在外表的形式，而在其內部的動力，不在其形式的變易，而在其眞實推進的精神，先生以其蘊涵豐富的學術修養，明敏誠懇的教育態度，和對當時中國實際情形的觀察，希望配合本國國情，對外來文化作合理之吸收，如食肉者，棄其骨，食果者，棄其核，如此取其精醇，去其糟粕，才能把中國教育文化推向光明的大道。

先生爲了達成「文明之消化」主張，民國二十年四月，又提出「國化教科書問題」。他主張全國高級中學以上學校之各科教材，除外國語文課程，所有其他各科教材，都應當採取中國文作教本。先生以爲直接用：

外國文字作教本，實浪費學生時間與腦力，又和國情不合，故希望教育家、著作家、出版家能注意及此，並著手編定各科專門術語，大量翻譯外國書籍，編輯各科參考用書。

又在當年的五月，國民會議通過在教育部之下，設立「國立編譯館」，這可說是先生此一教育主張的具體實現。

從上述教育思想和教育主張的各個重點，可見先生對當時及後世教育之影響。民國八年三月十八日，林紓於《公言報》發表〈請看北京大學思潮變遷之近狀〉，文中公開指責先生聘用教師失當，以及北大「覆孔孟，剷倫常」、「廢古語，用土話」，與中國學術文化背道而馳。先生立即於六月二十一日在《新潮》雜誌一卷四期爲文答覆。民國二十年，又有何炳松等十數位教授聯合發表《中國本位文化建設》宣言，徵詢蔡先生意見。先生本乎〈文明之消化〉主張，對此表示：

在原則上，理論上，可謂顚撲不破。但爲何不事先對中國文化之實質作比較研究，何者應取？何者應舍？否則，憑空辯論勢必如張之洞的「中體西用」的標語，梁漱溟的「東西文化」的懸談，贊成，反對，都是一些空話。

又先生爲了鼓勵學生努力向學，曾撰〈怎樣纔配稱做現代學生〉一文，他認爲：

能讀外國文的書，講幾句外國話，不能稱做現代學生。

現代學生必須具備三個基本條件：

一、是獅子般的能力，二、是猴子般的敏捷，三、是駱駝般的精神。有了這三個條件，再加上崇好「美術」的學養，和「自愛」、「愛人」的美德，便配稱做現代學生而無愧。

這一提示不僅對中國二十年代的青年學子是一個美好的忠告，就是對當下台灣各級學校的同學，又何嘗不是一記當頭棒喝呢！

「五四」新文化運動以來，先生曾多次提示「讀書不忘救國」，「救國不忘讀書」，民國九年五月於《新教育》三卷五期發表〈去年五月四日以來的回顧與今後希望〉一文，便是深恐學生因參加政治運動，引起虛榮心、倚賴心、囂張習氣，難以糾正。所以才有：

青年應以求學爲主，不宜過問政治。

的提示。加以「九一八」事變之相繼發生，南京、上海、北平、武漢各大學學生之互相串連，先生又在民國二十年十二月十四日以〈犧牲學業損失與失土相當〉爲題發表演說，以免「學運」失控，被共黨與蘇俄坐收漁翁之利，語重心長，對企圖利用純潔之青年，謀獲暴利之政客，可謂苦口良藥，耐人深思。

五、在近代中國教育史上的地位

反顧自清朝同光以來，中國新式教育發展的坎坷道路，先生在列強環伺、軍閥割據、政爭不已、世風日下，以及中西新故之說，甚囂塵上之時，赤手空拳，接下了教育總長的棒子，以後又走進北京大學的校園，坐上中央研究院院長的寶座。憑著他「學不厭，教不倦」的精神，和「教育救國」的理念，儘管是萬方多難，他卻不避艱難險阻，爲中國的新式教育譜下了可歌可泣的樂章，至今猶受其賜；並得到無數教育學術界人士的肯定與擁戴。

㈠教育學術界的肯定

有的學者從先生的言行事蹟，作概括性的讚許。如吳稚暉，便認爲他是「平生無缺德，舉世一完人」。蔣夢麟也有類似的評語，說他「大德垂後世，中國一完人。」其弟子黃炎培在〈吾師蔡孑民先生哀悼辭〉裡，轉述胡元倓的八字頌辭，是「有所不爲，無所不容。」蓋「有所不爲」者，先生以之律己；「有所不容」者，先生以之教人。可見先生在平生言行中，待人之寬，律己之嚴，在那個「事修而謗興，德高而毀來」的社會裡，先生的嚴以律己，寬以待人的襟抱，正是被尊爲「平生無缺德」，

「中國一完人」的依據。

有的學者從文化傳承的角度加以推崇。如思想史家蕭一山在〈近六十年中國學人研究中國文化之貢獻〉中稱許「先生爲黨國元勛，人倫師表，其生平行事定爲後人所矜式，胡元倓以『有所不爲，無所不容』八個字來狀先生，似可爲先生律己教人之的評，但仍不能表示先生對於中國社會文化的關係。我的看法，是如果比中山先生爲近代文王、周公，則先生就是近代的孔子。一個是『作之君』，一個是『作之師』，換句話說，他們都是『三千年來一大變局』後的政教開山者。」傅斯年〈在我所景仰的蔡先生之風格〉一文裡說：「蔡先生實代表兩種文化：一是中國聖賢傳統的修養，一是法蘭西革命中標榜自由、平等、博愛之理想。」梁漱溟在〈紀念蔡元培先生〉一文中，認爲他所了解的蔡先生，「其偉大在一面有容，一面率眞。他之有容，是率眞的有容，他之率眞，是有容之率眞。」梁先生被學術界尊爲「現代新儒家」，他對先生「坦率、眞誠」的評論，似乎更彰顯了先生那休休有容，平凡中見偉大的形象。

有的學者則是透過教育史的目光，進行評價。如近代學者吳相湘，於中華民國建國六十年時，由「傳記文學社」發行《民國百人傳》，在其〈蔡元培傳〉裡，推崇「蔡先生是近六十年來中國學術教育界的宗師。」並以爲先生在任北京大學校長時，採「兼容並包」，「思想自由」宗旨，爲中國現代大學建立了宏大規模，影響深遠。蔡尙思於《蔡元培學術思想傳記》一書中，推尊「蔡氏在中國近代教育史上，是開山祖師。一部近代中國教育史，差不多可當作先生的傳記。」近代史學者陶英惠於《中國歷代思想家》〈蔡元培〉一文中，更稱讚先生是「中國傳統文化所孕育出來的學者，但是充滿了西方學人的精神。」又說：「他是中國近代史上極有貢獻的教育家，也是一位具有卓見的政治家。」「他的一生，可以說無不與學術及教育文化事業有關。他的道德文章尤足以垂範士林，楷模後世。」足見蔡先生的一生和教育文化事業的密切關係。

(二)筆者的看法

從生平言行來概括先生，說他「大德垂後世」、「平生無缺德」，可以同意；如果說他是「舉世一完人」，拿「完人」來稱許他，言之稍過。從文化傳承的角度，推崇先生爲當今孔子，似嫌過重。稱他是「政教的開山」，「有容」與「率眞」，倒是徵實之論。從教育史的眼光，說先生爲「現代教育界的宗師」，是「開山祖師」，頗能彰顯先生在清末民初的人格和地位。近來又有人把「先生的言行錄」尊之爲當代《論語》，可以和「孔子的微言」媲美，須知《論語》乃「群經的管轄，治事之矩矱」，古人有「半部《論語》治天下」之說，而諦審「先生之言行錄」，其中雖不無顚撲不破之至理，但如「放之四海」、「百世以俟」，恐怕還去《論語》遠甚。以先生生前平易近人之性格，過與不及的稱許，皆爲其所不喜。依筆者之愚見，近人馮友蘭作「我所認識的蔡孑民先生」，文潔意婉，見眞識切，頗能得先生在近代中國教育史上的眞相。現在我把它節引出部分重點，一方面和讀者分享，另一方面也作本節文字的結束。馮先生說：

我用中國傳統哲學中的一句成語，把它總括起來，這句成語「極高明而道中庸」。我很欣賞宋朝道學家，程明道的一首詩，詩說：「閒來無事不從容，睡覺東方日已紅。萬物靜觀皆自得，四時佳興與人同。道通天地有形外，思入風雲變態中。富貴不淫貧賤樂，男兒到此是豪雄。」這首詩的第一、二句，是說他的生活狀況，第三、四句是說「道中庸」，第五、六句，是說「極高明」，第七、八句，是說到了這個地步，就可以成爲孟子說的「大丈夫」。我認爲蔡先生的精神境界和氣象，和程明道相類似的。現在的人誰也沒見過程明道；但是，他的學生們所形容的話是有記錄的。我是把這些記錄，和我心目中的蔡先生相比較，而說上邊那句話的，相信不會有大錯。蔡先生的教育有兩大端：一個是「春風化雨」，一個是「兼容並包」，依我的經驗，「兼容並包」並不難，「春風化雨」可眞是太難了。「春風化雨」是從教育者精神境界發出來的作用。沒有那種境界，就不能發生那種作用，有了那種境界，就不能不發生那種作用。這是一點也不能矯揉造作，弄虛作假的。

六、結　論

蔡先生是中國近代的大教育家，這是人們所公認的。我在「大」字上又加了一個「最」字，因爲一直到現在，我還沒有看見第二個像蔡先生那樣的大教育家。

在這個世紀之交的時刻，回顧清朝自同光迄今一百五十多年來，中國新式教育發展的坎坷道路，這種回顧不僅可以聯結過去，更可以在檢討之餘，對未來教育的願景，產生懲前毖後的效果。

教育是百年大計，立國之根本。國家的安危、政治的成敗、世風的高下、文化的盛衰、經濟的榮枯，無一不和教育息息相關。蔡元培先生以一舊時代的讀書人，立下「教育救國」的心願，自動放棄清朝的高官厚祿，投入基層教育事業，從事國民革命工作，培養革新人才，又兩度留學，追求新知。這若非別具懷抱，又如何能在「捨」「得」之間，有那樣的膽識和決定！

先生初任教育總長時，即博採周諮，公開發表他〈對於教育方針之意見〉，指陳新教育方針的五大原則，即軍國民教育、實利主義教育、公民道德教育、世界觀教育、美感教育。並特別強調「美感教育」之重要性。後來先生以「美育取代宗教」為天下倡，足見先生早已成竹在胸。

大學校長任內，對科系的調整，優良教師之延聘，招收女生，興辦課外活動，改學年制為學分制，成立校務委員會，教授治校等，大刀闊斧，加以整頓，不數年的時間，就把死氣沉沉的北大，變成一個生動活潑，從事學術研究的知識寶庫。流風所及，使中國出現了無量數的傑出學者和治國的人才。

先生以為大學是囊括大典，包羅眾家的學府，無論何種學派，苟能「持之有故，言之成理」者，均可兼容並包，聽其自由發展。然中國素無「思想自由」之習慣，每好以己派壓制他派，以己學輕蔑他學，執持成見，加鹽添醋，遂有林琴南公開詰責的信函，這雖是先生主持北大過程中之一段插曲，但亦時代世風爭議的焦點，不可等閒視之。

先生對「五四」新文化運動，讀經問題、教育政策、教育經費、創立大學區制，訂定教學公約及課程設計等方面，由於內容駁雜，非三言兩語可盡，故本文於此皆著墨不多。從先生對中國新式教育的宏規遠圖中，尤其是「美感教育」的主張，可謂家庭教育、學校教育、社會教育的重要環節，可惜「德、智、體、群、美」五育並進的目標，其實施結果，大家只視「智育」爲教學的重點，公民道德教育形同具文，軍國民教育也完全落空，群育、美育更如同充饑的畫餅，房中的盆栽，一個擺設而已。以至於一百五十多年來的新式教育，忽而「中學獨尊」，忽而「中體西用」，忽而「全盤西化」。「制度」是社會歷史的產物。一種制度的成功，有許多連帶條件，適宜於甲國者，未必適宜於乙國，中國爲歷史文化悠久的國家，情境既特殊，問題尤複雜，「全盤西化」，絕不能解決中國的問題。這種情形，只要看台灣當下的大、中、小學教育的亂象，亦可以略窺一斑了。

我寫蔡先生在近代中國教育史上的地位與貢獻，遙想先生當年立身行事之大節，難進易退的態度，「學不厭」、「教不倦」的精神，春風化雨的人生境界；和他那種重視科學、破除迷信、強調理性的眞知灼見，眞可以師表萬世，永垂不朽。我們這些後死者而又獻身教育的女士先生們，此時此地，當如何奉行先賢未竟的志業，盡其在我，恐怕是我們當前責無旁貸的使命了。

七、附錄

(一)蔡元培先生著作簡介

先生留法期間，雖然爲餬口，不得已從事譯述，但欲瞭解先生困勉勵學的成就，特別就其著作之重要者，介紹如下：

1專門性著作

（1）《中國倫理學史》一册：在法國萊比錫大學研究時作。清宣統二年（一九一〇年）七月商務印書館出版。爲中國倫理學史方面的開山之作。

（2）《石頭記索隱》：原載《小說月報》七卷一至六期。民國六年（一九一七年）九月商務印書館初版。

（3）《修身講義》一册：又名《華工學校講義》，爲華工學校編。內容有德育三十篇，智育十篇，初載《旅遊雜誌》，後附於《蔡孑民先生言行錄》中。民國八年（一九一九年）八月又印成專書。

（4）《賴裴爾》一卷：原載民國元年五月的《東方雜誌》十三卷第八、九號，民國十二年又收入商務印書館《東方文庫》第六十八號。書名《藝術談概》。

2翻譯性著作

（1）《哲學要領》一册：光緒二十九年（一九〇三年）九月商務印書館初版。

（2）《妖怪學講義錄總論》十二講：光緒三十二年（一九〇六年）八月上海亞泉學館初版。

（3）《倫理學原理》十册：在法國萊比錫大學研究時撰，宣統元年（一九〇九年）九月商務印書館初版。

（4）《哲學大綱》：留法時作。民國四年（一九一五年）商務印書館初版。

3 編輯性著作

（1）《文變》三卷：線裝二册，光緒二十八年（一九〇二年）四月商務印書館出版。

（2）《中學修身教科書》五册：在法國萊比錫大學研究時編，民國元年五月重新修正，合訂爲一册，由商務印書館出版。

4 至於蔡先生言行錄，由他人代為編印者甚多，內容或增或損，多寡既不一致，問世時間與旨趣亦多有差異。在此姑且缺而不錄。

㈡本文寫作參考書目

一、蔡元培先生全集　孫常煒編　台灣商務印書館發行

二、蔡元培文集　高平叔主編　台北錦繡出版社印行

三、蔡元培全集　中國蔡元培研究會主編　杭州浙江教育出版社印行

四、蔡元培全集　台南王家出版社編印

五、蔡孑民先生傳略　高乃同編　重慶商務印書館印行

六、蔡元培先生言行錄　隴西約翰編　上海廣益書局出版

七、蔡孑民先生言行錄　現代中國思想論著選粹　山東人民出版社發行

八、蔡元培學術思想傳記　蔡尚思著　台北蒲公英文化出版社印行

九、民國蔡孑民先生元培簡要年譜　王雲五主編　台灣商務印書館出版

十、蔡元培年譜　陶英惠編　台北中央研究院近代史研究所印行
十一、蔡元培教育思想研究　金林祥著　瀋陽遼寧教育出版社發行
十二、蔡元培美感教育思想之研究　李雄揮　國立臺灣師大教研所碩士論文
十三、蔡元培教育思想之研究　沈慶揚　國立高雄師大教研所碩士論文
十四、蔡元培與中國教育學術現代化　黃乃隆　中興大學《文史學報》
十五、蔡元培先生生平及其教育思想　孫常煒　台灣商務印書館印行
十六、蔡元培社會教育思想之研究　謝義勇　國立台灣師大社教所碩士論文
十七、中國教育史　王鳳喈　正中書局出版
十八、中國教育思想史　郭齊家　台北五南出版社發行
十九、教育行政思想與實踐　曹常仁　人文及社會學科教育通訊雙月刊十一卷三期
二十、民國百人傳蔡元培傳　吳相湘　傳記文學出版社發行
二一、中國文化綜合研究蔡元培研究　蕭一山　中華學術院印行
二二、中國歷代思想家蔡元培　陶英惠　台灣商務印書館印行
二三、中國近代學術思想變遷史　黃公偉　幼獅文化事業公司印行
二四、近代中國思想史　孫湛波　香港龍門書店印行
二五、中國近三百年學術史　錢穆　台灣商務印書館印行

二六、清代學術概論　梁啓超　中華書局印行
二七、中國近三百年學術史　梁啓超　中華書局印行
二八、中國文化史　柳詒徵　正中書局印行
二九、中國文化史　陳登原　世界書局印行
三十、西力東漸史　馮承鈞　華世出版社印行

本文內容，大多雜揉各家，出以胸臆，故文末止錄〈本文寫作參考書目〉，不另列附注，非作者存心掠人美辭，以為己力也。

民國八十九年十一月十三日完稿於台北寓所

文章結構分析表的撰寫及其在書信教學上的運用——舉書信中的信箋為例

國立臺灣師範大學
國文系兼任副教授　康世統

摘要

文章結構分析表，是將一篇文章的結構，透過簡單的表格加以呈現，以凸顯作者寫作該文的內容重點，或文章章法的一種方式。這是從民國七十二年國中國文課程標準中，要求撰寫教師手冊須附「課文結構分析表」起，逐漸受到語文學界教師的重視。本文運用內容結構的撰寫，賞析一篇文章；運用形式結構的呈現，解析書信中的信箋，並舉一些信箋的例子加以說明。期望對教師運用結構分析表解說範文能有所幫助。

關鍵詞：文章結構分析表　內容結構　形式結構　書信教學　信箋結構

一、前　言——文章結構分析表的緣起

「文章結構分析表」是分析一篇文章，將它製成圖表，在教學時引導學生認識該文的內容、要旨、章法脈絡，了解其寫作的要領、大綱，文章的結構、間架，進而賞析這一篇詩文的作法，模仿其寫作的架構、方式習作，一般即稱之爲「文章結構分析表」。若稱「課文」，他的涵蓋面較廣，除了文章外，尚包含詩、詞、曲等各類教材。若稱「文章結構」，雖然點出大體，但若課文不是「文章」，那麼適用度就略受影響。平時所稱「文章結構分析表」，即是就國、高中之國文課本選文中，文章佔大部分，就這一個面向來說的。

教師在讀講課文之後，爲這一課作深度鑑賞，解析這一課文的要旨、涵意、結構，賞析這篇詩文的作法，繪製、運用「課文分析表」。他最初的法源依據：國中部分，始見於民國七十二年七月教育部公布的「國民中學國文課程標準」，在其「實施方法」下之「編輯教師手冊應注意事項」中明文規定：「課文」之虛字難句及寫作技巧，應詳加分析，並附『課文分析表』①。在此之前的《國民中學課程標準》（民國六十一年十月教育部公布）以及更前面的《國民中學暫行課程標準》（民國五十七年一月教育部公布）都沒有這樣的規定或要求。

此後，最新〈國民中學國文課程標準〉（民國八十三年十月教育部修正發布）之「實施方法」中「教師手册編輯之要領」裡，即明文規定：「每課宜有課文之深究與鑑賞（附課文分析表）②」，編

輯國中國文之教師手册，每課宜有課文的深究與鑑賞，並附上「課文分析表」。

高中國文部分，要求附「課文分析表」的法令依據，最初見於民國八十四年十月教育部修正發布的《高級中學課程標準》，在其「實施方法」下「教師手册編輯之要領」中有明文規定：「每課宜有課文之深究與鑑賞（附課文分析表）③」，在此之前的〈高級中學國文課程標準〉。如民國七十二年七月教育部公布、以及更前面民國六十年二月教育部所公布的，皆未見有此要求。

運用「課文分析表」來解析課文的內容要旨，辨認其結構，賞析課文的旨趣、寫作方法，引導學生來模仿、習作，這在語文教學發展中，是教學方法的一大革新，也是語文教學觀念的重大突破。這是我的老師 黃錦鋐先生在參與國、高中國文課程標準的修訂時，所提出、揭示的。透過此一理念的表明，它將主導、影響今後的語文教學既深且遠，這是可以預見的。

自民國七十二年七月教育部公布的〈國民中學國文課程標準〉「編輯教師手册應注意事項」中明文規定要附「課文分析表」後，講授課文、解析文章，透過「文章結構分析表」來呈現作者寫作的方法，掌握語文的重點、寫作要領，遂成爲中學教師所可以特別留意加強的地方。

爲了強化提升中學國文教師編寫「課文結構分析表」之能力，教育部社會教育司特別委託國立台灣師範大學國文系作「國民中學國語文教材教法專案研究」，自民國七十七年九月起，分三年實施，由台灣師大國文系教師王熙元、曾忠華、陳品卿、張學波、廖吉郎、陳滿銘、暨我負責指導北市敦化國中、台中市居仁國中、北縣永和國中、高市鼎金國中、花蓮花崗國中、台南後甲國中六校分別負責國中國文一至六册教材，研討各課之：教學目標、教學重點、教材分析、教學方式、與作文教學之配合（附課文結構分析表）、及課外補充讀物等。第一年年度報告於民國七十八年六月出刊，研究國中國文教材第一、二册；第二年年度報告於民國七十九年六月出刊，研究國中國文教材第三、四册；第三年年度報告於民國八十年六月出刊，研究國中國文教材第五、六册。第一至第五册，每册二十課，第六册十八課，合計一一八課，每課後面都附有「課文結構分析表」，以為教師在處理文章之「分段讀講」後，指導學生掌握本文內容、重點，了解其章法、旨趣，進而模仿該文作法習作的重要參考。

其後陳滿銘教授在課文結構分析、文章章法方面多所闡發，發表多篇文章：如：〈談詞章章法的主要內容〉④、〈高中國文-散曲選-課文結構分析〉⑤、〈高中國文-近體詩選-課文結構分析〉⑥、蘇軾〈留侯論〉結構分析⑦、黃春貴教授賞析國文教材之篇章，相互呼應：〈國文教材賞析-與宋元思書〉⑧、〈新五代史伶官傳序〉賞析⑨、本人也發表了幾篇，如：〈文章結構分析表的撰寫與運用-舉鄉下人家、飲水思源、墨池記為例〉⑩、〈兩篇高中國文-答司馬諫議書、教戰守策的結構分析表及其賞析〉⑪等等。在高中國文課本開放自由編寫後，《高中國文課程標準》中「教師手册編輯之要領」裡明文規定要附「課文分析表」，因此，今日高一、二之新版國文教師手册，各課後面，都必須附有「課文分析表」，以方便教師之講授、指導，學生之學習、仿作。

二、文章結構分析表的撰寫及其運用

撰寫一篇文章的結構分析表，或偏重其內容，或側重其章法，雖然各有不同，而詳、略也有極大出入，但首要在於掌握作者的思想、內容之重點；或其寫作要領、方法、架構。其目的在方便教師指導學生學習，使學生容易掌握該文內容大要，或容易學習該文之作法、仿作他文。

透過文章結構分析表的撰寫，不僅能掌握作者寫作該文的內容大要，而且還能更清晰凸顯作者在該文所強調的重點。例如：

蘇東坡〈教戰守策〉：全文可分為三個部分，共包含九個段落。茲將各部分之結構表依次表列如後：

第一部份：提出問題。

- 提出問題
  - 患之所在
    - 生民之患
      - 在
        - 知安而不知危
        - 能逸而不能勞
      - 其患
        - 不見於今
        - 將見於他日
      - 今不為之計
      - 後將不可救
    - 果安在哉

第二部分：討論問題。作者列舉史實、運用譬喻、並分析現況，詳加闡發「去兵」問題的嚴重性。包含課文的第二至第七段，又可以分作三層。

第一層列舉史實，說明兵之不可去。在這一層裡，作者舉了三個史例，以為佐證。鐵的事實，不容辯駁；歷史是一面鏡子，說服力最強。第一例講「先王」的事跡：雖在太平盛世，也不敢去兵、忘戰。其後則從反面舉例，第二例講「後世」的例子。後代用迂儒建議而去兵，數十年後，「甲兵頓敝」，遂至「卒有盜賊之警，則相與恐懼訛言，不戰而走。」第三例講開元、天寶年間的事跡。二、三兩例，從反面立說，談「去兵」的災害，與第一例從正面立說，講「兵」之不可去，兩相映照，更能襯托出「教戰守」、「不敢忘戰」的正確性及其必然性。

第二層作者運用人的養身來譬喻天下之情勢。第三層分析現況，闡明對「去兵」這一個「大患」的憂慮。

茲將第二部分之三層闡述的結構分析表表列如後：

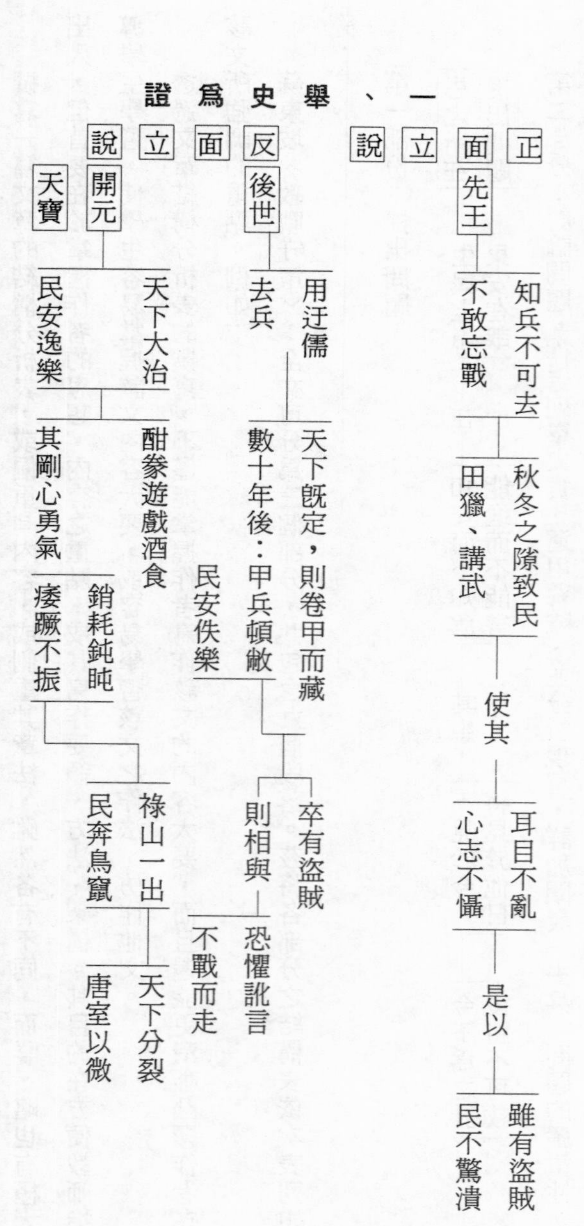

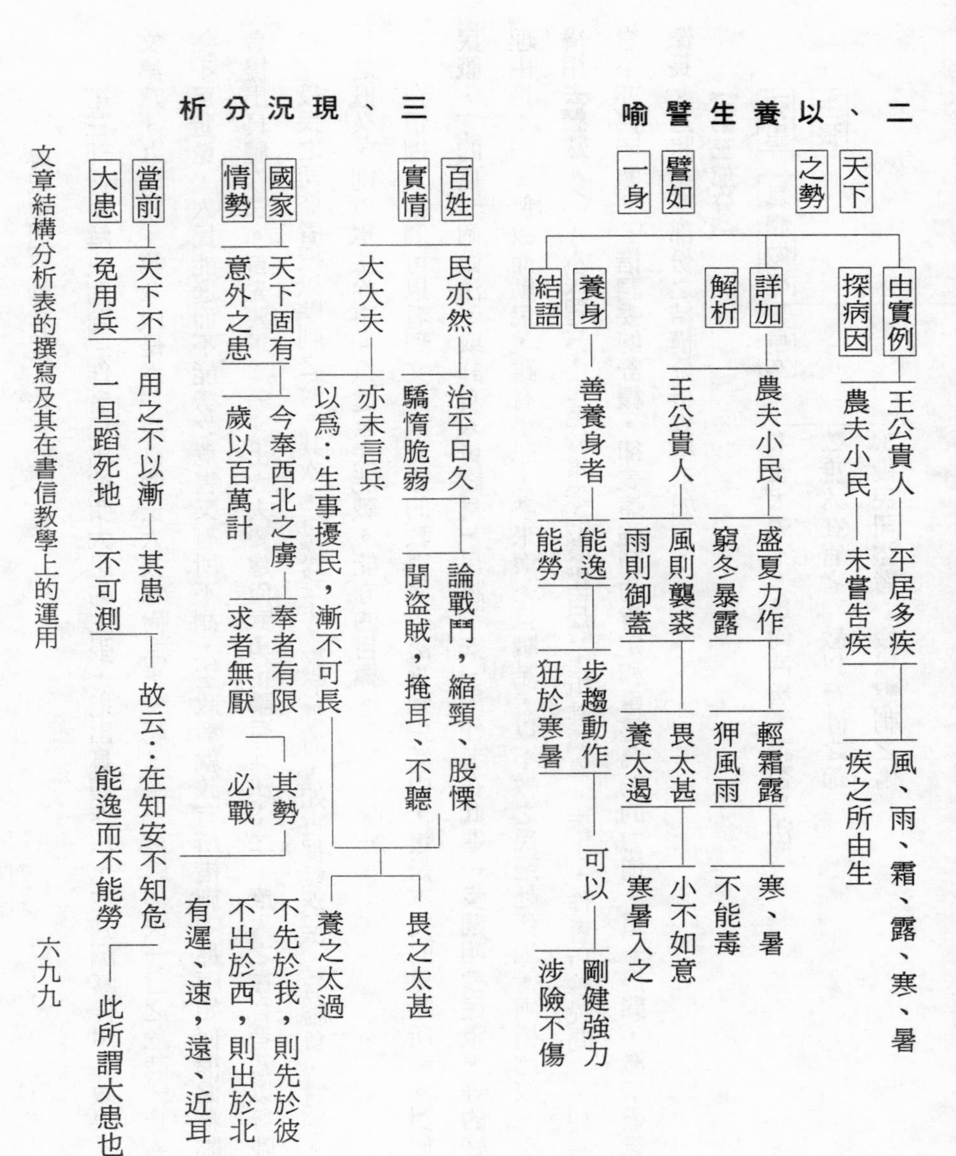
二、以養生譬喻
天下之勢
譬如一身
由實例
探病因
王公貴人
平居多疾
風、雨、霜、露、寒、暑
農夫小民
未嘗告疾
疾之所由生
詳加
解析
農夫小民
盛夏力作
輕霜露
寒、暑
窮冬暴露
狎風雨
不能毒
王公貴人
風則襲裘
畏太甚
小不如意
雨則御蓋
養太過
寒暑入之
養身
結語
善養身者
能逸
步趨動作
可以
剛健強力
能勞
狃於寒暑
涉險不傷
三、現況分析
百姓
實情
民亦然
治平日久
論戰鬥，縮頸、股慄
驕惰脆弱
聞盜賊，掩耳、不聽
大大夫
亦未言兵
以為：生事擾民，漸不可長
畏之太甚
養之太過
國家
情勢
天下固有
今奉西北之虜
奉者有限
其勢
必戰
意外之患
歲以百萬計
求者無厭
不先於我，則先於彼
不出於西，則出於北
有遲、速、遠、近耳
當前
大患
天下不
用之不以漸
其患
故云：在知安不知危
免用兵
一旦蹈死地
不可測
能逸而不能勞
此所謂大患也

第三部份：解決問題。作者提出消弭大患的主張，指出具體作法，並強調其作用、效果。包含課文第八、九兩段。第八段是從「臣欲使士大夫尊尚武勇」起，至「然孰與夫一旦之危哉」止。戰爭既然不可避免，人民能逸而不能勞之危害又有所不測，主政者就該有所措施。那應如何補偏救弊呢？作者提出具體作法。首先要求：一、士大夫要尊尚武勇，講習兵法；二、庶人之在官者教以行陣之節；三、役民之司盜者授以擊刺之術。其次，每歲終了，聚於郡府，如古都試之法，有勝負、賞罰。最後，行之既久，則以軍法從事。以達全民能戰、能守的目標。

在這裡，我們可以看到文、武兼修的教育眞正落實到生活中，這是本文的重點所在。對於提出教民戰、守的這一個做法，或許有人會認爲「民將不安」，作者在此進一步闡明教民戰、守的好處，其理由是：一、無故而動民，雖有小恐，拿來與一旦戰亂，以不教之民蹈赴死地，兩相比較，小恐與大禍相去懸殊。二、人民習兵，可免於軍隊的陵壓百姓，折其驕氣。末了，作者巧妙設問：「利害之際，豈不亦甚明歟？」措詞委婉舒緩，卻表達強烈的肯定和雷霆萬鈞的力道。這一提問，激情盪氣，意味深長。茲將第三部份之結構分析表標示如下：

【第三部分】

弭患主張
- 具體做法
  - 首先
    1. 士大夫——尊尚武勇、講習兵法
    2. 庶人在官者　教以行陣之節
    3. 役民司盜者　授以擊刺之術

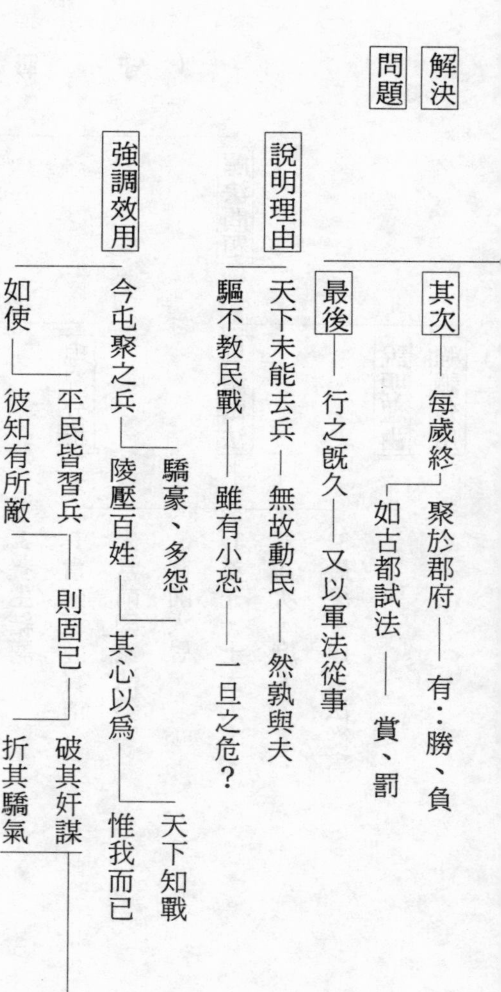

綜覽全文，第一部份提出問題，指出患之所在。第二部分討論問題，列舉史事逐層論證：舉例由遠而近，從古至今；史事之外，也有淺近貼切的養身譬喻；在探討當前民心之後，也對國際局勢作一解析，歸結指出天下不免於用兵，提出所謂「大患」。第三部分解決問題，提出具體措施，並說明其理由和效用。具體措施雖然簡短，卻是全文「教戰、守」的重點所在。全篇構思精密，布局嚴謹；言之成理，持之有故。行文自然而輕快，作者常自謂：「作文如行雲流水，初無定質，但常行於所當行，止於所不可不止。」就本文看來，可以略見梗概。茲將全文結構分析簡表標示如後：

教戰守策（教戰、守）

- 提出問題
  - 患之所在
    - 在：知安、不知危
    - 能逸、不能勞
- 討論問題
  - 舉史為証
    - （正面）1.先王－知兵不可去
    - （反面）2.後世－用迂儒之議去兵
    - 3.開元、天寶之際－民安逸樂
  - 以養生譬喻
    - 1.由實例探病因
    - 2.詳加解析
    - 3.養生結語
  - 現況分析
    - 1.當前百姓實情
    - 2.當前國家情勢
    - 3.當前大患
- 解決問題
  - 具體做法
    - 1.首先，士大夫……
    - 2.其次，庶人……
    - 3.最後，以軍法從事
  - 說明理由
  - 強調效用

從這一結構分析簡表，可以凸顯作者詳於討論問題，對不可去兵之事作詳盡的剖析；而略於解決問題，對如何教戰、守的具體措施，只以寥寥數語帶過。

三、書信信箋結構分析表的撰寫與運用

書信信箋的結構，可以就內容和形式兩方面來討論它。由於內容方面牽涉範圍極廣，分類起來，既多且雜，較爲不易；且士、農、工、商，各有其類；平時接觸，往往就業務所及來區分，而個人日常所接觸，又多不同，故暫不討論。本文只就形式方面來探討。

政府遷台以後，在台灣以《應用文》名書，談及書信的結構的，是朱元懋、劉克寬編著的《應用文》，該書將書信分爲新式書信和舊式書信兩種⑫。新式書信包括：對方名號、開首敬詞、本文、署名月日四項。舊式書信則分成八部分：一、稱呼和敬稱語；二、開首的敬詞；三、開首的應酬；四、本文；五、結尾的應酬；六、結尾的敬詞；七、署名和月日；八、補記。信箋之結構介紹詳明，惟尚未使用表格式方式介紹；其後袁金書編著《大專適用・新編應用文》，介紹書信之結構，分爲九個項目⑬，以表格標示，如下：

前文（前段）
- 一、稱謂
- 二、知照敬辭（按：即今人所稱之「提稱語」）
- 三、啓事敬辭（按：即今人所稱之「開首敬辭」、「開頭敬辭」）

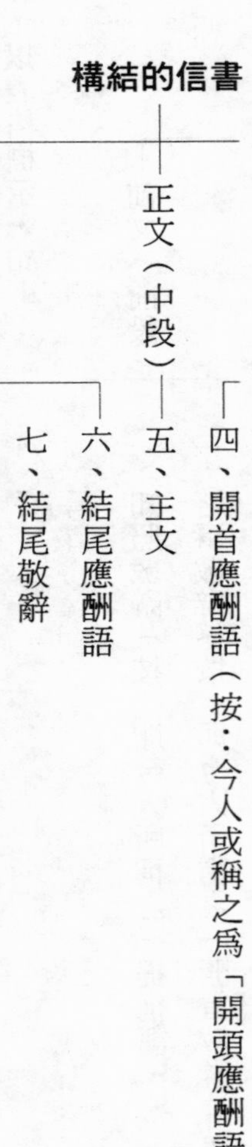

自茲以後，書信信箋的形式結構，以表格處理，條目清晰、便於教學的，先後有：張仁青博士《應用文》[14]、李國良教授《最新應用文作法》[15]、《高級中學・應用文》上册[16]、《國民中學・應用文》第二册[17]、謝海平、黎建寰編著《國學常識與應用文》下册[18]、《技職應用文》[19]、《應用文教學參考資料彙編》[20]、蔡信發教授《應用文》[21]、王進旺《警察應用文》[22]、黃湘陽主編《現代應用文書》[23]；有的雖以表格處理，但條理不夠清晰的，如金振峰等編著《大專應用文》[24]、有的段落名稱混雜，段落之下的項目次序有誤，如吳椿榮編著《應用文》[25]，茲依結構格式的完備與否來區分書信信箋類別，爲「格式完備」的書信，與「格式簡略」的書信兩種。其結構說明如下：

文
前
稱謂：父親大人
提稱語：膝下
開頭敬辭：敬稟者

格式完備的書信

- 開頭應酬語：自違 慈顏，業經匝月。

正文

正文是寫信的目的所在。將信中的主要內容、依次詳加敘述，並加新式標點符號。

兒離鄉北上，負笈北市，賃屋居住，環境安適；早出晚歸，諸事順遂，伏祈 釋念。唯遠離家園，兒不克晨昏定省，弟妹年幼，兒無法分擔辛勞，深感歉疚。今在外求學，自當淬礪奮勉，力圖精進，冀能有所成就，藉報厚恩於萬一。

後文

- 結尾應酬語：天候寒暖不一，玉體珍攝。
- 結尾敬辭：
  - 敬語：謹此
  - 請安語：恭請 福安
- 自稱：署名、署名下敬辭：兒〇〇叩稟。
- 時間：八十九、〇、〇〇
- （補述：）（此部份今儘量不用）

格式完備的書信信箋，其結構可以分爲三個部分：第一部份叫「前文」，包含：稱謂、提稱語、開頭敬辭、開頭應酬語。第二部分叫「正文」，這是書信信箋主要內容的所在，抒情達意的中心。爲什麼要寫這封信？寫這封信所要表達的主要意義或內涵在那裡？應該都在「正文」中。第三部份叫「後文」，包含：結尾應酬語、結尾敬辭、自稱、署名、署名下敬辭，及時間等。茲列簡表，並附例子，如後：

〔例〕向父母報告近況信

父母親大人膝下：敬稟者：自違

慈顏，業經匝月。兒離鄉北上，負笈北市，賃屋居住，環境安適，早出晚歸，諸事順遂，伏祈

釋念。唯遠離家園，兒不克晨昏定省，弟妹年幼，兒無法分擔辛勞，深感歉疚。今在外求學，自當淬礪奮勉，力圖精進，冀能有所成就，藉報　厚恩於萬一。天候寒暖不一，

玉體珍攝。謹此，恭請

福安

兒〇〇敬稟

八十九、〇、〇〇

前述格式完備的書信的各部分，因寫信人與受信人之間的關係，往往可以有極大的出入：

「前文」部分：「稱謂」，一般不能省略；「提稱語」，可以省，可以不省；「開頭敬辭」，今人多已省略不用，唯「敬啓者」一詞，今人往往取之以代稱謂、提稱詞，用於應徵信或通告的開頭；「開頭應酬語」，可以省略不寫。

「正文」部分：「正文」是書信的主體。要寫這封信，目的就是要表明這些意念，這些全在正文

中表述，不能省略。正文若省略，這一封信就不必寫了。

「後文」部分：「結尾應酬語」，可以省略；「結尾敬辭」，今人多不省；「自稱、署名、署名下敬辭」，署名不能省，餘可斟酌省略；「時間」：不能省略，最好記明年月日，如「八十九、二、二十、」雖沒有寫「年」字、「月」字、「日」字，但時間表示，極爲清晰，既可備忘，又可在百年、千載後，依然不須麻煩後人花許多時間來考證其年代。利己、利人，何樂而不爲？

尊前部份：第一次尊稱用平抬，最後一次尊稱也用平抬，中間一律用挪抬，以免行行吊腳。

上述可以省略的則省略，不可以省略的，稍加整理，即如下表，這是格式簡略的書信。茲附例子如後：

格式簡略的書信

- 前文—稱謂：→ 白如吾兒：
- 正文—（信件的主要內容）→ 「齊恨鐵先生獎學金」，沒湊到滿意的數目；因此，我把教育部給我的「重編國語辭典」薪資，全部繳還教育部，以爲設置「齊恨鐵先生獎學金」之用。把以前湊集的零數（不成萬），分別移作別用。您所送來的五百元（連同我的五百元），一併移贈師大課外活動組，作爲「語文活動」之用。齊公地下有知，也一定會同意。
- 後文
  - 結尾敬辭 敬語 請安語 → 專肅，敬候 台安
  - 自稱、署名、署名下敬辭 → 弟何容 敬啓
  - 時間 → 六八、六、廿五

〔例〕何容老師捐款設置獎學金信㉖

白如吾兄：

「齊恨鐵先生獎學金」，沒湊到滿意的數目，因此，我把教育部給我的「重編國語辭典」薪資，全部繳還教育部，以為設置「齊恨鐵先生獎學金」之用。把以前湊集的零數（不成萬），分別移作別用。您所送來的五百元（連同我的五百元），一併移贈師大課外活動組，作為「語文活動」之用。——齊公地下有知，也一定會同意。

專肅，敬候

台安

弟何容　敬啓

六八、六、廿五

這一封信是何容老師在民國六十八年六月寫給劉前校長眞（字白如）的信件，信中「前文」裡的「開頭敬辭」、「開頭應酬語」，「後文」裡的「結尾應酬語」都省略了，「正文」理所表達的，可以看出一代學人熱心教育，捐款設置獎學金暨捐助語文活動的情形，令人欽敬。

四、書信信箋的舉例

書信信箋的形式結構已略如上述，茲舉數例，並略加說明。

(一)前賢書信的舉例

1 報燕惠王書

戰國・燕・樂毅

臣不佞，不能奉承先王之教，以順左右之心，恐抵斧質之罪，以傷先王之明，而又害於足下之義，故遁逃奔趙。自負以不肖之罪，故不敢爲辭說。今王使使者數之罪，臣恐侍御者之不察先王之所以畜幸臣之理，而又不白於臣之所以事先王之心，故敢以書對。

臣聞：賢聖之君，不以祿私其親，功多者授之；不以官隨其愛，能當者處之。故察能而授官者，成功之君也；論行而結交者，立名之士也。臣以所學者觀之，先王之舉錯，有高世之心，故假節於魏王，而以身得察於燕。先王過舉，擢之乎賓客之中，而立之乎群臣之上，不謀於父兄，而使臣爲亞卿。臣自以爲奉令承教，可以幸無罪矣，故受命而不辭。

先王命之曰：「我有積怨深怒於齊，不量輕弱，而欲以齊爲事。」臣對曰：「夫齊，霸國之餘教，而驟勝之遺事也；閑於甲兵，習於戰攻。王若欲伐之，則必舉天下而圖之；舉天下而圖之，莫徑於結趙矣。且又淮北、宋地，楚、魏之所同願也；趙若許，曰楚魏韓秦四國，盡力攻之，齊可大破也。」先王曰：「善。」臣乃口受令，具符節，南使臣於趙。顧反命，起兵隨而攻齊。以天下之道，先王之靈，河北之地，隨先王舉而有之於濟上。濟上之軍，奉令擊齊，大勝之，輕卒銳兵，長驅至國。齊王逃遁走莒，僅以身免。珠玉財寶，車甲珍器，盡收入燕，大呂陳於元英，故鼎反乎磨室，齊器設於寧臺，薊丘之植，植於汶篁。自五伯以來，功未有及先王者也。先王以爲慊於其志，以臣爲不頓命，故裂地而封之，使之得比乎小國諸侯。臣不佞，自以為奉令承教，可以幸無罪矣，故受命而弗辭。

臣聞：賢明之君，功立而不廢，故著於春秋；蚤知之士，名成而不毀，故稱於後世。若先王之報怨雪恥，夷萬勝之強國，收八百歲之蓄積，及至棄群臣之日，遺令詔後嗣之餘義，執政任事之臣，所以能循法令，順庶孽者，施及萌隸，皆可以教於後世。臣聞善作者不必善成，善始者不必善終。昔伍子胥說聽乎闔閭，故吳王遠跡至於城郢。夫差弗是也，賜之鴟夷而浮之江。故吳王夫差不悟先論之可以立功，故沉子胥而弗悔；子胥不蚤見主之不同量，故入江而不改。夫免身全功，以明先王之跡者，臣之上計也；離毀辱之非，墮先王之名者，臣之所大恐也，臨不測之罪，以幸為利者，義之所不敢出也。

臣聞：古之君子，交絕不出惡聲。忠臣之去也，不絜其名。臣雖不佞，數奉教於君子矣，恐侍御者之親左右之說，而不察疏遠之行也，故敢以書報，為君之留意焉！

〔說明〕

戰國．燕．昌國君樂毅為燕昭王合五國之兵攻齊，下七十餘城，二城未下，昭王死，惠王即位，疑樂毅，使騎劫代其將。樂毅奔趙，趙封為望諸君。齊田單詐騎劫，大敗燕軍，復收七十餘城。燕王悔，懼趙承燕之敝伐燕。燕王乃使人讓樂毅，且謝之，曰：『先王舉國，而委將軍，將軍為燕破齊，報先王之讎，天下莫不振動，寡人豈敢一日而忘將軍之功哉！會先王棄群臣，寡人新即位，左右誤寡人，寡人之使騎劫代將軍，為將軍之暴露於外，故召將軍且休計事。將軍過聽，以與寡人有隙，遂捐燕而歸趙，將軍自為計則可矣，而亦何以報先王之所以遇將軍之意乎？』望諸君樂毅乃使人獻書報燕王。全文婉轉陳述先王重用之因，並自明所以去燕之故，「君子交絕，不出惡聲；忠臣去國，不絜其名。」惠王深受感動，於是復封毅子樂間為昌國君。

樂毅此書，書前無「前文」之稱謂、應酬語，書後亦無「後文」之結尾應酬語、署名等，全書唯「正文」而已。樂毅答復惠王，不言惠王違先王之命，而說己不能奉先王之教；不言惠王殘害先王忠臣，而說恐害於足下之義；不言面辭必遭拘囚，而言己不肖，不敢辭。文中歷敘先王之事功，正說明自我之貢獻，亦襯托騎劫之失當。舉伍子胥事，不說惠王殺先王老臣，而言已思欲免身全功。辭極委婉，情極敦厚；措辭溫文，情意懇摯。前人評為「天下之至文」，二千三百年來，膾炙人口，良有以也。㉗

2 與傅麴武書

戰國・燕・姬丹

丹不肖，生於僻陋之國，長於不毛之地，未嘗得　君子雅訓，達人之道也。然鄙意欲有所陳，幸傅垂覽之。

丹聞：丈夫所恥，恥受辱以生於世也；貞女所羞，羞見劫以虧其節也。故有吻喉不顧，據鼎不避者。斯豈樂死而忘生哉？其心有所守也。今秦王反戾天常，虎狼其行，遇丹無禮，為諸侯最。丹每念之，痛入骨髓。計燕國之衆，不能敵之，曠年相守，力固不足。欲收天下之勇士，集海內之英雄，破國空藏以奉養之，重幣甘辭以市於秦。秦貪我賂而信我辭，則一劍之任，可當百萬之師；須臾之間，可解丹萬世之恥。若其不然，令丹生無面目於天下，死懷恨於九泉，必令諸侯無以為歎。易水之北，未知誰有。此蓋亦子大夫之恥也。

謹遺書，願熟思之。

〔說明〕

燕太子丹思欲尋覓勇士刺殺秦王，以報累世之恥，寫此書請教其師麴武。書之「前文」道出寫信緣由，書中「正文」詳述思欲有所作為之故，書末「後文」期望老師深思，有以教之。

3 報燕太子丹書　戰國・燕・麴武

臣聞：快於意者虧於行，甘於心者傷於性。今太子欲滅涓涓之恥，除久久之恨，此實臣所當糜軀碎首而不避也。

私以為：智者不冀僥倖以要功，明者不苟從志以順心。事必成然後舉，身必安而後行，故發無失舉之尤，動無蹉跌之媿也。太子貴匹夫之勇，信一劍之任，而欲望功，臣以為疏。

臣願合從於楚，并勢於趙，連衡於韓魏，然後圖秦，秦可破也。且韓魏與秦，外親內疏，若有倡兵，楚乃來應，韓魏必從，其勢可見。今臣計從，太子之恥除，愚鄙之累解矣。

太子慮之！

〔說明〕

麴武回太子丹之書信，直接揭示「智者不冀僥倖以要功，明者不苟從志以順心。」建議合縱於楚、趙、韓、魏，幷力圖秦，秦可大破。惜太子丹未採納其說。

麴武回書，詳於「正文」；早期書信，特重「內容」，於此可見一斑。

4誡兄子嚴敦書　漢・馬援

吾欲汝曹聞人過失，如聞父母之名：耳可得聞，口不可得言也。好議論人長短，妄是非正法，此吾所大惡也：寧死，不願聞子孫有此行也。汝曹知吾惡之甚矣，所以復言者，施矜結褵，申父母之戒，欲使汝曹不忘之耳。

龍伯高敦厚周愼，口無擇言，謙約節儉，廉公有威；吾愛之重之，願汝曹效之。杜季良豪俠好義，憂人之憂，樂人之樂，清濁無所失，父喪致客，數郡畢至；吾愛之重之，不願汝曹效也。效伯高不得，猶爲謹敕之士，所謂刻鵠不成，尙類鶩者也。效季良不得，陷爲天下輕薄子，所謂畫虎不成，反類狗者也。迄今季良尙未可知，郡將下車輒切齒，州郡以爲言，吾常爲寒心，是以不願子孫效也。

〔說明〕

馬援告誡侄兒馬嚴、馬敦書，勉以敦厚周愼，謙約節儉，百千年後，猶足以爲吾人之座右銘。古人書信，重內容，不重形式；貴精，不貴多，於此可見。

5誡子書　蜀漢・諸葛亮

夫君子之行，靜以修身，儉以養德，非澹泊無以明志，非寧靜無以致遠。

夫學欲靜也，才欲學也，非學無以廣才，非靜無以成學。

慆慢則不能研精，險躁則不能理性，年與時馳，意與日去，遂成枯落，多不接世，悲守窮廬，將復何及。

〔說明〕

躬耕於南陽，以耕讀傳家，劉備三顧茅廬之一世賢哲諸葛亮，終其一生，以此數行文字告戒其子，今日三復茲句，發人深思。古人作書，特重內涵，全書唯有「正文」，言簡意賅，傳之久遠。

6 答李翊書

唐・韓　愈

六月二十六日，愈白李生足下：

生之書辭甚高，而其問何下而恭也！能如是，誰不欲告生以其道？道德之歸也有日矣，況其外之文乎？抑愈所謂望孔子門牆而不入於其宮者，焉足以知是且非耶？雖然，不可不為生言之。

生所謂立言者，是也；生所為者與所期者，甚似而幾矣。亦不知生之志，蘄勝於人而取於人邪？將蘄至於古之立言者邪？蘄勝於人而取於人，則固勝於人而可取於人矣；將蘄至於古之立言者，則無望其速成，無誘於勢利；養其根而俟其實，加其膏而希其光。根之茂者其實遂，膏之沃者其光曄；仁義之人，其言藹如也。抑又有難者：愈之所為，不自知其志猶未也。雖然，學之二十餘年矣。

始者非三代、兩漢之書不敢觀，非聖人之志不敢存；處若忘，行若遺，儼乎其若思，茫乎其若迷。當其取於心而注於手也，惟陳言之務去，戛戛乎其難哉！其觀於人，不知其非笑之為非笑也。如是者亦有年，猶不改。然後識古書之正偽，與雖正而不至焉者，昭昭然白黑分矣；而務去之，乃徐有得也。

當其取於心而注於手也，汩汩然來矣。其觀於人也，笑之則以爲喜，譽之則以爲憂，以其猶有人之說者存也。如是者亦有年，然後浩乎其沛然矣。吾又懼其雜也，迎而距之，平心而察之，其皆醇也，然後肆焉。雖然，不可以不養也。行之乎仁義之途，游之乎詩書之源，無迷其途，無絕其源，終吾身而已矣。

氣，水也；言，浮物也。水大，而物之浮者大小畢浮。氣之與言猶是也，氣盛，則言之短長與氣之高下者皆宜。雖如是，其敢自謂幾於成乎？雖幾於成。其用於人也，奚取焉？雖然，待用於人者，其肖於器邪？用與舍屬諸人。

君子則不然，處心有道，行己有方；用則施諸人，舍則傳諸其途，垂諸文而爲後世法；如是者，其亦足樂乎，其無足樂也？有志乎古者希矣！志乎古，必遺乎今，吾誠樂而悲之。亟稱其人，所以勸之，非敢褒其可褒，而貶其可貶也。

問於愈者多矣，念生之言不志乎利，聊相爲言之。

愈白。

〔說明〕

韓愈答李翊書，書信格式「前文」有「李生足下」，「後文」有「愈白」，而寫作日期「月、日」寫於最前面，此爲特殊之處。信之「正文」闡述一己求學之經過，歷敘學習的心路歷程，言「非三代兩漢之書不敢觀，非聖人之志不敢存。」「行之乎仁義之途，游之乎詩書之源。」大有助益於後學，甚是可貴。

7 與黃校書論文章書

宋・歐陽修

修頓首啓：

蒙問及丘舍人所云雜文十篇，竊嘗覽之，驚歎不已。其毀譽等數短篇，尤爲篤論。然觀其用意，在於策論，此古人之所難工，是已不能無小闕。其救弊之說甚詳，而革弊未之能至。見其弊而識其所以革之者，才職兼通，然後爲文博辯而深切，中於時病而不爲空言。蓋見其弊，必見其所以弊之因；若賈生論秦之失而推古養太子之禮，此可謂之其本矣。然近世應科目文辭，求若此者蓋寡。必欲其極致，則宜少加意，然後煥乎其不可讐矣。

文章繫乎治亂之說，未易談，況乎愚昧，惡能當此！愧甚！

思甚！

修謹白。

〔說明〕

歐陽修與黃氏論文章書，略具書信格式，「前文」有「修頓首啓」，寫信人書於前文中，此古人書信特殊處，「後文」有「思甚！修謹白」，表達對對方的懷念，「思甚」兩字是簡潔有力的結尾應酬語。信末未附時間。「正文」中申論丘舍人所云雜文十篇，詳於救弊之說，而革弊則未之能至。「必欲其極致，則宜少加意」，殷切期勉，現於信中。

8 致諸弟

清・曾國藩

四位老弟左右：

正月二十三日，接到諸弟信，係臘月十六日在省城發，不勝欣慰。四弟女許朱良四姻伯之孫，蘭姊女許賀孝七之子，人家甚好，可賀！惟蕙妹家頗可慮，亦家運也。六弟、九弟今年仍讀書省城羅山兄處，附課甚好，既在此附課，則不必送詩文於他處看，以明有所專主也。凡事皆貴專，求師不專，受益也不入，求友不專，則博愛而不親。心有所專宗，而博觀他塗以擴其識，亦無不可。無所專宗，而見異思遷，此眩彼奪，則大不可。羅山兄甚爲劉霞仙、歐曉岑所推服，有揚生任光者，亦能道其梗概，則其可爲師表明矣！惜吾不得常與居遊也。

在省用錢，可以在家中支用，銀三十兩，則夠二弟一年之用矣！亦在吾寄一千兩之內，予不能別寄予弟也。

我去年十一月廿日到京，彼時無摺差回南；至十二月中旬始發信，乃兩弟之信，罵我糊塗，何不檢點至此。趙子舟與我同行，曾無一信，其糊塗更何如？即余自去年五月底至臘月初，未嘗接一家信，我在蜀，可寫信由京寄家，豈家中信不可由京寄蜀耶？又將罵何人胡塗耶？凡動筆不可不檢點。

九弟與鄭、陳、馮、曹四信，寫作俱佳，可喜之至。六弟與我信，字太草率，此關乎一生福分，故不能不告汝也。四弟寫信，語太不圓，由於天分，吾不復責，餘容續布，諸惟心照。

兄國藩手具（道光二十四年正月二十六日）

〔說明〕

曾國藩此書，「前文」有稱謂、提稱語，「正文」中勉諸弟求師宜專，受益始深；信中兼及家務事，瑣瑣道來，親切有味。「後文」之時間，標示清晰，既可備忘，亦可免於他人費神考證，甚有遠見。

㈡現代書信示例

1約蔣中正先生過訪書　孫文

介石吾兄：

日來事冗客多，欠睡頭痛，至今早始完全清快。方約　兄來詳商今後各方進行辦法，而急聞兄已回鄉，不勝悵悵！日內仲愷、漢民將分途出發往日本、奉天、天津等處活動。寓內閒靜，請　兄來居旬日，得以詳籌種種，為荷。此候

大安

孫文　九月十二日

〔說明〕

國父此信雖短，然「前文」、「正文」、「後文」結構完備，惜時間未書何年，尚須後人費神查考，不無缺憾。

2梁實秋教授致劉真校長書㉘

白如校長吾兄：

弟初來臺，承兄不棄，嗣弟轉就臺大，又荷挽留，盛情可感。如有驅策，不敢言辭。惟文學院長一職，非弟所能勝任，對於行政事務，苦乏興趣。敬請另覓賢能，使弟能安心教學，倘有寸進，皆兄所賜。掬誠奉懇，敬希見諒。原件璧還，幸無怪罪。專此即頌

刻安

弟梁實秋 印 頓首 四四、五、廿七

〔說明〕

劉眞先生，字白如，安徽鳳台人，民國二年生。民國四十四年，任台灣師範大學首任校長，聘梁氏任文學院院長，梁氏婉謝，一則以見劉校長之愛才、掄才，一則以見學者之典範。後文署名下原稿有蓋章，以示愼重。

3 屈萬里教授致劉廳長眞書㉙

白如先生廳長勛鑒：

今晨閱報，欣悉自本年八月份起，中小學教員月增研究費一百元。此乃社會有心人士喁喁然望之數年而未獲實現者。今則事前並未聞任何宣傳，而一朝即經決定。先生實事求是之精神，教育界人士，同聲欽佩；蓋不僅六萬餘中小學教員額手稱慶也。溯自騶從榮長教廳以來，善政實多；此一措施爲利尤溥。謹具蕪函，用申欽佩之意。專此，敬請

勛安

弟屈萬里　敬啓　六月十八日

〔說明〕

劉眞先生接長省教育廳，認爲要提高教育品質，須先調高教師待遇。自民國四十七年八月起中小學教師月增研究費一百元。當時，在竹山鎮一位學生一個月的膳宿費用是一百二十元。這對中小學教師來說，實在是一大德政；以後，軍公教逐年調薪，影響深遠。迄今，我們都深受其惠。原書未記明何年，仰賴方老師祖燊教授查考，略有不便。

4 劉季洪教授致劉廳長真書㉚

白如惠鑒：週前颱風爲災，蒙兩次枉駕垂顧，並　賜食品，常受救濟，既感且愧。此次災情較重，善後工作增加不少，而影響情緒者尤大；弟因此已患感冒多日，遲遲不克趨　教爲歉，謹先函謝。順頌

儷安

弟劉季洪　頓首

九月十七日

〔說明〕

民國四十七年八月、九月兩次颱風侵襲，木柵政治大學積水近一樓深，災情嚴重。劉廳長眞買食物去探望執教政大的劉季洪教授，後來劉教授寫此書表達謝意。原書未記何年。

5錢穆教授致劉真所長書

白如先生大鑒：敬啓者，下星期三之下午，弟已約定臺大醫院幾位醫生前往檢驗眼睛及其他部分，屆時不克到研究所上課，只有臨時請假。至希

鑒諒。專肅順頌

日祉

弟錢穆　拜啓

四月十三日

〔說明〕

錢穆教授於民國五十六年回台定居，「禮賢下士」的政大教育研究所所長劉眞教授力邀前往講學，並親自接送。此信寫於民國五十七年四月，說明因約好醫生，檢查身體，下週三下午不克到校上課。「正文」雖然簡短，卻可以看出學者認眞、嚴謹的敬業精神。原書未記何年。

6校長感謝學校教師關注學生，並請配合行政措施公開信

諸位老師：您好！

開學至今，由於　您的支持與協助，校務均能順利推展，更因　您對學生盡心的關注，學生的表現也有長足的進步。

感謝部分教師非常熱心，常利用放學後額外指導學生課業，然爲避免家長擔心，並能確實掌握學

生動態，請 務必事先告知家長。

已過中秋，天暗得早，爲顧及 您及學生安全，放學後留下學生，請 勿超過五點二十分。敬請

配合，謝謝！

敬祝

教安

校長 戴麗緞 [蓋章] 敬啓

八十七、十、六

〔說明〕

台北市芳和國中 戴校長麗緞先生熱心教育，關心師生安全及教學進展。他的這封信寫出了全國許多校長、教師和家長們的心聲。信箋雖短，前文、正文、後文的結構卻是完整的。

7電子信件——台灣師大國文系88甲大五實習期滿學生感謝師長書——柯維儀

寄件者：　柯維儀　<wayie@kimo.com.tw>

收件者：　k36220@ms23.hinet.net

傳收日期：2000年6月6日PM11:35

主旨：　老師，謝謝您

敬愛的康老師：

禮拜六聽到你要退休的消息，心中雖然早已有譜（因爲您最近一直有透露這訊息），但眞正聽到了，仍然覺得很震驚，並打從心裡湧起一股不捨的情懷，畢竟老師您已陪我們這些不知天高地厚的同學們度過三個年頭了！

三年，說長不長，說短不短，但，在求學的過程中，又有幾位老師能像您一般盡心盡力的陪我們三年？三年來，老師對我們做了許多的要求，相信只要是本班的同學都能對老師耳提面命的「文武兼修、理性思辨、寫日記不要間斷」三大要點琅琅上口，當然我也不例外。我不否認，在三年中，大家對於老師所有的要求，並不是全然的甘之如飴，偶爾的小抱怨，在所難免。我們曾經怨過作業數量之多，（與別班同學相較），也曾怨過老師要求之嚴，但抱怨歸抱怨，我們還是都如期的將該做的事做完，並盡力做到老師要求的水準。在這種嚴格的訓練下，大部分的同學，都受了完整的訓練，每一次的返校座談，同學們談論的，都是學生怎樣怎樣，似乎沒有人抱怨實習學校交代的事做不完、做不好而被嫌棄，我想，這一切都要歸功於老師平素對我們的訓練。

其實，說眞的，「實習」固然可以學到很多東西，但有些時候，也是很殘酷的磨鍊。就以我個人爲例，我每週都要審全校一千多份的稿件，而其他同學也好不到哪裡去；嫵惠和怡庭的老師完全把班上所有事務都給她們處理，只要有比賽，只能成功，不准失敗；美娟的老師對她的所作所爲常常雞蛋裡挑骨頭；怡眞被要求寫莫名其妙的報告；艾甄爲了學校的事，有一陣子都得忙到晚上十一點才能回家；……這期間的辛酸，眞是只有親身經歷，才得以體會出來，在這一年的磨鍊中，大家在最苦的時候，腦海中總不禁會浮現老師的教誨：「合理的要求是訓練，不合理的要求是磨鍊」；「人所發生的事，人就能解決」，在老師的話語的鼓勵下，大家總算是走過來了。現在，實習生涯即將結束，我覺得雖然有點累，但很有成就感。這一年來，要不是有老師在師大時所賦予的訓練及教誨，我想，我是沒有辦法過得如此平順的！老師，謝謝您！

在老師的身上，我體會到「經師易得，人師難求」這句話的眞意，老師您有如一盞明燈，指引著我。今後，我會以老師爲典範，自我勉勵，在教育的崗位上，貢獻一己之力，以不負老師的教誨與深切的期許！最後，總歸一句

老師，謝謝您，您辛苦了

學生　柯維儀敬上

2000.6.6

〔說明〕

這是一封電子信件。

電子信件包含：寄件者的姓名、電子信箱，收件者的姓名、電子信箱、主旨及信箋本文。寄件者、收件者的姓名、電子信箱，仿若書信之信封。「主旨」一欄爲電子信件所特有，寫作時，

扼要敘述兩句即可，也不宜寫太多。信箋「正文」的寫作方法，與一般書信信箋之寫作完全相同，「前文」、「後文」可依需要斟酌寫作。

柯維儀，是台灣師大國文系88甲結業生，七學期總成績班上第一名，智慧高、能力強，溫和敦厚，知書達理。在大甲國中實習一年，表現極爲優異。從她的這封信，一方面可以看出她對師長的感恩，暨本人在台灣師大二十餘年教學的態度與執著，另一方面也能看出方興未艾的電子郵件新風貌，故置於此，以備參考。

五、結　語

文章結構分析表的撰寫，或偏向內容方面，如前所舉蘇軾〈教戰守策〉；或偏向形式方面，如書信的結構，其目的在凸顯作者寫作該文的內容、重點，揭示該文寫作的章法、要領、間架、結構，方便學生學習時能知所掌握，並進而模仿該文習作。

這一個步驟，在整個語文教學中，雖然像是一小步，但在我國語文教學的發展史裡，卻是一大步。這一教法上的一大革新，是我的老師黃錦鋐先生所倡導的，謹將此一理念略加說明，並作舉例，期望能有助於學生的學習，使語文教學裡，範文教學中「深究鑑賞」的賞析教學、「應用練習」中的習作教學，能有更好的效益呈現。若有疏漏、錯誤，敬請 賜正。

【附　註】

①見《國民中學課程標準》頁七六，民國七十二年七月教育部公布，正中書局。
②見《國民中學課程標準》頁三二，民國八十三年十月教育部修正發布，教育部編印。
③見《高級中學課程標準》頁四八，民國八十四年十月教育部修正發布，民國八十五年六月出版，教育部編印。
④見《國文天地》十三卷八期，八十七年元月。
⑤見《國文天地》十四卷六期，八十七年十一月。
⑥見《國文天地》十四卷七期，八十七年十二月。
⑦見《國文天地》十四卷十期，八十八年三月。
⑧見《國文天地》十四卷五期，八十七年十月。
⑨見《國文天地》十四卷九期，八十八年二月。
⑩見《人文及社會學科教學通訊》雙月刊，九卷三期，八十七年十月，教育部人文及社會學科教育指導委員會主編。
⑪見《國文科教學研究專輯》(5)，台灣省高級中學教學輔導叢書，八十八年六月。
⑫見朱元懋、劉克寬編著《應用文》，頁一〇八—一一二，民國五十六年十月初版，中央書局。
⑬見袁金書《新編應用文》頁十一，民國六十一年五月，盛文印書局。

⑭見張仁青《應用文》頁一七八，文史哲，民國六十八年十一月初版，七十八年元月修訂廿五版。

⑮見李國良《最新應用文作法》頁六-七，民國七十四年二月修訂初版，文化圖書公司。

⑯見《高級中學・應用文》上册，頁八-九，民國七十五年八月初版，八十六年八月十二版，國立編譯館。

⑰見《國民中學・應用文》第二册，頁二五，民國七十七年一月正式本初版，八十五年一月正式本九版，國立編譯館。

⑱見謝海平、黎建寰編《國學常識與應用文》下册，頁一七一，民國七十七年元月初版。

⑲見《技職應用文》頁一五八，教育部技術及職業教育司編印，民國七十八年九月初版，民國八十三年增訂初版。

⑳見《應用文教學參考資料彙編》頁三八，教育部技術及職業教育司編印，民國七十八年九月出版。

㉑見蔡信發教授《應用文》頁一一三，萬卷樓，民國八十一年九月初版，八十七年六月再版二刷。

㉒見王進旺《警察應用文》頁一三五，台灣警察專科學校，民國八十三年九月出版。

㉓見黃湘陽主編《現代應用文書》頁二二七，洪葉文化事業有限公司，一九九九年十月一版一刷。

㉔見金振峰、徐華中、李長生、鄭靖時、吳車編著《大專應用文》頁十五-三十，分書信結構爲新式、舊式兩種。新式「一般函件」結構分爲六項；「業務函件」結構分爲四項。文史哲出版社，民國八十三年修訂再版。

㉕見吳椿榮《應用文》頁九九，書信的結構稱爲：首段（或稱前言）、中段、本文（或稱正文、主文），後段（又稱結語）。按：稱「首段」、「中段」、「後段」，或稱「前文」、「正文」、「後文」，是就書信形式結構的前後來稱呼，而用「前言」、「本文」、「結語」，則是偏向內容結構，彷如論文之寫作；形式結構不宜和

內容結構相混雜。而「首段」下先列「起首應酬語」、後列「啓事敬辭」則明顯與一般之使用有別，應先「啓事敬辭」，後「起首應酬語」；在「後段」下方，將「告慰語」、「結尾應酬語」、「申悃語」三項並列，條目不清晰，與吳氏該書頁一〇一第三行所述顯然相牴觸，只須標示「結尾應酬語」即可。文京圖書有限公司，民國八十六年三月初版，八十七年三月修訂版。

㉖ 引見《當代名人書札》頁二二八，劉眞先生珍存，方祖燊先生編註，正中書局，民國八十八年六月初版。

㉗ 參見《大專國文選》教師手册，頁六五，該文賞析爲本人所撰，幼獅文化事業公司，民國八十六年七月初版。

㉘ 引見《當代名人書札》頁四二，劉眞先生珍存，方祖燊先生編註，正中書局，民國八十八年六月初版。

㉙ 引見《當代名人書札》頁一四一，劉眞先生珍存，方祖燊先生編註，正中書局，民國八十八年六月初版。

㉚ 引見《當代名人書札》頁一一七，劉眞先生珍存，方祖燊先生編註，正中書局，民國八十八年六月初版。

【本文主要參考書目】

壹、國文教材教法相關書目

1.《高級中學課程標準》，民國七十二年七月，教育部公布，教育部中等教育司編，正中書局印行。

2.《高級中學課程標準》，民國八十四年十月，教育部修正發布，民國八十五年六月出版。

3.《國民中學課程標準》，民國七十二年七月，教育部公布，教育部國民教育司編，正中書局。

4.《國民中學課程標準》，民國八十三年十月，教育部修正發布，教育部編印，民國八十四年五月初版。

5.高級中學《國文》第二冊，民國八十六年一月，改編三版；又第三冊，民國七十四年八月初版，皆國立編譯館主編。

6.高級中學《國文》第二冊，民國八十八年二月試印本，東華書局編，主任委員台灣師大賴副校長明德先生，編輯小組：賴明德、何淑貞、林文欽、耿志堅、郭鶴鳴、康世統。

7.《國文教學法》，黃錦鋐先生，三民書局，民國八十六年七月初版。

貳、應用文相關書目

1.朱元懋、劉克寬《應用文》中央書局·民國56.10.初版

2.袁金書《新編應用文》盛文印書局·民國61.5.初版

3.林守爲《最新應用文》大孚書局·民國66.9.初版

4.呂新昌《最新應用文彙編》商務印書館·民國68.8.修訂初版

5.張仁青博士《應用文》文史哲出版社·民國68.11.初版

6.李國良《最新應用文作法》文化圖書公司·民國74.2.初版

7.（高級中學）《應用文》國立編譯館·民國758.初版

8.（國民中學）《應用文》一至四冊，國立編譯館，民76.8.~78.1.正式本初版

9.謝海平、黎建寰《國學常識與應用文》下冊·國立空中大學·民國77.1.初版

10. 教育部技術及職業教育司《應用文》教育部技職司・民國78.9.初版
11. 教育部技術及職業教育司《應用文教學參考資料彙編》民國78.9.出版
12. 蔡信發《應用文》萬卷樓圖書公司・民國81.9.初版
13. 張淑雲《應用文》台灣警察專科學校・民國81.10.再版
14. 江應龍教授編著《最新應用文大全》師大書苑印行・民國82.10.初版
15. 金振峰等編著《大專應用文》文史哲出版社・民國83.8.修訂再版
16. 王進旺《警察應用文》台灣警察專科學校・民國83.9.初版
17. 吳椿榮《應用文》文京圖書公司・民國86.3.初版
18. 劉眞珍存・方祖燊編註《當代名人書札》正中書局・民國88.6.台初版
19. 黃湘陽主編《現代應用文書》洪葉文化公司・民國88.10.一版。
20. 康世統編著《中文應用文》國立編譯館・民國九十年三月排印中。

臺灣鄉土文學中之現代詩歌教學探研

高雄師範大學
國文系副教授　林文欽

一、前　言

教育部爲因應二十一世紀資訊爆炸、科技發達、社會快速變遷、國際關係日益密切的新時代。於八十七年九月三十日公布「國民教育階段九年一貫課程總綱綱要」，提出「九年一貫課程改革之基本理念」，新課程應該培養具備人本情懷、統整能力、民主素養、鄉土與國際意識，以及能進行終身學習之健全國民。新課程的特色之一是加強鄉土教學，所謂「鄉土教學」的內涵，依教育部（民八二）「鄉土教學活動」規劃小組認爲應包括：*1.*鄉土母語*2.*鄉土歷史*3.*鄉土地理*4.*鄉土自然*5.*鄉土藝術等五項。若從學科類別而言，在語文教學方面應包含：鄉土母語、鄉土文學、或以文學體才來描述鄉土環境的特徵①。

基於九年一貫課程改革理念，爲加強「推動鄉土教育及其實務經驗之分享，並發展鄉土教育研究與教學資源。」之目的，所以本篇論文所引作品資料，將以「鄉土文學」中的現代詩歌爲例。

所謂「鄉土文學」，是台灣文學的一支，具有地區主義與地方色彩的文學。所謂地區，是指某一區域，鄉村田野、海邊漁村、社區都會、山林沼澤，換句話說國家領土內的某一處土地，都涵蓋在內。②所以鄉土文學，即反映在我們的土地上的歷史、風土、人情、事件等的文學。

目前國、高中國文課本中，都有選錄「現代詩」爲範文，同時各縣市文藝研習活動及各校鄉土教材也都搜錄有鄉土現代詩歌。台灣鄉土文學的現代詩鑑賞教學是一門科學，也是一門藝術。教學藝術是指富有創造性、啓發性的教學法。

提升台灣鄉土文學的現代詩教學的藝術，很重要的條件是充實鄉土文學的現代詩教學資源，有豐富的教學資源，才有助於教學藝術的提升與發展。面對鄉土文學教材的開放，鄉土文學分量的增加，以及要求教學生動的呼聲中，國文教師當責無旁貸的負起教學任務，但在有限的鄉土教學的教學資源裡，如何充實鄉土文學中現代詩教學知識與能力，是無法避免的挑戰。因此，本文願意在鄉土文學中的現代詩教學的資源上，略盡綿薄之力，提供鑑賞鄉土文學中現代詩的一些門徑，以擴大思考空間，導引思路，豐富聯想與想像範疇，以期提升最佳教學效果。

不可否認的鄉土文學教學存在著一些困境有待解決與突破。在擔任的「國文教材教法」、「國文教學藝術研究」與「現代詩研究」課程中，學生經常提出的問題是：

如何指導學生學習鄉土語文教材？

這種教學的困境是目前普遍存在著的問題，也是實施九年一貫課程後中學國文老師迫切希望突破解決的教學問題，以上問題若能提供充實而又完整的資源，相信對提升台灣鄉土文學中的現代詩教學的是有助益的。

二、講出台灣鄉土文學中現代詩歌中的「美」與「善」

鑑賞是指享受美的事物，領略其中的趣味。就台灣鄉土文學中現代詩歌的鑑賞本身而言，它包含鑑別和欣賞兩方面③，鑑別的目的是爲了欣賞，欣賞的基礎在於鑑別，兩者相互涵融，密不可分，和諧而完整。要如何指導學生鑑賞，黃錦鋐老師在《國文教學法》中說：

> 文學的表現，在形式往往要其美，在內容上則要其善。固然有許多在形式上很美的文學，因爲善的條件不足，不能選爲教材。語文教學的目的，是要求美與善結合。④

語文教學的目的，在要求美與善的結合。因此鄉土教學的基調，不應該偏離美與善的範疇。一首鄉土文學中的現代詩歌，包含景物、事理、情感、思想等內容。因此，鑑賞一首鄉土現代詩歌，「須從作者如何記事寫物，狀景抒情，如何寓情於景物，如何寄寓於情事，如何以時空之交錯見其感慨，託其情思，如何以情感改造時空事物或理性，以見其詩境與情趣等方式著手。」⑤正如陳品卿所說：

> 鑑賞者的工作，不只是賞玩作品的文字而已，也不只是要求作品與個人生活互相感應而已，而

是要更進一步地以一顆具有豐富藝術與學養的心靈，和作者以心談心，客觀地去發掘與再現作品的美感與內涵。所以，文學鑑賞在整個文學活動中，實在有它不可磨滅的地位。⑥鑑賞在於「客觀地去發掘與再現作品的美感與內涵」，所以鑑賞的教學要點，在於訓練學生價值判定的能力，陶冶其情性，啓發其研究興趣，發展其審美知能，而養成良好態度，確立高尚理想，充實生活內容，達到眞善美的人生境界爲目的。現代詩的教學是情性的教學也是美感的教學，因此除了知識的教學及習慣技能之教學外，應更重視「鑑賞」的教學。

同時，在鄉土文學的現代詩中，抒情、寫景、敘事往往出現大幅度的跳躍，從而留下一大片一大片的空白，在鑑賞時往往造成領會詩歌藝術美的困難。因此，鄉土文學中的現代詩鑑賞必須借助豐富的生活經驗及審美經驗，而審美經驗的提供，正是「鑑賞」教學的主要課題，由此更見鑑賞教學的重要性。因此，台灣鄉土文學中的現代詩教學藝術最重要的要求，是要講出「美」與「善」來。

怎樣在教學中講出「美」與「善」的效果來？「美」與「善」的效果是從作品內容形式、思想性與藝術性的精華中，體現出作者的思想與藝術精髓。主要講出主題的美、思路與結構的美，中心內容的美，語言的美、寫作技巧的美。

三、如何指導鑑賞台灣鄉土文學中的現代詩

不能掌握台灣鄉土文學現代詩作品中「美」之所在的教師，絕對講不出詩中「美」與「善」的內

容。怎樣來掌握課文的美呢？可從下列幾點來著手：

㈠從主題美來鑑賞

早在戰國時期孟子就提出理解作品的方法，他於《孟子・萬章》中說：「故說詩者，不以文害辭，不以辭害志；以意逆志，是爲得之。」〈詩・大序〉說：「在心爲志，發言爲詩。」志，就是作者的思想感情，也是創作的主題思想。「以意逆志」就是從作品全局著眼，去分析整篇的意義，進而探索作者的創作意圖，即了解認識作者的主題思想。好的詩歌其主題要能新穎獨到，是別人沒有想到或未曾說過，鑑賞者要能與作者神交，想的比別人深，說的比別人透，才是眞正了解詩。

主題就是立意。一篇好文章，一首優秀的詩歌，都是各種寫作要素的完美結合體。而在許多美的要素裡，又首推美的主題爲至關重要。美的主題，首先是表現出作者的美的心靈，美的創作目的，美的人生觀與世界觀。儘管作品中情節有起有伏，典型性格有正有反，人物命運有喜有悲，但揭示生活中的眞、善、美，始終是人類心靈所追求的共同目標。所以在教學過程中揭示作品主題美的教學方法是一個很重要的教學重點。如，李昌憲的〈生態攝影家〉：

生態攝影家
沿著澄清湖岸搜索
小水鴨的蹤跡？
一群賞鳥會員說

已在此守候五天
突然有人興奮高喊
有了！有了！你們來看
自由自在的小水鴨
戲游萬頃碧波

生態攝影家
迅速固定三腳架
用一千厘米超望遠鏡頭
拍攝一張又一張
小水鴨潛入水中
就此遍尋不著
猶似去年一樣
留給人驚目一瞥
卻已足夠溫潤
長久渴望的心靈（《笠下的一群》河童出版社）

本詩主題很明顯在題目中已顯示出來，詩人控訴著台灣生態環境的嚴重被破壞。

本詩選自《生態集》。二十世紀中葉以後，有些開發中國家，因爲經濟的落後，爲了追求富裕，積極推動工商業現代化，發展貿易，犧牲農業，只要經濟繁榮富足，不重生態環保。因此，土地過度開發，任由財團破壞自然生態，台灣便在此情勢下，造成所謂經濟奇蹟，但也付出慘痛代價，環境污染，空氣品質惡化，連帶人性與道德觀念嚴重扭曲，此種觀念的扭曲也直接影響了自然界生物的生存環境。

小水鴨是雁鴨科的冬候鳥。在冬天，台灣西部的各河口，海邊泥灘、湖泊、沼澤地帶，均可看見它們棲息的蹤影。自從河川沼澤地受工業污染之，這群候鳥，逐漸減少來台棲息，甚至在南部的沼澤地幾盡絕跡。因此，引起保育界各團體的重視，尤其賞鳥愛鳥者，甚至生態攝影家也希望爲它們留下蹤影。

詩中敘述生態攝影家與賞鳥會員二組人馬，爲尋覓鴨蹤，在澄清湖苦等五天才有「留給人驚目一瞥」的喜悅，這瞬間的喜悅「卻已足夠溫潤／長久渴望的心靈」，足見生態惡化的嚴重。詩人直接描摹形象，在「小水鴨」的鋪陳意象中，隱隱流露出詩人的沈重感情，無言的控訴。

㈡從思路結構上鑑賞

思路結構就是布局。布局是指詩歌內在的結構章法組織形式而言。詩的結構，即句子首尾先後的起結開闔、本末輕重、鉤挑呼應、回互周旋，佈置得使彼此一意相連，線索脈理井然有序，組織很嚴密，也就是布局問題。所謂從「布局」上鑑賞，即對詩歌分段結構、脈理照應處，不憚繁瑣，分析入細。黃錦鋐老師說：「高明的作者，都爲他的作品簡擇與安排材料下苦心。」⑦所以，好的鄉土詩歌作品是經得起理性的剖析，而非傳統印象式的鑑賞家，一直主張好詩像「無縫天衣」，「只可意會不可言傳」。如，鄭炯明的〈乞丐〉：

我走在黑暗的小巷
沒有人看我一眼

我蹲在閃爍的陽光下
沒有人看我一眼

我躺在公園的椅子上
沒有人看我一眼

我暴斃在一家店舖的門口
卻吸引成群看熱鬧的人（《鄭炯明詩選》台南縣立文化中心）

乞丐在台灣七十年代以前是社會普遍存在的現象，九十年代以後逐漸減少，但在傳統市場中仍可以看到他們的蹤影。

〈乞丐〉是鄭炯明的代表作之一。詩人選取乞丐從生到死的代表性生活片段，生前沒有人看一眼，無人關心，死後惹人圍觀的乞丐形象，刻畫呈現出來。

這首詩在布局上，是由一個意念「乞丐的死」進行聯想與想像，產生在黑暗小巷」、「在閃爍的陽光下」、「在公園的椅子上」等一系列意象，這些意象是並列的，形成輻射狀的章法結構，統攝在「暴斃在一家店鋪的門口」這一意象中。

乞丐這一社會現象，可以說任何社會都存在著，從古代延續至今天。社會無法消滅貧窮，也就無法消滅乞丐。詩人塑造乞丐在黑暗小巷中忙茫然的走著，在閃爍的陽光下慵懶的蹲著，在公園的椅子上無聊的躺著，最後在街道一家店門口暴斃。通過詩人捕捉乞丐不同而具特色的生活剪影，匯集成乞丐一生的生活寫照。詩中描繪乞丐活著時所受到的冷漠、排斥、白眼、欺侮，及死後所受的圍觀，正是現實社會人際疏離的眞實寫照。社會上對貧困潦倒，已經熟視無睹，麻木不仁；對死亡可以見死不救，甚至以幸災樂禍看熱鬧的心情，看待乞丐的死亡，令人寒心。

本詩除了章法上採用輻射狀布局外，在藝術技巧上，每一節都是運用意象對比的方法。一方面描繪乞丐處境，一方面寫人們對乞丐的態度，兩相對映烘托出詩人內心深處的邏輯思維，體現詩人的人道關懷。正如姚玉光鑑賞本詩時所說：

我們認爲，與其說乞丐是作者著意刻畫的藝術形象，還不如說是作者敘述視角的一種自覺選擇。

作者以一個飽經飢寒，歷盡世態冷暖的貧困者的特殊視角，來透視社會貧富的分化和分配的不公，控訴現代社會中人與人關係的無情和殘酷，用哲理思想化的手法，把自己的思想投射物化到乞丐身上。從詩歌抒情的調式裡，我們看到的是詩人強烈的不平和冷峻的思索。⑧

我們在詩中看到詩人採用輻射式布局，及運用象徵和對比的藝術技巧，將乞丐形象與社會文化結合在一起，給予讀者冷峻的思考空間，是一首技巧嫻熟的詩歌。

㈢從內容的美來鑑賞

任何一篇優秀作品都是依靠美的內容而存在。一首詩歌內容若是貧乏，實際上已失去鑑賞的意義。在鑑賞教學中，要指導學生會閱讀，會欣賞作品中的內容美，這是語文教學藝術重要的課題。我們常常以爲範文中內容美的現代文學作品，因爲在語言文字方面敘述都比較明朗、具體、直接，學生很容易接受。事實上許多深層次的思想內容，不是輕鬆就能體會，不下工夫是無法掌握的。因此，我們要培養學生從正面、成功、順境去體會作品的內容美，同時也要善於從反面、失敗或逆境中找到作品的內容美。如，向陽〈阿爹的飯包〉：

每一日早起時，天猶未光

阿爹就帶著飯包

騎著舊鐵馬，離開厝

出去溪埔替人搬沙石

每一暝阮攏在想
阿爹的飯包到底什麼款
早頓阮及阿兄食包仔配豆乳
阿爹的飯包起碼也有一粒卵
若無按怎替人搬沙石

有一日早起時，天猶烏烏
阮偷偷行入去灶腳內，掀開
阿爹的飯包：無半粒卵
三條菜脯，蕃薯籤參飯（《新詩三百首》九歌出版社）

這是一首生活詩，有血有肉的鄉土詩。這首詩寫活五、六十年代的台灣農村生活，當時農村仍是過著貧困窮的生活。大都是的農村家庭三餐都以「蕃薯籤參飯」果腹維生，特別是農人與工人的家庭成員。

詩中呈現兩個時間意象：一個在第一節「天猶未光」；一個在第三節「天猶烏烏」。由於天黑尚未露曙光的意象，給人感受到當時的社會氣氛，是處在一種前途黯淡與生活艱難的意象中。同時，也傳達出當時家庭社會雖然處在困境之中，但是社會上大大小小，都在「天猶未光」以及「天猶烏烏」便開始工作，反映出純樸、勤勞、刻苦的另一面。

在六、七十年代，台灣經濟轉型，由農業生產形態轉型爲工業生產型態，出口導向的工業帶來台灣的經濟起飛，八十年代以來，社會一片繁榮氣象，人人生活富足，九十年代的年輕人，根本不知道五、六十年代父祖這一代的辛苦。這首詩反應出當時的社會景象，以及家庭親情的濃厚。

處在今日富裕社會下的孩子，當父親天天應酬時，雖然日子過著有山珍海味的生活，但內心深處，總覺得缺少一點點父親的親情。在農業社會時期，大人們都能顧家，自己雖然刻苦，但不會虧待孩子，會給孩子「食包仔配豆乳」，天倫之樂樂融融。做父親的疼孩子，孩子也愛父親，心想父親「替人搬沙石」，要付出很大的力量，所以他的飯包內「起碼也有一粒卵」。這種推理是孩子正常的推理，做孩子的爲了要證實飯包有「一粒卵」才能「替人搬沙石」的推理，他趁著天尚未亮時，偷偷走進廚房，檢驗自己的推理，結果「阿爹的飯包：無半粒卵」，懸疑的效果，得到意料之外的結局，「無半粒卵」，只有「三條菜脯，蕃薯籤參飯」，這種趣味眞令人有「含淚的微笑」的感覺。詩中父親的形象，描述的那麼自然與純樸，是我國傳統美德的化身。

在本詩中有一隱形人物「阿母」，他是做飯包的主角，詩中雖無片語隻字寫她，但在字裡行間，作者似乎也流露出傳統女人，默默承受一切生活重擔的克勤克儉美德來，整首詩給人純樸眞實而溫馨的感覺。

再如，趙天儀〈給我活著吧〉：

給我一滴水吧
一瓶礦泉水
塞進來
給我一點氧氣吧
一個氧氣罩
籠罩過來

醒來的時候
我恍然大悟

給我活著吧
壓在黑暗的深淵
雙腿無法伸開來
一秒一秒地過去

渾身濕透

我快要昏迷了

我是地震以後

被搶救出來的一個焦黑的活口（《笠》詩刊，第二一四期）

這是一首淒美的詩歌，是台灣歷史上發生悲慘大地震作爲見證的詩篇。台灣位於歐亞板塊和菲律賓板塊交接的地震帶，所以地震頻繁。一九九九年九月二十一日凌晨一時四十七分，震央位於南投縣集集鎮，發生芮氏七點三級強烈大地震，造成兩千多人死亡，九千多人受傷，一萬多幢房屋倒塌，數十萬人無家可歸，是百年來台灣最悲慘的災難。

〈給我活著吧〉是趙天儀針對「九二一大地震」發表的三首詩中，最感人肺腑的一首。是爲他的姪女阿瑜因地震房屋倒塌，被壓在廢墟裡面，經過八小時救難人員搶救而寫的，阿瑜雖然幸運救活了，但一隻腳已面臨壞死的邊沿。

「大地不仁，以萬物爲芻狗」，正是「九二一大地震」的寫照。全詩以第一人稱來表達，表達災變後求救求生的殷切期望與呼叫。岩上說：

是一個小女孩的呼救也是千萬受難者的呼救，以一馭萬千，令人動容。「給我……給我……」快速的前三節語調，經歷長時間的期待至「快要昏迷」的緩慢節奏，到最後「醒來……恍然大悟／我是焦黑的活口」。全詩簡潔有力卻是經歷過了一場生死的劫難的重生。讀這首詩令人重現救難人員搶救的緊張、祈禱、切盼的鏡頭。末句「焦黑的活口」焦黑形容的妙，使詩的意象從積壓的瓦礫中凸現出來。⑨

地震雖是天災，發生於旦夕之間，由於是天意，人力奈何不得，詩人眼見這一場的大浩劫，雖寫的是親人求救一幕，也反應出當下哀鴻遍野的景象，那種求救呼叫聲，將是扣人心弦的歷史眞面貌，無法抹滅的歷史現實。

㈣從語言美來鑑賞

黃錦鋐老師說：「遣詞造句，重在修煉，就是作者對已經剪裁選取的材料，加以删削的功夫。許多好文章，其詞句都是經過作者千錘百鍊出來的。」⑩詩歌是語言的藝術，詩的媒介是語言。語言是表情達意、思想交流的工具。而詩歌語言是對平常實用語言的提煉，將語言詩化，用意象語言使詩具有形容美。所以在精鍊的詩篇中，很重視詩歌中「字」、「句」的鍛鍊與修辭技巧。因此，我們在閱讀鑑賞現代詩時，既要通觀全篇，又要逐章逐句乃至逐字分析推敲，從而體會作者所以如此淺詞造句、選音定字的用意。不同風格的詩篇，各具修辭的特色，呈現不同典型的風采，宜加以細細涵詠，以體會出語言的美感，藉以豐富與提升人的精神境界。鑑賞時，宜於辭采中品出其中不同情韻的美感來。如，吳晟〈負荷〉：

下班之後，便是黃昏了。

偶爾也望一望絢麗的晚霞，
卻不再逗留。
因爲你們仰望阿爸時的小臉，
透露更多的期待。

加班之後，便是深夜了。
偶爾也望一望燦爛的星空，
卻不再沉迷。
因爲你們熟睡時的小臉，
比星空更迷人。

阿爸每日每日地上下班，
有如自你們手中使勁拋出的陀螺，
繞著你們轉呀轉；
將阿爸激越的豪情，
逐一轉爲綿長而細密的柔情。

就像阿公和阿媽，

爲阿爸織就了一生，

綿長而細密的呵護。

孩子呀，阿爸也沒有任何怨言。

只因爲是生命中，

最沉重，

也是最甜蜜的負荷。（國中《國文》選修本）

吳晟是台灣詩壇最典型的鄉土詩人。他生在鄉間，長在田裡，所以吳晟的詩歌內容是透過自然景物，來記錄土地，讚歎農人的辛勞；他的語言，不是美化的詩的語言，而是淺白俚俗的詩語言，而且往往直接以鄉土語言，寫出鄉土的人情世故，以表達濃厚的鄉土感情。這種語言特色，樸實簡潔，清澈明朗，輕輕而談，款款而訴，正符合鄉土人物敦厚老實，安於本分的性格，也符合處在時代變遷那種無可奈何的淡淡愁緒。所以閱讀吳晟的作品，必須從田園生活，鄉土淳厚的精神，泥土的踏實，農民的純樸勤懇，認命受命的心境人格，來鑑賞作品。

宿命感是吳晟詩歌的特色之一。「孩子呀，阿爸也沒有任何怨言／只因爲是生命中／最沉重／也是最甜蜜的負荷」，「這種認命，也許會被譏爲怯弱和無能，但對農民來說，卻是他們世代耕作田畝的眞實生命映現。」⑪〈負荷〉這首詩正顯現出現實生活中這種有點苦澀的宿命感來。人到了中年，在心靈深處面對家庭與事業、理想與現實的這種抉擇與掙扎，感受更加深刻。尤其是當了「爸爸」的人，經常非常現實地感覺到，也就是接觸到了本詩的問題核心，自覺的責任心和沈重的生活負荷。

每一個家庭都有其獨具的「天倫之樂」。一個有家庭觀念的人，一但成家有了孩子以後，經常把那種「激越的豪情」，「逐一轉爲綿長而細密的柔情」了。似乎生活的目的正是爲了保持這點難得的「天倫之樂」。以致他們的「每日每日地上下班」，就彷彿是孩子「手中使勁抛出的陀螺」。這一親切而又新鮮的比喻，是否就是理想與現實在內心衝突掙扎後的宿命寫照。在那「沈重」而又「甜蜜」的「負荷」裡，包含多少人生的苦澀美感！「就像阿公和阿媽／爲阿爸織就了一生／綿長而細密的呵護／孩子呀，阿爸也沒有任何怨言／只因爲是生命中／最沉重／也是最甜蜜的負荷」這一尾聲寫出了代代相傳的「父母心」。吳晟這種用心劉登翰等在〈一束稻草是吾鄉人人的稻草〉中說：

詩人顯然感覺現代物質文明影響青少年身心健康的危機，擔心下一代人成為浮誇、頹靡世風的俘虜，因此勸說他們維持鄉下孩子的淳樸和自尊，將老一代農人的生活準則、處事方式和道德風範代代相傳。⑫

吳晟的用心，希望將「老一代農人的生活準則、處事方式和道德風範代代相傳」。這種用心在詩中並沒有運用深奧的哲理，卻有一些難言的感觸。有誰能說這不是一種人生的美德？也是人生最沈重、最甜蜜的負荷。

語言美還包含聲律美，聲律是指詩歌的節奏、句型旋律及用韻協律等。現代詩由於「詩無定節，節無定行，行無定字」，因此詩歌節奏不像古典詩那樣整齊劃一，但好詩節奏還是分明的，也重視音節上的旋律和諧，以求達到聲情的協和美感。在用韻協律方面，現代詩用韻不像古典詩那樣嚴格，有的甚至不用韻，但就多數作品來講，還是講究用韻的。不過有一些所謂自由詩，是不講究聲律的。

聞一多要求新格律詩要具有三種美：即音樂美，繪畫美，建築美。所謂「音樂美」，指的是音節與旋律的美，詩人最重節奏，構成詩的節奏要素是音尺、平仄和韻腳。⑬如，黃勁連的〈擔菜賣蔥〉：

一枝扁擔
二腳草籠
為著生活鑽活縫
街路邊　擔菜賣蔥
雖然是小生理
但亦有阮淡薄的希望
一日二日
一工二工

希望有成功的一工

有時風冷
有時霜凍
爲著阮厝內大小
這枝扁擔毋敢放

一人啊一種命
每一人的都合無相仝
阮也認命
大街小巷
全精神擔菜賣蔥

一年二冬
三年五冬
希望有成功的一工（《台語詩六家選》前衛出版社）

這是一首用閩南語朗讀的鄉土詩，常被編爲學校鄉土教學補充教材，莫渝曾於國語日報撰文推介。詩歌內容以表現市井小人物賣菜的小販，「爲生活奔波勞碌求取平安成功的卑微希望」。⑭

全詩五節，一、三、五節分別是四行及三行，二、四節五行，每節詩句又長短相間，參差錯落，造成波動性的旋律。每行詩的音步，短句以二音尺，每行兩個「二字尺」或「三字尺」爲主；長句以三音尺，每行用兩個「二字尺」和一個「三字尺」，或一個「二字尺」和兩個「三字尺」爲原則所構成。舉第二節爲例：

雖然是—小生理

但亦有—淡薄的—希望

一日—二日

一工—二工

希望有—成功的—一工

本詩各節押韻以「東、冬」韻爲主，音調響亮，聲情呈現樂觀進取的小人物生命情調。

(五)從寫作技巧來鑑賞

作品之美，離不開表現技巧。一首優秀詩歌，在於善於運用各種寫作技巧，才能使作品內容充實、具體、眞切。技巧表現作者個人寫作風格的藝術性。從一首詩來說，構思主題、材料的選取、情節的組織、線索的貫穿、詩情的動脈、語言的修煉，無一不是連結著技巧，充滿著技巧。在傳統技巧方面有鋪陳、比興、烘托、懸念、巧合、對比、通感等技巧。如，吳俊賢的〈山胞〉：

解釋了半天
你還是不懂什麼
盜林

不抓 我虧於職守
抓 你可憐兮兮

解釋了半天
你還是不懂
祖先討生活的山林
卻不容許你討生活

你永遠不懂
山地村裡最優秀的獵人 你
卻有被獵的一天（《混聲合唱》文學台灣雜誌社）

吳俊賢曾在林業試驗所工作，他的《森林頌歌》詩集，就是一部以台灣山林爲題材的詩集。本詩詩題〈山胞〉，是台灣土著尚未正名爲「原住民」一詞前所寫的詩歌，因此仍用原作詩題。

本詩在突顯文明與部落之間文化的差異性，使曾經是台灣島上的主人，如今淪爲弱勢族群，這種情勢的演變，造成原住民的無助與無奈。莫渝說：

原住民的山林生活形態，與文明社會迥異，他們是土地的使用者而非擁有者，因此，廣大的山林都是他們打獵的活動場域，山林是他們祖先留下的共有財產，動物是他們食物的來源，他們不需要「野生動物保育法」，他們不懂砍伐祖先留下的林木會是偷盜行爲，他們在文明的行政與法律箝制下，跌入生活生存的困境。⑭

詩人用直陳的技巧，敘述對原住民「被獵」的內心矛盾。因爲「他們不懂砍伐祖先留下的林木會是偷盜行爲」，詩中運用樸直的筆法，形象與技巧相結合，將「原住民」的憨直形象，無奈的困境，眞情流露，引人深思。

再如，洛夫的〈金龍禪寺〉：

晚鐘
是遊客下山的小路
羊齒植物
沿著白色的石階

一路嚼了下去
如果此處降雪
而只見
一隻驚起的灰蟬
把山中的燈火
一盞盞地
點燃（《新詩三百首》九歌出版社）

「金龍禪寺」在台北市內湖山區。詩人捕捉遊寺後下山一剎那間的感受，只單純寫景，但在寫景中滲透了不盡的禪意。

初讀這一首詩，會給人一種摸不著頭緒的感覺，其實洛夫運用生理通感，動靜互換的技巧，使意象變形與錯位的表現手法。李元洛分析說：

「晚鐘／是遊客下山的小路。」這就是聽覺意象與視覺意象巧妙的轉位與變形。「鐘聲」與「小路」本來是互不相干的事物，但鐘聲是宛轉悠揚的，小路是曲折迂迴的，而遊客們又是在晚鐘生鐘下山，所以在心理學的「遙遠聯想」的作用之下，「晚鐘」就在詩人的審美錯覺中變形錯位爲「小路」了。⑯

從禪寺出來，遊客在晚鐘聲中下山，走在石階上，眼看小路，耳聞心想的卻是鐘聲。聽覺與視覺錯位，鐘與路變形，造成無理而妙的效果。詩人於第一節後三行接著運用動靜變形轉換手法，趙麗宏等分析說：

第一節後三行是靜態與動態的轉換。「白色的石階」有肅穆之意，與這條通往禪境的小路十分貼近；羊齒形的植物，使人產生直覺聯想，的確是「一路嚼下去」。動與靜的形態轉換，頓然使靜的洋溢著生機，無情的變爲有情的了。⑰

在第二節中，詩人把「灰蟬」與「燈火」、「點燃」三個意象組合在一起，也是一種運用變形轉換手法。因爲「燈火」不可能由「灰蟬」去點燃，趙麗宏等接著分析說：

這灰色正令人聯想到僧人所著的僧服。這裡詩人運用了中國古典詩詞中常用的諧音手法，即由「蟬」到「禪」。蟬如何能把燈火點燃？然而事實上詩中所展示的意境卻是「蟬」的驚飛與燈火齊明這二者的同時出現。果眞是蟬嗎？不！只有禪，才能點燃燈火，它不僅在山中，而在人的心中。全詩從「晚鐘」到「驚蟬」令人頓悟蟬意。⑱

本詩各種意象經過運用錯位與換形等手法後，把一反常態的意象組合在一起，疑幻疑眞，產生一種新的審美情趣。就在這一瞬間，山中的燈火一盞盞亮起來，似乎是被灰蟬點燃，使漸暗漸幽的山林平添幾分暖意與生機，反映出台灣鄉土氣息中恬淡、閒適、和諧的美感，促使人頓悟而富禪意機趣。

四、結語

鄉土文學中的現代詩是一門語言藝術，它以語言爲材料創造藝術形象。教學是一種創造性的工作，它是培養人才、激發創造人才的活動。而人才的培養有賴教育功能的實現，教育功能的實現需要優秀的文學作品當作教材，而文學作品只有通過鑑賞活動，才能使作品中所蘊含的思想感情傳達給讀者，實現文學作品的認識、教育、審美的功能。人們鑑賞鄉土文學中的現代詩作品時，通過作品的語言符號把握藝術形象，具體認識藝術形象所反映的客觀社會生活的面貌與品質，深入體驗作者與作品內容思想感情從中獲得滿足、愉悅的審美享受。因此，台灣鄉土文學中的現代詩在教學活動中要發揮「美」與「善」的教育功能，鑑賞是一個很重要的教學活動。

【附註】

① 參見「迎向千禧年新世紀中小學課程改革與創新教學學術研討會」論文彙編，林炎旦與林黎子著〈我國國民小學鄉土教學實施成效與發展策略〉，頁一七九～一八八。

② 參見莫渝著《笠下的一群》，頁四〇。

③ 參見黃錦鋐老師《國文教學法》「第三章教材的準備，第四節文章作法指導，五、文辭的鑑賞」，頁一一二。

④ 語見黃錦鋐老師《國文教學法》修訂版代序，「國語文教學的新方向」，頁十。

⑤ 語見王明通著《中學國文教學法研究》，頁二二八。

⑥ 語見陳品卿著《國文教材教法》，頁三五九。

⑦ 見黃錦鋐老師《國文教學法》「第三章教材的準備，第四節文章作法指導，二、關於剪裁安排的功夫」，頁一一二。

⑧ 語見陶本一與王宇鴻主編《台灣新詩鑑賞辭典》，頁931。

⑨ 語見《笠》詩刊，第二一四期，「岩上：九二一台灣大地震，哀詩篇篇」，頁125～126。

⑩ 語見黃錦鋐老師《國文教學法》「第三章教材的準備，第四節文章作法指導，三、遣詞造句的技巧」，頁一一四。

⑪ 語見劉登翰、朱雙一著《彼岸的繆斯—台灣詩歌論》，「一束稻草是吾鄉人人的年譜—論吳晟」，頁三六〇。

⑫ 同註⑪，頁三六三。

⑬ 語見海風出版社出版《中國新文學大師名作賞析・聞一多》，頁二三。

⑭ 同註②，頁二一四～二一六。

⑮ 同註②，頁二八一。

⑯ 語見公木主編《新詩鑑賞辭典》，頁七二一。

⑰ 語見辛笛主編《二十世紀中國新詩辭典》，頁一〇七七～一〇七八。

⑱ 同註⑰，頁一〇七八。

國中國文教學與評量的新方向

臺灣科技大學
共同科副教授　鄭圓鈴

網路時代的來臨，使現代的青少年更容易受到多元文化的衝擊，也使許多國中老師慨嘆學生的國文程度日益低落。然而課堂上，老師雖耗神費勁，誘掖學生，無奈學生往往冥然端坐，視而不見，聽而不聞。由此，我們不僅思考何以國文的教學活動不能引發學生的學習興趣？國中的國文學習，往往受制於傳統教學模式，以記誦字形、字音、字義、詞語解釋、章法結構、修辭技巧及國學常識爲主；而學習評量，又以加強聯考的應試能力爲目標，於是考題設計往往淪爲知識記憶的瑣碎與僵化。

但理想的國文教學目標，豈能僅止於知識的記誦？理想的國文評量又豈能僅止於課文內容的重複記憶？理想的國文教學目標，宜先使學生學習欣賞他人的佳作，藉以豐富視野，開拓胸襟；其次則應練習自我情意的表達。前者是閱讀能力的培養與提昇，後者則爲語文表達能力的加強。

而欲加強閱讀理解與語文表達等能力，就基礎言，宜先使學生理解文章義旨。故舉凡詞句釋義、作者生平、章法與寫作技巧分析等，皆爲理解文章義旨的準備，這就是所謂知識、理解的能力。培養學生知識、理解的能力，重在豐厚他們的閱讀理解能力，使他們能藉由主動、廣泛的課外閱讀，增廣視野，豐富知識。接著應將上課所學有關章法與寫作技巧的知識，落實爲寫作技巧及分析其他文章的運用，這就是所謂應用、分析的能力。培養學生應用、分析的能力，重在提昇學生的語文表達能力，並加強他們由閱讀進至賞析的能力。而國文教學更高的層次，則應引導學生進入抽象思維的境界，啓發他們的想像力與創造力，這就是所謂綜合、評鑑的能力。培養學生綜合、評鑑的能力，重在引導學生體會文字背後的豐富意蘊，豐富他們的美感經驗，提高他們的閱讀品味與鑑賞能力。

培養學生綜合、評鑑的能力，實爲國中國文教學的最終目標。所以當學生閱讀沈復的〈兒時記趣〉，如果他們只學會「夏蚊成雷，私擬作群鶴舞空。心之所向，則或千或百，果然鶴也」的詞語解釋、翻譯、擬人的修辭技巧，卻無法從其中體會心靈翺翔的樂趣，也無法將心靈的美感悸動表達出來，那麼這一課的教學，顯然尚未達到理想的教學目標。

同樣的，當學生閱讀羅貫中〈空城計〉的「司馬懿自飛馬遠遠望之，果見孔明作於城樓之上，笑容可掬，焚香操琴」時，如果不能體會小說在刻劃人物典型時，所使用的誇張技巧，並能舉一反三的運用於其他小說的閱讀；或者深入了解小說虛構與史書眞實之間的差異，從而了解歷史眞相與歷史詮釋的差異，那麼這一課的教學，顯然也還沒有達到理想的教學目標。

再如鍾理和的〈草坡上〉，當學生讀到「陽光停在昆蟲的小翅膀上微微顫動著，好似秋夜的小星點」時，如果不能興起他們對自然界美好事物的觀察與感動，並願意嚐試將心中的某種美感悸動，情意盎然的表達出來，那麼即使他們把這段文字的修辭技巧倒背如流，事實上這段文字對學生並不具有意義。再如當作者問妻子是否已經把生病的母雞宰殺時，妻子爲了掩飾心中的不安，故意用招呼小雞的「珠-珠-珠」，企圖轉移作者的注意力。而當學生閱讀至此，如果只記住「珠-珠-珠」是餵雞時呼叫雞隻的壯聲詞，卻忽略對人物心理的洞察力，那麼學生如何能享受閱讀小說的樂趣，又如何能培養他們善體人意的細膩。

而涵養情意，提昇抽象思維能力的功能，正是美文蘊含高度藝術技巧的所在。這些部分學生豈能自己心領神會？而工具書、參考書又怎能善爲啓發？所以需借助老師深入淺出的點化，才能使學生產生豁然開朗的喜悅。

民國八十五年十二月，行政院教育改革審議委員會的「教育改革總諮議報告書」出爐後，各級教育機構就積極規劃與執行各種相關的教育改革計畫。其中評量技術的改進，正是教改極爲重要的一環，而以基本學力測驗取代各級聯考，則爲評量技術改進的具體成果。基本學力測驗最重要的意義，應該是思考如何在考試領導教學的慣性反應裡，透過試題方向的調整，讓國文的教學活動除了記誦之外，還能幫助孩子累積更深廣的語文表達與閱讀理解等能力，讓他們能更有自信的接受新時代的挑戰。

而國文的教學活動如何因應這個新趨勢？答案其實很簡單，只要老師能統整自己的專業知識，文字的敏銳度與思辨能力，再善用活潑、富創意的教學法，並鼓勵學生多讀、多寫、多想，其實基本能力測驗並不可怕。因爲老師平日爲學生累積的閱讀、表達能力，將遠多於測驗所要求的水準。但如果老師如不能掌握教改「以能力代替記憶」的基本精神，仍然用大量的考題，讓學生做塡鴨式的練習，則恐怕會有事倍功半的遺憾。而老師如何提高教學品質，在校內可以小組討論的方式集思廣益，對教材及教法做更深廣的研究；也可以透過網站與全國各地的老師交換經驗，切磋琢磨。

除了教學改進外，評量技術的改進也是國中教師關注的焦點。教師如何透過試題的設計，從心理學與教育學的觀點，深入、客觀的評量學生知識、理解、應用、分析、綜合、評鑑等能力，實爲評量技術的新趨勢。而評量技術改進的起點是以評量項目指標，取代傳統分册分課，注明教材出處的試題分析；這也就是說傳統的雙向細目表以教材出處爲縱軸，以認知教育的六大目標爲橫軸，著重分析教材出處是否平均，六大能力是否兼顧。而新的評量則以國中的教材分析爲基礎，歸納出國中的基本能力，再據之建立相關的評量指標。因此雙向細目表的縱軸，不再是考題的課文出處，而是符合國中學習所需的各項能力。雙向細目表結構的改變，預示著未來的評量趨勢，將朝考教分離的目標前進。因此老師的教學雖以建立學生的基本知識體系爲基礎，但更重要的是教會他們舉一反三，溫故知新。而這樣的教學目標反應在評量上，除了評量指標的建立外，更重要的是發展新的試題內容，使試題能眞正的鑑別出學生應用、分析、綜合、評鑑等較高層次的認知能力。而爲了避免高層次能力與低層次的知識、理解能力相混，試題的設計勢必逐漸要採用課外的題材。因爲傳統聯考的試題，雖然也包含應用、分析、綜合、評鑑能力的評量，但聯考試題必須出自課本的限制，卻使高層次的能力與低層次能力不能有效的區隔。所以學生只需透過反覆的練習，即可取得高分，但他實際的認知能力，卻只停留在知識的階段。因此聯考眞正的缺點，就是不能眞正評量學生高層次的認知能力，並使學生的抽象思維，綜合、統整能力，逐漸萎縮。

因此新的評量方式，十分重視取材課外；而語文表達與閱讀理解則為評量的重點。有關新評量項目的指標，茲列表說明如后：

國文科評量雙向細目表

基本能力指標	評量項目指標	能力層次					
		知識	理解	應用	分析	綜合	評鑑
1 閱讀理解能力	1-1 能說出字詞的意義						
	1-2 能說出詞語結構						
	1-3 能說出文句、段落、篇章的涵義						
	1-4 能說出文句、段落、篇章的形式、結構、特色、關係						
	1-5 能說出文句、段落、篇章的修辭技巧、寫作風格、表現手法						
	1-6 能說出篇章的背景知識						
2.語文表達能力	2-1 能寫出正確字形						
	2-2 能寫出正確字音						
	2-3 能說出正確詞義						
	2-4 能選用恰當的詞語						
	2-5 能選用恰當的文句						
	2-6 能選用各種標點符號						
	2-7 能說出文法的錯誤						
	2-8 能說出各類文體的特色						
	2-9 能仿作句型						
	2-10 能說出結論						
	2-11 能擬定主題						
	2-12 能分析、統整資料						
	2-13 能改寫文句						
	2-14 能使用修辭技巧						
	2-15 能使用應用文格式						

有了評量指標，老師即可依據指標，設計題目，評量學生的各種認知能力。在設計題目時，最重要的是每一題都只評量一種能力，並且提供充足的情境，讓題目不淪於知識的記憶。有關命題技術的問題，茲以參考書的試題爲例，略作說明：

一、有關「絕句」的格律問題，下列何者是「正確」的？

（A）必須對仗，如王之渙的「登鸛雀樓」

（B）必須押韻，如張繼的「楓橋夜泊」，韻腳爲「天、眠、船」

（C）必須有平仄要求，如「白日依山盡」的「日」字是平聲字

（D）必須有字數限制，如李白的「黃鶴樓送孟浩然之廣陵」是一首五言絕句。

命題缺點：此題重在評量學生對韻文相關背景知識的了解，但本題每個選項都包含數種能力，因此宜改爲：

1.有關「絕句」的格律問題，下列何者不正確？（可評量知識的能力）

（A）須對仗（B）須押韻（C）有平仄的要求（D）有字數限制。

2.下列韻文何者爲「絕句」？（可評量應用的能力）

（A）你，一會看我，一會看雲。我覺得，你看我時很遠，你看雲時很近。

（B）春花秋月何時了？往事知多少！小樓昨夜又東風，故國不堪回首月明中！

（C）秦時明月漢時關，萬里長征人未還。但使龍城飛將在，不教胡馬渡陰山。

（D）結廬在人境，而無車馬喧。問君何能爾，心遠地自偏。采菊東籬下，悠然見南山。此中有眞意，欲辨已忘言。

二、「夏夜」一詩，下列敘述，那一選項是錯的？

（A）全詩以擬人手法描寫農村夏夜的景致

（B）以蝴蝶、蜜蜂、羊隊、牛群、太陽回家和街燈亮起，暗示夜已深了

（C）整首詩給人溫馨、豐富、愉悅的感覺

（D）詩末以輕靈的動態反襯夜的寧靜。

命題缺點：此題可設計的評量重點很多，但題幹未提供充分情境，評量能力過多，則是最明顯的缺點。

更正：

1.轉化是一種以物擬人，以甲物擬乙物的修辭技巧，如「夏夜從椰子樹梢上輕輕的爬下來」，就是將夏夜比擬成人。下列詩句何者也使用轉化的修辭技巧？（可評量應用能力）

（A）草木嬌小玲瓏，恰如小孩的眼睛清晰可愛

（B）夕陽猛獸似的把薔薇色的雲朵一快一快的呑噬掉

（C）人生的遭遇有些像是飛鳥掠過天邊，漸去漸遠

（D）這只精緻的籠子稱得上是美侖美奐的兔子精舍。

而除了命題技術的改進外，能否將文字背後的抽象內涵設計成試題，又不致引起爭議，對教師也是極大的挑戰。對此重點，茲舉二題，以供參考：

一、閱讀下文，並回答問題。

傍晚，妻餵雞，我發覺那隻母雞已經不在了，便記起她跟我說的話。

「你把母雞宰了？」我問她。

「珠—珠—珠—」

她向草坡那面高聲叫雞。

「宰了！」她邊叫邊說：「都說餓瘦了可惜嘛。珠珠—」

作者在文中安排妻子不斷重複「珠—珠—珠」的呼叫聲，是暗示妻子藉此：

(A)召喚雞群多吃穀粒　(B)抱怨工作太辛苦

(C)掩飾殺雞的不安　(D)擔心大雞欺負小雞。

二、小說中爲了突顯典型人物的某些特質，常故意採用違背常理的誇張來描寫。下列有關孔明的描寫，何者採用了這種描寫手法？

（A）忽然十餘次飛馬報到，說司馬懿引大軍十五萬，望西城鋒擁而來

（B）孔明見魏軍遠去，撫掌而笑，衆官無不駭然

（C）司馬懿自飛馬遠遠望之，果見孔明坐於城樓之上，笑容可掬，焚香操琴

（D）孔明傳令：大開四門，每一門用二十軍士，扮作百姓，灑掃街道。

經由上文的說明，在面對教改一波波的浪潮時，教師如果能調整教學方法及評量方式，不僅能使上課充滿趣味，也能幫助學生學會可以帶得走的能力。如是，學生才能累積能力，迎接未來世界的挑戰。

東坡書牘之特色

屏東師範學院
語教系副教授　李慕如

前　言

書牘之體，由來已久，然無名無目，自《蘇黃尺牘》後，往來酬達之篇，通流四方。故嚴虞惇《明名人尺牘小品》題詞：「余嘗讀《漢書．陳遵傳》，遵略涉傳記，贍於文詞，性善書。與人尺牘，主皆藏去以爲榮。尺牘之名，殆始於此。梁昭明撰《文選》，書表牋啓之外，別無尺牘。宋初《文苑英華》，無體不備，亦無『尺牘』之目。近代乃或以名家——東坡、山谷，往來酬達之札，好事者綴拾綴集，名之曰《蘇黃尺牘》，家挾一册，而蓮幕之士尤好之。」①

清桂馥跋《顏氏家藏尺牘》云：「古人尺牘不入本集，李漢《昌黎集》、劉禹錫《河東集》，俱無之。自歐蘇黃呂，以及方秋崖、盧柳南、趙清曠，始有專本。」②

「東坡書牘」指長篇正式書信、短幅尺牘，乃至駢文形式之「啓」。東坡長篇書信或短幅書簡，人常以具應酬特性，故爲人所忽略。然其文，至少具有以下特色：

一、論議其中

東坡長於奏議。如〈上神宗皇帝書〉二／729（二／729乃指孔凡禮《蘇軾大集》北京：中華，一九九二年，冊二，頁七二九，以下皆同）、〈再上神宗皇帝書〉二／748，皆一書萬言，而直陳新法之不利也，乃書札中議論雄偉之篇。茅坤《唐宋八大家》卷一一九，頁1a即評再書云：「不出前書所言，特於前所未盡者，更曲鬯之耳。」則二書皆有所長。如：

〈上神宗皇帝書〉作於宋神宗熙寧四年（據考証應爲熙寧三年，即一〇七〇年）二月所上神宗之奏章，全文約八千字，乃結構宏偉，論議博辯之書札精品，旨在全面反對王安石之新法變化。故顧炎武《日知錄》卷十三，評前書曰：「當時言新法者多矣，未有若此之深切者。」又王文濡評註《古文辭類纂》卷十八，葉十一引：

茅順甫曰：「指陳利害似賈誼；明切事情似陸贄。」

劉海峰曰：「雖自宣公奏議來，而筆力雄偉，抒詞高朗，宣公不及也。宣公止敷陳條達明白，足動人主之聽，故歐蘇咸效其體。」

又宋．王辟之《澠水燕談錄》卷四云：「子瞻文章議論，獨出當世，風格高，眞謫仙人也。」其言所言皆是。

㈠兼說理論事爲一：

〈上富丞相書〉四／1375。

此書作於嘉祐六年，於東坡中進士，又中「制策」試後，雖名動京師，然未得官職，生活困窘，故上書各方，廣交權貴，力求仕進。此書即頌揚富丞相，從而暢言廣納人士，欲丞相能重用一己。

文分三段，除二段並舉例証，三段直指明公外，首段即明言「進說於人，必須有間可入」之理。話分由二事例以証：

⑴首循「戰國之人貪，危國之人懼」以進行游說。

⑵古代游說之人，即利用好戰、危弱之國，人之「貪」、「懼」以進說，故無往而不利。

次由衛武公、孔子、范仲淹之善用人才，而由頌美明公「可謂天下之全」，其人既具廉直剛健敦厚、貪無懼，且無羡無畏，故而能論納人才，全文寓頌於論，甚爲巧妙。

又進言今明公執政後，「習爲中道，而務循於規矩」者，皆未爲人取。今明公若能「以天下之全而自居，去其短而襲其長」，必可廣納人才。

此議論由偏、全之理而言用才之道，洵兼說理與論事也。

㈡**徵引史事以佐証：**

五／1976。此文於雜著中。〈擬孫權答曹操書〉

由題目言，此篇乃爲代古人立言之游戲文字，即由此以發議論。

何以東坡有〈擬孫權答曹操書〉？而無〈擬劉備答曹操書〉？固因此乃應《文選》中，阮瑀曹操寫與孫權之書，而作答書。實則北宋時，三國形象未定，時關於三國史，多據宋元話本中「說三分」，元代三國戲、明代《三國演義》以分。

而一二〇回之《三國演義》惟有八回之「赤壁之役」，而尊東吳為主角，餘則以蜀、魏之爭為主線，且重孔明勝周瑜。如於《三國志》中，孫權之塑像乃貶多於褒，故陳壽評孫權曰：「屈身忍辱，任才尚計，有勾踐之奇，英人之傑矣。故能自擅江表，成鼎峙之業，然性多嫌忌，果于殺戮，暨臻末年，彌以滋甚。」《三國演義》中孫權形象亦不如關公、張飛鮮明。

而縱觀《蘇軾文集》，東坡偏好孫權。即循《念奴嬌.赤壁懷古》寫周瑜「雄姿英發」面對強敵，而能指揮若定。

東坡〈魏武帝論〉一／82中，則言曹操：「長于料事，而不長于料人」；評劉備有「蓋世之才，而無應卒之機。」而於孫權則獨許其：「勇而有謀，此不可以聲勢恐喝取也。」則於北宋時，三國人物並未定型，東坡方能從容塑造孫權「明智剛毅」之形象。

此書乃東坡以孫權口吻，回書曹操，欲其同尊漢室。

全文分為五段：

1. 篇首揭示曹信「開示禍福」，即是以武力相威脅，以達「不戰而勝人之兵」目的。又進引曹信使孫權凸出「內殺子布、外擒劉備以自效」之苛刻。曹操「同尊漢室」之缺乏誠意自明，而試圖「以詐迫謀」，以取江東之野心亦立見。全段著墨於一「誠」字。

2.次段遂透過徵引史實，以証今事，遂以「死」字領起，由田橫寧死不辱于劉氏；韓信：「東手于漢，而不能死守牖下」，以言—與其如韓信拱手待斃，不如以田橫全節自剄（此指助漢天子，以正名聲），此決一生死氣勢，足以打斷曹操一切妄想。則全段於敘中有論，以論爲駁，以爲下文蓄勢。

3.由歷數父兄業績，而明言決不失地稱臣。且以「同好」之情，婉誡曹操「威挾天子，以令天下」之非。又表明自己不能「上負先臣未報……下忝伯符知人之明」。字裏行間仍偏重東吳。

4.甚讚劉備「雄才大略」—拙於攻，長於守，蜀但爲東吳唇齒之邦；而誇張昭（子布）有孔子之才，乃國家重臣。曹書教殺此二人，使內失謀士，外失盟軍，此正使孫權束手待斃？此言則已照應韓信「拱土待斃」之始。全段藉引證春秋時「假道虞國」之典故，已點出曹操險惡居心，分化瓦解之陰謀。

5.以荀彧之死，以明曹操「記人之過，忘人之功」。又以孔融、楊修之死，暴露曹操之不能容才，如歸順曹操，後果自不堪設想，此爲剝荀手法，層層深入，謀篇上，撒得開，收得攏。

此以弱者向強者回信，分寸揑拿自如，即或直接指責，亦十分委婉，如「求九錫」「欺孤之志」，則用「昔笑王莽之愚，今竊嘆足下蹈覆車也」「不唯同志失望，天下甚籍之也」輕輕帶過。「見教殺昭與備，僕豈病狂也哉」亦用語和緩，足顯孫權胸中具百萬雄兵，從容大度。由是則東坡如不精研史事，善於審度，何能如是？對照《文選》中曹操敗孫權書之用典對偶，與此書之平易自然，漢宋文風誠異也。

除極少例外，書牘文乃東坡思想生活之實錄，蓋其中多眞人實事，亦多眞情實感。如：

二、摹情眞實：

(一)出自肺腑：

此書乃東坡爲董進士求助葬之書，由惜才、憐才作一轉折，敘情眞摯。文分爲四：

〈上韓魏公乞葬董傳書〉四／1443

*1.*言人書報進士董傳病死。其人乃東坡七八年前之舊識，而其因「不通曉世事，然酷嗜讀書」是以詩文極工，「有出塵之姿」，此等人，如用之翰苑，必勝其任；以之任官，必爲良有司，而不至攫民之利，貽民之害，然因命薄，難以消受任官，是以韓魏公初「不爲力致一官」。

*2.*言東坡於今年正月得知董傳父喪，使人問訊，董傳遂遠至長安，向東坡道其饑寒窮苦。而卒賴韓魏公爲之救死，在董傳已爲「非常之福」。即由韓魏公知其「稟賦至薄不任官」，而爲之薦官，得妻，救死，皆韓魏公「惜才」所致，此正今天下負才不遇者，爲之戚也。

*3.*言董傳已喪，幷前居父喪皆未葬，其窮薄至於此，而東坡憐其才而欲集陳繹、宋迪、韓魏公諸人之賻，爲之助葬。

*4.*末以集董傳詩文作結。

東坡之寫情，在發自肺臟，即其〈密州通判廳題名記〉二／376所謂：「輸寫腑臟，有所不盡，如茹物不下，必吐出乃已。」

㈡多心中款曲：

自來評書信之價値，多在「情」與「理」。如王禮卿《歷代文約選評》中，以司馬遷〈報任安書〉能兼陽剛陰柔之勝；而李陵〈與蘇武書〉則貴在辯理巧妙與抒情痛切曰：「情詞之美，實書體之絕響也。」

傅唐生《中國文學欣賞舉隅，眞情與興會》中云：「自來書牘隨筆之作，頗多可誦者，其情眞也。……讀情眞之作，如食橄欖，初尙疑其苦澀，回味始覺如飴，而其芳馨，永留齒頰間。」如東坡〈與謝民師推官書〉四／1418

本書作於東坡逝世前一年，乃其晚歲總結之文論。即作於東坡放逐南疆六年之元符三年（一一〇〇），時東坡由謫居瓊州，遇赦北還，九月底路經臨江之淸遠縣（廣州）作。

時謝民師爲廣州推官，曾多次攜詩文謁見求教，後又多次寫信致候，二人因而書疏往還。東坡離廣州後依然。此書爲東坡致謝民師之第二信，涉筆個人心緒、行跡、文論。

此書東坡旨在論爲文當如「行雲流水」「文理自然」。而「辭達」包括「了然于心」「了然于口與手」，且評子雲「好爲艱深之辭，以文淺易之說」，乃東坡生平據創作經驗所凝聚之總結。

全書分爲三段：

1. 起首以詞謙語恭以言對謝民師之親敬與感激。

且追憶近歲何以寡交？「某受性剛簡，學迂材才，坐廢累年，不敢復齒搢紳……與左右無一日之雅而敢求交乎？」個性挫直，學陋才淺，加之由紹聖元年至元符元年，由惠州、儋州前後被貶謫廢置七年，何敢再求列位士大夫？謙中自負，不卑不亢，且有不與時流同污之意。蓋非天性不善交友，實乃無可交之人。而「數賜見臨，傾蓋如故，幸甚過望，不可言也。」已委婉道盡執筆者之摯情。至東坡是否仕進，端由所處外境而定。所謂：「坐廢累年，不敢復齒縉紳」，乃言外猶念列位士人。故則東坡心境常隨外境有所改易，所謂「初無定質」「隨物賦形」，亦孔子之可仕則仕；不可仕則止之意哉！

2.由稱美謝推官之文，而「辭達」—文貴自然，辭達宜兼具內容達意，且有文采、且斥艱澀之文，蓋文有定價。

3.末回應謝師民信中所及之事，且告知對方自己之行程。

本文兼書信之親切與議論文之邏輯雄恣，卻能如「行雲流水，意之所到，筆亦隨之。」

又如〈與王庠書〉四／1422，寓具摯情。

此書作於紹聖元年（一〇九四）東坡左遷惠州，次歲王庠使視，而捎回之覆書。王庠，乃蘇轍女婿。其人穎悟，窮經史百家之學，以文見愛於東坡，成為忘年之交，又以姻親之故，二人情誼深厚，異乎尋常。如常送米菜、贈書藥，東坡自表達不安之感激，且言於在逆境中何以處之泰然達觀。又見東坡雖遠謫邊陲，生命朝不保夕，仍對王庠詩文作出中肯評價，與指示因應科考之正確態度，可謂語重心長，情深義重。

全文分為三段：

1. 首段感謝王庠關心：

紹聖元年，新黨以東坡起草制誥「譏刺先朝」之罪，被撤「端明殿學士、翰林侍讀學士」之官銜，將其連貶再三，最後落腳於惠州安置。年逾花甲之東坡，深知朝廷對元祐舊臣難赦，故已絕北歸之望，而有：「若大期至，固不可逃，又非南北之故矣」等，淒涼衰颯之鳴。文中三言其罪，「罪戾遠黜」「此君愛我之過而重其罪也」「某罪大責薄」，乃回應王庠為其憤憤之語。一句「此君愛我之過而重其罪也」，已表出受王庠千里致問之不安。而言捎信、派專人致問，攜來日用品，告里程歸期三事一結，又凸出負罪遠黜人尤深不安。全書有老人抱病致書；王庠深情回書，皆情在其中矣。且故意淡化困境，強忍作善，泰然以處，韜晦安然，以釋遠方之念。

東坡每及論學談藝，常忘卻命蹇苦難。以下言「辭至於達」「儒者之病，多空文而少實用」。則已使全札生輝，傳諸千古。

㈢曲筆見情：

〈與王庠五首〉之一，五／1821，即能曲筆見情。

《與王庠書五首》俱作於「烏臺詩案」後，東坡初被貶官黃州，王庠乃蘇轍女婿，蘇軾曾語黃庭堅：「姪婿文行皆卓然，筆力有餘，出語不凡，可收為吾黨也。」

蘇軾貶官後，王庠特遣二人帶書信、藥物等探望之，因而有此五信作答。五信，在內容上各自獨立，其一、二爲酬謝勉勵與遺懷。其三感懷友情，其四哀念親情、其五培養後進；卻始終貫穿作者「至誠待人」之情鏈。其情誠、其文美、其識高，尤見之於信一與信五。

如信一之能曲情體物—由交織讚勉、怨憤，流轉而下，思路開宕。

此書以「憂愛」領起，而貫串全文。始由感謝王庠「憂愛備盡」而慰其「憂」而深責自咎，爲謝其「愛」而善誡其「開說過當」，以免再遭文字獄，以求「保全之道」。

作者又盛讚王文爲「珍材異產」，由談文再度憶及「詩案」，聲稱「不近筆墨」，作文如「隔世事」「欲逃竄山林」。然而於「蕭然無一物，大略似行腳僧」中，何以使心「自枯槁」中「求叔滅之樂？」曾言：「在海外孤寂無聊，過（軾第三子）時出一篇見娛，則爲數日喜，寢食有味。」除文之外，思及兒女親友之愛。此一備愛之情，已照應文首之酬謝之辭。眞乃「啓行之辭，逆萌中篇之意；絕筆之言，追勝前句之旨」而臻首尾圓合。文中句句避「罪」，卻字字含憤，處處聲明「不文」，又時時流露筆走龍蛇，行文自於逶迤中，寓難言之深情。

三、立意精絕：

東坡爲文，精絕無比具言外之思，故宋．王辟之《澠水燕談錄》卷四：

「其書畫，亦皆精絕。故其簡筆，才落手即爲人藏去，有得眞跡者，重于珠玉。子瞻雖才行高世，而遇人溫厚，有片善可取者，輒與之傾盡城府，論辨唱酬，間以談謔，以是尤為士大夫所愛。」，其言是也。

又如〈答秦太虛七首〉之四，四／1535

此書乃寫東坡初至黃州之苦與樂。意多在言外。如中第七段，補充瑣事（如提及子駿父子，張舜臣先弟，爲乳母造墳，托轉李端叔答書等），書不盡意，再次向少游致祝問之意。

全文有誠摯語言，激情貫串，於淡中見濃，寄意言外。而所言不外「寓居粗遣」「胸中都一事」「吾事豈不旣濟乎」，背後則見露深沉煩愁。

元豐七年，東坡作〈送沈達赴廣南〉詩四／1269，中總結此時生活曰：「我謫黃岡四、五年，孤舟出沒煙波里。故人不復通問訊，疾病饑寒疑死矣。」此一眞情實感，乃由迫於時勢，惟有寄於言外，故縱觀全文是友人書，卻是情意質樸之抒情散文。

又〈與參寥子廿一首〉之十七，五／1864。此書分爲三：首言至惠州之窘困，次東坡次自喻爲村落小院之老僧，再次則以南方瘴癘以喻當政者。且具言外之意。即「京師國醫手裏死漢尤多」，表面是句玩笑話，要參寥不必憂我，而細繹具深意存焉。「國醫」隱指「把持朝政而荼毒生靈之仕者。」蓋東坡前輩梅摯曾作〈五瘴說〉，言「五瘴」乃：「急徵暴斂，剝下奉上」「深文以逞，良惡不白」「晨昏醉宴，弛廢王事」「侵驕民利，以實私儲」「盛揀姬妾，以娛聲色」。又東坡同年所〈荔枝嘆〉詩七／2126中，更直評「爭新買寵各出意」之貪官，斥責蔡襄、丁謂、錢惟演等人。則東坡「國醫」背後，已凝聚憤懣甚多。

由是則「餘人不足與道」「故人相知」，正東坡早歲作「與人無親疏」（〈密州通判廳題名記〉二／376）對映，則此番話語，非「故人」何以道之？

此書雖似家常口語，卻另有乾坤，故黃庭堅云：「東坡道人書尺，字字可珍。」（《津逮秘書》二集—《山谷題跋》），洵為知言。

四、自然流轉：

書牘之寫，常無拘無束，自由曠放，無拘無束。故黃始輯評《蘇黃尺牘》（民國新文化書社刊本）以東坡書信：「讀之如天空海闊，悲風颯然，四顧無人，淒然欲泣。」以下析分：

㈠情韻相生：

〈謝歐陽內翰書〉四／1423

本札前半暢言古文運動，後半乃著筆感激歐陽內翰知遇之恩。即本文次段，娓娓以道感激之情。首以「天之所付以收拾先王之遺文」總領，以下分由四層以言：

1. 首對應「竊以天下之事，難于改為」，用以凸顯歐公文壇地位之高，至歐公「意其必得天下之奇士」，自來皆有人言之。如：

○《冷齋夜話》云：「歐公喜士，為天下第一。」

○王應麟《困學紀聞》云：「歐陽公與梅聖愈書曰：『快哉！快哉！……東坡看人文字，于所酷愛者，但稱快而已，亦得于公也。』」

2.以下文意忽轉，以「軾也，遠方之鄙人」，反接「必得天下之奇士」。東坡之受歐公拔擢，所感爲「惟其素所蓄積，以慰士大夫（指歐公）之心」，東坡貢試得中，心情交織自信，謙遜，憤慨與感激、崇敬。

3.於款款之敘議，情由事生中，忽道「士無賢愚，惟其所遇」，且舉用樂毅去燕，范蠡離越事爲旁証，扣入一己於士論之中，能躍然登榜，自是順理成章。

4.末尾「夫豈惟軾之事，亦執事將有取一二焉」，則此書首段之宏論激言，在斥場屋積習之奇僻險怪，而自薦追隨其後，爲歐執弟子之禮。如細讀歐陽修之子—歐陽發記述其時情況云：「時學者爲文，以新奇相尚，文體大壞，公深革其弊；一時以怪僻知名在高等者，黜落幾盡；二蘇出于西川，人無知者，一旦拔在高等，榜出，士人紛然驚怒，怨謗其後。」（《歐陽文忠公全集》附五）。此書後半於抒情中敘議，行文自然委婉，屈伸自如。故明．吳訥《文章辨體，序說書》中以諸書如能「敷陳明白，辨難懇到，誠可以爲修辭之助」。類此書，即得之。

㈡**自在揮灑：**

如〈上韓魏公乞葬董傳書〉四／1443

東坡由惜才著筆，言董進士嗜讀書，然因命薄而難受官，雖受韓魏公之救死薦官，卒窮薄而死，故上書欲集衆力以助葬，憐才愛士之情，自然流出，眞乃信手拈來，頭頭是道。

故林西仲《古文析義》下編卷七 21a 云：「一乞葬小事，說得如許親切，如許婉曲，其中出落轉折，呼應無不極其自然。」其言得之。

〈與謝民師推官書〉四／1418

此書首謙敬以言對推官感激眞情，末結於「辭達」之文論。中言出仕與否曰：「坐廢累年，不敢復齒縉紳」，言外之意，猶力爭重返士大夫之例。

細繹東坡平生，是否欲仕？如：

元豐三年所寫〈答李端叔〉四／1433 中，溢滿頹廢厭倦官場之情，於醉心官場李端叔，提出迷途知返之戒。且於李端叔之稱美，毫不動情，故曰：「皆故我非今我也。」以世人對其詩文之推重，乃不正常之偏愛病態，所謂：「木有癭、石有暈、犀有道，以取妍於人，皆物之病也。」

同年致書少游之〈答秦太虛書〉四／1536 則云：「竊爲君謀，直多著書」「亦不可廢應舉」則兼及功名與著述。

則由諸書中，得知東坡心境，常隨外境而改易，所謂：「初無定質」「隨物賦形」，亦孔子之所謂「可仕則仕，不可仕則止」之意，即順其自然也。

五、描繪多元：

書牘之體，既見東坡詩文才華，又可貫串其生活仕宦之種種，跨度甚大。如以其中東坡之「笑」貌而言，即有：

正面之笑—一笑、呵呵、一噱等。

反面之笑—亦有一卑、好笑、可笑等。③

(一)正面：

1.以「一笑」表自謙：

〈與曾子宣十三首〉四／1471。

元祐初，東坡任翰林學士知制誥，曾布（曾鞏弟）曾請東坡作〈塔記〉，東坡一延再延，於信中屢致意：

「未嘗忘也」（之二，四／1468）、「敢不稟命」（之八，四／1470）、「非敢慢」（之七，四／1469）、「如河之誓」（之十，四／1470）、「秋涼下筆」（之十二，四／1470）。中第七書：「所敢食言者，有如河，願公一笑而恕之。」（四／1469），其第十三書亦云：「異時萬一北歸，或可錄呈爲一笑也。」（四／1471）。

東坡答曾布（子宣）書，何以不允作〈塔記〉，且言「一笑」？蓋曾布乃助王安石變法者，與東坡政治立場迥異。如東坡曾作〈王莽〉詩（二／599）、〈董卓〉詩（二／599），以王莽比擬安石、董卓比曾、呂。即《評註蘇黃尺牘合纂》頁六十二云：「東坡與曾子宣臭味各殊，而不敢不虛與委蛇，蓋不欲結怨於小人耳。」

此第十三封回書，乃作於東坡南遷英州途中，言〈塔記〉已寫妥，乃因遭貶，不敢寄呈，以免連累對方，以後如北歸，或可錄呈，則聊博對方一笑，乃自謙之寫。後東坡雖北歸，亦無由錄呈。即王文誥《蘇文忠公詩編注集成總案》所謂曾布雖懇求〈塔記〉，東坡屢諾而不與，乃「其心不欲見絕於君子」，但以「一笑而恕之」「或可錄呈為一笑」，則「一笑」，純以自謙而委蛇也。

又黃州〈答范蜀公十一首〉之四，四／1447。

葉夢得《避暑錄話》卷上言范鎮欲以不飲酒，不信佛，以拯飲酒、信佛之人。東坡答書乃引《史記．吳起列傳》中吳起力勸魏武侯，宜多修德，否則將與衆人「盡為敵」，且謙言以此糾正范蜀公之失，僅「發公千里一笑」，未必有成效，亦自謙之「一笑」。

2.以一笑—表欣慰、開心、放心：

東坡被貶黃州後，秦太虛兩度去信致候，東坡屢致答書，此在〈答秦太虛七首〉之四，四／1536：

「日用不得過百五十，每月朔，便取四千五百錢，斷為三十塊，掛屋梁上，平旦，用畫叉挑取一塊，即藏去叉，仍以大竹筒別貯用不盡者，以待賓客。……太虛視此數事，吾事豈不既濟乎？……展讀至此，想見抓鬚一笑也。」

東坡先嘆人命脆弱，當厚自養練，故準備冬至後，至天慶觀閉關四十九日。又稱美太虛之文，鼓勵其應舉，且言黃州風土人情及所交新友王生、潘生等。

又太虛有濃密髯鬚，據《邵氏聞見錄》云，東坡曾以「小人樊須（繁鬚）也」嘲之。則東坡自述苦況，已預見太虛抓髯一笑。

○又紹聖元年十月，東坡至惠州，半年後參寥派專人勞問近況，東坡有〈與參寥子二十一首〉之十七，五／1864：「專人遠來，辱手書，并示近詩，如獲一笑之樂，數日慰喜忘味也。某到貶所半年，凡百粗遣，更不能細說，大略祇似靈隱天竺和尚，退院後，卻住一個小村院子，折足鐺中，罨糙米飯便吃，便過一生也得。其餘瘴癘病人，北方何嘗不病？是病皆死得人，何必瘴氣？但苦無醫藥，京師國醫手裏，死漢尤多，參寥聞此一笑，當不復憂我也。」

前「如獲一笑之樂」指接信之樂。接以靈隱大廟和尚退居小廟，以折足鍋悶糙米飯吃，以言處蠻地。又以「京師國醫手裏，死漢猶多」，曠達以言，可畏者乃時弊而非瘴癘。故「聞此一笑」，指參寥接信，可放心一笑。

○〈與毛維瞻一首〉四／1798中言會心一笑：「歲行盡矣，風雨淒然，紙窗竹屋，燈火青熒。於此時間，得少佳趣，無由持獻，獨享爲愧，想當一笑也。」

維瞻，名國鎮，元豐五年致仕。東坡貶黃州，於歲暮風雨淒然之夜，於紙窗竹屋中，面對青熒燈火，忽得超然佳趣，欲與友人分享，想收信人必然會心一笑。劉貢父《道山清話》評此簡云：「前數句是夜行迷路，誤入田螺精家中來。」則東坡書簡之笑人，亦爲人所笑也。

3. 呵呵表逗笑：

○〈與文與可三首〉之三，四／1512：

「近屢於相識處，見與可近作墨竹，惟劣弟只得一竿。未說〈字說〉潤筆，只到處作記作贊，備員火下，亦合剩得幾紙。專令此人去請，幸毋久秘。不爾不惟到處亂畫，題云與可筆，亦當執所惠絕句過狀，索二百五十疋也。呵呵！」。

文同，字與可，是東坡表兄，善畫墨竹。東坡曾作〈文與可字說〉，解釋「與可」兩字之義。又作〈文與可墨竹屛風贊〉、〈戒壇院文與可畫墨竹贊〉、〈石室先生畫竹贊〉等，對與可墨竹十分推崇。此信爲戲謔索墨竹之書。

言近屢見文同畫竹，何以自己只得一竿？且不計曾爲文同作〈字說〉應有潤筆，又曾四處爲其作贊作記，類似小卒，理應多得數張。今派人索求，如不賜予，則將四處作畫，題上「與可」筆以壞稱其名；且以所送絕句爲証，告其一狀，索取二百五十回絹以作買回歸老之資，自此不禁呵呵一笑。

蘇、文二人爲表兄弟，親厚無比。同爲湖州畫派，故〈文與可畫篔簹谷偃竹記〉一／365中即向求畫人言：「近語士大夫，吾墨竹一派，近在彭城，可往求之。言我的墨竹一派已傳至徐州（時東坡守徐州），可去徐州要畫。」又引東坡一絕句云：「擬將一段鵝溪絹，掃取寒梢萬尺長。」東坡答曰：「竹長萬尺，當用絹二百五十匹，知人人倦於筆硯，願得此絹而已。」

此書要墨竹，先訴人情，再脅之以債，末以「呵呵」作結，幽人一默，可謂戲謔已極。

○又〈與陳季常十六首〉之七，四／1566：「數日前，率然與道源過江，游寒溪西山，奇勝殆過於所聞。獨以坐無狂先生為深憾耳。呵呵！」

陳季常性豪任俠，歸隱而不改故常。東坡為其起「狂先生」綽號。某日東坡與杜道源遊寒溪西山，雖奇勝過於所聞，然因無「狂先生」在座，深以為憾。「呵呵」一笑，竟為傳神綽號而起，頗為特別。

○「呵呵」又多有戲謔，或幽人一默後之得意。如：

冬至日〈與孔平仲〉之一：「日至陽長，仁者履之，百順萃止。病發掩關，負暄獨坐，醺然自得，恨不同此佳味也，呵呵！」

不言冬至日漸長，望似仁者之你，一切順遂。東坡因生病在家，曬背自得，有如野人獻曝，恨不人同，不禁呵然大笑。

○〈與程秀才三首〉之三，四／1629：「兒子到此，抄得《唐書》一部，又借得《前漢》欲抄。若了此二書，便是窮兒暴富也，呵呵！」

程秀才，名儒，天倅之子。東坡貶儋耳，天倅父子常致書儋耳，以示關懷。東坡答書言兒子抄完《唐書》，又續抄《漢書》，待二書抄畢，「窮兒暴富」，可得腹笥充盈之樂也。

4.一噱─表逗笑：

○〈與趙仲修二首〉之二，四／1798：

「公清貧，更煩輟惠羊邊，謹以拜賜。使我有數日之飽，公亦乃無浹旬蔬食耶？一噱。」

此言清貧之趙仲修送來羊邊，東坡拜受後意言：「使我飽食數日，則你就得吃上十天素。」是無傷大雅之「一噱」。

○又〈與蹇授之六首〉之三，四／1646云：「季常可勸之一起，深欲圖其見坐處也。一噱。」蹇序辰，雙流人，與東坡、季常皆是同鄉，在黃州，彼此過從甚密。

陳季常，名慥，是鳳翔太守陳公弼四子，東坡通判鳳翔時，二人相遇於岐山之下，相談甚歡，後季常隱居光、黃間之岐亭。元豐三年正月，東坡被解送黃州，至岐亭北二十五里，季常以白馬青蓋來迎接。自此，二人互相來往（東坡曾三次至岐亭，而季常五次到黃州）。現坐處，指季常在岐亭之居處—靜菴。

此書言如勸陳季常出仕爲官，則可據其住地。「一噱」乃玩笑語。

○〈與俞奉議一首〉四／1758：

「回教，并示先志，得見前人遺烈，幸甚，幸甚！又蒙分遺珍食，以薦冥福。在家出家，古有成言；有髮無髮，俱是佛子。公能均施凡陋，如齋佛僧，只此功德，已無邊際。但恨檀越未送襯錢，是故老僧只轉半藏。人還，聊此一噱。」

俞奉議，名括，東坡〈答虔倅俞括奉議〉四／1793中稱其爲「資深使君閣下」，二人交情不淺。

俞奉議虔誠信佛，爲帶髮修行之佛子，來信先言其先父功業，又分送珍食祭品爲亡者獻上冥福。則俞已自誇功德。至何謂「功德」？

《聖嚴說禪》頁一七九言：「梁武帝問達摩：我建寺齋僧，有何功德？」達摩言：「了無功德」。

達摩意思是自認有功德之人，其實功德很小。如今俞奉議斤斤計較功德，「施食」一項，「已無邊際」。東坡遂引《指月錄》中趙州轉半藏事④以譏俞奉議道行太淺，只能承受半藏，「一噓」，有對方只配受誦半部經書之譏。

㈡反面：

1. 以「可一笑」「一笑」「好笑」言諷喻：

〈與王定國四十一首〉之三十，四／1527：

「寵示二詩，讀之聳然。醉翁有言，窮者後工，今公自將達而詩益工，何也？莫是作詩數篇以餉窮鬼耶？喜不寐。詩甚欲和，又礙親嫌，皆可一笑也。」

王定國常與東坡唱和詩，東坡於〈王定國詩集序〉一／318中稱美王詩：「清平豐融，藹然有治世之音，其言與志得道行者無異。」

今書又得王詩兩首，異乎常言「文窮而後工」之說，改以「今公自將達而詩益工」稱美，蓋「是作詩數篇以餉窮鬼耶？」東坡以「窮鬼」自嘲，反襯定國顯達。

而「親嫌」一詞，乃因定國貶官時，近親表兄韓絳，以朝中大老而借口「親嫌」拒伸援手，故定國之流落轉徙，正東坡〈次韻王定國謝韓子華過飲〉五／1399中云：「三年瘴癘，萬里生還」之下場。

元祐六年，當爭轉劇，東坡以翰林學士出知潁州，宰相本欲以南都留台安置東坡，然因其時定國在南都，爲避親嫌，東坡求改調，以防不測降臨好友，則「一笑」自是無可奈何之苦笑。

○〈與滕達道六十八首〉之二，四／1475：「窮蹇圖事，無適而不齟齬，好笑！好笑！」

此言熙寧八年，東坡守密州，時州中旱蝗相繼，民不聊生。官吏卻以此不爲災，不得因此減稅。東坡請求滕達道伸出援手，且評新法之失。書末言困難中欲行好事，總滯礙難行，此「好笑」，乃爲欲哭無淚之苦笑。

○又〈與滕達道六十八首〉之三十六，四／1487：「某去處所買田，已旱損一半，更十日不雨，則已矣。奇窮所向如此，可笑！可笑！」

此言元豐七年，東坡由黃州量移汝州，船過金陵，行至江淮，王安石勸其於金陵置產，東坡遂於常州宜興黃土村中求田問舍，年約可收成穀八百石（見〈與潘彥明十首〉四／1583：「已買得宜興一小莊」。），豈知次歲天旱不雨，東坡處窮，唯「苦笑」耳！

*2.*以「一笑」—表落寞淒苦：

〈與張逢六首〉之六，四／1767：「新釀四壺，開嘗如宿昔，香味醇冽，有京洛之風，逐客何幸得此，但舉杯屬影而已。一笑！一笑！」。

張逢，字朝請，雷州長官。贈予美酒，然無友對飲，唯效陶潛顧影爲孤飲，「一笑」自有落寞淒涼之意。

○「一笑置之」以表不實傳言之笑：

○〈答范蜀公十一首〉之二，四／1446：「某凡百粗遣，春夏間多患瘡及赤目，杜門謝客，而傳者遂云物故，以爲左右憂。聞李長官說，以爲一笑。平生所得毀譽，殆皆此類也。」

元豐六年六月，東坡於黃州得病，杜門謝客，人或傳言東坡謝世，范鎭聞之，掩面痛苦，遂遺成伯至黃州探訪，東坡於此流言，輒「一笑」置之。

○又〈與楊云素十七首〉之十三，四／1654：「近聞小人輒黷左右，此何品類也，乃敢如此。信知困中，無種不有。想以道眼觀之，何啻蚊　，一笑可也。」

東坡在朝，被視爲蜀黨，政敵欲去之而後快。時元素以天章閣待制知杭。元素因與司馬光相知至深，然因「不隨」（見〈與楊元素十七〉之十七，四／1655），受台諫毀謗，不能回朝。）時東坡屢求外調，是以勸元素於困中以「道」視之，則小人之毀謗，正似蚊鳴，「一笑可也」。

3. 以「一笑」「好笑」「呵呵」表－諷刺：

○如〈與李公擇十七首〉之十，四／1499中云：「文以美名，謂之儉素。然吾儕爲之，則不類俗人，眞可謂淡而有味者。口體之欲，何窮之有，每加節儉，亦是惜福延壽之道。不敢獨用，故獻之左右，住京師猶宜用此策也。一笑！一笑！」

公擇由淮南西路提典刑獄，召爲太常少卿，遷禮部侍郎時，東坡復公擇書中，由整治行裝困難，言節儉爲惜福延壽之道，乃貶居所得，由「一笑」中言，慳爾吝嗇渡日之體悟自嘲，亦諷刺京官之奢靡。

○又如〈與米元章二十八首〉之二，四／1777：「示及數詩，皆超然奇逸，筆跡稱是，置之懷袖，不能釋手。異日爲寶，今未爾者，特以公在爾。呵呵！」

元豐五年，米元章，名芾，廿二歲謁東坡於雪堂，觀賞東坡所集吳道子所繪釋迦牟尼佛。又請教畫竹法，東坡即揮毫畫竹二枝，且補以枯木怪石。（米芾晚歲作《畫史》，皆及此二事）。後東坡在翰林，收到元章詩畫，稱美其詩好畫佳，「異日爲寶」即預言其身後成名，「呵呵」，乃於有意無意中，譏刺世人之貴古賤今。

○又以「好笑」表嘲諷：

程之才乃東坡之表兄兼姐夫，四十二年後，東坡以誠意化解蘇程二家之前嫌，東坡曾與之才有七十四信往來（佚集有三首，六／2488），今舉其一：

〈與程正輔七十一首〉之四十一，四／1606：「惠人亦望使車一到。若早來，民受賜多矣。必察此意。獄事辱老兄按正，遠近心服，闒縿之人，亦緣兄免此冤債，當沒齒荷戴，乃更恨耶？好笑，好笑！」

此言據報廣州刮大風，惠州人望使車早至巡視風災，且美之才能「按正獄事，遠近心服」。且「闒縿」似東坡，如能一解兩家仇冤，就此闢去「更恨」謠言。則疊「好笑」二字，以否定傳言，輕鄙生事者。

*4.*以「呵呵」「好笑」對周遭以表無可奈何不滿，失望，疊用「呵呵」、「一笑」，以表苦笑、

無奈。

○〈與陳季常十六首〉之十三，四／1569：「又惠新詞，句句警拔，詩人之雄，非小詞也。但豪放太過，恐造物者不容，人如此快活，一枕無礙睡，輒亦得之耳。公無多，奈我何？呵呵！」

陳季常寄來新詞，東坡答書稱美其具陽剛之美。然「豪放太過，恐造物者不容人如此快活」，正似「一枕無礙睡，輒亦得之耳」，舒服睡一覺亦或得罪上天，此一自嘲貪睡，後竟一語成讖。據《蘇文忠公詩編注集成總案》卷四十一引云：「輿地廣記云：蘇軾謫惠州，有詩云：『爲報先生春睡足，道人輕打五更鐘。』傳至京師，章惇笑曰：『蘇子尙爾快活耶？』復貶昌化。」

又《評註蘇黃尺牘合纂》頁一一四亦云：「雖是戲言，然亦確有至理。『報道先生春睡美，道人輕打五更鐘。』卒爲章子厚所惡，再貶儋耳。乃知『快活』二字，爲造物所忌。」此正以「呵呵」一笑得貶，洵無可奈何也。

○〈與王安國四十一首〉之五，四／1515：「惠京法二壺，感愧之至。欲求土物爲信，僕既索然，而黃又陋甚，竟無可持去，好笑，好笑！」

東坡接獲王定國饋贈京法釀製美酒二壺，因黃州貧瘠，竟難尋到回敬之禮，徒有無奈苦笑。

此外，亦可由東坡書牘不唯可見其人格特質，亦可反映其時政治革新，古文運動等時代脈動，周邊生活背景。⑤

結語

由書牘之義界、源變而引介並肯定東坡書牘地位。蓋其自綴集成篇以來，已有千餘篇，中尤以貶於黃州、惠州、儋州者，最具代表。東坡於書牘中，常議論獨出—或徵引史事以佐証，或使說理、論事為一。東坡書牘，貴在寫情眞或以肺腑情、心中語，以表摯誼，或以曲筆見衷情，常意於言外。甚而立意精絕，自然流轉，描繪多元，多以笑語俗言出之，無論長篇短幅之中，皆令人於沈浸中，得其苦樂與人生體悟。

【附註】

① 轉引自陳少棠《晚明小品論析》頁三十，源流出版。

② 轉引自陳少棠《晚明小品論析》頁三十，源流出版。

③ 參楊宗瑩〈一笑、呵呵、絕倒—東坡尺牘中笑的探索〉一文。

④ 《指月錄》卷十一：「有一婆子令人送錢，請轉藏經。師受施利了，卻下禪床轉一匝，乃曰：『傳語婆，轉藏經已竟』。其人回舉似婆。婆曰：『比來請轉全藏，如何祇轉半藏？』」

⑤ 請參見楊宗瑩「一笑、呵呵、絕倒」一文，東坡逝世九百年紀念學術研討會《論文集》頁二〇七—二二六。

國家圖書館出版品預行編目資料

慶祝莆田黃錦鋐教授八秩嵩壽論文集/慶祝莆田黃錦鋐教授八秩嵩壽論文集編委會編. -- 初版. -- 臺北市 :文史哲,民 90
面; 公分.
含參考書目
ISBN 957-549-363-x (精裝) ISBN 957-549-364-8 (平裝)

1.漢學 – 論文,講詞等

030.7 90008709

慶祝莆田黃錦鋐教授八秩嵩壽論文集

編　　者：慶祝莆田黃錦鋐教授八秩嵩壽論文集編委會
出版者：文史哲出版社
登記證字號：行政院新聞局版臺業字五三三七號
發行人：彭正雄
發行所：文史哲出版社
印刷者：文史哲出版社
臺北市羅斯福路一段七十二巷四號
郵政劃撥帳號：一六一八〇一七五
電話 886-2-23511028・傳真 886-2-23965656
精裝新臺幣八六〇元
平裝新臺幣七八〇元

中華民國九十年六月初版

ISBN 957-549-363-x（精）
ISBN 957-549-364-8（平）